大秦國姐

孙闰慧 —— 著

作家出版社

目　录

第一章
隐市天机

秦庄襄王三年，五月，薨。

六月，太常择吉十六日，奏丞相吕不韦，子政承，拜谒高庙。

即位大典，辰时三刻，墨色浓云蔽日卷天，连亘幽翠终南，苍苍渭河，拢映咸阳满城繁华。

繁华之中，秦王宫阙拔地而起，廊腰缦回，阁道相连，五脊六兽威严慑目，堪称最伟。

庙宇拱卫的咸阳宫正殿，百官正着长冠朝服分作两列垂首而立，由广场延向层层白玉石阶，直至殿内。

殿外，年过半百的太常边踱步边向百米远的宫门外观望。望了数回，也不见甬路上出现一个动弹的人影。他转身瞧了瞧殿内已列好的仪仗，止步思虑片时，唤来宦侍，在其耳边低声道："你沿通往王宫正门的甬路而行，若未遇到吕相，便去府中看看。若还未动身，便婉言提醒。若另有考虑，便说本官定遵循执行。"

宦侍领命而去，宫内一路未遇，匆匆奔向正门。

正门前，两尊巨大夔兽石像长尾上卷，蓄势待发，张开的血口中四颗锋利门齿外露，目露凶光，直逼前方，阴霾天色下更显狰狞。

宦侍示腰牌启门，于官道疾行未几，进了热闹的街市，在摩肩接踵的人群中消失。

今年的咸阳较之去年，热得早了许多。街市上的人们尽着盛夏衣帽。林立的店肆中，琥珀冰酒、清风竹扇、碧玉凉茶等祛暑之物纷纷呈卖。其他物什亦琳琅满目，食如画、饮如泉，琴音泠泠、磬声叮咚。

城内人头攒动，城外车水马龙。

往来城门者，形色各异，应接不暇。

最引人瞩目的是一辆从绿林长道向城门疾驰而来的金钲坐乘马车。金钲车后又有两辆载货马车，应是一家之属。

车厢红木镂花，帷幔锦纱半透。宝马奔腾，蹄声哒哒，激起一路尘沙。留心者只闻得淡淡香氛，看不清过眼芳华。

马车驶近城门。车夫收紧缰绳，宝马昂首长嘶，辘辘车声渐小。

当世，乘金钲者非富即贵，多为王公侯爷。

来往的行客纷纷缓步观察，想看看里面坐的人儿是美是丑，是肥是瘦。

好奇心胜者干脆暂停行程，仔细地盯着晃动的车帘与窗牖错开的缝隙，欲一看究竟。

车夫搬来一四方精雕木墩放在车辕下，恭敬退后。

一个约莫十三四岁的女孩掀开帷幔跳下车来，望着咸阳城门，微微一笑，眸灿如星，弯如月牙。

观者打量女孩，见其一身青色垂胡单绕曲裾，衣料为上等绢料，容貌姣好，灵动可人，对车内另一绰约人影更为好奇，纷纷移目注视微微飘动的帷幔。

女孩笑吟吟地走到车辕旁，轻快地唤了声"小姐"。

观者定睛凝神，只见一只白皙纤手握住帷幔，姿容随着缓缓掀开的帷幔渐渐显露。

四下嘈杂骤减。不曾留意的人亦多有侧目。

女子搭着女孩伸出的手款款下马，在这阴云密布、风静之下，仍是一身掩不住的风华。

众人细看那女子，一身荷粉广袖三绕曲裾，肌似凝脂，眉如胃烟，领若蝤蛴，肩若削成，腰如约素，端的是丽若春梅绽雪，神如秋蕙披霜。

数人由注目变作了驻足，暗暗猜测粉衣女子究竟是何身份。

女孩牵着粉衣女子的手进城。车夫驱马随行身后。

女孩进了街市，时而与粉衣女子耳语谈笑；时而美目四顾，浅露惊叹，似初到咸阳一般。

一股香气飘来，勾起女孩食欲。女孩拉着粉衣女子几经辗转，终于寻到美味源头。

女孩抬头看了眼店门上的牌匾，又低头凑近摆在店门外的一排排热气腾腾的瓦罐，发现每个罐体的图案均无重复，有青笋迎船出，红鱼入馔来的竹笋红鱼；有色如鹅黄三尺余，肥美不减胡羊酥的韭黄猪肉；有紫驼之峰出翠釜，水精之地行素鳞的六谷八珍，样样令人垂涎，道道精美绝伦。

女孩央求粉衣女子在此饱餐一顿。她得了应允，寻一四方漆案入座，又点了许多佳肴，誓将所有美味尝遍。

粉衣女子被女孩逗得轻笑。她举止淡雅，不扰旁人，却免不了周围的食客主动侧目。

其中最为特别的，当属旁桌的一位老者。

老者黄发垂髫，前额突起，长眉下弯，眼窝凹陷，看向粉衣女子的目光透着精怪与惊叹。

看罢，他从随身的布袋中取出一长半尺，宽三寸的柱形红木。

他左手握木，右手拈刀而动，时而平刀劈削，时而圆刀勾勒，时而玉婉刀剔角修光，神态专注，旁若无人。

约过半刻，老者刀锋回转，轻点侧磨，屏气凝神，捏刀两指轻颤，小心翼翼点画眉目。

须臾，柱形红木变作了人像，正是粉衣女子的模样。

老者盯着木雕沉吟片刻，抬头看了眼粉衣女子，又拿起刻刀，翻转木雕，在平坦的背面添了几笔，消瘦黔黑的脸上露出苍苍笑容。

刻罢，他拾好行囊，唤来店家，将木雕与饭钱一同交付，又在其耳边叮嘱几句，起身离去。

"真是美味。"女孩双手覆上鼓起的肚子，看着被自己吃空的瓦罐，意犹未尽。

粉衣女子放下竹筷，浅笑道："莫要贪吃。一会儿还有正事要做，万不可耽误。"

女孩眨着水汪汪的大眼，环顾四周，疑惑道："今日不是新王登基吗？怎不见新王巡城呢？我还想看看……"

不待女孩说完，粉衣女子便正色打断："莫要妄议。"

女孩吐了吐舌头，乖巧低头，不再言语。

闲坐少顷，女孩唤来店家结账，却意外得知饭钱已由一位老者代付。二人惊疑之际，又见店家递来一个木雕，不禁瞠目结舌。

粉衣女子握着木雕，指尖触碰之处圆滑如玉，可想见雕刻之时定一勾一画如行云流水。

她仔细看来，果真刻得与自己不差分毫，不由心生佩服。

她问起雕刻者何人。店家只道是一个相貌古怪的老者，再无其他。

她微有失落，将木雕交与女孩保管。脱手时，指腹擦过背面。她眉心一蹙，将木雕取回，翻转过来，定睛一看，两行清秀篆刻入眼：

谁道绝色尽是祸，凌云壮志何有错？

第二章

帝相争锋

阴沉天际之下，秦王宫恢弘的轮廓分外冷硬。

威严的咸阳宫透着鲜有的隆重与压抑。

嬴政待在寝室内，一身玄衣纁裳袭地，九珠冠冕盖发。王袍上的十二纹章，肩头与袖尾的黑龙吞日霸气逼人，将他羸弱的身骨衬得多了份凌厉。

他斜倚着鎏金宝榻，面容消瘦，剑眉浓黑，薄唇微抿，垂下眼帘半掩着目光中的黯淡与哀痛。

一旁侍奉的是一名老宦侍与一个端着药汤的宫婢。老宦侍见嬴政迟迟不动，便出声提醒道："药汤渐凉。请大王尽快服用。登基大典将至，莫要误了时辰。"

嬴政听着老宦侍的尖细的嗓音、微扬的语调，十分不快，只觉得他在嘲笑自己是一个傀儡大王；只觉得现在连一个阉人都可以对自己大声相向。

老宦侍姓徐，嬴楚在位时受吕不韦提携成了咸阳宫的总管。嬴楚轻死后，奉吕不韦之命继续总领咸阳宫内务。

嬴政明了，这徐总管是吕不韦用来监视父亲与自己的奸细。

对于被称作旷世良相，被赞治国之能无人可比的吕不韦，嬴政并不像他父亲那般信之不疑，更不愿将国事全权交付，反而恨之入骨，欲除之后快。

三年前的一次朝会，嬴政躲在咸阳宫偏殿暗红的大门后，偷偷听着议政堂内吕不韦高亢霸道，说一不二的言论，小心地探出脑袋，观察着堂上其他

人的神态举止，心中便有了计较。自那日起，年仅十岁的嬴政果决地认定这个朝臣攀附、君主倚重的功臣将是阻碍自己未来执掌王权的大患。

霸权只引起嬴政的忌讳与反感，不足以至恨。真正让嬴政怀恨在心的是吕不韦与母亲赵姬的私情。从对当朝丞相频频往来后宫的疑惑，到发现素日里远观宫婢、宦侍们窃窃私语，近闻忽然噤若寒蝉的怪象，再到几番质问母亲赵姬时听到的闪烁言辞，看到的虚情假意，真相如何嬴政已心知肚明。他对母亲的淫乱荒唐失望透顶；对父亲的蠢钝无知悲戚无奈；对吕不韦不守臣纲，欺君罔上，深恶痛绝。这样的宫闱丑闻如隐在暗处的巨雷，一旦被揭穿，罪同篡位，牵连之广不敢想象，也让本就饱受非议的储君嬴政倍感蒙羞，在他心中烙下了一抹永难愈合的伤痕。他十分怀疑父亲一夜之间暴毙的真正原因，是吕不韦得知与王后赵姬偷情一事败露，为防不测而抢先下了杀手。

肮脏与阴谋丛生的宫闱、朝野，让嬴政颇觉孤独无助。他再不愿踏进母亲居住的宫宇，性情越发暴戾多变。面对成为一国之君的自己，他心潮澎湃却也忐忑无奈，深知日后的帝王路绝非坦途。

他听着徐总管的再三提醒，眉心一点点拧紧，伸手接过药碗，盯着碗内黑色的汤水，目光随着缓缓上升的雾气游移，忽而想起刚刚团聚三年便猝死离世的父亲，顿时头皮发麻，面露骇色。

他猛地将药碗摔向一旁的徐总管，噌地起身怒喝："狗奴才！你是不是想把寡人毒死！"

徐总管对飞来的横祸来不及躲闪，惊叫着被泼了一脸药汤。瓷碗跌碎在地。他亦惶惶跪地。

嬴政微喘着欲再次责骂，忽见母亲赵姬进殿，怒气稍敛，鹰隼般凶狠的目光虽渐渐柔和，却有一抹鄙夷闪过。

赵姬身着蚕衣，金凤冠压鬓。早年的颠沛流离未在她的脸上留下任何痕迹，眸含春水清波，香娇玉嫩，艳骨醉人。

嬴政低沉地唤了声"母后"。

赵姬瞥了眼地上的碎瓷与战战兢兢的徐总管，红唇微勾，拉起儿子的手上下打量，嫣然道："果然有王者风范。百官已在正殿恭候大王。"

嬴政任由母亲牵着自己的手走出寝室，走进偏殿。母亲掌心传来的温度唤起嬴政初入咸阳宫时的记忆。他清楚记得，当时百官分立两侧，道道迥异的目光投向缓缓走近殿门的自己。那般压抑、慌乱之下，是母亲牵着自己的手抛开所有鄙夷与怀疑，迈过高高的玉阶走向王座上的父亲。那时，母亲的手温柔而暖心。而今，久居宫阙，母子间相依为命的亲情也淡了。

嬴政跟在母亲身后，冰冷的手微微回握，心中一阵酸楚，暗暗自问：做了这一国之君还会失去什么？

咸阳宫是秦国的最高殿堂，只有中央正殿与东西两座偏殿。正殿靠前突出，依高而建，西有竹林，北落青松，东铺绿野，布景简约，但一处一角皆透着勃勃生机与大气之象。

开阔的广场有三十六级白玉台阶直达朱红的正殿大门，龙吻、凤鸟仰首分立的飞檐斜插入天。其势堪称龙楼凤阁。

嬴政与赵姬来到正殿侧室，只等仪官高呼，便可昂首入殿受百官叩拜。

正殿之中虽有金玉装嵌，但丝毫没有六国宫殿帐帏重重的舒适与温暖。这里处处透着冷硬。嬴政站在侧门旁，微微探出头，打量着厅堂的宽阔高大，悬栋结阿，梁形如龙，金玉皓壁，朱丹漆柱，心底涌动着的有骄傲与敬意。

他想到此后要与历代秦王一样，在这里实现自己的鸿图华构，不禁热血沸腾。

他殷切的目光转至立在殿中，神态各异的百官。观察几巡，他鹰眸陡变冷暗，脸色沉郁，眉宇间怒意耸动。

他发现吕不韦竟不在堂上。

大典迫近，身为丞相迟迟不现，究竟意欲何为？嬴政隐隐感到，自己的登基大典绝不会平顺。

嬴政思虑之际，太常垂头踌躇地走进侧室。

太常已收到宦侍回禀，得知吕不韦有意拖延。他对赵姬见礼，恭敬道："启奏太后，时辰已到，但丞相未到。"言罢，他看了眼脸色不佳的嬴政，接道，"可要等候？"

赵姬娇艳的脸上露出点点尴尬。她沉吟须臾，点头言等。

此等大事，岂有君等臣之理。二人的对话让嬴政怒火中烧。他对母亲最后的一丝亲情灰飞烟灭。

此时，百官的耳语也随着殿外骤起的风，吹过殿内，穿门而来，尽入他耳。

"三刻已过。还要等多久？"

"要等吕相来。"

"日后，大秦的兴衰全靠吕相与糜将军了。"

嬴政听着碎语，嘴角重重一沉，横眉冷视欲走出侧室的太常，怒呵："混账！"

太常与赵姬皆是一怔，齐齐望向嬴政。

嬴政上前一步，猛地揪住太常的前襟，将他用力拉低至身前，令其眉眼与自己平齐，语调凶狠凌厉："擦亮你的狗眼看清楚，寡人才是这大秦的王！"说罢，一把推开太常，不顾一旁惊愕的赵姬，大步走向正殿。

他明白了，吕不韦此举是给平日的针锋相对的自己一个警示。

百官见嬴政突然登上大殿，议论戛然而止，面面相觑一阵方恍然，纷纷俯首叩拜。赵姬与太常亦急急走出侧室，望着空出的相位，显露几分局促与担忧。

"丞相到——"这时，殿外传来宦侍悠长细亮的报号。

百官未敢起身，抬了抬俯下的腰背，微微转头，朝殿门外看去。

阴云之下，玉阶之上，吕不韦一身玄色绛袍，足踏重底赤舄，腰间二丈三采绿紫绀，挂双佩玄山玉，头顶高山冠，阔步而来，器宇轩昂，炯炯双目聚着不可一世的锋芒。

嬴政立在王座旁，注视着从容进殿的吕不韦，掩在宽大袖袍内的手缓缓攥紧，眼中的恨意越发深邃。

吕不韦虽步步镇定，颇显镇国之气，可当他跨进大殿，迎上嬴政寒意如锋的鹰眸，打量着这个以瘦弱之躯直面文武百官，毫无半点怯懦的年幼新王，看着怒意尽显的稚嫩脸庞，心中微有撼动。

他仿佛看到了一副与其父亲嬴楚，甚至其他秦王不同的气势与傲骨。

"丞相来得正是时候。寡人有一事想请教。"吕不韦还未稳脚行礼，便听到嬴政凛凛稚声。

"大王请讲。臣定知无不言。"吕不韦浓眉一挑，自免礼数。

"登基大典乃国之大事。太常无视礼法，延误吉时，置大秦祖制于何地？此等庸臣该当何罪？"嬴政抑扬顿挫，掷地有声，听在吕不韦耳里竟颇有几分王者威仪。

殿内气氛骤冷。无人不晓这是在杀一儆百，是在暗示吕不韦的违礼之举当受责罚。

百官死寂，洗耳静听。

"政儿。"一旁的赵姬轻唤，意在提醒嬴政此举不妥。唤罢，她冲吕不韦温柔一笑，花容略失。

站在武官最前，与吕不韦交好的大将军麃公眼帘一垂，若有所思。他不担心吕不韦在朝中的地位会因嬴政的几句旁敲侧击而动摇，但对这个年幼的新王露出的锋芒与威严颇为侧目。

吕不韦扬着下颏，泰然自若道："革职法办。"

在吕不韦眼中，嬴政此举不过雕虫小技，不值在意，但既然开始，那便要有个他认为好的结局。他要让这个嬴政记住，执政掌权依靠的绝非横冲直撞的勇气。

"免去太常一切职务，交由廷尉审办！"嬴政干脆果决的话音回荡大殿。百官无言。

他冷冷地看着被拖出大殿的太常，撩袍跪坐王座，环视百官几回，目光落在吕不韦身上，再次开口，仍是不容辩驳的语气："即日起，由丞相筹建寡人王陵。整座陵墓要势如王城，纳万千兵马，容江山百川。地宫中要夜明珠饰金顶，如日月星辰；鱼油灯照宫宇，长明不灭；赤帝流珠做江河湖海，永不沉寂。"

嬴政的话再次震动了咸阳宫大殿。

登基后便着手修建王陵的君王并不少见，但说出如此要求的君王确是前所未见。

赵姬难以置信地看着儿子。百官更是瞠目结舌，议论声一片。

面对此情此景，嬴政冷冷一哂。无人明白他儿时漂流在外的辛酸苦楚。秦武王、秦庄襄王皆短命而终。他预料不及隐藏的祸患，更不愿腐烂的尸身

草草下葬。无人明白他对死亡别样的理解与恐惧。此令不单是向吕不韦发出王权至上的挑衅，更是对自己王权路最终归属的筹谋，也是一个执着王权巅峰的君主内心最真实的表现。

然而，看似握在嬴政手中的主动却在此时翻转。

吕不韦与糜公互视一眼。二人惊诧的脸上旋即露几分讥笑与不屑。

吕不韦缓缓开口，语气同样凌人强硬："臣以为，当下应为兼并六国养精蓄锐，不宜劳民伤财。何况，大王尚且年幼，陵墓一事可从长计议。"

吕党齐齐附和。其他大臣见势亦纷纷跟随。

谁会去在意一个乳臭未干的孩子。群臣的附和与劳民伤财四字重重刺痛了嬴政的神经。

此时，太后赵姬开口："大王弱冠之年承继王位，对政事尚且生疏。丞相德高望重，乃大秦股肱之臣。大王不如拜吕相为仲父。日后君臣同心，振兴大秦。"

若说方才的臣子齐声是新伤，那么母亲赵姬的话则是陈年的疮痂再被揭起。一瞬间，怨恨如毒酒，在血脉里翻腾，在五脏六腑中汹涌。根根骨节，丝丝毛发，都在隐隐生怒。

他斜睨着赵姬，憎恶的目光扫过她浓妆艳抹、笑意盈盈的玉面，想起她对吕不韦的温言软语，顿觉无耻下贱。

倏忽，他鹰眸一转，凌厉的目光射向吕不韦，高声反问："寡人秉天意承我大秦江山，虽年幼，但定会勤政爱民。为人臣子理应辅佐君王，与仲父二字何干？莫非，不封仲父，丞相便不再辅佐寡人？"

吕不韦未料嬴政会如此应对，一时无言，嘴角抽动，隐匿尴尬。

百官依旧静待好戏。吕不韦神思飞转，急想应答之言。嬴政忽而一阵撕心裂肺的咳喘响彻大殿。

卯时至此，嬴政情绪几番波动，未服药汤，加之雨前天气闷热异常，频觉胸中憋闷，忍了数次终难以压制。

此举正给了吕不韦发难之机。他双眉一挑，从容笑道："身为臣子自当忠心尽职，事事以大王与社稷为先。现下，大王身体不适，宫外闷热异常，巡城恐会加重病情。一国之君安康与否关乎国家未来。臣请大王即刻回殿休养。"说罢，擅自挥手示意仪官撤礼，并取消巡视，根本不给嬴政反驳之机。

嬴政登时脸色通红，咳喘越发厉害，欲呵斥却无力开口。他狠狠瞪着一脸得意的吕不韦，一把推开近身搀扶的宦侍，甩开赵姬伸来的手，快步走进侧室。

出了侧室，嬴政并未返回寝室，而是一路疾行，出了咸阳宫。

宦侍跟在嬴政身后，关切询问，不得回应。

眼见再过两道回廊，便是通往王宫大门的甬路，宦侍慌乱之下拦住嬴政，躬着身子，紧张道："大王是要出宫吗？"

嬴政不与回答，狠狠踢了宦侍一脚，依旧前行。

宦侍赶忙拉住嬴政劝阻，又被推开，挨了两拳。

嬴政急喘着吼道："滚开！一帮趋炎附势的东西！"顿了顿，忽然急躁地扯下身上的王袍、冠冕，扔到宦侍头上，高嚷道："一个个禽兽不如！你拿去给他，告诉他，想做王位寡人成全！寡人今日就要出宫！你给我滚开！"

宦侍冷汗涔涔，望着径直走出宫门的嬴政，慌张地收起王袍，朝咸阳宫一路快跑。

第三章

沐雨机缘

墨云更沉，风势渐涨，倾雨之兆。

城中百姓见新王迟迟没有巡视，百官却已各自回府，纷纷猜测原由。城中流言乍起。

粉衣女子与女孩站在少府宅院前，不远处停着金钲车与一辆载货马车。

女孩哀叹一声，抱怨道："这天闷得要死，怕是要下雨了。"说完，她水眸流转，东张西望一番，凑近粉衣女子，小声道，"小姐。新王取消巡视，是不是王位有变？"

"不得胡说！有人来了！"粉衣女子声色俱厉。

女孩撇撇嘴，顺着粉衣女子的目光看去，只见前方不远处，一辆金钲车缓缓驶近。四面帷幔皆被收卷，车内坐着一个矮胖的中年男子。女孩掩嘴偷笑，喃喃道："他的俸禄可以坐得起金钲车？看来贪了不少。"

少府一边接过随从递来的锦帕擦拭额上的汗珠，一边加快扇动手中竹扇，眼神辗转之际，看到自家门前站着两个窈窕女子，微微一愣，旋即眯眼仔细打量，催促车夫挥鞭加速。

粉衣女子见马车临近，带着女孩快步上前，盈盈一礼，垂首恭敬道："民女巴清，携侍婢鸢儿，拜见少府。"

少府叫停车夫，起身下车，走到巴清跟前仔细打量，心中赞叹。打量片时，他环视四周，看到另一辆金钲车，点头微笑，引二人进府说话。

三人进了正屋。少府提袍坐于主位，与府中的门客闲聊几句，复盯着静立的二人但看不语，目光中多了分色意。

巴清近前一步，莞尔垂眸道："民女为丹砂供应而来。"

少府色相倏地收敛，眼中精光闪过："什么丹砂？"

巴清道："民女听闻庙堂与诸多宫宇将粉刷修整，特来求取供应之权。"

少府眯眼审视，冷然道："你从何处得知？"

"与友人闲聊中得知。"巴清不卑不亢，轻声柔态。

少府再问："你的这位友人可在朝中为官？"

巴清从袖间取出一封信帛呈上："不曾为官，您一看便知。"

少府接过信帛展开，首先看向末尾处的署名。当他看到署名是糜啸郴三字时，不禁轻"嘶"一声，旋即仔细地审读信中内容。读罢，他合上信帛，搁置桌案，命侍婢呈上茶汤与果品，再次打量眼前这个年纪看似不过二十一二的女子，身子微微前倾，语气谨慎，话未说满，"你与糜公子……"

巴清猜出其意，微笑摇头，道："知交而已。"

少府点点头，眼珠转了一转，面露难色，颜色颇为和气，道："实不相瞒，丹砂早已定了别家，不便更改。不过，糜公子有意参与，本府自会好好斟酌。你且回去耐心等待。"

巴清起身道谢，又浅笑着看向鸢儿道："听闻大人素爱饮酒。民女带了家乡名酒，还望大人莫要嫌弃。"

鸢儿会意，快步出屋，往府门外去。

不消片刻，八个随从抬着四个酒坛进屋。每个酒坛高近二尺，径约一尺，未曾开封便清香溢满屋室。

少府双目一亮，抬颏观望几巡，起身至酒坛前打开左边的一坛细细观闻。他闭目陶醉，口中赞道："色清味重，沁人心脾，实乃酒中上品，不知何名？"

巴清道："此乃巴蜀名酒。单名一个清字。"

少府点点头，看了看第二坛，移步至第三坛时，弯下的腰身一顿，静默须臾，未有再闻，转而对巴清笑道："如此美酒，本府便恭敬不如从命了。"

巴清再次道谢，几句寒暄，依礼告退。

少府目光流连在巴清远走的背影，痴痴叹道："真是美人如酒，香醇勾魂。"

一旁的门客瞥了眼四个不大不小的坛子，不以为然道："就这几坛酒？未免太过敷衍。皆言巴蜀尽出富商巨贾，满城繁华，富足无比。今日一见，徒有虚名。"

少府痴迷之态换做大笑。他摆摆手，指了指封固完好的另外两坛，挑眉看着门客："你怎知全是酒？"

门客狐疑地上前敲了敲陶罐，又不甘心地启开封好的锦布与木盖。打开后，门客顿时呆愣，只见坛中金珠盈溢，耀眼夺目。门客又打开另一坛，内里如出一辙。粗粗算来，共近百斤。

少府嘲笑几声，取来玉盏，自斟一杯清酒，饮罢无奈一叹："她很用心，只是此事很让我为难。我若不帮，只怕会得罪糜啸郴。得罪了糜啸郴，如同得罪了糜公。若帮，凭我一己之力又怎能擅自改变吕相的决定？"

饮罢几杯，他抿了抿唇瓣余香，若有所思道："备车，丞相府。"

巴清出了少府府门，几片雨云由远及近，急行压来，天色更暗，雨势渐大，远雷阵阵。

鸢儿撑了伞为巴清挡雨。远近变换的浑厚雷声震得巴清心头阵阵不安。她匆匆上车，直奔休憩的客栈。

马车穿过两条街巷，急行在行客稀少的水路。未过百米，车内二人突觉车速减慢，方向偏离。

鸢儿掀帘询问，忽见正前方有一瘦弱少年缓缓前行，背影颓废，脚步踉跄，不禁拧眉道："小姐，你看。"

巴清顺着鸢儿手指的方向看去，一少年正手撑双膝，俯身咳喘不断，只是背影便知其痛苦难耐。她看着滂沱大雨不住地淋打少年，心生恻隐，叫停车夫，撑伞下车，跑到少年身前，为其挡住大雨，俯身关切地询问："小兄弟，你哪里不舒服？我带你去看大夫。"

巴清不知伞下的少年正是离宫出走的新王嬴政。

嬴政出了宫门，一路凭意气而行，不知走了多久，只觉雨落时东西交移，南北颠倒，举目望去尽是一片陌生与孤凉，疾行的脚步忽而顿住，心中竟生出点点悔意。

他在胸肺的痛极中渐趋冷静，对自己莽撞的举措悔意更重。他回头遥望，宫门无迹。他向北眺望，见宅院依稀，便举步疾行。

北街是九卿及京畿区外朝官的居所，是目前距离他最近的保障。随便找到一家，便可安全回宫。

他加紧步伐，宅院越近，越觉胸闷异常，呼吸频急，双腿越发沉重。他已辨不出脸上滴落的是泪是雨，亦记不得穿过几个巷口，更没有料到会遇到一个肯为他打伞的女子。

他目光循着被雨水溅湿的裙摆蜿蜒而上，看到眼前人如花似月般的容颜，气息一滞，旋即目露鄙夷，不予理睬。他想着母亲赵姬的种种言行，偏执地认为，世间所有貌美的女子都是些金玉其外，败絮其中，贪慕虚荣的放荡之辈。

他提了提力气，欲继续前行，迈开的腿却一阵酸软。他踉跄着将要跌倒，忽见左臂覆上一只柔荑玉手，拉住自己将要失重的身子。

他抬头看去，又是那粉衣女子。他用力甩开她的手，怒吼："滚开！"这两字带着今日遭受的一切怨气，让巴清心神一颤。

鸢儿撑伞赶来，大声呵斥："不知好歹！枉我家小姐冒雨关心，你父母没教你说人话么！"

父母二字于嬴政如一把尖刀剜心。他抬头，死死地盯着鸢儿，目光凶狠地像要将猎物撕碎的狼。

鸢儿被看得寒毛倒立，后缩着身子，双眼警惕，嘴上却不肯认输："你看什么看！"说罢，拉着巴清急急离开。

巴清看着嬴政的双眼，看到了刻骨的怨毒，亦感到了瞳仁深处隐藏的辛酸苦楚。她不禁好奇，这个孩子经历什么，竟如此决绝与狠戾。

她猜测几回，终忍不住回头，再看一眼那独行雨中的病少年。

可当她回眸，看到的却是他踉跄跌倒，欲起不能，似要昏死。

她担忧的目光穿过帘帘清透的雨幕，仿佛感受到他奄奄的气息；仿佛透过他凄怆的背影看到血脉紧缩的心房。她心中一阵酸楚，挣脱鸢儿的手，转身跑向少年。

　　嬴政已昏沉不已。他努力地眨着眼，不停地甩着头努力看清眼前景物。他几番挣扎，仍免不了四肢无力地垂下。

　　他最后一次意识到自己将要昏死时，忽觉有一只手牵起自己的手。那手的温暖袭遍他全身，像极了曾经的母亲。

　　他努力抬起几欲闭合的眼帘，要看清那人模样，却只看到一个曼妙粉影，如芙蓉绽放雨中，如桃花芬芳迷人。

第四章

善恶忠奸

吕不韦对登基大典时的王相不欢毫不介怀。他离宫回府，与糜公饮酒作赋。

雨势渐缓，天色渐晴，如美人回头被风吹掠双眸的发丝，扯不尽的缠绵；如根根被拨弄的银弦，与相府堂内自舞灵巧的佳人共和一曲绝世逍遥叹。

琴声铮铮入耳，堂上美人趾尖点地，酥指点唇，锦缎裹腰半掩半开纤媚笑，所经之处暗香流行风缥缈，张信抬足间若九天流波，低眉信手时拂出繁花朵朵，一身风光灼华与堂上宝顶悬着的灿灿明珠不相上下。

美人边舞边趋前，回旋在吕不韦案前，邀宠之意甚明。吕不韦向来深谙舞乐之乐，开怀时总会共舞唱和。此时，他却兴致阑珊，拿起酒樽一饮而尽，静默无言。

美人看了眼右座的糜公，停下舞步，行至吕不韦身旁，巧笑斟酒。

吕不韦这才注意到美人的玲珑的眉眼，勾魂的冰肌。他微微一愣，方觉怠慢了糜公心意，忙赔笑敬酒。

糜公举杯对饮，慨然一笑："文信侯今日的气量小了些？"

吕不韦知其意指，冷冷一哂，起身至窗边，负手而立，脸上傲气不减，语调却难掩失意："将军身经百战，应知先锋同左膀右臂，失之易败。君臣之间，亦是此理。"

糜公点头，斟酒饮罢，淡然道："所言极是。然沙场征伐，变化难料。

先锋虽失，但不乏后来居上者取而代之。新人新谋同样可反败为胜。"

丝丝温热的风透过窗扇的缝隙蹿进，扑打在吕不韦脸上。他蹙眉转身，看向糜公，惊诧道："他一个小儿有这般能力？"不待糜公回应，又不以为然笑道，"即便有，将军所言的新人也是难寻。"

糜公淡淡然笑道："防患于未然岂不更好？"

吕不韦回座盘腿而坐，垂目思忖片刻，道："那依糜将军之意……"

"各退一步，海阔天空。他要建王陵，您便让他建。谅他翻不出什么波澜。何必落下个不尊新王的话柄？"

吕不韦垂首无声，似斟酌，似不意。

二人沉默之际，仆从带着一个宦侍匆匆进堂。

宦侍将嬴政离宫一事分毫不落道出。吕不韦与糜公面面相觑，哑口无言。堂内一片死寂。

糜公见吕不韦依旧拧眉不语，率先开口："大王出走近两个时辰，你为何现在才报？"

宦侍紧张地抓着衣角，瞄了眼吕不韦，吭哧答道："奴才以为大王只是一时气话，不出半时便会回宫。若是草草禀报，只怕丞相怪罪。"

糜公轻轻一叹，再未接话，只是看向宦侍的眼中多了分怜悯。

"太后与其他大臣可知？"吕不韦终是开口。

"太后已派人寻找。其他大臣并不知情。奴才是特来禀报丞相的。"宦侍将最后一句语气加重，有讨好之意。

吕不韦轻舒口气，紧敛的眉目舒展。然只瞬时，看似消郁的脸色忽而阴沉。他猛地拍案而起，急转高音："你好大的胆子，竟敢妄揣王意！什么是一时气话？是谁惹大王动气？来人！把这个不知天高地厚的阉人给我拖出去杖毙！"

宦侍被吕不韦一席话震呆，直至被人拖至堂门方回神连连求饶。

糜公瞥了眼颓丧挣扎的宦侍，转而对吕不韦道："您做何打算？"

吕不韦冷笑一声，泰然斟酒，徐徐道："宦侍所言极对。那小儿只是一时意气，不出几里，便会后悔。他若不悔，便不是在大典时与我针锋相对的嬴政。何况，太后已派人去寻，我何需打算？大王自愿体察民情，身为臣子怎能阻止?"说罢,他目光移向跪坐身旁的美人,伸手勾起她玲珑下颔,挑眉笑道,"你叫什么?"

"媚瑶。"美人低眉顺眼,神态从容,曲裾之下的娇躯却冷汗黏腻。

刚刚踏进相府大门的少府,隐约听到歇斯底里的惨叫从后院传来,猜测吕不韦此时心情定然不佳,顿时头皮发麻。

他正犹豫着是否改日再来,听得仆从报允。他进了堂内,看到正襟危坐的縻公,更加犹豫。

吕不韦免去了少府礼节,却免不了少府的局促。

少府与縻公见了礼,一脸尴尬地坐着,迟迟不肯开口。

縻公知是自己扰了议事,起身拜辞。少府见状,急忙起身拦住,赔笑道:"将军不必如此。今日下官所报之事与将军也有干系。方才只是在为难该如何开口。"

縻公惊疑,旋即重回坐塌,直言:"但说无妨。"

少府呈上巴清交予的信帛,对上座二人恭敬道:"縻公子有意与巴地丹矿商巴氏合作,为宫中提供丹砂。"

吕不韦将看完的信帛递与縻公,转问少府:"这个巴清是何来历?"

"她是一个女子,可谓普天壤其无俪,旷千载而特生。"少府未答来历,只言其人。他清楚,讲来历,丝毫不能提起吕不韦的兴趣。

吕不韦微微一怔,饶有兴致道:"莫非这巴家连个男人都没有,要靠一个女人?"

少府正欲回答,忽听一怒声高起。

"胡闹!"縻公将信帛扔至案上,满面愠色。愠怒须臾,他对吕不韦拱手致歉:"郴儿定不知内情,丞相莫怪。"

吕不韦倒颇为慷慨,摆手笑道:"既是世侄推荐,定有过人之处。你我明日便见上一见。"

少府闻言,暗暗松了口气,方展颜与二人对饮。

谈笑几时,縻公起身告辞。吕不韦与少府亲自送其至府门。寒暄之际,吕不韦瞥见远处縻公的一行车马,目光落在车旁一个垂手而立的男子身上。

那男子一身墨色直裾单衣，昂藏七尺，不见眉目却看得出气质温雅，不似仆从。他眯眼审视，话似自语，似问询："那人我似在朝堂见过。"

墨衣男子未曾看向府门，却似闻见吕不韦言语，稍稍躬身垂头，神态分外恭谨。

縻公未看吕不韦所指何人，了然笑道："文信侯好眼力。他便是楚国质子熊启。先王赐封昌平君。许其上朝议政。"

吕不韦轻哦一声，打量着男子，身子微微侧向一旁的少府，悠悠道："能受封为君，足见先王仁慈惜才。"见少府点头称是，他又付之一笑，调侃道，"他这身打扮，不知道的还以为是个郡县里的官儿，有负王恩啊。"

縻公不应，只随之轻笑。片刻，拱手与二人辞别。

直至縻公乘车而去，少府才大胆附和："丞相所言极是。

"是个审时度势，能屈能伸之人。"吕不韦轻笑一声，折身进府，留下一句意味深长的话。

少府对吕不韦变幻的言辞已疲于应付，见他亦不欲留自己，便知趣告辞。

縻公的车马穿过直通相府的街巷，渐行渐远。

随行的昌平君熊启恭谨地凑近縻公，低声道："将军。文信侯同意建陵了？"

縻公手捋斑白胡须，闭目悠悠道："木秀于林，风必摧之。功高盖主，祸必降之。他不会不懂这个道理。嬴政这小儿虽然随了先王的病体，但绝非先王那般庸弱无为，将来必是个雷厉风行的君主。吕不韦不会毫无顾忌。王陵这块肥肉我吃定了。"

然静休片时，他脑中忽而想起少府提及的名叫巴清的女子，睁开双眼，望着天际悠悠白云，惬意之态顿无，眉心川纹深显。

他回味着少府对巴清的评价，心绪翻覆：这个巴清究竟是个什么样的女人？与郴儿又是何关系？

昌平君抬头睨了眼縻公，观其面色深沉，若有所思，不再言语，垂首自虑。

吕不韦不寻找嬴政，并无他想，只为让孤傲轻狂的新王吃点苦头。可他终究没有料到嬴政的病疾会在雨中加重，甚至险些因此丧命。

好在这一次天未弄人。嬴政被救下了。

北地的雷雨大抵如此。来时，乌云遮天，雷声阵阵，雨势铺天盖地，风过花叶漫天。去时，晴空万里，烈日当头，鸟鸣声声悦耳，人往繁闹如初。

巴清下榻的客栈名"天雨上苑"，占地数十亩，在咸阳是数一数二的奢华。住客皆是来往四面八方的富商大户，或短暂停留，或常驻数月。

巴清一行人住在客栈二层。她素来善待身边侍从，此次亦为他们安排了与自己同等雅间。

房内，鸢儿一边绞了锦帕，一边劝说坐在床边悉心照料嬴政的巴清赶紧歇息。

"无妨。他喘鸣虽不厉害，可遇到这闷热潮湿的天气却是大忌。待他醒了再歇息也不迟。"巴清接过锦帕，轻柔地拭去嬴政额上汗珠，旋即伸出玉手抚上他额头探温。须臾，她脸上漾出舒心笑意，对鸢儿轻语："余热退了。"

二人的谈话声惊醒了沉睡的嬴政。他抬手抚上余留的一丝冰凉，缓缓睁眼，最先看到的便是巴清精致的面容。他盯着她怔愣少顷，腾地撑起身子，屏息凝气，警惕地环顾四周。

巴清微微一愣，笑着解疑："这是我暂住的客栈。你喘鸣突发，只好先来这里休养。你若觉着好些，一会儿我便遣人送你回家。"

嬴政听着她如歌似水的嗓音，紧绷的身子稍稍松缓，倚着床壁不言。他仔细回想与她相遇后的情形，目光缓缓移至她增一分则长，减一寸则短的精致容颜，瞳仁微张。

瞧罢容貌，他又将她从头到脚地打量一番。

此时的巴清已换下淋湿的粉裙，换了一身月白曲裾，头挽朝云近香髻，髻上一支银珠碧荷钗，手腕与腰间戴着玲珑玉器，端的是温馨淡雅、冰清玉洁。

他将她一点一滴看得仔细。她的罥烟眉，含丹樱唇，朝霞映雪般的脸颊，浅而柔的笑意，都在不经意间落入他寒如冰川的心田，成了茫茫的雪山上仅有的一点朱砂，一点温存。

他看得入神，忽听得鸢儿不满道："我家小姐救了你，你就这般一言不发么?"

"不要这样刻薄,他还是个孩子。你去看药煎好了没有。"巴清接过话,免了一场尴尬。

她看着鸢儿走出房门,回头冲他莞尔。她不知,那笑如十里春风,令百花盛放,柔和了他眼中的寒锋。

巴清见他不语,料其仍有心防,轻声道:"我叫巴清,你呢?"

终究是萍水相逢的陌生人,于嬴政而言,警惕难消。他将目光转向别处,抿唇不语。

巴清并不介意,依然细语温温:"你家住何处?待你气力恢复,我遣人送你回去,或者让你父母来寻。"

"孤儿。"嬴政听到父母二字后终是开了口,眉目骤然冷峻。

巴清一怔,静静地盯着他脸庞看了好一会儿,心生怜惜。她从他斩钉截铁的回答中隐约感到他所言非真,心下又起猜疑:是什么能让他如此冷漠与决绝?

她沉吟片晌,脸上笑意明媚,话中威仪凛凛:"你知道鹰鹫是如何蜕变成空中的霸主么?它们出生后便与手足争斗,面临优胜劣汰的残酷。存活后,要坠落谷底,以命悬一线的代价换来飞翔的能力。飞翔后,要被赶出家门,增进独立、坚强,不惧任何困苦的心智。如此,才会没有怯懦、屈服、放弃。如此,才有资格傲视群雄、统治天空。"

这一番话非她所想,而是在她儿时,凄惶无助之际,一个男孩带她攀登山巅,指着苍穹下翔翔的鹰鹫,娓娓道来。从此,她牢记。现在,她希望以此击退眼前这个男孩的恐惧与悲愤,让他重拾被自己丢弃的自信与坚韧。

嬴政听着她凌盛的言语,心中一颤,目光回转,对上她清明的双眸,欲启的唇瓣在看到鸢儿那一刻复闭。

鸢儿笑意满面,轻快进屋,手中的药汤不慎从碗中溅出几滴。她走至巴清身旁,低头耳语几句。巴清平静的脸庞瞬时如花绽放,眉宇间又带着几分疑虑与紧张。

一旁不知所谓的嬴政盯着二人的言行,刚刚消散的警惕再次复燃,心中猜测所说的话语自己有无关系,猜测眼前两人的心到底是黑是白。

若说嬴政的担忧是多虑也不尽然。他并不知道，眼前这个音容相貌已刻进自己心中的女子，明日便要赶往相府拜见自己半生的劲敌吕不韦。于嬴政而言，与吕不韦交好或纠缠不清的人皆为敌人。

如此看来，嬴政与巴清确实敌友难分。

巴清欣喜罢，端过药碗，舀一匙，吹散热气，递到嬴政嘴边，满眼温柔笑意。

嬴政眉头微蹙，颇为迟疑。

鸢儿见状气急，冲他嚷道："我们好心相救。你却百般无礼。世上怎有你这般不知好歹的人！"

巴清脸色微沉，轻叹口气，对鸢儿正色道："既是救人，又何必在意别人感谢回敬的厚薄深浅。你如此恶言相向，可谓有礼？"

她猜出嬴政心思，亲自抿一口勺中药汤，示意他可安心饮用。

不论他如何冷漠多疑，拒之千里，她始终安之若素，不气不躁，举手投足尽显雍容。

他望着她真挚双眸，疑心渐消，将药汤饮尽。

她嫣然一笑，取出袖间锦帕，拭去他嘴角残留残渍，神态举止端庄温善，令他心底再起一片波澜。

屋外暮色近深，雨水哒哒叩打花窗。巴清望了眼窗外，又看向嬴政，商量道："我看你气力尚虚。不如在此小憩，待雨停再作打算。"

他犹豫片时，点点头，眼中露出难得的柔和。窗外雨声缠绵细致，如纤指，如花针，密密斜织，不觉间，在他心底织起一片薄锦，柔和切肤，温暖安心。

巴清看着仰卧闭目的嬴政，轻轻掖好被角，起身离开。

待房门轻合，巴清垂眸敛眉，神色黯淡，似有难解心事。

"小姐是在为明日去相府的事烦心？"鸢儿跟在身后，歪着头探身关切询问。

巴清摇了摇头，道："我是在担心煜祺的病情。"说罢，信步回房。

鸢儿怔愣原地，望着巴清消逝的背影，时时展露的古怪精灵尽失，眼中是无尽的愧疚与自责。

第五章　语惊四座

卯时初，客栈一处一角皆安逸静美。一夜清雨过，后园的繁花幽香带着点点濡湿，飘染了整座客栈。

鸢儿自昨日傍晚看着巴清回房后，在回廊中默立许久才魂不守舍地回到自己房中。她蜷缩在床角，将头深埋进臂弯，低声抽泣，一夜未眠。

空中露出蛋白，薄云集聚天边，如浸血一般，显出淡红光晕。

鸢儿止住哭声，揉了揉红肿的眼眶，下床推开花窗，低头盯着后园的簇簇花叶，闻着阵阵清香，心情似有好转。

她呆愣几时，欲转身下楼吩咐店家准备餐食，谁料还未出门，便听得隔壁巴清房中传来一声惊叫。

她夺门而出，赶到隔壁，拍打房门，急切地询问房内情况。

原来巴清害了梦魇。她此时已从床上坐起，放在心口的手仍能清楚地感觉到紧促的心跳。她听见鸢儿的问候，下床开门，坐回床边，垂目不语，好似还未从方才的噩梦中清醒。

鸢儿向店家取了烧好的清水倒入玉碗，递给巴清，笑嘻嘻道："小姐做的什么梦，说来听听，我会解梦。"

鸢儿的调笑毫无作用。巴清盯着窗外，目光空洞，神色黯然，哽咽道："梦到一年前，我那还未出生便死去的孩儿。"

鸢儿娇小的身子一颤，脸色瞬时苍白，颤抖的手难握玉碗，不慎打翻在地。

清脆的玉碎声惊断了巴清思绪。她转头盯着隐惧的鸢儿，莫名道："怎么了？"

鸢儿一愣，旋即尴尬地挤出一个笑脸，赶忙擦干地上的水，直说无事。

巴清狐疑地打量着她，看到她微红的双眼与眼角隐约可见的泪痕，试探道："昨晚睡得可好？"

鸢儿避开巴清目光，呆呆点头："好。"

"那为何要哭？"巴清眉心一蹙，更加不解。

鸢儿一面捡起地上碎玉，一面强调是自己不适应北地的气候与环境所致。她收拾妥当，推开花窗让花香流进，又恢复往日腔调，笑道："那男孩昨夜三更离开客栈了。他那么不知礼，真不明白小姐为什么救他。"

巴清对嬴政的离开无多反应，亦没有再提梦魇一事，起身走至窗前，满地被打落的月见、球兰，红红白白，衬着青草绿苔煞是鲜艳可爱，心情好了几分，淡淡道："该走的总要走。辰时末，咱们去相府。"

昨日报信者只说明日去相府拜谒，未言时间。巴清不知其是有意或无意，但有一点她十分明白，早去，晚去，皆易失礼。

她之所以选择辰时末，是依照百官早朝的时间推算。寻常的早朝自卯时三刻起，末结，政事繁重则延。她知新王年幼，政事均由吕不韦掌理，故猜测朝议必然时短，诸多奏事与简章定在政事堂或直抵相府。她相信，空出近三个时辰足够吕不韦解决诸多行事。

她算得精细，可结果却出乎意料。

吕不韦今日并未早朝。

巴清抵达相府时，吕不韦正与糜公等几名交好的官员饮酒畅聊，颇为热闹。

几名官员轻蔑、迎合、鄙夷的笑声与话语此起彼伏。

"大典后初次朝议，便是百官称病罢朝。丞相此举足以让他被天下人耻笑。"说此话的是两鬓斑白，位同副相的御史大夫冯去疾。他苍苍的笑声引来少府与治粟内史隗林一阵附和。

"竟想以出宫威胁丞相，可笑之极。他连因势利导，为己所用这个道理都难领会，日后的王者路难免殊途。"此次出声的是新上任的太常。

堂内，除糜公外，其他四人均是吕党。这一次，糜公虽随笑附和，心中却对吕不韦的咄咄逼人颇感忧虑。他虽征战杀伐，饮血半生，性情却比吕不韦低调内敛。他总记得大典时嬴政的样子，那凌厉的眉目、咄咄的言辞与吕不韦如出一辙。他不禁猜想，龙虎斗，谁能啸到最后？

府内几人谈笑间，巴清已至相府大门外。

晨光笼罩，相府的丹楹刻桷，多了分柔和。鸢儿仰头打量着眼前庞然宅邸，手托下巴想象吕不韦的模样。

巴清向守门小厮报了姓名、来意，一旁静候。

堂内，吕不韦听得小厮来报，点头应允，兀自斟酒笑语："想得还算周到。"饮罢一回，他对在座五人笑道："少府昨日举荐了一个名叫巴清的女商，我们今日一同见识见识。"

五人互递眼色，心领神会，笑意盎然。

巴清跟在仆人身后，穿过前院，绕过两道回廊，从容进堂。她今日一袭淡黄三绕曲裾，头挽高椎，施了一个桃花妆，斜簪一支金步摇，步步雍容泰然，无半点胆怯。

堂内六人齐齐望向巴清，仔细打量。吕不韦与糜公更是看得一丝不苟。

巴清一双玉手交握腰前，莲步轻移堂中，对六人一一行跪礼，从容有度。迈进堂内第一步时，她余光淡扫，将六人看了一番，心中断定除了见过的少府，居主位的无疑是吕不韦；吕不韦右侧之人，双重长襦、下着长裤，足登方口齐头翘尖履，头戴顶部列双鹖的深紫鹖冠，胁下佩一把宝剑，定是糜啸郴的叔父；吕不韦左侧之人不是左相便是御史大夫；另外两人应与少府同为九卿。

她叩拜三位九卿时，以少府为先。

吕不韦与糜公看她礼毕起身，恭敬垂首，并不言语，只再三审视，目光探究。

冯去疾率先开口，玩味道："巴夫人可知，只片刻时间你便得罪了一位朝官？九卿之首为太常。今日在座三位依礼应先太常，后治粟内史，最后才是少府。可你却颠倒而行。我看你并非无知而错。知而错，罪也。"

此言一出，被巴清轻视的太常神色不明好坏，只微微挑眉看向巴清，静待回应。另座四人亦无言以观。

巴清神态平和，淡然道："回禀大人。民女确实知晓官位次序。然先叩拜少府，因的是少府大人引荐民女得见丞相。民女感怀其恩。将太常大人至于最末，是因治粟大人掌国家工农财政之权，其所辖田租口赋之税、产物与买卖之调控、货币之统制等诸多政策皆与民女生计息息相关，尤为重要。"言此，她顿了一顿，转身向太常座处行近两步深揖，恭敬道，"大人掌宗庙礼仪，地位崇高，但在民女私心之中并非最重。不敬之处，愿大人海涵。"

言罢，堂内分外安静。吕不韦侧目而望，唇角微勾，隐有赞色。糜公、冯去疾皆兀自垂眸，若有所思。少府与治粟内史则相视一笑，纷纷朝太常看去。

太常惊诧地盯着巴清少顷，旋即呵呵笑道："你将恩情与生计置于最重，何错之有？本官不会怪你。"

"巴夫人行事倒是十分坦率。"一个浑厚凛然的声音传来。巴清起身循声看去，是糜公。

巴清对糜公微微垂首，泰然道："民女怀挚诚求见，自然不掩半点假意与私心。"

糜公冷冷一哂，斜睨道："那你也坦诚坦诚你用了什么媚术迷惑啸郴？丹砂一事丞相早已定夺，岂容你多言。图谋王室钱财，你可知罪？"

少府闻言拿着酒樽的手一紧，心中有些不快。

吕不韦信手拿来案上一卷奏简翻看，对糜公所说毫不在意。他人亦是沉默不言，静听回应。

巴清卷睫轻轻一颤，道："将军说有罪那便有。只是，人言可畏，此事传出怕会坏了糜公子名声。将军与公子情如父子，相信绝不忍心让公子蒙冤受辱。还望将公子请来，当面对质，以正视听。"

巴清心中明白，此时此境，面对这样的欲加之罪，讲证据，明理法，极力辩驳皆不通。唯有以质问者最在意的人事回击才有回旋之地。

"巧舌如簧。"糜公冷哼一声，话锋冷峻，心中却思虑起来：情如父子，看来他们交情非浅，不知她在啸郴那里还听到些什么？

这时，忽听得主位案上一声脆响。众人看去，吕不韦已是勃然变色，将竹简摔落在案。

冯去疾探了探身，盯着摔落的奏简看了片时，转而对吕不韦愤愤道："岂有此理！这帮老顽固，竟要效仿商鞅治国。你我一再忍让，他们却得寸进尺，如此不识时务，留他何用！"

巴清被冯去疾狠戾的话激得抬眸而视，不料迎上吕不韦投来的目光。

吕不韦眉目阴沉，怏怏不快，一脸怀疑道："宫中丹砂一直由北地陈氏供应，不曾更改。你既是穈世侄至交，未尝不可变通。但方才你也听到，朝中或再行商鞅之道，重农抑商，到时你家业难持，如何履行合约？欺官可非小罪。"

巴清垂眸思忖少时，抿嘴浅笑，再次跪地叩拜，镇定道："丞相多虑。只要丞相肯给机会，民女定不会让您失望。至于重农抑商，民女毫不担心。"

吕不韦眉梢一挑，兴致顿生，正色道："为何？"

"因为民女相信，丞相绝不会让这等祸国之策再行。"

旁坐五人皆被"祸国"二字震惊，齐齐看向吕不韦。

吕不韦亦是神思微愣。他饶有意味地勾起唇角，问："如何祸国？"

"商鞅之策确实救大秦于水火，解困境，免瓜分，震六国，但如今的大秦已非孝公之时。世异则事异，事异则备变。一切律法与制度应顺应当前形势。因循守旧只会复古倒退。一国的长盛不衰，靠的不仅是重法、重农、重军，还有重商。法、农、军乃一国之本；商，则是强国之源。无商则无变通，无商则无发展。丞相商贾出身，更深谙其理。您为百官之首，胸怀大略，治国之道更无人可及，定不会在意苟且偷安者的胡言。况且，商鞅之策重在依法治国。书写奏简之人避法制而重抑商，分明有意针对。民女相信，丞相绝不会任由这样的人与阴谋，肆意猖獗。"巴清莺声燕语中透着刚毅，似风动碎玉，似出谷黄鹂，引六座惊异。

堂内再次沉寂。太常一脸难以置信。少府与治粟内史抿唇不语。冯去疾眯起眼，再次审视起巴清。穈公垂头无言，双目辗转，似在回味，似在思虑。

吕不韦起身走近巴清，眼中欣赏难掩，伸出手停在她眼前，扬眉笑道：

"巴夫人所言，深得我心。"

巴清看着眼前宽大的手掌，犹豫地将手伸出，借力起身。

吕不韦未有收手，紧握巴清玉手，深情款款道："时近正午。巴夫人不如留下，与我等共进午膳。"

巴清始料未及，眉心一蹙，将手抽回，退后一步跪地，道："民女夫君尚在病中，需即刻赶回，望丞相恕罪。"

旁坐五人再次瞠目结舌。吕不韦任丞相至今提出的要求，尚无人敢当面直言拒绝。五人望着吕不韦悬在半空的手与脸上露出的尴尬，认定巴清的回答必会招来不快，甚至殃及即将求得的生意。

未料，吕不韦却一反常态，大笑两声，拂袖回座，淡淡然道："无妨无妨，来日方长。日后宫中的丹砂供应就交付于你，回去好好准备吧。"

巴清心中高悬的巨石缓缓落地，对吕不韦深深一躬，颔首道："民女定不负丞相厚恩。"

她缓舒口气，轻松一笑，谨慎退后几步，依次行礼，转身离去，雍容气度上又添娇媚玲珑之态，新奇却也恰到好处。

座上六人看得专注，竟丝毫未觉厅堂侧室内有一抹魅影正悄声消匿。

巴清快步走出相府，抬头望着蔚蓝无际的天空，如释重负。她踏上静候在门前的金钲车，对鸾儿道："整装休憩一日，明早即刻回返巴蜀。"

巴清归心似箭。她确实记挂着夫君的病情，然她不知，千里之外的家中已是丧幡四飘。更难想象的是，就在她昨夜被梦魇缠身时，自己的夫君已被幽冥的鬼爪抓入地狱。

昨夜，巴地风清月明。

巴氏大宅坐落在苍苍的龙鹄山脚下。宅院外佳木茏葱，绿竹环护。月光盈盈地照在金丝楠木大门。每有路人经此，闻着大门盈溢的淡淡幽香，总是忍不住畅想投身于桃源中的景象。

门内，门楼、游廊、景楼、厅房，一物一处皆极致精美，确实如人间天堂。

然无人知晓，此时的天堂内，正上演着一场令人胆寒的谋杀。

巴清的夫君正是现下的巴氏当家人——巴煜祺。

巴煜祺两年前突染怪疾，将家中生意交由妻子巴清与三弟巴煜泽打理。然他精心调养却毫无起色，寻遍名医良药也是无解，只得日日衰萎。

巴清离家这一月内，巴煜祺病情更加严重，由昏昏卧床不起至陡然出现抽搐呕血，奄奄一息。

时过亥时，巴煜祺房中再次传来咳声。婢女端着一盆净水快步进门，将染血的锦帕扔进盆中，匆匆离去。

巴煜祺吃力地撑着床沿，垂头艰难地呼吸，面目因五脏六腑的疼痛变得扭曲。一阵干呕后，他虚弱地平躺在床，动弹不得，黯淡无光的双眼渐渐合上又努力睁开，生怕再也看不到自己妻子回来。

未几，门外响起缓缓的脚步声。来人是巴煜祺的母亲，巴老夫人。

老夫人年过五十仍气韵尤佳，不难看出年轻时也是个大方出众的美人。然除了可赞的气韵外，其额上施重粉仍依稀可见的疤痕与残疾的右腿，还有她紧握拐杖，一抬一落间的力道之狠，皆透着莫名的怪异与悚然。

巴老夫人缓缓坐在床边，伸手拭去儿子眼角因痛苦而摇摇欲坠的泪水，冷漠的脸上浮现一丝不忍。

此时，屋外一个黑影正向巴煜祺房间悄然移来，避到门后，屏气凝声，静听房中二人对话。

巴煜祺重重喘息，话从无半点血色的唇缝中挤出："母亲，清儿还没有回来？"

老夫人冷哼一声，愤然道："你还想她做什么！她若真在乎你，就不该在你病时外出。"

她握住儿子冰冷无力的手，嘴边漾起笑意，和颜道："祺儿，有句话母亲不得不问。你可有想好下一任当家人选？"

巴煜祺明白母亲的心思，苍白的脸上严峻几分，语气不容商量："二弟好赌，终日游玩花街柳巷，对家中生意无半点了解，断断不可。"

老夫人瞬时收回笑容，拐杖猛地戳了下坚硬的地面，厉色道："有何不可！难道你要让那贱人的儿子得逞么？"

门外黑影听到此话，猛地握紧拳头，咬紧牙关，强忍着几欲加重的气息。

"不。三弟虽打理家业，处事却时常刚愎自用，担不了重任。"巴煜祺再度否认。

巴老夫人顿时没了耐心，拧眉质问："你究竟属意谁!"见儿子沉默不语，她深吸一口气，话中尽是不解与怒意，"我看你是疯了!自己的亲弟弟不选，竟让一个女人当家!"

巴煜祺强忍咳嗽，续道："不论德才或经营之术，清儿都无可挑剔。为何……"

老夫人打断："她是个外人!"

巴煜祺情绪激动，攒足了气力，高声道："清儿已嫁我，怎会是外人?当初若不是清儿带着她父亲的矿山陪嫁，巴家又怎会轻易有如今的繁荣!"

巴老夫人虽气结，却一时说不出反驳的话，只撂下一句"任你什么理由我绝不同意"后转身离去。

巴煜祺疲惫地闭上双眼，谈话耗尽他大半气力。

待巴老夫人走远，黑影悄声进屋。合门声惊醒了昏沉的巴煜祺。他侧头看去，惊唤道："三弟?"

巴煜泽并不应声，微笑着拿起案上残留着药渣的玉碗，送至鼻前闻了闻，自言自语中是掩不住的得意与嘲讽："这川乌的毒性真不容小视，不过比平日多了几分就让你成了这般模样。"

巴煜祺全身一颤，疑是自己有了幻听，扭头盯着巴煜泽道："你说什么?"

巴煜泽踱步床前，打量着气息奄奄的大哥，佯装同情，道："你多久没有照镜子?看过自己模样吗?知道自己有多可怜吗?"

巴煜祺看着一改常态的三弟，瞬间明白了困扰自己两年的病因根本不是什么怪疾，而是源于自己素来疼爱的弟弟。顿时，失望、怨恨、懊悔涌上他心头，一阵长长的喘息后，久无血色的脸上竟渐渐怒红。

巴煜泽躬身凑近巴煜祺，俊秀的脸倏忽阴狠："你和那老婆子说的话我都听到了。当家之位只能是我的!我忍了这么多年，等的就是今天!"

"做梦!"巴煜祺使尽全力欲撑起身子呼喊仆人，却被巴煜泽按住胸口，动弹不得。

巴煜泽左手捂住巴煜祺的嘴，右手禁锢住他颤抖的身体，脸上露出狰狞的笑意，口中的话带着森森恨意："大哥，你见不到大嫂最后一面了。"旋

即，他加重力气，欲置兄长于死地。

　　巴煜祺的双手不断地撕扯着一切能够抓住的物什，睁大的布满血丝的双眼透着痛苦、愤怒还有乞求。他终究没有得到三弟的怜悯，双腿渐渐不再抽动，瞳孔涣散，手臂无力地垂落。

　　巴煜泽松开手，看了眼气息全无的大哥，决然离去。

　　阴阴天际之下，云雾缭绕着巴蜀险峭连绵、千奇百怪的山峰峻岭，依稀可见的繁花绿草，隐隐可辨的鸟鸣猿啼，轻浅浑厚的流水飞瀑，皆藏着几分诡异神秘。

　　石城山陡峭的山腰上，一个白衣男子身背竹筐越险攀峰，见到悬石泻髓、丹菊紫芝皆一一采摘，身手矫捷。

　　白衣男子几番攀爬终登峰顶，抬手拭去额上密密的汗珠，欣然一笑。他墨发不束，披散后背，更衬得肤白如雪，眉间五色莲纹阴柔，颇有异域风情。

　　他立山巅远眺，只见奇峰遮天，缥缈云烟若即若离，似朵朵出水清莲。再看近处，两岸青山对峙，中间怪石卧波，江水穿山破壁，遇阻时如瀑悬空，砰然万里，激起水花层层，随风乘雾侵洒山壁古道。

　　白衣男子采满一筐草药，沿原路下山，行了两步忽闻脚下传来阵阵响动，时而沉闷，时而清脆。他并非第一次听到这样的声音。附近几处山峰亦有此声。他眉头微皱，颇感疑惑：莫非巴蜀的山皆是如此？他耳贴地面细听，声音又或有或无，或近或远，难辨来源。他猜测几回便不再执着，起身拍散衣上尘土，攀崖下山。

　　白衣男子只当声音是水击石壁的回响，风尘仆仆而去，却不知怪声源头就在自己双脚数丈之下的隐秘洞穴之内。

　　隐秘洞穴非为人造，遍布巴蜀近半数的苍山之中，是糜啸郴用来铸造、

储存兵器的军备基地。

所有洞穴皆是一般模样。洞口内四个壮汉看守。洞分内外两间，可容纳百人，外洞数十个工匠各持铁锤，反复锤锻兵刃，大汗淋漓，火光四溅，敲击声迭起。内洞摆满已炼成的短剑、长矛、勾戟等成百上千的锐兵利器。

内洞中，縻啸郴正手持寒光长剑与仆从比试。森森剑气划破洞内闷热空气，带起凌厉骤风，招招致命。仆人持长矛回挡，渐难招架，终躲不及疾来的剑锋，被刺穿左臂，鲜血直流。

洞外一小厮沿山路急奔而进，对一直立在外洞督造的管家耳语几句，复匆匆离去。

管家步入内洞，从袖间掏出锦帕递上，恭敬道："主人是否要去巴家吊唁？"

縻啸郴将长剑扔到一旁，接过锦帕擦了擦手，不屑道："应死之人，没有悼念的价值。"

管家走近一步，低声道："可巴夫人回来了。"

縻啸郴双眼一亮，狠戾之气瞬时消减，轻声自语："看来咸阳之行很顺利。"说罢，他负手思虑片刻，冷冷一笑，举步走向外洞，"备车，巴府。"

外洞融融火光将他堂堂仪表投至石壁之上，端的是昂藏七尺、英英玉立。

巴清疾行数日，终至家门。

在她的车马进入内城后，便从坊间纷纷的议论中得知自己夫君已去的消息，一路泪如雨下。

此时，她抬头望着大门上随风晃荡的丧幡与白缎，仍泪盈欲滴，步步沉重。

她在途中无数次地催促车夫策马加鞭，为的就是早些回家，对他诉说她的想念。可如今，等着她的竟是冰冷的棺椁。

暖风徐徐，拂过她因昼夜奔波而疲惫不堪的素面。她强忍悲伤迈进大门，向灵堂走去。

灵堂内，众多家仆粗布素衣，发系丧带，跪地抽泣。

巴老夫人身披白衣却面无哀色，走到二儿子巴煜瑞身旁，用拐杖戳了戳地面。

巴煜瑞微微一愣，抬头看了眼母亲，收起真假参半的哀痛，起身搀扶巴老夫人走到灵堂中央。

巴老夫人理了理银丝云鬓，敛去仅有的一丝悲痛，欲开口说话。然一字未出，她气息一滞，唇畔隐隐得意顿失，一双眼睛光芒警惕，直直地望向快步而来的儿媳巴清。

堂内，心思存异的众人觉出异样，小心翼翼地动了动身子，将目光转向灵堂大门，见是巴清，复垂首续哭，私下面面相觑。

跪地的巴煜泽当即起身，谨慎注视巴清的一举一动。

巴清急步进堂，无视旁人，绕过挡在身前的二弟与婆婆，径直走到棺椁旁，掀开蒙在巴煜祺脸上的白缎，手指颤抖着抚上他苍白的脸颊，神色凄惶。

痛心良久，她重将白缎盖好，婆娑的泪眼辗转棺椁每一角落。她要确定随葬的明器等一应物什尽数周到。仔细检查片时，她目光定在巴煜祺骨瘦如柴、弯曲如爪的手上。她伸手将他双手抚平，但十指僵硬的程度让她吃惊，像极了临终前看到或受到什么难以忍受的恐怖与痛苦，死死抓住某物不肯放手而致。

她蓦地想起坊间说巴煜祺恶鬼附身，死相凄惨的种种流言。

她的心因惊疑与忧惧而颤抖。她止住哽咽，环视堂内众人，声色凛冽："我离家前，当家的病情尚且平稳，为何一月之内命丧黄泉？"

家仆皆垂首擦泪，无人应答。

巴老夫人脸色阴沉，道："你是在怪我们照顾不周吗？"

"母亲误会。我只是想问清当时的情形。"巴清语气缓和，欲唤来值夜的婢女再问，却被赶来的郡守打断。

以巴家的财势，郡守前来吊唁并不奇怪，但巴清看着郡守的惺惺作态，心中不安与疑惑迭起。她隐隐感到，郡守此行绝非吊唁那样简单。

待郡守礼毕，众人纷纷见礼。

巴煜泽一副当家姿态，上前一步，笑道："有劳郡守亲自悼念，巴家上下感激厚德。"

巴清声色不动，心中冷笑：原来是找来的帮手。

郡守一双细眼始终色迷迷地在巴清身上打转。他与巴煜泽寒暄几句，又佯装悲悯，与众人应和几句，步入正题："巴大公子可有留下什么话？"

巴煜泽抢先道："我已查过，大哥病发突然，临终时没有旁人。"

郡守瞄了眼巴老夫人与巴清，哀痛之色转为担忧："这可如何是好？家不可一日无主。你们是巴郡数一数二的丹砂大户。巴郡近半数财赋全靠你们，可谓一发牵而动全身。人去固然哀，但逝者已矣，可不要因此误了生意。"

巴老夫人睨了眼神采飞扬的巴煜泽，心中怒气横冲，握着拐杖的手一紧，上前一步，对郡守笑道："郡守所言甚是。实不相瞒，煜祺曾与我提过当家人选。正是老身的儿媳。"

此言一出，众人震惊，目光纷纷投向一直不语的巴清。

巴煜泽当即嗤之以鼻，冷笑道："让女人当家，笑话！我看这话定是大哥神志不清时的胡言。"说罢，转身指向巴清，目光凶狠，"她，明知大哥重病在床，却执意外出，连自己夫君的丧礼也来迟，分内之事都无法做好，怎能担一家之主！"

"何人在灵堂吵闹，对逝者不敬。"干脆高亮的声音传入堂内。众人寻声看去，只见縻啸郴一身紫袍款款而来，眼中华光漾似深海。

巴清向门口行了两步，凝重的脸上露出一丝光彩。郡守笑脸相迎，与縻啸郴见礼后看了巴煜泽两眼，目光似是问询。

一直站在巴老夫人身旁，始终不语的巴煜瑞唇畔忽而上扬，眼中露出几分审视与玩味，似在期待一场好戏。

巴煜泽冲縻啸郴拱了拱手，挑眉一笑，话中深意耐人寻味："縻公子不会是来看热闹的吧？"

"我为悼念逝者而来。不想庄严肃穆的灵堂之上竟是这番场景。煜祺泉下有知，一定失望至极。"縻啸郴侧头看向巴清，微笑颔首，目光温柔。他停留片刻，转眸掠过瞠目的巴煜泽，落在郡守谄媚的脸上，笑道："非自家人，不便插手别家事。您说对么？"

郡守脸上闪过一丝尴尬，点头道："縻公子所言极是。今日，逝者为大，其他择日再议。"

郡守的临时变阵与糜啸郴的阻拦令巴煜泽怒火中烧。他铁青着脸，额上青筋凸显，横眉怒视众人，拂袖而去。

巴老夫人重重舒了口气，惨白的脸上多了分光润，望着巴煜泽的背影嗤之一笑，借身体不适为由，与巴煜瑞离开灵堂。

未过半刻，堂内人各散去，唯剩巴清与糜啸郴。

巴清站在棺椁前，望着静躺在棺中人，心绪纷乱，不断自问：是争是弃？何去何从？

行事狠绝的三弟、为利而谋的郡守、暗藏心机的婆婆、看似无争的二弟，他们的一言一行，不断在巴清脑中闪现，纠缠不清。她闭上眼，努力冷静，却纷扰更重。

糜啸郴缓步走到她背后，轻唤："清儿。"

糜啸郴温柔的声音如春雨滋润她干裂的心田，惶惶中令她看到青芽破土的希望。她睁开眼，转身对上他脉脉含情的双眼，梨花带雨，嗓音沙哑而揪心："郴哥，帮我。我不能让巴家的家业毁在无能之辈的手上。"

糜啸郴对她的话早有预料，今日来到灵堂亦是为她解患。现下，他闻此言，轻轻一叹，拭去她眼角泪水，温润笑道："好。不论你想做什么，我都会与你一起。"

糜啸郴本想留下陪伴巴清，但碍于身份，加之突然接到咸阳密报，只得匆匆回宅。

他刚进家门，便听到一阵幽凄的箫声袅袅而来。他顿了顿脚步，思虑片晌，微扬下颏，往后园去。

他来到后园，寻着箫声望去，白衣男子斜倚墙头，玉带束衫，垂肩黑发随风扬拂，乌丝缠绕眉间五色莲纹，尽显风流韵致，道骨仙风。

荡荡而出的箫声撩日色，动石心，似香炉中飘出的袅袅青烟，一片风便可划断；似美人未语先羞、织锦遮面，暗喻心绪难言。

糜啸郴静听少顷，唇角一勾，负手缓行，立在墙垣之下，笑道："萨孤王子好雅兴。"

萨孤卓韫坐在墙头，缓缓放下竹箫，俯视着糜啸郴，眼中闪过一丝羡

意。这羡慕并非因其俊挺刚毅的外表，而是能够与自己心心念念之人常相见。

縻啸郴环视偌大的花园，自顾笑道："我的后花园怕是要改名了。"

自萨孤卓韫入住此处，园中原有的纵横拱立、苔藓成斑、藤萝掩映的山石花柳皆被奇草异藤替代。

萨孤卓韫淡淡一笑，看着打理有致、掩羊肠石径的药花枝蔓，淡淡道："花繁惹厌，药草虽淡却耐得长久。"

"我一直不明白，像萨孤王子这般游历各地，潇洒不羁的人怎会心甘情愿屈尊我处？"这是縻啸郴一直思虑却难以猜透的问题。

"縻公子的意思，是不再需要我了？"萨孤卓韫眉眼的阴柔化作笑靥，纵身一跃，落在縻啸郴五步之外，如琼树立于青山绿水之间，尽得天地精华，光彩照人。

縻啸郴解释道："非也。我只是好奇。凡事，总要有个理由。"

萨孤卓韫收箫于腰间，淡淡一笑，不予回应。

縻啸郴锐利的目光落在那黄竹精镂的箫上，只见体开前五后一共六个音孔，极细，雕刻的图案极像一个少女。

萨孤卓蕴眉眼一敛，微微侧身，避开縻啸郴视线，语气淡漠："方才，我欲找公子商议丹药一事。管家说您去了巴家。不想回来得这样快。"

縻啸郴欲开口回应，忽听门楼处传来一声怒吼。二人齐齐望去，只见巴煜泽一把推开阻拦自己的縻宅管家，满面怨愤而来。

縻啸郴轻蔑一眼，回头再看，萨孤卓蕴已不见踪影。

"你敢过河拆桥！你别忘了，巴煜祺的死你也有份！想撇得一干二净？做梦！"巴煜泽还未走近便是劈头盖脸一顿痛斥。

縻啸郴慢条斯理地捻着身前盛放的射干蕊心，嗤笑一声，理也不理。

"你笑什么！"巴煜泽见状愈加怨怒。

縻啸郴精致如剔羽的眉梢一扬，目光如冰刀一般划过巴煜泽赤红的耳面，语气似刀尖上的寒芒："笑你目光短浅，胸无大志，没有半点开发利用的价值。"

巴煜泽气急攻心，指着縻啸郴手臂发抖，欲语无言，怒视片时，愤然离去。

　　糜宅管家瞥了眼巴煜泽匆匆的背影，走近糜啸郴，低声请示："主人，他知道得太多，要不要……"

　　"时候未到。"糜啸郴淡淡道。

　　管家会意，想起咸阳急来的密报，郑重道："将军来信说，王陵将建，石料与丹砂、水银皆是聚财良机。另外，少府那里也按您的吩咐打了招呼。文书已拟好，正在送来的路上。"

　　糜啸郴轻嗯一声，心不在焉。他垂着头，浓卷的睫毛在眼下打了一层厚重的阴影，掩住浓墨般的眸子。

　　他脑中回忆着灵堂之上，巴清面对巴煜祺至真至性、泪如雨下的情景，手中蕊瓣随丝丝湿热的风轻缓飘落。他望着纷扬的花瓣，扪心自问：若到叶茂时，花已无心，该如何？

　　冥想片刻，他手心一狠，将待落残花连根拔起，喃喃自语："也罢。纵蚕吐空情丝，也不悔自缚。"

第七章 步步心机

陷入黑幕的密林藤条互绕，攀缠接天，似罩上数层暗色织网，不见尽头。风来，旋转处如哭诉，阵阵凄苦；叫嚣时如狼嚎，毛骨悚然。

霎时间，万木倾伏，同波涌浪翻，轰声不绝，淹没阵阵铿锵的马蹄声。

嬴政挥鞭催马，奔在黑暗的林道。马蹄翻腾，鬃毛飞扬，风驰电掣。他闪过枝叶末节的阻挡，不时回头看身后追兵，怛然失色。

他身后数十步外的数人身着盔甲，手持弩弓，紧追不舍，带起地上杂草碎叶，凌空乱舞。飞驰最前者一手勒住缰绳，一手抽出背上箭壶里的利箭上弓，夹紧马身，速度不减，对准嬴政飞奔的马射去。

马腿中箭，长嘶倒地。嬴政从马背摔下，翻滚到树边，被赶上的追兵围住。风掠叶动，沙沙作响。树上几双发光鹰瞳犹如暗夜里窥伺的鬼眼。嬴政双腿发软，瘦小的身躯颤抖不已，只觉周围的一切仿佛要将自己吞灭。他畏缩着抓住枝干，栗栗危惧地望着将自己团团包围的士兵，忽而看到了吕不韦得意的面孔。

"吕不韦，你大胆！"嬴政当即高声呵斥。

吕不韦充耳不闻，从人群中走近嬴政，狰狞笑道："只要你让位与我，就可得一条生路，否则便是你父王的下场。"

嬴政战栗怒吼："妄想！寡人要诛你九族！"

这时，一束光穿透阴暗，如消退黑暗的黎明。嬴政循着光线看去，前方不远处显出一片血色花海，同火照之路。花海中央有一红衣女子拈花巧笑。

嬴政只觉那侧影像极巴清，拼命朝花海跑去，口中呼喊求救。

而身后的吕不韦与士兵亦挥剑朝花海奔去。

"政儿，政儿。"坐在床边的赵姬握住嬴政挥舞的双手，急急唤醒儿子。

嬴政惊醒，猛然坐起，环顾四周，心跳紧促。他急喘良久，终轻舒口气，仍觉梦境真实如亲历。

赵姬拭去儿子额上滴流的汗水，心疼地将他揽入怀中，轻拍后背以示安慰。嬴政想到梦中的吕不韦，一把推开母亲，力气生狠。赵姬踉跄后退，对儿子莫名的怨气错愕不已。

嬴政不语，转身躺下，以背相对。

赵姬欲再走近安慰，又见嬴政猛地坐起，怒目相视，吼道："寡人的衣服呢？"

嬴政所指的衣服并非平日在宫中穿的常服，而是离宫出走那日，巴清在客栈为他准备的平民衣袍。嬴政回宫后，不再穿戴，但一直放在床头，时常睡前呆望。而现在，他发现床头空空如也，莫名怒意暴涨。

殿内的侍婢吓得不知所措，纷纷跪地埋头，胆战心惊。

赵姬不知其中因由，拧眉道："我让人扔掉了，寻常人家的衣服何需这样紧张……"

嬴政剑眉一敛，打断赵姬的话，对着地上的侍婢疾言厉色，"去给我找回来！找不回来你们也不必回来！"说罢，冷冷地看着赵姬，声如深冬寒风刺骨，"请母后不要乱动寡人的东西。您不在意的，不代表寡人可以丢弃；您喜欢的，不代表寡人可以接受。"

赵姬怔怔地看着儿子，又看着慌张跑出的侍婢，眼中痛苦浮动，转身离开。行至殿门，她想着儿子的话，心伤蔓延，指尖划过冰冷的朱门，唇瓣轻颤，加快脚步，缄默的泪眼朦胧。

她自知这盘以失去至亲为代价，换来自己尊位的赌局赢得苦不堪言，亦无数次凄凄自问：走到这一步，究竟谁对谁错？是不是再美好的初衷也敌不过似海深宫，权利争锋？

万幸。侍婢们命不该绝，终于找到了被扔掉的衣袍，呈与嬴政。

嬴政抱着衣袍静坐在床，脑海中尽是巴清的音容笑貌，还有那一番鹰击长空的豪言。

他沉默良久，环着衣袍的手臂一紧，抖擞起身，双目重现盛气，对一旁的宦侍果决道："摆驾，相府。"

年小的嬴政始终将吕不韦视作自己最大的劲敌，他认定除掉了吕不韦便除掉了危机。然他并不知晓，真正的危机，非举目便见的寒冷冰川，而是冰川之下暗涌无底的深水。正如吕不韦与昌平君。

天被宽大的树枝割成绺绺蓝色绸缎，斑驳光点与摇曳的绿叶交相辉映，似一只只诡秘的眼。

苍苍渭水河畔，安静的密林，数鸟惊飞，鸣叫交错。

昌平君引箭拉弓，弓弦炸响，射落双鸟，身姿挺傲，昔日垂首縻公马车旁的谦卑恭谨丝毫不见。

一旁门客拾来双鸟，赞道："主公好箭法。"

昌平君气定神闲，不置一词，于箭囊中再取三箭扣上弓弦。他左手持弓，右手张弦，对准徘徊空中的飞鸟，蓄势待发。

倏忽，"咻、咻、咻"三声，箭以迅雷之速射出。

众门客循声望去，又见三鸟坠地，纷纷拍手惊赞。

昌平君拂袖扔弓，神态安然，悠悠吐语："一箭三雕绝非只要强劲的臂力与熟练的箭法便可实现。它要有足够的耐心、缜密的布局和精准的眼光。"

门客们悉心听教。媚瑶东北密林之中，踏花拂叶，疾步行近。今日的她，一袭白衣，束发素面，曾在相府艳舞的媚态全无，轻风撩拨之下英姿勃发。

她走至昌平君身前，跪地叩首，轻唤一声："主公。"

昌平君笑着虚手相扶，道："在相府的日子如何？吕不韦近日可有什么动静？"

"一月前，他将宫中丹砂供应之权交给了一个叫巴清的女人。"媚瑶垂首道。

昌平君凤眼一眯，思忖道："这倒奇了。叱咤朝野的吕不韦竟为一女子随意更变决策。可知因由？"

"糜啸郴从中相助。"

昌平君惊疑道："竟能让两个如狼似豹的男人心甘情愿相助。你可知她的底细？"

媚瑶如实相告："少府赞她普天壤其无俪，旷千载而特生。属下听到她与吕不韦等人的对谈，亦觉此女确实与众不同。"

昌平君点点头，目光掠过东北密林，神色忽变凌厉。他步步走近媚瑶，一只手揽过她的腰肢，脸贴近她白皙的颈项，双眼紧盯林中一棵榆树后露出的衣角，冷声耳语："你太不小心。"

树后之人不知行迹暴露，待察觉昌平君门客现于身后，无力还手，轻易被钳。

媚瑶看到跟踪者，低垂着头，惶惶不安。

昌平君沉默少时，神态复雅，平静道："回去吧。一个时辰后，嬴政将至相府。不要错失要事。他的故事，我来帮你编。"

媚瑶应下，接过门客递与的缰绳，上马扬鞭，疾驰而去。

门客看了眼仍跪地挣扎的跟踪者，对昌平君道："是糜公的人。"

"老东西。"昌平君冷哼一声，负手远眺长。凝眸片时，他眯起凤眼，缓缓自语："若我没有猜错，吕不韦要做相邦了。"

门客道："那个叫巴清的女人与糜啸郴交好，或许是糜公的人。主公欲如何打算？"

昌平君不以为然道："交好不等于交心。或许，她仅为家业；或许，她意在吕不韦；或许……"

一黑衣军士接道："但能让吕不韦与糜啸郴相助的人，总会有些用处。属下愿前往巴蜀探查她的底细。主公正是用人之际，若能有所用处，岂不更好？"

昌平君点头，"不错。巴蜀是关塞要地，更是大秦粮仓盐府。或许，对糜公之策，可从糜啸郴入手。或许，那女人正有用处。你且去探查一番。"

昌平君说嬴政一个时辰后会到相府确实应验。

媚瑶快马加鞭返回相府，最先看到的便是大门前停着的玉辂。玉辂唯有君王方可乘坐。

昌平君猜测吕不韦将要成相邦也得到了应验。

嬴政屈尊相府，封吕不韦为相邦，又尊其为仲父，说了许多违心之言，皆是忍辱负重的筹谋。

可昌平君万万没有料到，嬴政谋算完吕不韦，竟找上了自己。

夜幕之下，咸阳宫明暗交错，静谧非常。

通往咸阳宫的甬路上，昌平君跟在手持宫灯的宦侍身后，不敢有片刻延缓。自他接到传召起便狐疑不解，从未与自己说过一句话的嬴政意欲何为？

宦侍带昌平君来到咸阳宫西偏殿。西偏殿是国君书房与寝室所在，除了召见亲信重臣，很少有礼仪性会见。

昌平君垂首进殿，跪地行礼。

嬴政放下手中竹简，开口便是赐座二字。

昌平君盯着侍婢放在身侧的三重方榻，心绪翻腾。他缓缓坐下，小心谨慎地似生怕方榻之下藏着什么锥刺。

三重方榻乃位同相邦之礼。昌平君心中了然，今夜的召见绝不简单。

嬴政好似猜到昌平君所想，嘴角勾起，似笑非笑："公子来我大秦多少年月？"

较之朝堂所见的冷面默然与平日听闻的喜怒无常，此时的嬴政语态缓缓，温和近人，不禁让昌平君诧异。

昌平君垂首恭谨道："回大王，十年。"

嬴政听罢，嗯了一声，又问："这几年住得可还习惯？"

昌平君道："承蒙先王与大王恩眷，食邑山阳三万户。"

嬴政不做犹豫，肃穆道："既如此，为何你终日朝堂之上呆立无为，不议政事。食君之禄，忠君之事，分君之忧。你可尽到了臣子的本分？"

"臣有负王恩。请大王责罚。"昌平君被嬴政突变的话锋刺得一愣，来不及琢磨其用意，赶忙叩首请罪，心道高座果然难久坐，话未过三便已如坐针毡。

嬴政对请罪或歌颂之词颇觉腻味，嗤笑道："百官于朝堂，除却吕相、糜将军与站在前排的几人，其他哪个不是昏昏欲睡，敷衍行事。若以此论罪，半数官员皆要受罚。"

昌平君闻言轻舒口气，心中有了几分拿捏，俯身叩首不做应答，静待嬴政下文。他料想，之前种种言语不过是个引子。

果然，嬴政剑眉一挑，意味深长道："不过，寡人观公子与那些个终日无所作为，只知吃喝玩乐的朝臣尚有不同。"

此话在昌平君意料之外。他心下一惊，缓缓抬头，迎上嬴政鹰隼般锐利的双眼。

此时，嬴政的神态又如朝堂那般冷面默然，闪烁的烛光映出他幽黑的瞳仁，似无底黑渊，似无边暗幕，惹得昌平君莫名心慌。

心慌之际，他又听嬴政道："既来之，则安之。先王赐你封号昌平。于我大秦，乃繁荣昌盛，国泰民安之意。于公子你，则有仕途平顺亨通之意。"

昌平君本以为嬴政会讲自己如何与其他臣子不同，怎料非也。他感激谢恩："大王厚爱。臣定鞠躬尽瘁，死而后已。"

嬴政听罢，竹简"啪"地扔在案上，目光殷殷，言词恳切："你我虽出身异国，却同为王室。许多为人臣子无法体会的，想来你我深有感受。今夜传召公子，只当是君臣之间的一次谈心。"

昌平君乃庶出，因母不受宠，后被送往秦国为质。他出生时便备受冷落，日常起居尚不如平民百姓。没有王宠眷顾，连一个小小的奴才亦不将他们母子二人放在眼里，动辄辱骂。外人眼中，他担的是高高在上、永享富贵的世子名号，而背后的辛酸苦楚只有他自己知晓。

嬴政语中其心。昌平君抬眼望着一脸稚气的嬴政，生出一丝同情。然这几句听起来颇像肺腑之言的话，只换得他瞬间的动容，根本撼动不了他积藏多年的怨恨与雄雄野心。

交谈至此，他已了然嬴政心意，叩首道："臣愿为大王分忧，肝脑涂地，在所不辞。"

其实，嬴政并没打算以寥寥几句虚情假意的话，拉拢一个臣子来效忠自己。他要的不过是互为利用。

嬴政拿起案上一方叠好的画帛，起身走近昌平君，殷切道："此乃一幅画帛。画中人姓巴名清。公子即日启程，将此女寻进宫来。"

昌平君听到巴清二字时已然神思飞驰。他想起渭水河畔有关她的一字一句。他想不到，眼前的小儿今夜召他的目的竟是她。他想来想去，愈发觉得惊讶有趣。

嬴政瞧着昌平君脸部肌肉与眼神细微的变化，握着画帛的手一紧："公子认识此人？"

昌平君心神回转，道："不。臣只是在几日前的宴饮中，听人说起。"

嬴政神色微凛："说了什么？"

"说她相府求财，颇得吕相青睐。"昌平君说罢，垂首静待下文，却久不闻声。他忍不住抬头看去，见嬴政正一动不动地盯着自己，冷峻无比。

殿内沉寂良久，方响起嬴政喜恶难辨的声音："公子有所听闻，寡人亦有。寡人听闻西南巴蜀有异动。公子便替寡人前往探查一番，辨明虚实。"

昌平君惊诧地看向嬴政，瞠目无言。

他明白嬴政口中的异动是指谋逆之举。可谁要谋逆？依当前形势，郡守、郡尉可能性极低。百姓起义如天方夜谭。那么，唯一可能的便是三朝大将军麋公的侄子麋啸郴。他再将其中关窍审思一番，方想起麋公与长安君成蟜的母亲韩氏一脉曾有联姻，往来近密。难道是意指麋公欲助成蟜夺位？这是要借故将隐患铲除？

他忽而怀疑渭水河畔猎物之时，自己身边是否有这小儿安插的奸细，否则他的思虑怎会与自己如此相似。可嬴政当下的情状，连个宫奴都不愿为其卖命，还谈什么奸细。想了片时，他终认定只是巧合。

嬴政并不是个悬疣附赘的樗栎庸才，而是懂得绝处逢生的坚韧之辈。昌平君思及震撼之际，又见嬴政纤瘦有力的手攀上自己的臂腕，将自己扶起，声色恳切道："寡人举目无依，唯有借卿之力。"

此言已算是孤君危泣。昌平君眸光微动，双手接过画帛，对嬴政深揖，再言效忠之语，寒暄片刻，叩拜离殿。

"公子若将今夜之谈说与他人也无可厚非。但寡人觉得，公子总要为自己留得几分，才不枉来秦十年。"嬴政亲自将昌平君送至殿门，说着不咸不淡的话。

　　昌平君只躬身道是，匆匆离去。

　　嬴政目送其身影消失，这才信步入室。他行至书案，颓然坐倒，呆愣须
臾，伸手将烛台、文具、竹简统统扫落下来，狼藉满地。

　　他双目晦暗，气息微喘，心中反复默念着巴清二字，面色渐浮薄怒，愤
愤而思，难道自己看重的皆要被吕不韦夺走吗？

　　昌平君出了偏殿，独自走在昏暗的甬路，反复斟酌嬴政的言行，不觉
间，已近宫门。

　　夜风暖暖，鼓入袖中，隔开了肌肤与衣袍，由青砖地面激荡的脚步声愈
发清亮。他忽而想起了那一幅画帛。他从袖中取出，立在高悬的宫灯下，借
光细看。

　　宫灯摇摇，光色昏黄，映出女子模样。他不由得目定难转，心起波澜。

第八章 神秘小婢

浮云自开。柔光和风润宫墙，丽日伴晨待鹊鸣。

长乐宫寝室内，两名侍婢挽起锦绣纱帐。赵姬半坐半躺床榻，似睡似醒，意态慵懒，暧昧至极。

晨光透过花窗，与床沿的秀丽云石相撞，散出华贵光韵。

十名侍婢捧来美艳宫服，依次站开。赵姬淡扫一眼，不尽满意，对正挽帐的小婢女道："去把那件拿来。"

听到此话，小婢女清秀的脸上闪过尴尬与紧张，连最基本的应答礼数也记不得，匆匆跑向偏殿。

时过半刻，宫装与小婢女仍不见踪影。女官见赵姬面露不耐，示意一旁年长的宫女前去探查。

宫女赶到时，小婢女正盯着满柜的华服泪流满面。她十三四岁的年纪，进宫不过半月，根本不知赵姬口中说的那件是哪一件。

宫女见状，忙帮她取来，无奈道："是丞相几日前奉上的那件鸾鸟朝凤。"

小婢女杏眼圆睁，如抓救命稻草，连连道谢，又急急跑至寝室呈与赵姬。

待到小婢女匆匆赶到寝室时，听到了韩太妃与长安君成峤求见的奏报。

赵姬欲开口责怪小婢女，但凌厉的目光在脸上打了一转，又话含嘴边，只淡淡道："抬起头来。"

小婢女缓缓将头抬起，一张弃脂粉浑然天成的鹅蛋玉颊全然不似下人模样。她因担心被降罪而紧张地含咬唇瓣，泪光闪动，楚楚动人之态让赵姬微微一愣，心生怜惜，语气也温和几分："这次便饶了你，下不为例。"

她遣退为自己更衣的女官，对余惊未退的小婢女道："你来。"

女官恭敬退后，暗暗惊讶太后怎会对一个新来的婢女这般青睐。

小婢女亦是惊愣，紧张地接过宫衣、配饰，小心翼翼地为赵姬穿戴。

赵姬打量她，问道："你叫什么名字？"

"奴婢郑氏，名初音。"郑初音怯怯地应答，手中不敢有半点慢错。

俄顷，玉带合结，裙摆袭地，郑初音终于松了口气。

赵姬撇了眼镜中自己，红唇一勾，甚是满意，对郑初音柔声一句："随我一同。"

郑初音纵有疑惑、忐忑，也只能听命而行。她谨慎地跟在赵姬身后走出寝室，往偏殿去。

待到偏殿，郑初音极快地瞥了眼与赵姬见礼的韩太妃与长安君成峤。她望着发如黑玉、肤如美瓷、眸光如星的成峤，心中不禁猜测起秦王嬴政的模样。

韩太妃与赵姬虚与委蛇，寒暄闲聊未几，女官悄然走近赵姬，耳语告知吕不韦已在寝室等候。

韩太妃见赵姬神色微动，知趣地带着成峤告辞。赵姬笑脸送罢，回身对一旁的郑初音冷冷道："你去将杨端和杨中令请至东偏殿等候。"

郑初音丝毫不敢延误，跑出了长乐宫，寻人传唤。

赵姬快步赶回寝室，刚一进门，便被躲在门后的吕不韦顺势抱住。

吕不韦将头深埋她颈弯，轻声问："她来做什么？"

赵姬似早已料到吕不韦动作，不单无半点惊喜，还起了计较。她拿开吕不韦环在腰间的手，莲步前移，快快反问："不留在府中陪你的美人，来这儿做什么？"

吕不韦听出话中横生的醋意，重新揽过赵姬纤腰，撩起发丝，吮吸清香，暧昧笑道："只有你才配做这天下第一美衣的主人。"

赵姬走至窗边，望着窗外流光错彩的瓦当飞甍，漠然道："今日，韩太妃求我为成峤寻一个良师。你欲如何打算？"

吕不韦跟至身后，温声细语："前朝我会妥善处理，你不必担心。"

赵姬浅笑不语，云鬟微倾。二人额眉互对，缱绻温存几时后，又听门外女官求见。

女官听无人作声，知是默许，便低头碎步走进，瞄了眼妆台前面色不佳的赵姬，对吕不韦躬身一礼，恭谨道："相府掌事来报，说昌平君有要事求见君侯，已恭候多时。"

吕不韦还未来得及开口，便听得赵姬略带怒意的话语："这昌平君是楚国质子。有要事朝上不奏，非要私下诉说。莫不是有什么机要瞒着百官与大王？"

吕不韦心中同样疑惑。他记得昌平君，尤其是立在糜公车驾前的模样。自己与他素无私交。今日，他却登门拜访。吕不韦顿时起了兴致，抚上赵姬纤弱的肩头，低语安慰几句便匆匆离去。

郑初音将杨中令请至东偏殿后，不敢有半点延误，忙至赵姬处禀报。她穿过正殿前院，迈进西偏殿的回廊疾行。

未行百米，她看到一个器宇轩昂的中年男子迎面走来。她脚下一顿，欲迈又收，心中有些发慌。她不知此人是当朝相邦吕不韦，也未见其穿朝服，一时难辨身份，不知该不该行礼。

吕不韦亦注意到局促的郑初音，缓了缓脚步，饶有兴味地打量着她。距离愈近，他看清郑初音容貌，竟发现她的眉眼与巴清有几分相似。他脚步再缓，仔细比较片刻，又觉只貌似，气韵甚远，不禁嘴角一扬，擦身而过。

郑初音顾不得回味吕不韦奇怪的神色，收起怵惕不安，快步赶至寝室回了赵姬的话。

对一个十三四岁的新人来说，初次传召便如此迅速已属不易。

赵姬斜倚着镜台，满意道："不错，还算利索。"

女官走进寝室，见郑初音在旁，对赵姬附耳禀报。

赵姬听了几句，眉梢轻挑，道："哦？可有看清画的什么？"

女官见赵姬不欲掩饰，便摇头直言："只依稀听得巴清二字。"

郑初音闻言，卷睫张合，双眸轮转，似想到了什么。

"啪！"赵姬怒拍镜台，低声呵斥女官，"废物！连画都看不清楚，要你们何用！"

女官惊惧跪地，不敢吱声。

郑初音见赵姬有严惩之意，恻隐心起，上前一步为女官解围："太后息怒。奴婢儿时曾与家祖去过西南巴郡。那里巴为大姓。当地有一种酒名为清。清，又有晶莹透彻之意，女子多以为名。奴婢猜测，巴清二字或指酒，或指一女子。"

赵姬听得微愣，媚眼回转，怒意渐消。她猜出画中定是个女子，但猜不出嬴政为何要去寻一个远在巴地的女子。

她思来想去，忽地记起嬴政颇为在意的那件寻常衣袍，赞许地看着郑初音，和颜悦色道："起来。到哀家身边来。"

郑初音依言而至，跪坐窗下，光影映身，青丝，朱颜，美过雪白梨花。

赵姬笑道："上至王亲国戚，下至百官诸侲，谁不想在这宫中有一席之地？可有几人梦能成真，又有几人能朝夕不变，平步青云？"

郑初音跪坐身边，垂首静听，虽看不到赵姬神情，摸不透话意，但依稀感觉这位备受争议、流言四起的太后并非全如祖父说的那般只靠美色惑人。

赵姬续道："现在，别人一生奢求的，哀家给你。连你的祖父也可尽享荣华。"

此言一出，郑初音瞠目结舌，双膝不禁后移，头埋得更低，声音颤抖："奴婢惶恐。不知太后所指。"

赵姬牵过郑初音的小手，抚摸着她手心的湿凉，莞尔道："莫怕。哀家是想派你去咸阳宫侍奉大王。大王身边缺个体己的人。你与大王年龄相仿，又伶俐可人，定能处之愉快。"

突来的变故，让郑初音既惊喜交加又如坐针毡。她小心翼翼地试探："奴婢笨拙，何德何能陪王伴驾。"

赵姬充耳不闻，敛了敛柔色，起身道："哀家给你女御名分，赐号'慧'，掌序王燕寝。日后与大王朝夕共处，很多事要细心些。只要你懂事，位列三夫人之首不在话下。"说罢，她不做停留，往偏殿去。

郑初音目送赵姬走出寝室，看着女官似鄙似尊的行礼，呆坐在地上一动不动，霎时五味陈杂。

进宫未几便能接近嬴政，郑初音始料不及。离祖父的目标又近一步，是

件好事。但她总觉芒刺在背，难以开怀。她翻转覆在膝上的手，欲掐指占卜自己的前途与变数凶吉，却心烦意乱，落宫难断。

赵姬出现前，杨端和已等得心神不安，额头泛汗。赵姬出现后，他更是忐忑不敢直视，谨慎请安。

"杨中令，给你道喜了。"赵姬含笑屏退左右。

"臣愚钝，不知喜从何来？"杨端和垂着头，心中一阵悸动。

"由中令到师长，不是喜事？"赵姬媚眼含波。

杨端和猜到几分话意，噤若寒蝉，应也忘了应，懊恼不堪，一副下半辈子注定要日暮穷途的颓废之态。

"中令是在悔不当初么？"赵姬看着他沉吟不语，娇声又起。

杨端和头更低垂，伸手用袖口擦去额上汗珠。

赵姬见他迟迟不语，笑意全无，正色道："成蟜年纪渐大，理应换一位贤士为师。哀家认为中令最为合适。"

杨端和顿觉五雷轰顶，几乎瘫坐在地，哑然失色，暗暗痛骂。

赵姬翩然至他身边，与他促膝而坐，话中冷意森森："成蟜乃大王之大患，赵氏一族之大患，你我之大患，必除！于公于私，中令都该在所不辞。做了他的老师，就该好好教导如何他为人处事，如何效忠大王。万万不要让他心存谋逆之念。"说罢，她话锋一转，玉手搭上杨端和颓垮的双肩，音容笑貌温柔至极，魅惑至极，"那晚的枕边耳语，我记得深刻。我非绝情之人，何况对你。"

杨端和惶惶抬头看着赵姬柔情似水的声色，又感失魂勾心。

赵姬粲然一笑，重回主位，垂眸思忖须臾，又道："另外，你即刻派人去巴地，看看有没有一个叫巴清的女子。若有，查清她的家室与背景回来报我。切记，低调行事。"

杨端和不做多虑，只愿早点离开这魂魄难保的长乐宫，应声一拜，又找了借口匆匆离开。

赵姬斜睨着杨端和远去的背影，玉指勾起案上金樽，将琼浆一饮而尽，朱唇轻启，幽幽自语："巴清，我倒要看看你是个什么样的女子。"

第九章

异士诡断

向来对美色不屑一顾、视如玩物的昌平君头一次情动于衷。

他坐在相府大堂，手拿画帛，盯着画中人，望之出神，只觉少府的夸赞并不虚无。

他定定地看着水墨丹青勾勒出的绰约身姿，好似看到了千山冰湖才有的灵秀与脱俗，盯着弯弯媚眼中的淡雅与光鲜，不禁急切地想见到真人。

思慕之余，他脑中一念闪过，这巴清有没有激起王相矛盾的能力与为己所用的价值。

思虑之际，吕不韦昂首阔步进堂。他急忙收好画帛起身见礼。

"公子不必拘礼。"吕不韦虚扶一把，转身步入正座，满面笑意，"不知公子有何要事？"

"大王昨夜召下官去巴地寻一个女子。下官担心此女美色惑主，特来请示君侯。"昌平君呈上画帛，垂首退后，双眼紧锁吕不韦神色。

吕不韦展开画帛，看到画中人微微一愣，旋即垂眸不语。即使昨夜已知晓此事，今日见了画帛仍心有悸动。他未曾料到心心念念的美人会以这样的方式再次出现眼前，更未料到嬴政与她相识，且对她颇为中意。

短短时间，昌平君已从吕不韦微顿的呼吸与蹙起的眉目中看到了答案。他断定，这女人绝对有利用的价值。

吕不韦兀自无言，昌平君低声试探："君侯的意思是？"

吕不韦回神，淡淡一笑，道："大王的旨意，我们做臣子的须竭力办好，岂有阻止之理。至于美色惑主一说，见之方能定论。若真是祸水，本相决不容她！你安心去寻便是。"

昌平君点头称是，收好画帛。

吕不韦静静饮了杯茶，亦不见昌平君说话，盯着他打量片刻，挑眉道："只为此事？"

昌平君讪讪一笑，道："正是。丞相可还有其他吩咐？下官愿效犬马之劳。"

吕不韦眼中闪过一抹凛冽，哧地一笑，不屑道："公子为先王册封的昌平君，依礼与本侯平级。本侯如何吩咐？办好大王交代的差事即可。"

昌平君听出逐客之意，不再逗留，从容拜离。

吕不韦瞥了眼堂外远走的身影，轻轻一哂，只觉昌平君是个趋炎附势、难成气候之辈，不值留心。

此时，他最在意的是嬴政寻找巴清一事。他不愿将自己中意之人拱手相让，不禁思虑：若嬴政让巴清进宫，该如何阻止？

"何人让君侯如此费神？"

吕不韦独坐大堂，脑海正回忆着初见巴清时的场景，但见媚瑶淡妆素裹，手端玉壶双杯，走进大堂。

吕不韦初见媚瑶这般恬静清雅，回神打量，赞道："艳时光鲜夺目，素时清莲无尘，不愧是咸阳第一美人。"

媚瑶低头莞尔，坐在吕不韦身旁，提壶斟酒，嗓音娇俏无比："是不是咸阳第一并不重要，重要的是在相爷心中的位置。"

吕不韦未应，目光移向别处，若有所思。

"谁这般好福气，让相爷如此费神？"媚瑶递过玉杯，柔声相问。

吕不韦接杯饮尽，心不在焉："你怎知我是因人费神？"

媚瑶再斟满杯，笑道："喜怒哀乐皆由人为。妾身猜测，这人还是位美人。"

吕不韦置杯在案，正视媚瑶："你何以猜度？"

"君侯雄韬伟略，朝中事不在话下。只有远在天涯，不知情意的美人方能勾心夺魄。既然挂念，何不纳她……"媚瑶盈盈笑语，欲再言几句，但见吕不韦投来的目光越发凌厉，便话含嘴边。

堂内瞬时陷入诡异的静谧。

吕不韦睐眼审视着眼前的美人，忽而想起当初糜公对她的引见与夸赞；想起素日里，她与自己把酒闲谈、床笫欢愉、月下唱和时对军政之事恰到好处的提及；想起宫内的徐总管昨夜拜府汇报的探听之言，此时竟颇觉暗藏玄机。

他越想脸色越发阴沉，沉吟少顷，冷哼一声，拂袖离去。

昌平君离开相府后并未返回府邸，而是吩咐车夫前往内城西街。他则静坐车内闭目凝神，思虑着赶赴巴蜀的种种事宜。

马车驶过茶坊酒肆，柳陌花巷，缓缓停在一个人客零星的木屋前。

木屋门前，站着一个黄发垂髫，前额突起，长眉下弯，褐色双目，眼窝深陷的精瘦老者。

昌平君缓缓睁眼，掀帘下车，对老者抬手作揖，笑道："郑方士已算出我的行踪了。"

郑方士微微颔首，笑而不语，回身进屋。

屋内，最引人注目的，当属布满四壁，形态各异的木雕。昌平君每每进此屋，总觉如临奇园。园内，有枝头深情对唱的异鸟飞禽；有环池嬉戏点水的游鱼蜻蜓；有流连娇花百草的美蝶蜜蜂；更有或淡而养神，或醇而不腻的木香怡人心脾。

昌平君环视屋中美景，再看郑方士模样，不觉大煞心情。若非亲眼见识郑方士的雕技与六壬神术，他绝不相信满屋的美景是出自眼前这身形颓废、衣着寒酸的老头之手。

昌平君踱步屋内，欣赏壁上浮雕，目光游移间，似听见了翅膀扑打与鸟鸣声。他再细细听去，又失了消息。疑惑须臾，他不再计较，看向案上众多未经细琢的木雕，顺手拿起一个飞雁的雏形玩赏，笑问："为何从未见方士雕刻人像？"

"雕刻花草虫鸟，只要识透它们的所需与本性便可。而人，难矣。"

"有这样难？"昌平君半信半疑。

"形貌不难，难的是人心。老朽从不雕那有貌无神的人像。不过……"郑方士想起了两月前在闹市遇见的粉衣女子，神思微顿，声音渐逝。那是他唯一一次雕刻人像。不知为何，他总觉着那女子与自己有些渊源。

昌平君追问："不过什么？"

郑方士瞥了眼昌平君手中的木雕，避其问而言："世子意在西南巴蜀？"

即便知晓六壬神术的玄妙，昌平君也对郑方士次次皆可猜中心存怀疑。他心弦一绷，赏物之心全失，面露阴沉，紧紧地盯着郑方士，一字一顿："此话怎讲？"

郑方士苍苍一笑，泰然道："正逢炎夏，雁安于北。大人弃别物不拿却独钟这半成的大雁。动牵于心，故老朽做出这样的猜测。"

昌平君稍稍松了口气，敛起戾气，赔上笑脸："方士不愧是鬼谷传人。不知方士能否算出我此行结果如何？"

郑方士掐指须臾，淡淡然道："天心、回还二格首尾相见相宜。此去所谋定成。"

昌平君顿时眼底生光："当真？"

郑方士道："信则有，不信则无。"

昌平君心中欣喜，连道两声"好，好"，寒暄几句，匆匆辞去。

郑方士静立门外，目送昌平君车马直至消失才转身回屋。他闭门，走至雕满飞鸟走兽的壁前，食指轻按一精小的黄鹂眼珠，眼珠凹陷，暗门弹开。

暗格上下高有二尺，内有一阵"咕咕"声传来。昌平君此前听到的那似真似幻的鸟鸣便藏在这暗格之中。

郑方士将手伸进暗道，抓出白鸽，取下脚上的信帛展读，只见帛上八字：已近王身，王寻巴清。

第十章
流水桃花

泠泠月色，明星其绚。

嬴政深夜无眠，手展一卷《归藏》，于案前挑灯细读。

"大王。郑女御求见。"徐总管进殿禀报。

嬴政正看得玄妙之处，无暇他顾，不假思索道："不见。"

须臾，他眉心一蹙，脑中回忆着徐总管口中的郑女御，反复想了几回仍毫无印象，不禁奇怪。他初登王位，后宫虚空，怎的凭空出来个郑女御？

嬴政喊住走至殿门的徐总官管，不解道："郑女御是谁？"

"回大王，郑女御名郑初音，年十三，由太后钦点，赐号'慧'。"

嬴政听罢徐总管的介绍，沉吟少顷，似笑非笑道："让她进来。"

门外等候的郑初音得了传召，紧了紧端着玉盘的手，深吸口气，低眉顺眼走进。

她轻声细步行至嬴政案前，垂头小心翼翼地端起珍品放置桌案，恭敬退后，轻舒口气。

自始至终，她都没有提起胆量看一眼座上的嬴政。

嬴政眯眼打量着这个与自己同龄的女孩，冷冷道："抬起头来。"

郑初音缓缓抬起尖巧的下颏。明亮的宫灯映出她清秀容颜。

嬴政看清面容的第一瞬，呼吸一滞，眼中掠过一丝惊诧。他未料她竟与自己心心念念的巴清颇有几分相似。

他盯着她的眉眼愣了愣神，旋即冷静地审视起来，双眼如寒夜孤星，如苍鹰锐利，看得郑初音一阵惴惴不安。

片时，嬴政目光落在手中的《归藏》，漠然道："既然是母后看重的人，怎能只给女御名分。寡人进你嫔位。赐居琅苑。"

一旁的徐总管瞥了眼尚在惊愕的郑初音，走近嬴政，低声提醒："大王。郑女御既不是官家女儿，又非王室宗亲。封此高位恐怕不合规矩。"

嬴政嘴角一沉，猛地将手中竹简摔向徐总管，疾言厉色道："寡人的家事什么时候轮到你这阉人多嘴！不合规矩？寡人便是定规矩的人！滚！"

徐总管踉跄退后，匆匆行礼，快步出殿。郑初音亦是心惊肉跳，只觉嬴政的性情远比祖父形容的还要暴戾。

嬴政并未让郑初音起身，冷眼打量，语气嘲讽："母后眼里容不得沙子。你能从贱婢升至宫嫔，想必有些本事。跟寡人说说，你用了什么招数？"

郑初音卷睫扑展，话音轻颤："大王明鉴。奴婢并未用什么招数。全因太后垂爱。"

嬴政轻呵一声，鄙夷道："你的意思是，自己命中注定陪王伴驾，飞黄腾达？"

郑初音自知任何言词都可能招来一番讥讽或惩罚，便将头深埋，不敢再答。

嬴政沉吟须臾，声色缓和几分，言语轻慢却带着无法忤逆的霸气："既来之，则安之。寡人不管母后派你来是何用意，也不管你暗自打的什么主意，变了身份就要做好自己的本分。进了咸阳宫，就该知道谁才是你的主人。母后给你的，寡人一样可以。你若三心二意，寡人绝不姑息。"

郑初音再垂首，低声应道："是。奴婢谨记。"

她话音刚落，便听见"啪"的一声，惊得浑身一颤。她循声看去，只见自己送来的珍品被打翻在地，汤水溅落，玉碗碎裂。她瞪着水汪汪的大眼看向嬴政，却见他声色俱厉地呵斥："九嫔掌教四德。你几次三番自称奴婢，无半点规矩。是欲求不满还是心不在焉？"

"嫔妾知错。大王恕罪。"郑初音顿时泪水盈眶。

嬴政冷冷一哂，起身走进寝室，语气决绝："念你初犯。今夜在殿门外静思己过。"

郑初音心中十分委屈，不言谢恩，起身走向殿外，拖着娇小的身子凄凄跪地，泪珠摇坠，青丝垂脚，如一抹落寞孤魂。

她静静地盯着自己映在地上影子，抬头望了望药玉色的夜空，又垂下头泪眼朦胧。

此时的她，十分希望能够抛却身世宿命，化成一朵飞花，一缕清风，飞离王宫，重回云梦山。

不知过了多久，一个瘦长的身影与摇晃的灯影重叠，立在她眼前。

她心猛地一坠，抬头看去，只见嬴政一袭寝衣站在面前。她含在眼中的泪不敢下落，忧惧地看着他，心想是不是又有什么刁难。她简直无法想象，世上竟有如此可恶的少年。

"起来吧。"嬴政递过一方锦帕，声色缓和许多。

她微怔，迟疑地接过锦帕，拭去脸颊与眼角的泪水，但心中又起酸楚，眼泪止不住地扑簌而下。

她索性任由眼泪滑落，偏头娇嗔道："大王与太后置气，却怪到嫔妾身上。怎不将嫔妾打入冷宫？再不解气，逐出宫门，要杀要剐随着大王的性子！"

嬴政看着她玉容落寞，梨花带雨，抿嘴不语，心底微软。抛开郑初音与赵姬的主仆关系，他并不讨厌她。

近两个时辰的跪罚，让郑初音的膝盖与双腿僵硬不已。她一只手撑地，一手捏打着小腿，欲站起，却因身子酸麻无力，跌坐在地。

嬴政看着她嘟起嘴，满面委屈，颇觉可爱，轻笑两声，向她伸出了手。

郑初音怔愣瞬时，伸手相握，另只手顺势揪住嬴政衣袖，踉跄起身。

二人仅半臂之遥，额首相对，姿势暧昧。

清风拂过，吹动藏于云后隐现的弯月，扬起郑初音鬟髻青丝，甚是迷人。

嬴政借着宫灯与几缕银色月光细看，她一身淡粉曲裾，随云髻戴玉兰花钿，双瞳剪水，肤如凝脂，颇像个误落凡尘的仙子。

嬴政对郑初音的美只是欣赏并无喜欢，唯一动心之处便是那一双与巴清相似的眉眼。他只觉得那眉眼中似有数不尽的灿然星光，那清莹水波如迷倒

千世浮华的佳酿，让人甘愿沉醉其中。

"夜已深。大王该歇息了。若误了早朝，太后会责怪嫔妾。"郑初音娇声软语将嬴政飞驰的神思斩断。

他又仔细看了看身边含羞的美人儿，最终松开手，心中怅然，亦无睡意，随意找了处石阶坐下，看着远处明灭的宫灯，信口道："你家出何处？家中可有亲人？"

郑初音并不拘束，在嬴政身旁坐下，道："民女生于巴郡。后来与祖父一同住在云梦山。两年前到了咸阳。"

听到此话，嬴政神色惊喜，扭头盯着郑初音急切道："云梦山？宜君的云梦山？"

郑初音木讷地点点头，一脸莫名。

嬴政语调顿扬，追问："你爷爷与鬼谷子可有什么渊源？"

郑初音这才明白嬴政诧异的原因，摇摇头，茫然道："从未听爷爷提起此人。"说罢，又小心地观察嬴政神色，道，"大王可否给嫔妾讲一讲那鬼谷子？"

嬴政也不避讳，悠悠道："鬼谷子名王诩。纵横之鼻祖。其才无所不窥，众学无所不入，不论日星象纬、预算世故，或六韬三略、布阵行军，皆精确十分，变化无穷。社会纵横、天地玄妙、祛病延寿，更是世人不及。弟子门人，入世皆举足轻重、大有作为。然此人行迹不定，神秘莫测，难寻其踪。后来，有人传他已离世，又有人传他隐居在宜君的云梦山。"

郑初音若有所思道："大王是想寻得鬼谷子的弟子助自己一臂之力？"

嬴政点点头，道："你生在巴郡，想必对巴氏一族有所了解。讲些那里的风俗听听。"

郑初音忽而想到前日长乐宫中听到的巴清二字，侧头贴近嬴政，嘻嘻笑道："大王可是有喜欢的人了？"

嬴政避开她目光，向旁侧坐了坐，拧眉道："何以见得？"

郑初音伸出五指动了动，狡黠一笑："掐算而知。"

嬴政轻蔑一笑："你会算卦？"

郑初音一脸正色，点头称是。她见嬴政半信半疑，又道："大王今夜看的那卷竹简名《商易》。因以坤为首卦，故又名《归藏》。占卜时，需由八个经卦叠出六十四个别卦方可起效。"

嬴政惊诧地看她，不置可否。

郑初音见嬴政仍不言语，便自顾说道："大王若是喜欢，便将她召进宫来，常伴左右，岂不更好?"

嬴政玩味笑道："她进宫了，你怎么办? 你不怕寡人不再见你，琅苑变成一座冷宫?"

"怕。后宫哪个女子不怕。可大王身边不能没个说话的人。嫔妾做不到的，若别人可以，也是一桩好事。"

郑初音说得云淡风轻，却引得嬴政心绪翻覆。他抖擞起身，饶有兴致地看着她，意味深长道："母后赐你'慧'字，果然名副其实。"

言罢，他起身回殿，空留郑初音一人立在盈盈夜风中，思绪万千。

第十一章

幽谷情动

　　巴蜀有一盛名花阁，进门如见千花万柳，时妆艳服女子无数，各个夏月茉莉盈头，巧笑争艳，凭栏招邀。

　　此阁名拢翠，也是巴家二公子巴煜瑞的第二个家。

　　阁内，二层七巧斋。

　　"你怎将陈公子私卖假酒，又与其父亲小妾私通的事告诉了你嫂子？不怕陈公子记恨你？"一红衣美人依偎在巴煜瑞怀中轻声呢喃，口中的陈公子便是郡守的儿子。

　　"怕什么？他酒后失言，连自己都不知晓。"巴煜瑞搂着美人，惬意无比。

　　红衣美人美眸流转，抬身离怀，嗔怒道："你大哥已去世多日，你怎还是一副事不关己的样子，不想当家了？当初你说当家后就接我进门，要反悔么？"

　　巴煜瑞眼角微挑，勾起床边的酒樽，清流入口，回味无穷。饮罢，他轻笑道："急什么。我们先择优而栖。"

　　美人娇嗔着投进巴煜瑞怀中，巧笑勾魂。

　　二人嬉闹未几，一阵喧哗传进门来，接着便是一阵琵琶声入耳。

　　巴煜瑞心生好奇，起身开门一探究竟。他循声望去，只见一层高台之上，一墨衣女子怀抱琵琶半遮面，独坐台中弹奏。

　　一曲弹罢，又奏一曲。墨衣女子人面朦胧，纤手挽春，细捻轻拢。琴声时而孤风千险、飞絮青冥；时而幽咽凝绝、暗恨绵绵；时而铁骑突出、激越雄壮。

向来靡靡之音盛行的花阁突然响起了铿锵磅礴的浩瀚之音，引得众人一阵喝彩。巴煜瑞亦斜倚门栏听得入神。

红衣美人整襟下床，斜睨着台上的墨衣女子，不屑道："她是三日前来的这里，说什么也不肯摘下面纱。名字倒是不错，叫楚涟雪。涟雪，冰清玉洁。呵，立牌坊也不看地方。"

曲罢，台下摘下面纱的呼声迭起。楚涟雪不予理会，举步走向后台，姿态傲如寒冬独梅。

巴煜瑞看着那抹娇俏身影，对面纱之下的容貌好奇难禁。

楚涟雪眉心的戾气，他看得十分清晰。花坊的女子是何姿态，他更清楚。他断定，楚涟雪绝非只为寻常的卖艺女子，嘴角一扬，动身向后台去。

待巴煜瑞至后台，楚涟雪已出了拢翠阁，穿过曲折蜿蜒的水桥、街巷，走向通往城门的长道，步履迅捷，丝毫没有女儿家的轻盈扭捏。

道上车马辚辚，人流如织，鼓吹清和绕城。珍品贵物琳琅满目，美食佳酿色香俱全，奇玩杂技精彩夺目，缓了来往行客的脚步，独独留不住楚涟雪的侧目。

徐徐暖风穿堂过巷，卷起城楼的飞烟薄雾，撩拨着楚涟雪的青色面纱。面纱之下，玉面粉肌半掩半露，神秘勾人，引得地痞无赖驻足。

"美人儿去哪儿？"几名身着华服、身形浪荡的贵公子拦住楚涟雪去路，眼露色光地将她上下打量。

楚涟雪理也不理，侧身绕行，谁知又被拦住。贵公子们洋洋得意，一副唾手可得之相。

楚涟雪扫视几人，冷冷道："走开。"

行人渐三两住脚观望，窃窃私语指责，看似同情却无一阻止。

贵公子们脸上咧开玩味的笑意，只把楚涟雪的话当作娇嗔。其中一肥壮男子猥琐笑道："美人儿，天气炎热，何不摘了面纱，也好让我们瞧瞧你的娇容？"说罢，上前两步，伸手欲摘。

楚涟雪眉眼一紧，眸底凌厉闪过，猛地抓住男子手腕。

男子顿时叫得撕心裂肺，惊得其他几个同伴瞠目结舌。

观望的行人纷纷低语，说楚涟雪衣着迥异，身手了得，绝不简单。

男子已疼得龇牙咧嘴，冷汗涔涔，欲抽回手腕却被擒得动弹不得。

楚涟雪手臂向前用力一甩，男子踉跄跌后。另外几人看着同伴青紫的手腕，轻呼一声，怒目相视，欲要以多欺少。

楚涟雪无半点胆怯，右手伸向腰间，握住盘挂的长鞭，杀气腾腾。

她抖落长鞭，鞭尾可怖的倒刺让众人惊愕恐惧。

贵公子们怯懦起来，面面相觑，不敢上前。

僵持之际，一个爽朗男声从众人身后传来，三分温柔，七分魅惑："前方怎这般拥堵？叫人如何行路？"

众人扭头看去，原来是风月场中无人不知，无人不晓的巴家二公子。

楚涟雪眯眼审视着款款而来的巴煜瑞，见他笑意风流倜傥的，凌厉的眼中多了几分别样光彩。

几名贵公子相视一眼，猜测巴煜瑞意欲何为。

巴煜瑞行至楚涟雪身前，微微一笑，转身走近几人，目光在受伤男子的手腕上晃了一晃，笑意更浓："这位姑娘是在下好友，不知因何得罪了各位？"

此言一出，围观者又起私语。楚涟雪柳眉一挑，看着巴煜瑞高挑秀雅的背影，面纱下似有笑意波动。

几个贵公子不愿与巴家作对，便不再纠缠，赔笑几句，悻悻离去。

众人渐渐散去。楚涟雪收起长鞭，瞥了眼巴煜瑞，自顾前行。

"姑娘。"巴煜瑞快步上前，伸出手臂，拦在楚涟雪身前，挑眉笑道："不说声谢谢？"

楚涟雪斜睨着巴煜瑞，挥开手臂，继续前行。巴煜瑞轻呼一声，快步跟上。

行至城门，楚涟雪蓦地转身，不快道："巴公子要跟到何时？"

巴煜瑞温柔笑道："道谢为止。"

楚涟雪不屑一笑："你以为我斗不过那几个废物？"

巴煜瑞一本正经道："纵使姑娘身手不凡，也难敌众人。若再添几个，又或是招来官府的人，姑娘可有把握？"

"真是蛇鼠一窝。"楚涟雪目露鄙夷，转身出城。巴煜瑞依旧随行身后。

出城百步，楚涟雪再次住脚，极不耐烦地看着巴煜瑞，冷声道："你总跟着我做什么？巴公子不用打理家中生意吗？"

巴家是巴蜀有名的丹砂大户。数日前，巴煜祺病逝，其妻巴清与巴煜泽争夺家业一事引得街头巷口议论纷纷。坊间除了对巴清这年轻寡妇的质疑外，更嘲笑巴家男子皆是无用之辈。楚涟雪说此话，自是在讥讽。

巴煜瑞笑意僵硬瞬时，眉眼更加温柔："姑娘这般问，在下可否当作是一种关心？"

楚涟雪微微一怔，对其无赖之举既觉无奈又觉可笑，劝道："巴公子还是回吧。我所去之处不适合公子涉足。"

"哦？哪里？"巴煜瑞一脸不以为然。

楚涟雪眼神一动，目中寒意森森，语气也变得怪异："那里有怪鸟，有猛兽，有鬼嚎，凡路经者皆余生病痛缠身，噩梦连连。你还是不要知道的好。"

巴煜瑞认为她是为摆脱自己故意危言耸听，自信满满，去心坚决："姑娘不怕。我怎会怕。"

楚涟雪朱唇微动，不再多言，任他一同。

时过三刻，二人行至薄雾缭绕的僰王山坡，攀上山门处的一条林荫小路。小路两旁竹林茂密，左右垂拱，如绿色长廊。滴滴雾珠隔减了太阳的炙热，较之城里清凉许多。

巴煜瑞见楚涟雪径直不停，似要进山，且进的还是一座巴蜀百姓谈之色变的鬼神之山。他不禁起了好奇，快行两步与她并肩，笑道："姑娘进山作何？"

楚涟雪冷笑道："与你何干。若怕便回吧。"

巴煜瑞见她仍是一副拒人千里的模样，便再未接话，紧随其后。

行过数百米，二人至山内。山外清晰悦目的鸟语啁啾渐渐销声匿迹。巴煜瑞放眼望去，前方婆娑碧浪，竹影层层，雾霭渐浓，周遭静谧异常，凉意袭身。

楚涟雪察觉到身后人的情绪变化，淡淡道："前方是飞雾谷。巴公子若不想跟随，顺着方才的路返回便可。"

巴煜瑞瞅了眼前方厚重的雾霭，再看看身前的楚涟雪，虽心有犹豫，却不得不顾面子。他下颏微扬，眉眼轻挑，再与她并肩，笑道："不回。"

楚涟雪眸中闪过一丝惊讶，旋即加快脚步，轻叹一声："公子可要跟紧了。"

不出片时，二人消失在一片浓雾之中。

不知行了多久，巴煜瑞忽觉前方浓雾渐淡，如雷吼声从远处传来，震得他一阵心颤。

这时，他耳畔又响起楚涟雪寡淡的清音："那是落水洞的急瀑。"

半刻后，浓雾消尽。巴煜瑞举目望去，唇齿惊启，只见前方一道飞瀑似由天外飞来，跌入地府，气势恢弘可比女娲补天，与银河同齐。

楚涟雪似见以为常，不做停留，蜿蜒着出了洞府。

正当巴煜瑞暗暗赞叹那飞瀑天造地设、鬼斧神工时，峰回路转，又出一片天地。

这片天地不禁让他观赏之情尽失，怅然失色。

此时，楚涟雪也停住脚步，回身道："我们到了。"

"这……是落魂谷？"巴煜瑞想着祖辈传下的落魂谷传说，小心翼翼地环顾四周，越发志忑。

他仰头看向右侧陡峭的绝壁，只见洞窟几十，穴穴藏棺，离地数丈之高，有的三五一起，有的连成一片。

他定睛细看，每座棺椁旁的石壁上皆刻有形状怪异的红色图案，久看便觉得脑袋昏昏惶惶，似有怪兽朝自己奔袭而来。

楚涟雪看着神色顿失的巴煜瑞，讪笑道："怎么，怕了？"

巴煜瑞用力摇了摇脑袋，这才发现方才所见皆是幻觉。

楚涟雪指了指身后数尺外的巨石，道："若是害怕便躲在那石背后面。"

她前行几步，立一较高石台之上，摘下面纱，口吹长哨，又挥鞭击空三次，声声响彻山谷，似是林王召兽。

几声响罢，山谷中嘤嘤嗡嗡，振翅之声不绝于耳。

巴煜瑞赶忙跑到巨石后躲起，小心探头观望，只见无数大小鹰鹫疾飞而来，或盘旋于楚涟雪头顶，或落在她身旁。

　　他瞠目结舌，寒毛倒竖，欲再跑得远些，无奈双脚如被禁锢，虚软得动弹不得。

　　楚涟雪缓缓伸出左臂，让一只形体较小的幼鹰飞立臂弯。她右手轻轻抚上幼鹰背羽，一脸宠溺。其他鹰鸷见此，纷纷拍打着翅膀，尖爪离地，跃跃欲试。

　　楚涟雪与鹰鸷们玩闹一会儿，想起了躲在石背后的人。她回头挥手，如花树堆雪的脸上漾起淡淡笑意。那笑意如深夜里最美的百合，清冷无声，我见犹怜。

　　巴煜瑞望着楚涟雪心神怔愣，不觉间已从石后缓缓走出。

　　融融日光之下，他恍然看到，她右侧眼角下，有一指弯月纹，似疤痕，似特意勾画的图纹，诡异神秘。

第十二章　力夺家业

巴清坐在案前，闭目静神，一脸倦容。

鸢儿端着饭菜进屋，看了眼内室未动的床被，再看巴清倦容上清晰的泪痕，挽好的发髻上垂着的几缕凌乱青丝，便知又是一夜无眠。

她眼中起了雾水，走到巴清面前，将饭菜搁置在案，哽咽道："小姐，吃点东西吧。我想大公子泉下有知，定不愿看到你现在的样子。"

巴清恍若未闻，脑中全是巴煜祺僵硬弯曲的十指与坊间纷传的死不瞑目的流言。

鸢儿无奈之下，跑到窗口望着开满荷花的池塘，挤出一个笑脸："小姐不是最喜欢荷花吗？现在满池的荷花都开了。不如我们一起去赏花？"

"人已去，花再好也不过物是人非，徒增哀情。"巴清淡淡一句，毫无生气。

鸢儿欲言又止，垂着头睫动泪跹。她流泪，不仅仅是因巴清此时遭逢的丧夫之痛，还有自己深埋心底，永远挥之不去的内疚与阴影。

鸢儿虽跟随巴清数年，但她还是无法想象自巴煜祺死后，巴清无一日安枕的真正原因，终究无法体会外受流言蜚语，内负家族争斗的双肩是如何的沉重。

于巴清而言，做不了一家之主，等待自己的将是充斥不甘与落魄，处处受制于人的日子。可若做了这一家之主，持家的路上又未必不会有更多的磨难与危险。

巴清沉吟片时，拿起桌上竹筷，吃了几口饭菜，起身至妆台前，盯着镜中憔悴的自己，话中多了几分温度与坚定："现在不是哭的时候。煜祺尸骨未寒，便有人等不及夺业争利。我绝不会让家业葬送庸人之手。"

鸢儿赶忙擦去眼泪，止住哽咽，连连点头："我来给小姐梳洗。

今日，是巴家推选第四代当家人的日子。

巴老夫人与巴煜瑞早已在正堂静坐等候。

巴煜泽快步来到堂内，一副胸有成竹模样。他走至巴老夫人身前，笑意突增，毫不掩饰的得意与挑衅挂在眉梢："母亲与二哥昨夜休息得可好？"

巴老夫人不予理会，端坐目视前方。

"多谢三弟关心……"巴煜瑞则与母亲的态度截然相反，笑盈盈地回了话。然话言半句又止在嘴边。他忽然发现，多年的手足情也不过与这半句嫌多的客套话一般深浅。想罢，他轻抿了唇，无奈一笑。

巴煜泽微笑入座，端的是胜券在握，趾高气扬。

半刻后，陈郡守笑吟吟走来。堂内三人忙起身出迎。郡守一边作揖回礼，一边寻觅巴清身影。

此时的巴煜泽并不知晓郡守力挺自己当家的决心已经动摇，更不知让郡守动摇的人就是巴清。

巴煜瑞故意将郡守儿子私卖假酒、与其父小妾通奸一事透露给了巴清。

巴清抓住此机，来了个釜底抽薪。

三日前的傍晚，厚重云雾盘踞天空，余晖迸射条条绛色霞彩，为城外偌大的酿酒坊盖上了一层薄薄华彩。

巴清的两辆马车一前一后驶过白墙黛瓦的小巷与鳞次栉比的民宅，辘辘出了城门，驶进郡守开办的酿酒坊。

郡守以官职之便垄断了巴地酒业，现交由儿子打理。

马车停靠车棚。巴清掀帘下车，走进大门，对守门小厮微笑道："告诉你们公子，我巴清要与他合作。"

小厮应了一声，匆匆离开。

巴清进得坊内，顿觉雾气腾腾，浓香扑鼻而来。五座铺满粮食的晾堂一

一累叠。旁侧六口涂满黄泥的巨大酒窖深陷地中。酿酒器是数座依次排开的水井式圆锅，上装冷水，下装酒母，基座柴火旺盛，蒸煮后散出的热气遇冷水凝成酒滴，汇成清流由竹筒泻入对应的坛中，酒花四溅、飞珠滚玉。

巴清向酿酒师要来一坛未满的清酒，盛了半杯品尝。

品鉴之际，陈郡守的儿子轻蔑的声音在背后响起："你要跟我合作？"

她转身，浅笑道："不欢迎？"

陈公子嘴角一撇，轻蔑道："你拿什么与我合作？据我所知，将掌巴氏家业的是巴三公子。而你，不是应该在考虑改嫁我父亲还是糜啸郴么？"

巴清轻笑着走近两步，柔声道："谣言不可信。况且，我这不是来请公子帮忙了吗？"

"你应该知道巴煜泽与我父亲有约。我为什么要弃他助你，与自己的父亲做对？"陈公子仍是一副不屑一顾的神色。

"因为，巴煜泽不懂解人之急等于助己这个道理。郡守大人是被先入为主，公子只需稍作提醒便可。"巴清言罢淡淡一笑，击掌两声。

片刻，四个仆人抬着两个黑漆铜印木箱走进。

"这是什么？"陈公子打量着木箱，好奇道。

"我的诚意。"巴清下颏一扬，命仆从打开木箱。黄灿灿的金锭耀眼夺目。

陈公子看得双眼放光，心中大喜，走到木箱前，抓起金锭捧在手中，如视珍宝。

这时，巴清走至排排封好的酒坛前，随意打开一坛，舀出些许，抿一口，轻摇头，一副失望模样："可惜。本是一坛美酒，如今却变了味道。"

陈公子笑意灿然的脸突变，手中的金子滑落木箱。他转身望着巴清，语气惊惧："你怎么知道？"

"这不重要。重要的是我能替公子还清赌债，还能永远保守秘密。"巴清一字一句皆带着满面笑意。

陈公子看着一旁的金锭声色不动，暗自窃喜。他讥笑巴清头脑简单，竟没有考虑自己会过河拆桥，收钱却不认账。

他走近巴清，笑意渐盛，贴近她身，在耳边低语："想不到巴夫人不仅貌美还善解人意。你既知道我想要什么，那也一定清楚我想干什么。"

巴清挡住他伸向腰间的手，抬眼对上他一双色眼，嫣然笑道："这些话，公子还是说与你父亲的小妾听吧。"

美梦泡汤，被抓把柄。陈公子恼羞成怒，咬牙切齿道："谁告诉你的？"

巴清挑眉笑道："若要人不知，除非己莫为。我倒认为公子当下该想想怎样完成我们的合作。毕竟，难堪的事，我们谁都不希望发生。"

陈公子最终选择与巴清合作，劝说父亲放弃帮助巴煜泽。而郡守亦架不住儿子的挑拨，几经思虑，最后决定中立而观。

郡守看了眼空置的巴清的座位，又看向另外三人，试探道："不知各位可有决定？"

巴老夫人毫不犹豫道："老身以为儿媳巴氏最为合适。煜祺生前也曾与我说起……"

"母亲，您说这样的话就不怕让人耻笑吗！当家传男不传女的祖训您忘了？光是她的身份就没有资格坐上这个位置！"巴煜泽厉声打断，丝毫不顾长幼尊卑。

祖训如此，纵家中长者与前任当家首肯亦难违背。巴老夫人一边命身旁的侍婢告知巴清尽快赶来，一边忍怒笑道："祖训不但言明男女之别，更说要德才兼备。老身觉着男丁中德才兼备者差之。"

巴清迟迟未至，郡守心中没了底，不知究竟帮哪一边，看着巴煜泽几次三番对自己暗中示意，只好干笑两声，打了圆场："是，是。人要德才兼备的人，祖训也不能忘嘛。"

巴煜瑞始终静坐，只字未提。少府的不偏不倚与犹豫不决让他对巴清的胜算多了分信心。

郡守的圆场之言效果甚微。巴煜泽向难沉稳，欲再向巴老夫人发难。

这时，巴清一身白衣缓步走进，青丝挽发，不着金饰，粉黛略施掩憔悴。

巴煜泽目视着平静入座的巴清，冷笑道："小弟还以为嫂子房中悲痛，无法前来。看来大哥在您心中的分量也不过如此。"

巴清面不改色，冷冷道："煜祺尸骨未寒，你便急着筹谋当家之位，兄弟亲情何在？莫非素日里的手足相扶都是违心之举？"

巴煜泽不甘示弱，反唇相讥："大嫂未免太小肚鸡肠。我对大哥之情是真，但家不可无主。我是为顾全大局行此举，相信大哥与列位祖宗都会赞同。反倒是嫂子你，未给巴家诞下一男半女，不觉愧对祖宗么？若我是你，定会无颜留下。"说罢，他又将矛头转向巴老夫人，横眉笑道，"我听闻，大哥去世当晚，母亲与大哥有过交谈。不知母亲去时大哥可还安在？"

一脸淡漠的巴煜瑞猛然抬起眼睛，望向母亲，颇为惊诧。

"满口胡言！难道我会害自己的亲生儿子不成！"老夫人心火难掩，怒声驳斥。

话虽如此。巴煜瑞想起素日里母亲对大哥淡漠的态度，连为自己母亲辩解的底气也渐渐不足。他紧盯着母亲的神色，不禁怀疑是恼羞成怒，还是含冤受辱？

郡守轻抚八字胡，不动声色，脑中闪过一念：呵，若老婆子真害了自己儿子，于我倒是件好事。

他人心思各异之际，巴清开口："无凭无据。三弟怎连真假也辨不出。何况长幼尊卑，你对母亲这般态度是不是有违孝道，德行何在？"

巴煜泽嗤之一笑，却也不好在此事上继续计较，便将目光转向盟友郡守。

郡守尴尬笑言："本府以为虎毒不食子，想必多半是谣言。选出当家事大，各位莫误了正事。"

巴清望向巴煜泽，干脆道："妾身自知愧对巴家，更不敢有非分之想。但当家之位也绝不能为达目的口不择言、诋毁他人、无视礼教之人任之。"

巴煜泽拍案而起，怒指巴清，冷笑道："我无视礼教？那你和縻啸郴算什么？"

郡守身子微倾，竖耳细听。巴煜瑞兴致顿起，静待下文。巴老夫人亦是一脸好奇。

"三弟莫要含血喷人。凡事拿出证据才好说话。不然只会让自己成了笑话。"巴清神色一凛，语调骤然冷了几分。

堂外，管家引一位身着官服的人快步走进，断了争执。

郡守看来使身着墨绿袍服，头顶法冠，腰系环三珠佩，知其身份与自己比肩，急忙起身相迎。众人亦纷纷行礼，暗自猜测此人目的。

来使与郡守寒暄几句，取出袖中信帛宣读。信中将巴清求得宫中丹砂一事言明。縻啸郴的帮忙，左不过是利用了身份的便利，加快了文书送至巴地的速度，与强调合作期间的一切事宜皆由巴清筹备。

短短几行，足以明确了巴清的地位。字字如突来鼓声，敲在巴煜泽耳边，阵阵难平。

巴清轻舒口气，接过信帛，对来使恭敬笑道："多谢大人提携。民女定不负重望。车马劳顿，民女已为大人备好别院休憩。"

巴煜瑞与母亲眼神交互，惊讶难掩。他们只知巴清出门求生意，却不知求的是这般要紧的生意。

郡守瞄了眼又惊又怒的巴煜泽，想起儿子当日的劝说，这才明白原是巴清的心思，长舒口气，暗暗赞叹："若非她事先提醒，我力推巴煜泽，只怕会得罪了帮她的人。如此一来，倒让我欠了她一个人情。早有准备却不言明，胜券在握亦能沉着，心思缜密进退有度，光是这番筹谋她也当得起这一家之主。"

叹罢，他笑着上前，拱手道："巴夫人德才双冠，当家之位当之无愧。本府道喜了。"

巴清微笑颔首，余光停在巴煜泽怒红的脸上，从容相问："三弟，你可还有话说？"

"哼，到底是谁为达目的不择手段？你不要以为靠着这些算计便可坐稳当家之位。"巴煜泽仍是不甘，不顾来使在场，拂袖离开。

巴清对这般嘴硬之言不予理睬，扬起笑脸与郡守、来使一同笑谈着出了大堂。

巴煜瑞无言搀扶母亲回房。巴老夫人脸色阴郁，心中不快，自知让儿媳当家只是权宜之想，怎料退了饿狼又来猛虎。她愈想愈心绪不宁，反握住巴煜瑞的手腕，收紧力道，低沉道："日后多与你大嫂学些生意之道。我们是该打算打算了。"

"是。"巴煜瑞只一字回应，不焦不躁。

廊道迂回，树影婆娑，暖光肆意。巴煜瑞凝眸直视回廊尽头跳动的光影，俊美的眉目间浮起浓浓阴沉之色。他再清楚不过，今日之争不过刚刚开

始，鹿死谁手尚未可知。

巴煜泽与当家失之交臂后看万事不顺，待在房中三日未出门，对仆人动辄怒骂。下人们很不愿走进巴三公子的宅院。

今早，巴煜泽又是一声怒吼，将饭菜打翻在地。侍婢吓得连连退后，跑出房门。

几个在前院打扫的仆人，一边装模作样地清理花园周边泥土，一边小心地向屋内瞅了瞅，又窃窃私语。

"三公子公然与大夫人翻脸，如今没坐上当家，好日子怕是到头了。"

"是啊。不过这女人当家还是头一回见。母鸡司晨，阴阳颠倒，岂不要天下大乱？"

"管他呢。我们做下人的看个热闹罢了。哎，你说这二公子怎就不争不抢呢？"

一旁的仆人耸了耸说话的人，轻咳两声，递了个眼色。

说话者顺着那眼色望去，只见巴煜瑞款款走进院门，顿时埋头不敢再语。

巴煜瑞迈进堂屋，看了眼地上的饭菜，又看着斜倚桌案，一脸怒意的巴煜泽，含笑对坐，言语间关怀备至："三弟何故与下人置气，饭菜不合口味换了便是，动怒伤了身子可不好。"

巴煜泽瞥了眼巴煜瑞，冷笑道："二哥不去她那儿庆贺，反到我这里，是来看笑话的么？"

巴煜瑞拿起案上酒樽浅抿一口，从容不语，待到巴煜泽怒意消减，渐渐正视自己，才道："既说我是来看笑话的，那定有什么可笑之事。不知是什么？说出来也好让我们兄弟二人一同乐乐。"

巴煜泽看着他仍是一副玩世不恭，云淡风轻的神态，讥笑道："二哥终日玩乐，还嫌可笑之事不够多么？"

巴煜瑞不愠不怒，付之一笑："这世上许多事都需量度而求，唯乐事从不避多。若人人都像三弟终日怨愤伤身，只怕想做的事还未做完便已没了力气。"

巴煜泽起身背对巴煜瑞，吞怒气，轻哼一声，道："我可没有那般闲情雅致，也没有那样的福气。二哥自便吧。"

巴煜瑞知此为逐客之意，却依旧稳坐不动，提壶行酌，淡然回之："福由天定，亦由人决。你若只信天，不搏命，余年必皆如今日。"

不曾想他能说出这般言语。巴煜泽眉眼一扬，颇感意外，转身入座，打量巴煜瑞须臾，语调柔和许多："想必二哥前来，不仅仅是对我说这些吧?"

巴煜瑞见他终于肯静心相谈，便敛了漫不经心，正色道："大哥去后，依祖训应按长幼次序接任。我自知无颜持家。可三弟你助大哥经营多年，不论才智、能力，当家之位你当之无愧。我本尊敬大嫂，但她为一己私利公然夺取家业，无视祖训。身为巴家子孙，若你我坐视不理，有何颜面对父亲?何况，那日堂上，大嫂对你的态度……难道你就这样听之任之?"

句句戳中巴煜泽心思。他沉思片刻，婉言道："二哥所言有理。我做不做得一家之主且另说，但这祖训万不能忘，更不能破。"说罢，见巴煜瑞一副深以为然的神情，又试探道，"可木已成舟，我亦是心有余而力不足。"

巴煜瑞亦不吭哧，直言笑道："我倒以为尚有变通，还可一搏。"

巴煜泽黯淡的双眼蓦地亮起，紧接道："哦? 此话怎讲?"

巴煜瑞身子微倾，低声道："那送来文书的官儿，品级想你也看得出。大嫂初入咸阳，见的都是陪王伴驾、翻手为云覆手为雨的人物。与官府打交道本就不易，何况是他们。这买卖是那么容易到手的? 她说了什么，做了什么，你我不得而知。可不论谁都难免会心有疑惑。"

"哼。她一个女人能有什么本事，还不是縻啸郴暗中帮忙。"巴煜泽嗤之以鼻。

巴煜瑞身子微微一仰，想起近日坊间流传的巴清与縻啸郴间种种暧昧的言语，料定始作俑者就是眼前的三弟。

巴煜泽思忖着巴煜瑞的话静默片时，豁然开朗，眼锋回转，探问："二哥是让我请一位高人相助?"

巴煜瑞点头："不错。她借外力上位。我们亦可以彼之道还治彼身。"

巴煜泽思量几回，失望摇头："此计不通。我们去哪里找一个能与縻啸郴抗衡的人呢?"

"为何非要求别人?"巴煜瑞淡淡一笑。

巴煜泽起始不解话中意，待仔细看着巴煜瑞似笑非笑的模样才恍然，他是让自己去求縻啸郴，顿时脸色骤变，怒道："二哥是在说笑么?"

"事到如今，我怎会轻重不分。宫中每年的丹砂从未曾指派咱们供应，想是早与别家定好，若无大变故绝不会更换。糜啸郴亦非善类，难道他真会无偿欠下人情债?"巴煜瑞讲得头头是道，句句恳切。

巴煜泽看着他不露声色，心中却在反复斟酌，要不要将自己与糜啸郴曾立下的约定相告。

巴煜瑞见三弟仍有犹豫，再道:"丹砂、盐、酒，是巴蜀三大经济支柱，而糜啸郴只占其一。想独霸一方，只有三方俱收。郡守虽趋炎附势，却深知权与利互助之理，处事圆滑，不易抓住把柄，不到逼不得已决计不会放弃对酒业的控制。糜啸郴定会将矛头转向咱们。我想，他帮大嫂不仅仅是因素日里的相识，更是觊觎咱们的家业。"

巴煜瑞这一番抽丝剥茧，让巴煜泽危机与警惕顿生，笑道:"想不到二哥竟有这番远见。小弟今日领教了。"

巴煜瑞看出他心思，谦谦一笑:"我实乃推心置腹。方才所言，三弟定早已料到，莫要取笑我了。"

巴煜泽思来想去，实在别无他法，再三斟酌，欲试又疑:"不妨一试。不过，二哥怎知大嫂会给糜啸郴酬劳?再者，糜啸郴开口便要去我们半数家产，又该如何?"

巴煜瑞轻笑两声，笃定道:"大嫂的性子，绝不会割让矿山，但会合作。再说，我看那糜啸郴对大嫂似乎有情。情人相求，怎好另提要求。若他真开口要去半数矿山，那你也要先应下。只要做了这一家之主，其他的事都可从长计议，或者暗中调换周旋都未尝不可。"

巴煜泽了然一笑，眯眼审视着眼前的二哥，心中戒备陡增。

巴煜瑞看出端倪，斟酒举杯，笑道:"你我本是手足，怎这样见外?只望三弟当家后，不要对我的开销管得太紧。"

巴煜泽微微一愣，旋即放松一笑，满口答应:"二哥放心。我若事成，绝不会像大嫂那般约束你。"

巴煜瑞大喜，再举杯相敬。

二人谈笑几番，酒酣胃暖。巴煜泽目光迷离，看着同是醉意阑珊的巴煜瑞，心中几分得意与讥讽，只觉得他鼠目寸光，是个永远扶不起的废物。

第十三章
新思巧计

　　天色微亮，轻雨如雾，滴入梦中千家万户。万籁仍寂时，巴清已整装踏上通往矿山的泥泞长路。

　　巴家的五处矿山有三处聚集在长寿与涪陵交界的黄草山上。

　　旭日东升，黄草山顶渐渐清晰，山下云雾缥缈，如影似幻，朝霞所及之处，万物尽换金装。重叠群山间，滔滔长河滚滚东去。河岸数十名男女手持淘盘，挽裤至膝，反复鹅毛刮金。这一淘金队同属巴氏经营。

　　众人看到当家的车队缓缓驶来，纷纷停下手中动作，躬身行礼。巴清亦掀帘对众人点头致意。

　　座座山峰环抱之中，车队沿石路蜿蜒而入，穿过峡谷，前景豁然开朗。再行百米，便到了矿场。

　　越接近矿场的路越泥泞难行。车轮压出两条深辙，渐行渐缓。巴清叫停车夫，不顾泥土沾染整洁的衣鞋，徒步至采制场。

　　整个采制场由三部分组成，依提取丹砂的步骤而分。场内各处井然有序，矿工各忙其事。

　　巴清首先前往淘洗水塘，查看淘洗速度与质量。许多矿工见新当家前来巡察，纷纷行礼。巴清点头还礼。

　　水塘在采制场入口不远处的一条河溪旁，深有二丈。宽直的沟渠连通河溪与水塘，将溪水缓缓引至塘内。

　　数名矿工分布水塘周围，将竹筐内砂矿倒入塘中，细细淘洗。矿砂入水反复淘洗后分为上下两等，倾出悬浮的为上半部，比重较轻，质地较细，归为上等丹砂；沉淀之物为下半部，物重较大，颗粒粗糙，归为普通丹砂。淘洗后，矿工将两类矿石分开入筐，再将更加红润的矿石送往研磨场。

　　巴清从上等矿石的筐内拿出几块仔细观察，回头望了望正背负着一个个大而重的竹筐向水塘走来的矿工，不禁皱了皱眉。年轻力壮者，背负盛满矿石的竹筐，仅几个来回便疲惫不堪。

　　巴清深知速度是高效益最基本的条件。迟缓费力，运转缓慢，出货量少，乃是盈利大忌。她打理家业两年，从初次探查矿山那天，便认为人力背行非长久之计，有过思虑改进的念头却碍于自己身份与巴煜泽的反对，无缘施行。

　　巴清将手中的矿石放回筐中，随着矿工行至研磨场。

　　研磨场距离淘洗水塘有近百米。场内的石台上摆放着刚刚离水与晒干等待碾磨的矿石。一旁是数座大口石臼。几名年长矿工对案上矿石一一观察分类，将质地相对纯净与杂质较多者分别放入石臼中，由铁杵反复碾压，捣碎成细小颗粒后，再用磁铁吸出含铁的杂质。铁矿虽少，却要独自堆放，待集得多了拿来变卖铸造。剩下几近纯净的丹砂颗粒再送至石磨研磨。每个石磨都配有三名矿工。两名轮流反复推磨，一名定时向磨内添水。添水后的砂粉湿润不再飞扬，降低了矿砂与磨具摩擦后升高的温度，防止丹砂失去原有的效用与色泽。

　　研磨是提制丹砂最繁复、最重要的步骤。约莫半个时辰，丹砂颗粒渐渐成了糊状。此时，矿工再次添水至磨具满口。待得片刻，水面浮出一层黏土后打去浊汁。如此反复三次，再搁置晾干。

　　巴清对研磨场的矿工们仔细叮嘱几句，转身朝采矿场走去。

　　行了数步，她忽闻矿山入口处传来鸢儿的叫喊。

　　她回头看去，鸢儿正跳下马车，笑吟吟地向自己奔来，泥土溅染裙角，似墨染飞花。

　　鸢儿跃过几处水洼，跳至巴清身旁，一双大眼晶光灿烂，灵活之极。她嘻嘻笑道："好热的天。我带了清火祛暑的菊叶汤，小姐来一碗？"

巴清笑着摇摇头，指了指不远处。鸢儿看去，见三个四五尺高的木桶摆在矿工们的休憩之处。每个木桶旁皆配有大筐吃食，几名家丁正给口渴饥饿的矿工盛汤递食。

鸢儿瞪大眼，吃惊道："小姐你想得真周到。"

巴清从袖间取出锦帕，擦了擦鸢儿额上渗出的细汗，语重心长道："酷暑难耐，矿工们整日负累，体力消耗很快，理应喝些清火解暑的汤水。我若是需要，去那儿用些便可。"

鸢儿皱眉，犹豫道："可那是矿工待的地方。"

巴清不以为然道："东西都是一样的，他们可以，我也可以。"

鸢儿无奈点头，忽又东张西望，笑道："我还是第一次来这儿。"

巴清抬手理了理她鬓角碎发，笑道："我正要去采矿场。随我一起吧。"

二人朝采矿场走去。进得场内，最先入眼的便是分散各处，大小不一的数十口井坑。

鸢儿好奇地蹲下身子，用手戳了戳散落在地上的碎矿，仰脸看着巴清，好奇道："小姐，咱们送往咸阳的丹砂就是从这里面弄出来的？"

巴清点点头，边走边道："这里是提制丹砂的第一步。首先，将矿石从山中挖出，再进行初步碎解。挖取过程费力且危险，需健壮且经验丰富的矿工来做。采好的矿石再送至水塘，进行反复淘洗，选出优劣，然后送去研磨场进行最后的制取。矿工们的资历、分工与过程严谨与否决定了最终提出的丹砂好坏。而丹砂的好坏则决定了收益、销量的高低。不论是入药宁神、去味驱虫或是以色醒目，所用的丹砂皆需细粉。质地越是精细，价钱与需求越高。"

鸢儿听着巴清的解说，似懂非懂："那我能做点什么？"

巴清轻笑两声，指了指采矿场内与矿工交谈的灰衣男子："他是这座矿场的监工。你去将他叫来。我有事与他说。"

鸢儿听罢，兴冲冲地跑去传话。片刻，监工急急赶至巴清身前，躬身一礼。

巴清道："咱们与官家合作，需格外谨慎。求了宫中丹砂的供应之权，货量骤增，但效率不涨，若延误了交货期限，绝非与普通商户那般协商便可解决。"

监工连连点头道是，并说即刻增加人手。

巴清摇摇头，道："以增添人手来提升制取速度非长久之计。若日后订单不断增加又该如何？我们要尝试借助外力。"

监工琢磨着巴清的话，心下有些为难，暗道她眼高手低。

巴清站在通往水塘的路中，盯着一个个背筐穿梭、大汗淋漓的矿工，转身对监工笑道："我有个法子说与你听，你看可不可行。先令人在采矿场挖一条比竹筐略宽，通往水塘的沟壑，然后用细石与沙土入填夯实。沟不必太深，但线路须直。填时，让采矿场一端的起点微高于水塘，成斜坡状。夯实的面要尽可能平整。填好后的路略低于地面，以能卡住里面的竹筐与矿石不会散落为准。然后做一个四轮板车，车的宽度以凹槽刚好卡住一个竹筐为准。车身拴上粗长的绳索。绳索要长于滑道。届时，矿工在采矿场将装满矿石的竹筐放置车上，车会自行沿滑道滑向水塘。待水塘的工人取走竹筐内的矿后，再由采矿场拉绳索将空车拉回。而淘洗好的矿石运回称重统计处时，滑道的高低则反之而行。如此反复，省时省力，且效率不低。你看如何？"

监工仔细听罢，垂眸思忖几时，又反复观察各处地形与路况，仍有疑虑，道："是个好法子。不过，人手如该何定？工钱该如何发放？"

巴清道："装筐、卸筐关乎体力。可先向大家宣传这个办法，并承诺实行后得到的工钱绝不少于目前。有意者可报名。再从中选出搬动重量最多、最大的四人试行。人员安排上，在采矿场设两人，一人拉动绳索，一人装矿。称重处亦是如此。若进度较慢，便再添两人。试行后视情况调整。工钱分开计算。采矿场以当天所运的筐数来计。洗矿处以淘洗的筐数来计。我们可统一作些竹签，签上写好采矿与淘洗者的名字，开工时全数发给开采、淘洗者。他们每淘好一筐便将自己的竹简插在筐上。统计称重时留下竹简。收工时，统计每个卸筐者手中的竹简即可知道采矿与淘洗者一天的工作数量。制作竹签时用不同的长度，将两处的工区区分开来。收工后将再将采矿场的竹签相加，看是否等于淘洗处竹片数量，也可避免有人从中做手脚。试行后，若当真可行便捷，咱们再将此法施用于其他矿场，然后将水塘与研磨场一齐打通，成三角循环之势。减人力，提效率，增收益，实乃长远之计。"

监工沉思良久，终躬身赞道："当家的心思缜密，让人佩服。此计若真能成功，确有事半功倍之效。那些个辛苦的矿工们也当感谢当家的心意。我即刻命人着手此法。"

第十四章　暗流涌动

夏日迟迟，午后的日影携着花影，渐渐游转到檐下。暖风扑入花窗，夹着啾啾鸟鸣、淡淡花香，撩动巴清额前碎发。

巴清倚栏，望着屋外池塘内朵朵盛放的荷花，手执小扇，静思澹澹。

她想了数日，终是决定要为自己、为巴氏家业日后的繁荣寻一位强大且值得长久依赖的倚靠。

她十分清楚，自己想要的，并不是稳于现状的巴蜀富商之称，亦非巴氏一族的当家之位，而是更远大瞩目的荣耀。这样的荣耀与筹谋，离不开朝臣的帮助与支持。

可能与她互扶持，共进退的那个朝臣是谁？

吕不韦吗？当下可用，长远不足。

她认定，吕不韦的强大终会让他光芒惨失，甚至祸及所有好友与同党。她长久倚靠，恐会得不偿失。

当如何？当如何？她盯着随风起舞的柳絮，袅绕晴丝，再次陷入深思。

思虑片时，她眸光微动，心下有了打算：也许，可于暂时倚靠吕不韦时，另寻一人扶持，由被动变主动，由倚靠他人变作他人的依靠。

她审度须臾，听得鸢儿门外传话："小姐，老夫人请您过去。"

巴清脸色微沉，轻嗯一声，不再多想，在房内小憩片时，这才动身去往巴老夫人房院。

　　她过游廊，踏着石子墁成的甬路，穿过小小两三房舍，入了南院。

　　南院便是巴老夫人的住处。她进得院门，只见前方地面忽开一隙，开沟尺许，蜿蜒绕屋一周至前园，盘旋竹下而出。沟内清泉一派，缓缓自流。

　　巴清目光扫过爬满花藤的西墙。墙上稠密的绿叶衬着紫红的花朵，娇嫩鲜艳，胜过院内一切花草，更与那幽幽清澈的泉流、簇簇清淡的白竹桃格格不入。她对自己的婆婆多少有些了解，外表越清心寡欲，内里越计较争斗。许多人皆如此。

　　行至屋前，巴清轻叩房门。听到屋内回应，她低眉顺眼推门进屋，抬眸便迎上婆婆亲切的笑脸。

　　她微微欠身，行了家礼，多看了两眼巴老夫人额上刺眼的疤痕，微有疑惑。

　　素日，巴老夫人不论何种场合，皆会带妆。额上疤痕更是厚粉遮掩。今日怎得粉黛不施，素面相对？

　　巴老夫人挥手示意儿媳入座，温声笑道："我看你近日总是早出晚归。即便在家也是忙着整查账簿与商户谈话。生意固然重要，注意身体更为重要。你身子健旺，才是咱们巴家长久繁盛的保障。"

　　巴清莞尔应和。巴老夫人点点头，又是一番嘱咐："时下正值炎热多雨。矿山周遭草树稀少，石土多有松动。山区沟谷中开凿、采炼时要谨慎些，免得出了事故，伤了人，也误了进度。"

　　"是。儿媳一定小心。"巴清淡淡回应。

　　巴老夫人看着巴清静默须臾，眸光渐暗，垂头轻叹一声，道："你每日来往矿地，更需注意安全。坑底、洞内、高顶、险处让下人去做，莫要亲历。可不要像我一般，至死都要靠着拐杖行路。"

　　巴清嫁入巴家后，曾一度对出自富贵世家的婆婆额前的疤痕与断腿颇为好奇，奈何平日里三三两两互嚼舌根的下人皆闭口不言，身为长子的夫君亦从未听说。今日忽闻婆婆提起，她颇为诧异。

　　她看了眼巴老夫人向外侧伸直的断腿，心下了然今日的邀谈定与旧伤有关。

　　巴清微微蹙眉，问道："母亲的腿是在矿地伤的？"

巴老夫人沉嗯一声，道："那年正值暑季。整座矿山被数日的暴雨淋打，泥泞不堪。山上泥流滑坡，多处矿坑掩毁，致使丹砂无法按时发出，损失惨重。我与你公公终日待在矿山，与各索赔商户周旋，筋疲力尽之时，你二娘又临盆在即。此前，大夫说胎象正常，无须担忧。可她稍有阵痛，便差人唤你公公回府。一个风尘女子，准她进门已是破例。家难当头，她自私自利，几番催唤，毫不顾及当时情形。为此，我与你公公在矿山争吵。许是脚下泥土松滑，推搡间跌落山底。额上的疤也在那时留下。"

她听得语塞，不知该如何接答，想起了平日患病、深居简出的二娘，也就是巴煜泽的母亲柳氏。

巴清记得最近一次看到柳氏是在去年祭祖时，面容憔悴、弱柳扶风，对着公公的灵位垂泪。巴清明白，柳氏这般遭嫉却能安然至今，必少不了公公在世时，对婆婆的弥补与临终的恳求。

巴老夫人今日的目的，巴清已猜得几分。她试探道："不曾想母亲竟有这般遭遇。不过，儿媳进门后，见父亲与母亲恩爱有加，想必您已释怀。"

闻此，巴老夫人混沌双目蓦地抬起，冷哼一声，道："释怀？你腹中孩儿去世也有些年月，你可曾释怀？"

一语穿心。巴清神色急转黯然，膝上双手微微收紧，心中一阵酸楚。巴煜祺的死亦在她脑海涌现。

她沉吟片时，敛起心伤，举目应道："母亲说得很对。切肤之痛，实难忘怀。就如突然离世的煜祺，于我，也同样此生难忘。"

四目相对，屋内陷入一片死寂。

二人各怀心绪，却皆不言语。

屋内气氛愈发尴尬，屋外鸢儿叩门："当家的，有客人来访。说是您的故人。"

巴老夫人听罢，舒出一口浊气，起身笑道："去吧。今儿个叫你来，是想与你好好说说话。现在你当了家，日后忙起来只怕见个面都难。"

巴清见婆婆伸手去拿拐杖，赶忙起身搀扶，平静道："母亲言重。不管何时何地，只要母亲需要，儿媳绝不会有片刻耽误。"

巴老夫人欣慰地挽住巴清臂腕，语重心长道："煜祺早逝。家业要持，家人要防。我知道你的苦。眼下，他们母子越是心怀不善，我们母女越要联手同心。若真让他得逞，这家定会被败得不成样子。"语顿，又握住巴清的手喟叹："遇事切记妇人之仁。你二弟也知今不如昔。日后你多教教他经营之道，凡事也好有个帮手。"

巴清看着慈眉善目的婆婆，笑意温润："儿媳谨记。"

待到出了房门，巴清眉头忽地紧锁，笑意顿失。她方才道出巴煜祺离世，其实是为探察婆婆的反应，怎料毫无收获。

她心乱如麻，暗自斟酌："若真是她害了煜祺，为的是什么？既然这般在意三弟夺位，害了煜祺岂非自讨苦吃？若不是她，难道煜祺真是突发重病而去？或者是三弟贼喊捉贼？"

踟蹰间，她脚步不觉变缓。跟在身后的鸢儿伸了伸皓白的脖颈，探道："小姐是在怀疑老夫人么？"

巴清不答。她从未指望一个十三岁的孩子能帮到自己。况且，无证可依，纵有怀疑也是枉然。一切只有从长计议。

鸢儿见巴清没有应声，自语起来："我总觉得，平日里，老夫人对二公子比对大公子的态度要亲近许多。虽说虎毒不食子，可老虎饿极时，也未必不会……"

巴清脚步一顿，一脸诧异地看她。鸢儿赶忙捂住嘴，低头认错："小姐，我胡乱说的。以后再也不敢了。"

巴清欲斥责几句，忽又懒得计较，摇了摇头，快步走向厅堂。

鸢儿杵在原地，望着巴清渐行渐远的背影，再回头看看回廊另端巴老夫人紧闭的房门，明媚脸色霎时间黯淡无光，扪心自问："我到底该怎么办？"

一边是道出旧恨、言明态度的巴老夫人，而另一边的巴煜泽同样不甘坐以待毙，已策马赶往糜府。

糜府内，糜啸郴正坐在堂内，把玩着手掌大小的鎏金木盒，取出盒内药丸仔细观察。药丸整颗黝黑，又有点点金色颗粒疏散其中，色泽光亮，药香浓郁。

看了片响，他将药丸重置盒中，对旁座的萨孤卓韫笑道："王子大可将炼制所需的材料写下。我让下人们照着方子去做，您便清闲许多。"

萨孤卓韫饮酒一杯，反问："炼丹需得深谙药理之人方能操持。一药一材，一味一两。错一分，差一毫，便是天壤之别。公子是想要益寿延年的良药，还是催命祸人的毒药？"

自糜府住下后，萨孤卓韫日渐觉得这偌大的宅子有种说不出的压抑与沉闷。上至管事下至奴工，皆是日日肃穆，谨言慎行。尤其是后园门楼外那尊壁立当空，孤峙无倚的奇石，颇让他厌烦。每当夜风在石隙间盘旋不去，穿过石眼发出呜咽般的低鸣时，他总会一阵心悸难安。

累月的接触，他看得出糜啸郴绝非深信鬼神、仙丹之人。不信却精炼，实在让他心有疑惑。几日前，他对每每登山采药时听到的敲击声，进行了一番探究，竟发现颇有玄机。他亦开始怀疑，诸多山洞内的行迹是否与糜啸郴有关。

糜啸郴听罢，浅浅一笑，转了视线，观舞听琴不语。

一支舞毕，筝弦突紧，根根急颤，曲调陡转。堂内舞姬身随乐声旋转，玉手婉转流连，裙裾流光飞舞，妖娆魅惑。

糜啸郴瞥了眼对美人视若无睹的萨孤卓韫，饶有兴致道："王子是嫌美人不合口味？"

萨孤卓韫自斟一杯，缓缓吐语："人美。酒更美。"

糜啸郴笑笑，又道："佳人与酒同享方相得益彰。王子素日不近女色，可是有了心上之人？"

萨孤卓韫似笑非笑，反问："我观公子虽喜笙歌曼舞，却从不曾宠幸哪个姬妾，是否也有心上之人？"

糜啸郴一愣，付之一笑，略显失落道："我以为我们可以做畅谈的朋友。"

"公子一片赤诚，卓韫心领。只是，在下实在是个性情冷淡的人，习惯了独来独往。"萨孤卓韫脸上闪过一抹落寞，淡淡续道，"何况，这世间自以为的理所应当，多半都是一厢情愿罢了。"

他说罢，见糜啸郴玩味而视，顿觉失言，匆忙解释："公子莫怪。方才所言并非指公子。"

糜啸郴并不计较，提壶斟酒，举杯相敬："无妨。道是无情亦有情。同是遣愁索笑人。啸郴敬王子一杯。"

这一杯酒，糜啸郴饮得双睫轻颤，灼灼沧沧，全然变了味道。

萨孤卓韫看他如此爽快，亦未推辞。饮罢，空杯相示，默契一笑，斟酒续饮。

喝过几巡，管家来报，巴三公子来访。

糜啸郴挑眉笑道："让他在外面候着。"

他见萨孤卓韫起身欲离，赶忙拦道："王子不必如此。你我虽做不了知交，却也不至连见个人也要避嫌。有些事，我很乐意听到王子的高见。"

萨孤卓韫淡淡一笑，不置一词，转身走向偏室，只留下话音回荡："鹬蚌相争，渔翁得利。糜公子思虑周全，在下不及。"

管家屏退舞姬，瞅了眼萨孤卓韫远去的背影，愤愤道："他也太不识抬举……"然话未说完，便被糜啸郴呵斥："你懂什么！像他这般随心所欲之人，肯在此长居，无非心有所寄或另有所图。方才我只是试探，他却毫无插手之意，想必是为人而留。"

管家不解，疑问："可找人怎就找到主人这了？这一年多也未见他有什么动静。他好歹是个王子。究竟是什么人能让他放下身段？"

糜啸郴未做回答，蓦地想起萨孤卓韫那管刻了少女像的玉屏箫。那日，他虽未看清少女模样，但婀娜身姿却隐约可见。他眉心微蹙，双眼轻合，摩挲着手中杯盏，脸上忽然露出惊愕之色，自语猜测："难道是清儿？"

思虑片刻，他又摇了摇头，恢复平常神态："应是我多虑了。"言罢，他挥了挥手，示意管家将巴煜泽带进，又不许撤换萨孤卓韫用过的杯盏。

片刻间，巴煜泽笑意盈盈，踏步而来。

糜啸郴朗声笑道："看来巴公子心情不错。可是有什么喜事来与我分享？"

巴煜泽听出话中讥讽，未露不快，欠身见礼，看到右座案上未有人清理，便向左侧走去。

"巴公子请上座。"糜啸郴笑意更盛。

巴煜泽脚下一顿，笑容微滞，心中腹诽，但也忍耐下来，展颜应声："多谢。"

糜啸郴看着入座的巴煜泽微笑相对，只字未语。

这一看，使得巴煜泽更加语塞，想好的说辞一时不知如何开口，只得垂眸望着杯中残留的酒迹，笑道："在下来前，縻公子似在与人饮酒。扰了二位自在，实在过意不去。"

縻啸郴向身后的玉榻慵懒一靠，手指摩挲着细琢着瑞草卷珠扶手，吐字悠悠："方才在品酒。巴公子来得正好，且来品品这酒如何。"

管家会意，将酒斟满在萨孤卓韫用过的杯中。

巴煜泽脸色渐暗，心中怒火腾起。他清楚，自己上次的争执，定会让縻啸郴故意刁难。可他怎么也想不到竟会受到这样的侮辱。喝，用他人丢弃之物，低三下四，颜面何存？不喝，恐再没机会翻身。

巴煜暗暗怨愤几回，终选择忍一时之辱，换一家之主。他紧紧盯着眼前的酒，缓缓伸手，拿捏杯身的力道深狠，仿佛要将那玉制的杯盏捏碎。

然他刚欲将杯盏送至嘴边，便听縻啸郴厉声传来："混账！怎能给巴公子用别人用过的东西！还不换了！"言罢，转而对巴煜泽轻笑道，"人世多愁，自在几人能够。巴公子来时满面笑容，现在犹然否？有事不妨直说，或许我可解忧。"

巴煜泽轻舒口气，理了理情绪，放下杯盏，露出一副无奈模样，叹道："近日，在下家中发生的事想必縻公子也有耳闻。大哥早逝，身为手足自当守孝，但家不能无主。巴氏一家自祖上起便定了规矩。当家者，传男不传女，传贤不传愚。可如今有人要破了这规矩。大嫂虽嫁入我巴家，但至今无子。若真计较起来，只算得半个家人。何况，大嫂一个妇道人家，怎能执掌家业？传了出去，不仅让我巴家无颜，更会毁了祖宗基业。身为巴家子孙，在下有心维护却无力争夺，实在愧对祖宗。"

縻啸郴笑意盈盈，回道："巴公子此言差矣。巴夫人虽是女子，却并非你说的那般无能。据在下所知，煜祺病后的日子里，家业由你与巴夫人一同经营。宫中丹砂供应的文书，可是巴夫人拿到的。"

巴煜泽尴尬一笑，眉眼微垂，心中又增一分恨意。

縻啸郴见其不做争辩，又问："不知巴二公子是何想法？"

巴煜瑞正色道："二哥终日玩乐，家中生意丝毫不理，亦从未有经营的念头。纵与我想的一致，又能怎样？纵想助我一臂，又何从谈起？"

糜啸郴不做停顿，直言道："如此说来，巴公子是想我助你夺回家业？"

巴煜泽垂头，怅然道："家丑本不可外扬。让糜公子见笑了。"

糜啸郴唇角一扬，似笑非笑："巴公子过谦。贵府乃巴蜀大户。家业堪称巴地命脉，荣辱牵动一方兴衰。家事便是地方事。如今，煜祺辞世，我为他英年早逝心痛，亦为贵府前路心忧。"

巴煜泽点头称是，静待糜啸郴下文。

少顷，糜啸郴接道："我与煜祺相识五年。期间，生意往来繁复，交情可谓季友伯兄。贵府的难处，我自当竭力相助。不过，现下持家的是巴夫人，又是煜祺的发妻。我一个外人，师出无名，恐有不妥。"

巴煜泽听着他冠冕堂皇的言词，心中鄙夷，口中从容附和："糜公子重情重义，大哥泉下有知，定欣慰不已。"

糜啸郴含笑回道："煜祺能有你这般顾全大局，维护家道的手足，也可瞑目了。"

二人唇枪舌剑，互攻互讽。

讽罢，糜啸郴正坐正色，道："煜祺生前，我曾与他谈过合作丹砂一事，但他似有顾虑，迟迟不做决定，后因病情加重一直拖延至今。现下，贵府与官家定了合约，又逢王陵开建，正是扩大家业，垄断大秦丹砂的好时机。我想强强联合所带来的效益，更胜于一家之力。怎奈巴夫人当家后对此事仍不做声。我亦不便多问。"

巴煜泽心头一紧，暗自怨骂贪得无厌的东西，脸上却是诧异的神色，他道："哦？我从未听大哥说起此事。"稍顿，又眉头微蹙，失望感叹，"大嫂不懂也就罢了，大哥怎也这般妇人之仁。竟连机不可失，时不再来这道理也忘了。"

"识时务者为俊杰。巴公子倒是个会审时度势的人。"糜啸郴挥手示意管家斟酒，举杯相邀。

酒过三巡。糜啸郴两眼微眯，杯盏轻放，向身旁的管家递了个眼色。

管家会意，进内室取来一卷竹简，交到巴煜泽手中。

巴煜泽展简读阅，几行小篆如锥尖、刀刃般穿透双眼，直刺心房。他垂着头，眉眼僵硬，双手紧收，竹简被捏得发出细小的吱呀声。短短几行便足足看了几倍的时间。

这时，管家取刀笔递与。巴煜泽盯着刀笔，迟迟未有接过。

时间点点流逝。糜啸郴声起："巴公子考虑得如何？"

巴煜泽屏息少顷，缓缓吐了口气，迎上糜啸郴藏刀的笑意，泰然道："一言为定。以此为据。"说罢，他拿起刀笔，在落款处刻上了自己名字，锋刃简上行走，三字的刻痕如此时他内心强忍的怒火般深切。

他暗暗自慰：罢了，割业半壁，得我所想，来日再图。

糜啸郴看了看管家呈上的竹简，满意道："爽快！我敬巴公子一杯。"

巴煜泽已是愤恨不已，无心共庆，勉强展颜，敷衍举杯。饮罢，他寻个借口起身告辞。

待巴煜泽离开，管家俯首，低声问道："主人当真要帮他？"

糜啸郴冷笑两声，鄙夷道："帮？从长计议。"

巴煜泽铁青着脸，大步走出糜府。

在外等候多时的巴家管家，急忙牵马上前，关切询问："公子，谈成了？"

巴煜泽沉嗯一声，挽袍上马，勒缰前行。

管家思虑片刻，又问："既然糜公子愿意相助，大夫人的毒是不是也停了？"

巴煜泽听此，目光骤恶，扬鞭策马，愤愤不已："停？我要让她得不偿失！"

第十五章

权利密谈

巴清走近厅堂，看到一个身着黑色长襦，腰束革带，下着长裤，腿扎行滕，透着几分军士模样的男子正负手立在堂内，望着墙壁高悬的碧玉麟雕出神。

她脑中反复回忆，实在记不得自己认识这样一个故人。

黑衣军士察觉有脚步声迫近，转身朝堂门望去，见来者像极画上之人，疾步近门看个究竟。

巴清进堂，同样打量着审视自己的黑衣军士，微微垂首，含笑道："阁下久等，请上座。"

黑衣军士觉察自己失了礼节，欠身一笑，端正入座。

"方才，仆人说有故人来访。阁下……"巴清淡淡一笑，将最后两字音调拉长，不欲再言。

黑衣军士作揖，笑道："不错。但这故人并非在下。"

巴清一听是咸阳口音，再次审视男子，渐觉其气质谈吐绝非无足轻重的寻常之人，便笑言："军士远道而来，不如先喝一杯巴蜀特有的清酒，解一解车马劳顿。"

黑衣军士微微一愣，对其细心侧目几分，执杯言谢。

待黑衣军士斟饮两杯。巴清探道："不知那位故人是军士的朋友还是主上？"

"是在下的主上。在下奉命来请巴夫人去别处说话。"黑衣军士正色应答。

巴清眉目一凛，暗自猜测：便衣私访，不示身份，何人何事？

黑衣军士见巴清有些犹豫，便从腰间取出一串佩绶交与。

巴清忙起身双手接过，定睛一看，不禁心神激荡，惶也惊也。她手中绶首是身刻谷纹的两条黄白夔龙，口吐舌须，气势逼人。单看这印便知主人的身份定是王侯贵胄。可再向下看，又见佩身三彩，绿紫绀，淳绿圭，这令她不禁心生疑惑。

佩绶等级森严，无人敢越制私造。可眼前此物却分明僭越。绶首既是龙佩，绶身应是四彩，赤黄缥绀，淳赤圭，怎就成了九卿的规制？

黑衣军士似料到巴清心思，笑道："巴夫人心中疑问，待见到我家主公便可解开。"

巴清抬眸看着一脸晦暗之气的黑衣军士，摩挲着手掌中精光内蕴的冰凉佩玉，无法拒绝却又忧虑难言。她不知这一去又会生出多少始料不及的牵扯。

不想去，却必须去。得罪不起，推脱不起。

巴清换了一身浅蓝曲裾，随黑衣军士出了家门。

黑衣军士带巴清来到北街的一家客栈。

她进客栈内环顾，不见人迹，连招待客人的小二与老板亦无踪影，心下多了分警惕。

此间客栈已被昌平君买下，平日里照常经营，暗里则是联络巴蜀官员与监视糜府的谍站。

巴蜀非咸阳都城，人土风俗皆有不同。嬴政欲探察异动，昌平君欲借糜啸郴助自己谋事，皆非一朝一夕可成，必要从长计议，慎思密行。

黑衣军士引巴清来到最西侧的一间雅室门前，对巴清低声道："屋内，是当今在秦为仕的楚国王子昌平君。巴夫人好自为之。"

巴清微微一愣，哪里认识这样的故人，心中更加忐忑。

她梳理心绪，镇定进门，抬眸看去，只见一个身长七尺，着褐色衣袍，约莫而立之年的男子负手向窗而立。再细看之，男子麦色肌肤，卧蚕墨眉，唇若涂脂，袍口青云绣饰，腰嵌墨玉，脚踩绣云浅履，较之器宇轩昂、权倾朝野的大秦相邦吕不韦多了份温文尔雅，比久经沙场、威严凌人的护国将军糜公更显逸静亲和。

黑衣军士走至昌平君身旁，耳语几句，恭敬立在一边。

巴清上前一步，跪地叩首："民女来迟，望公子恕罪。"

昌平君转身入座，展开案上的画帛，看着眼前女子仔细对比了一番，淡淡道："抬起头来。"

巴清依言微微扬起精致下颌。昌平君盯着她澈如一泓清水的双眸，仿佛看到了自己早已殆尽的善意，不禁想起自己儿时的日日夜夜，想起那些忍辱、阴谋、杀戮，那些被自己冠以卧薪尝胆的屈辱苦恨。

他怔怔少顷，将目光移向别处，漠然道："巴夫人请坐。"

巴清自行隔了右座，坐到左侧，微微垂首，恭敬无言。

昌平君道："曾听闻巴夫人美貌颠倒众生。本以为是画像与传言浮夸。今日一见才知是自己浅薄。"

巴清淡淡一笑，道："天下美人如云，民女不过沧海一粟。"

昌平君唇角一勾，挑眉笑道："百花争艳，大多都是副皮囊。我说的是内蕴，还有不属寻常人的贵气与不愿轻易认输的执着。"

巴清听着这般夸奖一时语塞，只觉得他语气愈是云淡风轻，自己愈是心慌。

昌平君并不在意她的沉默，又悠悠开口："既有心为凤，便该选对枝头，不然落得个枝断身亡可就白费了心思。"

巴清倏地抬头，如坐针毡，忙起身叩首："民女惶恐，不明公子何意？"

昌平君意味不明地笑笑："我且问你，前些日子可是去了咸阳？"

巴清点头，仍不明就里。

昌平君执起案上茶盏，吹散上浮热气，抿一口，不温不火道："大王对你朝思暮想，你却佯装不知。我以为你是个聪明人。莫不是我高估了你？你要明白，愚者，多被人弃。"

巴清脑中瞬间空白，怔怔地看着勾眼审视自己、神色严肃的昌平君，一阵莫名不解。

她仔细回忆在咸阳时的人事，除了那个雨中相遇的病少年，其他未觉不妥。可她又想，一国之君怎会衣衫不整地流落街头，且无人寻觅？实在太过

荒唐。

她虽有疑惑但又不便开口询问，又想天下奇巧之事终究少之又少，种种猜测也不足以证明那病少年就是秦王，或许是昌平君在夸大其词，故意刁难。

想来想去，她也确实觉得方才的话很是透着鄙夷与讥讽，不禁腹诽，话音加重，带了丝怒意："公子明鉴。民女赴咸阳只为家业，从未见过大王，更没有半点攀龙附凤之心。何况，民女已嫁为人妇，不能进宫，亦不想进宫。"

昌平君听罢，暗自冷笑：原是那黄口小儿在单相思。他默然片刻，笑道："听巴夫人的语气，我是无法交差了。"

巴清见其语调温和许多，微微舒心，莞尔道："民女妄测，公子心中已有复命的说辞。"

昌平君顿时笑逐颜开，眼中露出些许赞赏："果真是佳人颖悟惹人怜。"语顿，他话锋一转，敛笑道，"不过，大王既有此心，我们做臣民的岂能违逆？夫人不要辜负了大王的抬爱，累及家人。还是先随我一同进宫。至于留与不留，我皆可替你周旋。"

巴清观其不苟言笑，不敢再拒，垂首应下。

昌平君见其同意，亦不多留，爽朗道："好，隔日启程。佩绶，巴夫人收好。日后需要时，可持它与我相见。"

巴清亦未推辞，行礼告辞。

黑衣军士目送巴清走出客栈，回室对昌平君道："恕属下直言。这样自负无礼、不识时务的女人，您怎还由着她？"

昌平君踱步窗前，望着天际浮游的白云，悠然笑道："她是个可用之人。但利刃需得磨砺出。你不是说她夫家还有两个弟弟么？利益与地位面前，几人能视若无睹？几人能甘愿拱手付出？凭她现在的心性，连一家之主都难坐稳。我们且帮她一帮，待她锋芒毕露后大有用处。这就如同扁舟行海，得到浪翻人危时，才能明白什么是乘行之道。"

黑衣军士醍醐灌顶，点点头，又低声道："糜啸郴对她事事袒护。您将佩绶相赠，恐有不妥。"

昌平君若有所思地看了眼黑衣军士，神色笃定："不足为惧。糜啸郴绝非只知沉迷女色之人，帮她自有帮她的道理。记恨也应算到嬴政那小儿的头上，与我何干？况且，我相信，她绝不会将佩绶一事说出。"

昌平君所料不错，巴清确实没有将客栈一事告知糜啸郴。

她悠悠荡荡行至糜啸郴住处，手握佩绶，双眼痴痴地望着糜府大门，犹豫不前。

自巴煜祺离世后，家中种种人事令她心寒，难再相信，唯有糜啸郴相待如初。今日突逢变故，她最先想到的商量之人就是他。可究竟说与不说？她反复斟酌。她知此事非同小可，昌平君与糜公是敌是友亦难分辨。朝中势力盘根错节，错一步即万劫不复。她想着昌平君的话，掂量良久，终是后退两步，转身离开。

于她，糜啸郴可用，昌平君亦可用，二者不牵扯，不干涉，若逢变故，易于摆脱，是为最好。

她行了十余步，忽而一阵箫声飘来，脚速不禁放缓，微微侧耳。

箫声如海浪层层推进，如雪花阵阵纷飞，又如峡谷旋风，急剧而上。她静听少顷，了然一笑，知是牧犊子的《雉朝飞》。

她自小熟通音律，对琴箫尤为喜爱，深谙文曲、器乐相和之道。她认为，此时此曲，应由筝琴奏出方更显精妙，而非音色强弱都略输一筹的竹箫。

她淡然一笑，加快步速，又忽闻箫声陡变，如深夜静淌的银河，孤孤戚戚；似雪山峰顶的冰泉，冷冷清清。音丝与悬空烈日分散而下的万束阳光缠绕，映射浸透一物一草，也让她感到一阵莫名的酸楚。

她止步细听，愈发有种难以言喻的熟悉萦绕心头，不禁想起儿时种种，想起一个久别多年，但又终生难忘的人。

箫声悠悠，回忆难收。她猛地回头，耳目双双观闻，欲寻源头之际，箫声却戛然而止。她踌躇片时，仍不闻箫声再起，心有落寞，无奈而去。

她身姿飘然，步步远离。

此时的糜府巷角，萨孤卓韫缓缓现身，一袭白衣，清风盈袖，双眼直直盯着巴清远逝的背影，惘然若失。

巴清回家时已是日暮。斜阳方好，光泽金红，如片片龙鳞。

朦胧的暮烟飘荡在巴宅上空，乌鸦停立枝头，不时地发出寂寥鸣叫。

余辉穿过茂密山林与半腰翠竹，跃过砖瓦屋檐，跳至间间错落有致，繁花绿树的阔院围角，散落在镶金漆器，清水玉石处，晶莹刺眼。

宅内西苑的游廊内，四名家丁分抬漆案四角，快步向厅堂走去。

家丁身后又跟着十个丫鬟。前四人各自拿着四副漆盘、漆巵与竹筷。后六人则端着各色菜肴，香气四溢，引人垂涎。

众侍穿过回廊，跨过仪门，迎面三间正房。廊柱，菱花雕镂，干净爽朗。廊前，花草正浓，清香弥漫。墙周，数株翠竹五六成组，盎然挺拔。前院内杨柳垂条，莺鸣悦耳。

西苑是巴氏家人平日聚餐之地。与雍容华丽的主庭相比，更添洒脱简丽。

巴老夫人与巴清已在正中的房内等候。屋内布置简单，却件件精致。

众侍置好一切用具，悄然退出，只留两名侍婢旁立。

巴煜泽背手阔步入院。巴老夫人座对厅门，静默望远，瞅见来人，将目光移向别处，神色厌恶。

巴清位于右侧，闻脚步声渐近，不动不语，双眸微垂，呼吸微重，心神微漾。

巴煜泽径自入座，意气自得。他斜睨二人，嘴角微微扬落，轻蔑不屑。

饭菜备齐。三人无语相对，各梳心事。

斜阳已没，余晖散淡。案上汤菜渐冷。此间，巴清渐觉不适，眉心收聚，唇瓣青白，面色不佳。

巴老夫人看了眼儿媳，以为是对巴煜瑞迟迟不来心有责怪，便对着一旁的丫鬟嗔道："怎还不回来？再去催。"

侍婢欠身，恭敬道："老夫人莫急。二爷已在路上。"

巴清见婆婆面有不满，勉强展颜，慰藉道："无妨。等等罢。"言罢，她又觉身子无力，胃中翻覆，越发不适。

巴煜泽瞥了眼巴清，冲巴老夫人挑眉讥道："大嫂说得是。二哥一向如此。您何必动气。"

片刻，巴煜瑞匆匆赶至，眉若弯柳，如沐春风，几缕额发随风逸动，风流无拘。

巴老夫人见儿子一脸悠然自在，无奈责备："还知道回来。真是越发没正行。"

巴煜瑞唇角粲然，向巴清与巴煜泽赔笑道："让嫂子与三弟久等。我自罚三杯。"

"平日此时，各自忙闲。今日齐聚，未有预知。二哥来迟，情理之中。"巴煜泽话似圆场，实则针对巴清。

巴清烟眉轻扬，盛一碗芙蓉银耳汤，递至巴老夫人眼前，笑道："事出突然，难免仓促。"

巴老夫人欣慰接过，关切问："可是生意上的事？"

巴清点头道："隔日，我需再赴咸阳一回。"

"怎么，宫中丹砂有变？"巴煜泽急切询问。

巴清欲开口，忽觉心里重重一沉，眼中一人变做两影晃动，身子不觉后仰。她勉强将身子前靠，臂肘支撑桌案，手抵额头，按揉太阳穴。

巴老夫人见状，关切道："清儿，可是哪里不适？"

巴煜瑞一愣，随即吩咐一旁的丫鬟："快请郎中。"

巴煜泽双眼紧盯，仔细观察，生怕漏掉一个细节。

三人等待片刻，巴清仍无好转。她眉头紧蹙，呼吸急促，只觉心慌惴惴，无力应答，脑中反复想着近几日持续的体虚与时常瞬发的头昏恶心。越晕眩，思虑越难停息。越回想，越觉得心酸；越难过，越不想待在此处。她左手按住桌案，右手撑地，用力起身。

侍婢见巴清起身，赶忙搀扶。他人亦起身随后。

巴老夫人一脸担忧。巴煜瑞不忍道："许是最近太过劳累，伤了身子。扶当家的回房休息。郎中很快就来。"

巴煜泽无言跟随，嘴角微勾，目光晦暗。

然还未出得厅门，巴清便忽觉四肢麻木。她惊慌地抓住搀扶自己的侍婢，欲开口，又觉眼及之处人、物渐渐模糊。

"当家的，是要在院内休息么？"

巴清听见侍婢的问话却无法应答，只觉自己双脚无力前行，身子缓缓下沉，直至眼前一片漆黑，再听不见旁人的呼喊。

第十六章 神医王子

星光寂寥，月色如水。

向来连家仆亦不许走近的縻府书房这一夜灯火通明，人影重重。

縻啸郴的书房较之当下流行的扇门分隔多室，只有一间开阔厅堂。堂内四面皆雕空玲珑木板。板内装有各式间隔，或天圆地方，或葵花蕉叶，或连环半壁。隔内或存简设鼎，或安盆放景，或翎毛花卉。壁悬利剑，气势威严。近窗琴瑟，静置端雅。一物一处精雕细镂，剔透玲珑，镶金嵌宝。

此时，房内除却縻啸郴与心腹管家外，另有三名郎中，依次而坐。

縻啸郴命管家取来三颗丹药分赠三名郎中，正色道："各位皆巴蜀名医，不知能否品出这药丸中用了哪些材料？"

三位名医接过药丸，时近时远反复细看，后凑鼻细嗅。

其中一人掰开药丸，取点点膏沫于手，摩挲片刻，道："内有丹砂、金粒、水银。药材有雄黄、灵芝、茯苓、五倍子。"

另一人听后，补充道："还有盐与朱草。"

縻啸郴不语，看向最后一人。

最后一人望、闻、触后，要来一碗清水与竹筷，将少许药体碾碎放置水中搅和。待与水融合，他端碗抿一口，反复品化。片刻，他吞下药水，蹙眉道："此丹含朱砂三钱，水银与金各一钱，酒半钱，盐、雄黄四分，灵芝、人参、茯苓各三分左右，五倍子、覆盆子各二分前后，天南星、朱草与鸡血藤各五厘上下。另有……"说着说着，话音渐渐消止。

糜啸郴见其迟迟不语，急切道："另有什么？"

郎中无奈摇头："鄙人医术不精。无法品出另几味。公子莫怪。"

糜啸郴垂目无言，略显失望。沉吟少时，他抬眼问道："若再等几日，可否得知？"

郎中为难道："外丹虽是延年益寿之物，然采药取物之理与治病救人无异。每一味药材必斟酌仔细，差之分毫便前功尽弃。轻则无效，重则祸及人命。何况，外丹炼制更深奥、精秘。生理、病理、药理修为极深者方能为之。所用材料亦只有炼者本人最知。鄙人才疏学浅。假以时日也难保全部辨出。"

糜啸郴不欲多留，微笑着寒暄几句便送走了三个郎中，回到书房静坐。

管家至他身旁，俯身道："主人莫忧。总会有比萨孤卓韫高明者。属下明日去寻。"

糜啸郴摇摇头，轻吐口气："谈何容易。那郎中说得很对。丹药一类的材料只有炼者本人最知。"语罢，他眯眼前望，眸光闪烁，"你明日将最后那位郎中请来。再去牢中挑几个身体健壮的死囚。我自有办法。"

门外忽然响起仆人急切的脚步声与话声音。

糜府家仆皆知书房乃宅内禁地，擅入者定遭重罚。

管家看了眼面有怒意的糜啸郴，出门询问，一会儿，进屋回道："主人。巴夫人晚膳时突觉不适，已昏迷近一个时辰。"

糜啸郴蓦地起身，一脸愕然，担心之余又自顾思虑："清儿平时身子健朗，鲜有病疾。怎会突然昏迷？"想罢，他对管家道，"快去请萨孤王子。就说有要事相求。"

管家犹豫着上前提醒："巴夫人病不过一个时辰。巴家又未派人通知。您匆匆过府探望恐有不妥。巴家人难免生疑。"

糜啸郴当即厉色："清儿身子要紧！还不快去！"

管家不再言语，只得照做。

"等等。"糜啸郴突然叫住正要出门的管家。

管家欣喜，以为主人改了主意，怎料糜啸郴快步走出书房，留下一句："夜深冒昧，我亲自去请。"

糜啸郴匆匆来到后园。门楼在浓墨的夜色下显得越发沉而孤寂。零星灯光映着园中央的池水，池水映着冰裂般的云影，风穿过孤峙无倚的湖石，惹得四周药草花树沙沙作响，平添几分诡异。

糜啸郴见萨孤卓韫房门紧闭，无光外映，俨然入睡。他轻叩房门，轻唤。屋内无声，糜啸郴再叩，开口道："王子，深夜叩扰实因有事相求。"屋内仍无人应答。糜啸郴有些心急，叩门力道渐渐加重。

糜啸郴叩门数声，忽闻一个优柔男声自他身后响起，爽朗怡人："糜公子。"

糜啸郴回头，见萨孤卓韫正一袭黑衣，长发飘逸，背手立于院中西角，不禁一愣，狐疑地打量起来，心起猜测。

萨孤卓韫前行几步，疑惑道："不知糜公子有何要事？"

糜啸郴瞥了眼墙院西角晃动的竹枝，恭敬道："在下一位挚友突发病疾。城中虽有名医却不及王子。若王子能为其诊治。在下感激不尽。"

萨孤卓韫亦不多问，点点头："糜公子不必如此。医者理应救人危急。在下这就进屋取来药箱，与公子同去。"

待到糜啸郴与萨孤卓韫赶至巴宅时，巴清已然苏醒。

巴家请来的郎中虽不及萨孤卓韫，却也称得上名医。

郎中手捏艾柱，悬于巴清阳白、人中两穴上方，或近或远，反复旋转熏灼，直至皮肤微红。艾烟淡白，向四周晕开，与秀床散发的紫檀香气混为一体。味浓而不呛，清新怡人。

约莫半炷香时间，巴清两穴处肤色潮红。郎中见巴清眉心微微耸动，熄灭艾柱，收至药箱，轻声对屋内几人道："巴夫人已无碍。病疾乃操劳过度、郁积心脾、宫寒气虚，加之近日天气闷热异常所致。按时服用汤剂，仔细调养半月便可。"

巴清缓缓睁眼，抬手抚上额头，脑中回忆着昏迷前的人事，眉上两指与上唇中间处阵阵刺痛难耐。

"小姐。"鸢儿站在一旁破涕为笑。

巴老夫人笑逐颜开地坐到床边，握着巴清冰凉的纤手，欣慰道："你可惊煞为娘了。"

巴煜瑞走近床边，目光亲善，温柔道："嫂子。"

巴煜泽原地不语，面无表情。

巴清瞥了眼屋内众人，没有应答，只觉身下床榻冰冷坚硬，即使有繁复华美的云罗锦帛铺垫，亦单薄无比。

榻边是精雕细镂的窗口。她动了动身子，转向外侧，望着窗外，檐灯映衬处，如轻罩一层薄纱。居高的石山，垂髫的杨柳，落下参差斑驳黑影，散落荷叶之上，比起白天的诗情画意多了分光怪陆离。

她静观屋外景致，旁人静观她神智。各自静默之际，仆人匆匆进门，禀报縻啸郴到访。

巴清微微一愣，随即淡淡道："请。"

巴老夫人眉头微蹙。

巴煜瑞目转睛动，望向巴煜泽。

巴煜泽走近室门，挑眉外望，目光定在与縻啸郴一同走来的黑衣男子身上。他借着廊内灯光仔细打量，见那男子衣着虽是秦服，但形貌却不像巴蜀中人。

縻啸郴进屋，与众人一一点头互礼罢，走至床边，看着巴清清瘦苍白的面庞，欲伸手捋顺她疏落耳边的发丝，却碍于世俗礼仪与旁人众目无从抬手，只得低声心疼道："巴夫人好些了么？"

巴清唇畔微扬，欣慰点头："多谢縻公子挂心。"

若说縻啸郴的疏离是因避旁人而违心为之，那么巴清的疏离则是切实的落花无意。

縻啸郴神色微滞，心房收紧，眼中失落闪过，温柔一笑，道："我的一位友人对医术颇有造诣。今夜我将他请来，让他再诊一回，更为妥当。"言罢，他亲自出门将萨孤卓韫请进。

萨孤卓韫款款进屋那一瞬，巴清脸上的笑意刹那僵滞。她瞠目结舌地看着来人，双手不由得支着床沿，努力抬身，眉梢眼角尽是难以置信。

旁人目光亦是各异，或怀疑，或审视，或诧异。

縻啸郴见状，打量着二人，疑道："你们相识？"

萨孤卓韫当即道："縻公子说笑。在下怎会与巴夫人相识。"

闻此，巴清话含嘴边，直怔怔地看着一脸漠然、向自己走来的萨孤卓韫。

"巴夫人身子尚虚，还是躺下的好。"萨孤卓韫坐至床边，柔声提醒。

巴清虽不明白萨孤卓韫佯装不识的因由，但她相信自有道理，便半倚床壁，伸出右手，讪笑道："奴家有位故人与公子眉眼有些相似。方才烛火晃荡，走了眼，失礼。"

萨孤卓韫温柔一笑，不置一词，从药箱中取出一方软枕，静心诊脉。

夜风吹进，床檐袭袭流苏随风轻摇，带起萨孤卓韫几缕青丝，也勾起巴清儿时点滴回忆。

萨孤卓韫正是在巴清儿时颠沛流离、四处逃亡、担惊受怕时，收留并陪伴她五年的人。仔细算来，二人算得上是青梅竹马。于巴清而言，他如兄长，如至交，也是恩人。而今，分别数年，他一身墨衣，英姿勃发，卓尔不群，褪去了曾经的稚气，如朝露般的清透爽朗却从未改变。她看着他眉间的五色莲纹，眸光闪动，心有惊，有喜，有虑，更有不解：真的是他！可他怎来了巴地？为何与啸郴成了至交？又为何不与我相认？

巴清心绪飞驰之际，萨孤卓韫搭了右手，又搭左手，眉头微皱。

糜啸郴紧张道："萨孤公子，巴夫人脉象如何？"

萨孤卓韫挪开手，不急于回答，望着巴清柔声问："巴夫人近几年有否相似症状？"

巴清回神，思忖着摇头道："没有。只是近日颇为疲惫无力，前日在矿山有过一瞬的晕眩。"

萨孤卓韫又问："近日是否梦魇反复，无法安枕？"

巴清对一切问题皆是点头。

萨孤卓韫垂眸思索少顷，再问："饮食可有什么习惯或变化？"

巴煜泽心中一沉，紧张地看着巴清。

鸢儿答道："主食，点心，汤饮与二公子、三公子的没什么两样。若说习惯和变化，那便是每日一碗的参汤与近日小姐的胃口不佳。"

萨孤卓韫仔细听罢，起身望向旁人："不知此前请来的郎中是何结论？"

巴煜瑞拿出药方，接道："郎中只说操劳过度、郁积心脾、宫寒气虚，加之近日天气闷热异常所致。开了方子，让调养半月。"

萨孤卓韫接过药方细看一番，犹豫片刻，开口道："此方最佳。"

这时，巴煜泽开口："嫂子，我看，还是等身子好了再去咸阳。否则途中颠簸，不利恢复。"

糜啸郴瞥了眼巴煜泽，心起疑惑，走至巴清身旁，低声问："莫不是宫中丹砂有变？若非要事待痊愈了再去不迟。"

巴清莞尔道："是些旁事。说来话长。改日细讲与你听。"而后，她抬眉盯着巴煜泽，冷冷道："多谢三弟关心。我身子无恙。日子已定，不容有变。"说罢，头靠床壁，疲惫闭目，不再言语。

连日的劳累与突来的病症已让巴清筋疲力尽。现下，她无心应酬旁人的一字一句，一举一动，只想好好休息，安静整理思绪。

夜风吹皱池水，撩动碧荷，在空中打了几转，又携着几声蝉鸣闯进鸦雀无声的屋内。

萨孤卓韫从箱中取出一个精致药瓶，递与巴清，淡淡道："内有七粒龟蛇丸。每日一粒，膳前温水服用。祛毒健体，温阴补虚，活血逐疲，效果甚好。若嫌时间紧迫，路远颠簸，药草炖煮繁复费时，可用此替代。巴夫人当下身子虚弱，需好生休养，在下告辞。"

巴清闻声睁眼，见萨孤卓韫冲自己微微点头，抬手接过。她垂眸看着手中精巧的瓷瓶，心头荡起阵阵暖意，旋即紧握，感激道："多谢公子。"

二人四目相对，眉眼间的默契包含了太多心照不宣的过往，未言片语却胜似千言。

糜啸郴走近，叮嘱道："既然日子已定，离家前好生休养。遇事可随时寻我。我一直都在。"

巴清再次道谢，目送他与萨孤卓韫辞去，再不多言。

众人亦免了寒暄，知趣地离开。

糜啸郴走出巴宅大门，背手阔步前行，脸色微沉。

萨孤卓韫与其并肩，同是脸色阴沉，一路无言。

二人行至糜府。萨孤卓韫终是开口："敢问糜公子，巴夫人可曾身怀六甲？"

糜啸郴惊诧地看他，点头忆道："一年前确有一次。未满三月便意外小

产。那时正逢炎夏。煜祺身体抱恙。清儿初次打理家中生意。一日，与商户用过午膳，回府后突觉头晕，腹部疼痛不已，恶心呕吐不止，脸红多汗，全身无力，不到一个时辰便下身见血，昏迷不醒。诊断的说法与今日郎中所言相似。清儿身子一向健朗，那一次万万没有料到。"

萨孤卓韫神色一凛，低眉垂眸，若有所思。

糜啸郴不解他为何突问此事，但见他沉吟不语，不禁紧张起来，忙问："有什么不对？难道清儿有什么隐疾？"

他静待片时，见萨孤卓韫仍自顾思虑，不答不动，更加不安，急切道："是好是坏，王子不妨直说。"

少焉，萨孤卓韫神色凝重道："巴夫人小产应是中毒所致。"

此句犹如晴天霹雳，令糜啸郴猛地一震，不信耳闻。

萨孤卓韫自知他半信半疑，便解释道："夏热湿闷，易致人胃脾两虚，厌食身疲。重者躁郁火旺，胸闷气短，晕眩昏迷。此类患者，主因外感病邪所致，故虚、细二脉细小无力。然另有一类，主因内伤久积而成，由沉脉而定。二者初期症状及调养之法无异，病理却迥然不同。巴夫人沉脉鼓动无力，实乃邪郁于里，属第二类。我问巴夫人曾否有孕，本想病源许因孕后调理不当所致，谁知竟牵出这等遭遇。能致此状小产的只有水银与铜类金气重物。但凡有些医龄的郎中都不难看出，至少应有所怀疑。"

萨孤卓韫的一字一句敲打着糜啸郴的心神，他置于腰前的手缓缓紧攥，心中有对施毒者的愤怒，也有对施毒者身份与目的的疑虑，更有对遭受伤害、至今不知真情的心爱之人的疼惜。

他思虑几时，再问："巴夫人今日之病可是由小产所致？"

萨孤卓韫略显为难，犹豫道："现在结断为时尚早。需得调养时仔细观察。"

糜啸郴小思一会儿，狐疑地看向萨孤卓韫，拧眉道："王子既有此疑问，大可在诊脉时说出。当时，旁人皆是清儿的家人，自会说得详细。"

萨孤卓韫淡然一笑："病情自然要说与最关心病者的人。"说罢，他不再多言，仓促告辞，朝后园去。方才巴府一回，他已将屋内众人的神态尽收眼底，更知他们各怀心事，嘘寒问暖皆有所图，即便问，得到的也是模棱两可的答案。

糜啸郴一怔，看着萨孤卓韫渐渐隐没在昏暗中的背影，独步厅堂，负手望月，伫立静思。

萨孤卓韫独自行于后园的碎石小径，风摇满园药草，香气萦心。

他行至园中一片药草田外，凭栏凝望当空皓月，心已被苦涩填满，唇畔泛起一抹惨笑，半晌发出一声轻叹，又似在微声吐语："清儿，对不起。若我早些出现，你便不会遭那般痛苦。赶至巴府前，我便猜到糜啸郴口中的至交是你。能让他如此紧张的人又能有谁呢？一年的守候本应早已波淡澜微，可当我迈进巴家大门，只觉离你越近心越发颤抖。踏进房门的那一刻，我多想唤你一声清儿妹妹；多想此时只有你我二人；多想将近几年我所经各地的见闻说与你听。七年前，你答应我，待一切稳固后会回来寻我。你答应我，若在外过得不好一定回来。可我等了两年，依旧看不到你的身影。我想你是不是因事无法分身；是不是遇到了更好的人；是不是忘记了回来的路。我想，若你不便，那我动身。我以为你不会再回那让你国破家亡的故地。于是，我选择了别国，但辗转各地仍不见你踪迹。直到一年前，我怀着失落与无望来到这里最后一试。天不负我。西街闹市，你一身荷色曲裾，眼含春水，脸如凝脂，如出水芙蓉，美得无瑕，美得不食人间烟火。可正当我感谢上苍、惊喜交加，欲上前与你相认时，却看到你走到一个清俊男子身旁，手挽他臂弯，谈笑顾盼间尽是幸福。那一日，天朗光明，可我却感觉黑云压顶，似有疾风骤雨扑打而来。后来，我得知你已嫁为人妇，成了丹矿富商巴氏当家的夫人。我站在你住所远处，辗转流连，是去是留，徘徊不定。雨丝连绵，檐水穿墙，再细的痒，经年也刻成伤。长夜未央，无灯指路，而我偏探看远道的光。最终，我决定在这里停留。糜府广征炼丹术士，我是道家丹鼎派传人，自然揭榜入住。我想，你与糜啸郴相识，在他那里我会离你更近些。我无心王位，无心荣华，只愿在有你的地方如思如忘。我愿为你跋涉山林苑囿；为你将执念深重梦尽头；为你甘心被嗔痴左右；为你青丝白发无休守候，只愿能见到你笑靥如花，如星美眸。可今日再见你，憔悴清瘦，满面忧思，一眼便让我心痛不已。早前，我从糜啸郴口中得知你接掌了家业。你做了一个其他女子不敢更无能为之的决定。我几次试想你当家后需承受的一

切，方觉更有男儿不及。我为你骄傲，亦为你担忧。誉来谤随之，利来苦随之。想来，今日之病与你当家后的负累息息相关。看着你的苦，我自问能做什么？想来想去，唯一能做的便是，你决计前行，我坚定守候，你疲累无助，我带你远走。"

夜空密云涌动。蝉虫唧唧，树影摇曳，时而有鸟惊飞。远处传来沉闷鼓声，提醒睡梦中的城池时已三更。

糜啸郴已在堂内踱了几个来回，神色由阴转晴。他叫来管家，嘱咐道："明日起，你将旁事交予别人，仔细去寻清儿小产时，为其诊治的郎中，务必谨慎隐秘。"

管家见主人夜半不眠，独坐厅房，又突然说起两年前的旧事，不禁大为疑惑，俯身道："主人可是想到了什么？"

糜啸郴瞥一眼管家，一双星眸于月光下闪烁着锐利的锋芒。他颔首道："若我猜得不错，咱们掌握巴氏家业指日可待。"

乌云遮日，骤风乍起。

巴清怀着忐忑的心再一次来到了秦都咸阳。

突来的病疾还未痊愈，巴清便整装急急北上。

北上所经之地雨雾频频，几日不见晴天。她本想到了咸阳有清风送爽，却仍是一片阴霾茫茫，于初到咸阳那一日无异。

她环顾周身的车马辚辚，人流如织，想起初到咸阳的情景，想着刚刚的人去家变，想着不知此行是祸是福。

她轻吸口气，抬眼瞧着坚固高耸的城门，上前几步，伸手抚摸斑驳墙壁，想着它见证了大秦崛起雄立一方、镌刻着千户万家阴晴圆缺、看过无数风花雪月，人走茶凉，不禁生出几分彷徨。

苍茫天海下，她只觉得自己像只疲倦的孤鸿，云雾的前途，何处是新径？何处是归路？

她知道，心志凌云者，总要走进豺狼虎豹的森林，攀跨削岩峭壁的高岗，渡过浩瀚翻腾的汪洋，穿踏荆棘丛生的狭径，方有资格扶摇直上。

"巴蜀富饶地险，温婉秀丽。关中沃野形便，风俗悍犷。同是天府之地，巴夫人更爱哪一个？"她兀自感慨间，昌平君近身附耳低语。

风掠，二人袍袖相叠。她看着他暧昧举动，旁移一步，低眉莞尔："公子说笑。咸阳金城千里，怎是巴蜀可比。"

昌平君瞥了眼两人之间腾出的空隙，唇角微扬，袍袖轻甩，负手进城："巴蜀乃大秦仓邸，如人之左膀右臂。无巴蜀之利，何谈披靡，怎不能比？"

巴清颔首附和："公子真知灼见，民女受教。"

昌平君止步，饶有兴致地看着她："巴夫人商贾世家，自然晓得其中利弊。这般谦让，真与初见时大不相同。"

巴清的轻描淡写道："公子不也是今日异于往昔。"

昌平君眼底生光，盯着她再次打量一番，神色玩味，似见到了奇特物什。

巴清随昌平君一行人过西市，穿两街，终至府邸。

她原想，以昌平君身份之贵，所住之处定是气派俨然，门庭宽旷，周身翠竹包揽，青松长环，虽比不得王宫华庭却犹胜其他，但眼前此景着实让她吃了一惊。

她举目四望，整座府邸外清简无任何草木修饰，又避开闹市，行人稀少，天昏风起，暗墙黑瓦独成，平添几许萧瑟。

管家带着几个仆从出门接过行礼，牵走马匹，走近昌平君，低声道："公子。郑方士说您今日回府，特来拜望，已在正堂等候。"

昌平君微微一愣，旋即恢复往常神色，挑眉道："来了多久？"

管家道："已有半个时辰。"

昌平君点头，转身请巴清入府。

巴清走进府内，又是一惊，一条青砖石路由大门贯穿前院直指厅堂。五扇黑漆堂门简单大气。框上菱花雕纹明净爽朗。院内两侧茉莉花道顺墙边直伸后院，洒脱简丽，清香四溢。

若说佩绶与府宅的不合规矩是因受制于人，可府内的陈列摆设却能自己做主。巴清缓步打量着身前风度翩翩的昌平君，多了分欣赏。同时，她也隐隐地感到，眼前人定是个胸有丘壑、腹有千秋之人。

她向前看去，见堂内立一老者，正向己处观望。

昌平君已率先进堂，笑意盈盈对老者作揖："郑方士久等。"

郑方士欠身行礼，目光却在缓步进堂的巴清身上游移。

当初他与她只一面之缘，未料有再见之日。今时重逢，他眼中有掩不住的惊喜，更有初遇时不曾有的诧异与怀疑。

巴清并不知晓眼前的老者便是当初留下自己雕像之人。她打量着他，见他寻常灰衣，被称方士，想是颇受昌平君看重的隐士，便盈盈一笑，点头施礼："先生好。"

昌平君入座不语，静察二人动作。

郑方士同礼回应罢，又盯着巴清的脸左看右看，将五官细较了数遍，只觉她的胃烟眉、青杏眼，像极了自己的孙女。

巴清见他双目不离，神思怔愣，心下疑惑，面露尴尬，不知如何开口。

这时，昌平君声起："巴夫人先在我府上休息，晚些我们再谈。"

待巴清退出，昌平君调侃道："郑方士这是怎了？动心了？"

郑方士苍苍笑道："老朽斗胆猜测，公子巴蜀之行定与这女子有关。"

昌平君抿茶一笑，泰然道："的确。不过方士既知我今日赶回，又听了她姓氏，猜中不足为奇。"

郑方士并不多言，躬身拜别："老朽告辞。"

昌平君急忙起身拦住，满脸不解："方士刚来怎就要走？"

"天色近晚。公子还要带那女子进宫复命，老朽岂能耽误？"

昌平君微怔，暗自惊叹，意味深长道："方士的话真是时时让人警醒。不知方士对这女子看透几分？"

郑方士呷呷一笑，脚步不停，木杖轻点石砖，声音渐行渐远："非池中物。"

黑衣军士匆匆进堂，与身影佝偻的郑方士擦肩而过，收了仓促气息，对昌平君垂首道："禀公子，人已查明。是杨中令的下属。属下不明白，杨中令的人为何在巴蜀？公子与他不过点头之交。他为何派人一路跟踪？"

昌平君立在堂门前，默不作声，细眼微眯，目眺天际，脑中反复回荡着郑方士的话，千头万绪。

片响，他深吸口气，悠悠道："也许，不是跟踪咱们，而是跟踪那个叫巴清的女人。"

戌时起，乌云渐散。太阳没，余晖润天。池鱼归渊，炊烟唤子，灿星寥寥，弯月钩天。

巴清在客房内休憩了两个时辰，听到了进宫的召令。她重整装束，随昌平君忐忑出发。

二人马车行至宫门，下车受询。

昌平君提灯出示腰牌。侍卫慌忙行礼，启门放行。

巴清谨慎地跟在昌平君身后，听到宫门沉重的闭合声忐忑倍增。她亦步亦趋，眼波四顾，举目之处飞阁流丹，檐角飞翘，囷囷拔地而起，凌空潇洒。

她目光辗转几周，渐渐落在昌平君高挑秀雅的后背。回想近日种种，她看得出他心思缜密，绝非乱施恩惠之人，一言一行皆有所用。突来的王命已让她惴惴不安，而眼前人的那一句"留与不留我都可替你周旋"，更让她忧心忡忡，总有种说不出的蹊跷。

宫内的夜静谧地只剩风声。西北的夏风较之西南多了几分恣意与凉意，穿梭于高厚的宫墙间，时而轻如细雨，时而急如浪奔，惹得巴清喉咙疼痒，轻咳了两声。

"还未痊愈？"昌平君提灯前行，轻声问候。

"劳公子挂心。已无大碍。"巴清轻舒口气，态生两靥愁，娇喘微微。

前行百米，昌平君忽地停住脚步，转身仔细地看着如姣花照水的巴清，想到她要去伺候嬴政那病小儿，不禁甚感可惜。他朝巴清走近，两眼紧盯，瞳孔微张，凝眸间，抬手抚上她玉颊。

肌肤之亲，只差毫厘。巴清惊恐地后退两步，一脸错愕，满眼警惕。

昌平君收回悬在半空的手，笑道："巴夫人此时模样像极病时的西子。大王见了定会更加怜爱。"

巴清自幼受父亲教导，晓史懂世，自然知道越王勾践送西施迷惑夫差，离间君臣，颠覆吴国江山一事。她更知道，昌平君方才的话若被有心人听了去，必是灭顶之灾。她小心四顾，确定无人才稍稍松了口气，旋即瞠目相视，提醒他失言。

昌平君知其心思，却毫无顾忌，满脸笑意，越发靠近，逼得巴清连连退后，背抵上湿凉的墙壁。

他一只手撑住墙壁，挡在巴清左侧，笑道："不对么？"

二人只距咫尺。宫灯晃晃，映出昌平君俊美的脸廓。此时的昌平君往常温雅不再，更多的是邪魅与玩味。

巴清避开他幽暗双眼，目光移向别处，话中多了几分凌厉，"自然不对。民女非西施，大王亦非夫差。若按公子所言，您寻得民女，岂非勾践？这样大逆不道的话也敢宣之于口！"

昌平君嗤之一笑，眉梢嘴尽皆是不屑，单指挑起巴清下颚，指尖冰凉透骨，从她下颏穿过喉底，一线冰入心底："我不过一时失言。现下四周无人。你不必紧张。民间有传，吴亡后，西施与范蠡归隐，余生安稳。另有人说，她被人沉溺于河，香消玉殒。又有传，她爱上夫差，为情而殉。你认为最可能是哪一个？"

巴清此时满是厌恶，无心斟酌话意，侧头避开他手指，不满道："民女不知。请公子自重。"

昌平君挑眉紧锁巴清双眸，似要将其看穿。僵持片刻，他恢复往日神色，淡淡一笑："走吧。大王该着急了。"

巴清看着他俊秀的脸上漾起的笑意，不由遍体生寒，无言跟随。

二人又行百米，视野豁然开阔。

巴清放眼望去，前方两对夔龙铜雕分列宫殿玉阶两旁，卷尾半坐，昂首怒目，前爪前伸微抬，兽嘴大张。其体型之巨，气势之威猛，足以一啸山河动，雄风撼九州。

夔兽身后是三十六道白玉阶，直直延伸至咸阳宫主殿。

二人拾级而上，避主殿往西行进，廊腰缦回，五步一楼，十步一阁。巴清行于回廊之中，只消片刻，便回头难见来时路，前观，漫漫无尽头。

约莫半刻，二人行近回廊末端。

巴清看到前方殿门外有一宦侍垂手而立。殿内灯火明亮。

宦侍见来人是昌平君，眉眼起了笑意，腰身稍弯，交叠前身的手微微翘着兰花指，细声细气道："公子您可来了。待奴才先行禀报。"

昌平君和煦笑道："有劳徐总管。"

巴清看着走进殿内的徐总管，端在腰前的两手紧握，低眉垂首，连呼吸也小心翼翼。

正当她百转千思该如何应对接下来的人事时，耳畔传来昌平君如沐春风般轻柔的声音："别怕。万事小心。一切有我。"

她抬头，与他四目相对，心中稍安。

第十八章

天阙危情

巴清得到传召，低眉顺眼地跟在徐总管身后轻声细步进殿，跪地叩首，不敢抬头。

偌大的宫殿内，只有嬴政一人。

烛火晃动，闪烁飘忽，映出美人卓卓。

嬴政坐在玉案前，看到心心念念的人终于再现眼前，如寒星般的双眸立刻变得柔和。他身子前倾，定定地看着她，膝上交叠的双手微微收拢，丝丝暖意在冰冷的指尖流窜。

少顷，他看了眼徐总管，冷声道："寡人有要事相谈，不必门外守候。"

听到此声，巴清心中一颤，暗自惊叹："真的是他。"她明知自己的举动失礼，却仍忍不住抬头看向座上人。当她看到那熟悉的面庞，又偏偏错愕呆愣。怔怔无语间，她又有稍许安心。相识总比不识好。

徐总管行了礼，关上殿门。偌大的宫殿瞬间静谧异常。

嬴政愣愣地望着巴清，欲言又止。那样的眼眸、那样的姿容，他虽在心中描绘了无数次，自觉丝丝无错，可当真的看到时，才知无尽的想象也不及眼前的一次悸动。他心绪辗转了百回，话语思虑了千遍，终是以一句再平常不过的道谢开了场："多谢你雨中相救。"

巴清神思回转，赶忙叩首回道："民女那日不知大王身份，无礼之处望大王恕罪。"

　　嬴政听着她恭敬而疏远的回应，不由得双眸黯淡，一言不发。

　　殿内气氛格外沉闷。嬴政愈是声色不动，巴清愈是觉得尴尬。

　　正当她方寸未整，心中无措时，忽闻一阵窸窣声。她抬头看去，见嬴政正抓着腰间宝剑，小心翼翼地起身下台。她不解地看着他。他食指贴唇示意莫要出声。

　　嬴政轻声踱步，行至殿门处，慢慢将耳朵贴近门壁。

　　巴清跪在一旁，噤若寒蝉。

　　不消片时，嬴政面色由沉转愠，握着剑的手一紧，右手用力将门一拉，疾步跨至殿外，拔剑直指门外偷听者，气势汹汹，凛冽杀气呼之欲出："果然是你！"

　　巴清惊诧地跪行至殿门内侧，顺着剑锋看去，竟是方才的徐总管。

　　徐总管已吓得张皇失措，转身便逃。

　　巴清瞠目结舌地望着他踉跄的背影，又看了看嬴政。

　　嬴政冷哼一声，立在原地未有其他动作，像是料定逃跑之人还会折回一般。

　　果然，徐总管未行五十步，又小跑折回，扑通一声跪在嬴政面前，不住地磕头求饶。

　　嬴政冷笑："怎么不跑了？"

　　徐总管不敢言语，垂头战战兢兢地跪在廊内，眼睛死死地盯着嬴政手中的剑。

　　"他除了让你监视寡人的一举一动，还让你做什么了？"嬴政怒目相问。

　　徐总管仍噤若寒蝉。嬴政哧地一笑，横眉打量着他，嘲讽道："真是忠心。你以为寡人不敢动你？你不过是他的一条狗。"说罢，俯身上前，挑眉晃剑，咬牙切齿道，"你猜，一只狗若没了猎物看家的本领，主人会怎样对它？"

　　月光冷冷澈澈洒在剑上，与锋芒融为一体，更加寒意逼人。徐总管强装镇定，却早已暗自叫苦不迭、肝胆俱裂。

　　此情，巴清已被嬴政的阴狠惊得紧张不已，心中似有巨大铁锤不断击打，时上时下，舌尖颤颤。

　　嬴政见徐总管仍不回答，话锋一转，狠戾道："好！今日我便割下你的耳朵！挖出你的眼睛！砍断你的手脚！看他还留不留你！"

巴清顿时怛然失色，捂住惊呼出声的嘴。

嬴政挥剑向砍去。徐总管仓皇躲过第一剑，但也划伤了肩膀。他捂住左肩，瘫软在地，指间渗出血迹，背抵廊柱，发冠滚落一旁，冷汗从死灰般的脸上滴落。

此时的徐总管再没气力动弹，如掉进猎人陷阱的猎物，任人宰割。

而此刻的巴清已将因果缘由，利害关系猜出大半。她虽不知嬴政口中所说的"他"是何人，但知身份地位必举足轻重。能让一国之君这般忌惮隐忍的人物寥寥无几，猜度几回便知是谁。且不说巴清不愿看到那血肉模糊、肢断身离、惨不忍睹的一幕，要紧的是，她深知徐总管若在自己觐见时丧命，背后的权臣迁怒不了嬴政，却会迁怒自己。这样的结果，只想想便不寒而栗。

至此，巴清顾不得许多，赶忙起身挽住嬴政持剑的手臂，跪地唤道："大王！"

嬴政扭头看她，眼里熊熊怒火让她望而生畏。

她压制心中忐忑，朝嬴政摇了摇头，音色颤抖："求大王网开一面。"

嬴政一愣，不可思议地审视着巴清。

徐总管亦惊讶不已，绝望的眼中闪过一丝希冀。

"放了他？他主子定会当我胆小如鼠，日后在朝上更变本加厉。"嬴政剑锋不偏，语气却稍有缓和。

巴清环着嬴政胳膊的手紧了紧，恳求道："大王可否先听民女一言。"说完，不等嬴政应允，便上身微起，贴近他耳朵，声如细丝，"小不忍则乱大谋。大王志存高远，万不可自毁前路，陷自己于险境。"

嬴政握剑的手一颤，锐目回转，高抬的剑缓缓下落，尖抵青砖，廊柱挡光，锋芒黯淡，踌躇似进退两难。

巴清仔细观察嬴政神色，猜到其沉吟不决的因由，垂眸思索片刻，对着浑身哆嗦的徐总管，正色道："不论你受何人指使，有何目的，是忠心护主或情非得已，我都希望你看清自己的处境。大王要你死，你人头顷刻间便落地。岂是他人能救？即便你非贪生之辈，也要为自己的九族考虑。舍卒保帅，屡见不鲜。你真的愿用自己与族人的性命，赌你的主上是否愿为救你换得个藐视王权、以下犯上的罪名么？"

言此，她气息微顿，看了眼漠然的嬴政，又回视徐总管，目光凛然，语调森然："你门外偷听不单忤逆大王，更置我于险境。我与你无冤无仇，何故至此？我若未察自当别论，可现下我已知晓。你认为我会如何对你？大王不忍的，我可以；大王不愿做的，我愿意。你若有命出了宫门，大可将我的话一字不落回禀你家主人。我们且看看，你的主人最终会相信谁，且看看，你还有没有命再进得宫来。"

巴清如此狠戾实因痛恨被人监视。有监视便有搬弄是非，有是非便有恩怨误会。久之，怎会不险？何况，徐总管是吕不韦所派。当下，她正需吕不韦帮扶，若今夜有半点不利之言流入吕不韦耳中，若日后再见嬴政，再被偷听，岂不永远受制被动？倒不如借此机会，竭力让徐总管倒戈做个双面间谍，助嬴政一回，亦解了自己隐危。

徐总管本以为巴清是怀着真善之心为自己求情，谁知竟是这一番光景。句句正中要害。他脑中嗡的一声，肩膀猛地垮下，唇角阵阵抽搐，眼眶满是泪水，全身无力仿若微尘般一吹便散。

巴清见徐总管这般动作，便有了把握，一字一句清脆沁人，掷地有声："跋前疐后时，识时务者方得平安。我见你肯折回领罪，定是不忍连累族人。现在，大王仁慈，免你罪责。你可明白，何事该记，何事该忘？"。

徐总管惨然点头，连连道是。可未见嬴政同意，他声音又变得低哑。

巴清攒出一个笑意，扯了扯嬴政袍袖，轻唤："大王？"

嬴政将头别向一旁，利剑回鞘，厉声喝道："滚！"

徐总管破涕为笑，叩首数次，狼狈离开。

巴清垂首长舒口气，环着嬴政胳膊的手无力松落，本就虚弱疲惫的身子仿佛被抽空一般，瘫坐在地。

嬴政伸手握住她手腕，稚嫩的嗓音、温柔的语调："让你受惊了。"

巴清刚刚平稳的心一提，仰起脸对上嬴政灼灼目光，心有余悸。

她望着他，目光自他金簪发冠落至浓墨剑眉，再到幽深星目，微抿薄唇，惶惶垂下，心中生出几分心疼与担忧。

她忽而想象起眼前这瘦弱的男孩端坐朝堂，面对各怀心机、老谋深算的群臣时所感受到的，究竟是君临天下的威风凛凛，还是孤立无援的忍辱奋战？

她想着嬴政小小年纪不但要负起国家的荣辱兴衰，还要独自承受君臣猜忌、尔虞我诈、内忧外患的朝野纷争，忽然间觉得自己所经历的人去家变、前路艰难与之相较，简直轻于鸿毛，如沧海一粟般不值一提。

嬴政见巴清呆愣无言，担心她因方才的事对自己更加疏远，便伸手轻触她额前细汗，关切道："可是哪里不舒服？"

她收回心神，身子一颤，避开嬴政瘦薄的手掌，一边从袖间取出锦帕擦拭，一边恭敬有礼回道："谢大王关心。民女无恙。"

她虽明白他的处境，但方才暴戾凶狠的言行着实任谁都望而却步。

他见她果真对自己起了隔阂，颇为懊恼，欲开口又无从说起。思索片刻，他脑中闪过一念，面露欣喜，握住她玉手，嘴角衔笑，爽朗道："寡人带你去个地方。"

她未来得及反应，便被他拉着快跑起来。二人奔在蜿蜒的廊道。月色如练，夜风渐盛，映在他襟，盈满她袖。她怔怔地瞧着他稚嫩又俊挺的侧脸，看着他嘴角凝着的笑意，本想挣脱的手渐渐安稳地停在他手心，心中抵触似有消减，步调轻快似要与他乘风而起，览尽天地间炫炫光华。

曲折游廊过几番，阶下石子成甬路。

他拉着她来到了咸阳宫内最繁华的园林。他是幼稚的想法，认为美景可以舒缓她的惧怕。

月弯如舟，高翘船头，行于深夜浩海，荡起的层层柔波，幽静无边。

他的心意歪打正着，总算有些收效。

巴清自小生在水秀山青、莺啼蝶舞的南地，不论繁华事、风俗情、青云志或风月梦，都掺着她对烟柳画桥、巷陌水道、风帘翠幕的喜爱。而北地则相差甚远。许是归心似箭，思乡尤甚，咸阳总让她有一丝压抑。

国都虽物阜民丰，却少了分山月不知心里事，水风空落眼前花的意景相融。

巴清见到这般美景，惊喜万分，不禁自顾欣赏。

园内，佳木葱茏，繁花闪烁。水从花木深处曲折泻于石隙之下，缓缓汇入清池。池内翠荇香菱，荷红玉影，含苞怒放，卓卓出水。

她向北看去，飞楼插空，雕甍绣槛，隐于山坳树杪之间。

她拾级而上，俯而视之，清溪泻雪，楠木为栏，环抱池沿，兽面衔吐。

嬴政见她看得神怡，紧绷的眉眼瞬间温柔下来，随意找了处木栏坐下，拍了拍身旁的位置。

她微微一愣，看着眼前的这个少年，思忆渐渐回到雨中邂逅的那一日。

山高水长，白云苍狗，每一次相逢都太不容易。此刻，她只当他是一个背负着太多故事的孤独少年，抛却了平常礼数，带着盈盈笑意坐到他身边。

风乍起，穿过大片周身花林。花瓣如雨，沾在二人衣袖，好似凝了点点胭脂。

巴清循着花瓣飘落的源头看去，只见一株株两丈高的乔木状枝干，擎着朵朵菱形粉白花朵，蔓延园内各处。

她从未见过这样娇艳夺目、壮观美丽的形貌，叹道："月影朦胧花似纱。"

嬴政举目望去，接道："朝颜暮雪风为家。"

巴清惊奇之余又有些可惜，慨叹道："芬荣夭促，零落瞬息。"

嬴政不以为然笑道："寡人倒觉得，此花与日出日落同时，反复无穷，亘古不变，喻意甚好。"

清风吹来阵阵清香，卷起巴清拈在手心的花瓣，带向空中。

微星淡月夹着楼宇闪烁的烛火远远照来。她看着嬴政长长的影子，忽然觉得他远比自己想的要成熟坚强。那瘦弱的外表下，定藏着一颗深沉远虑的心。

她笑道："大王高瞻远瞩，实乃大秦国民之福。"

他依旧望着那片花海，兀自道："此花名木槿。寡人在赵国时，此花邯郸与濮阳四处可见。它还有一个广为流传的故事。很久前，历山脚下长着三本木槿，高若两丈，冠可盈亩。每至夏、秋，花开满树，烂漫如锦。后来，号称"四凶"的"浑沌"、"穷奇"、"木寿杌"、"饕餮"，前往历山观光，见此美景，顿生歹意，妄图移去据为己有。可当他们刨倒三本木槿后，原本灿烂炫目的枝头迅速枯萎，花殒叶落。他们料想取回亦难成活，便丢弃一旁，各自离去。这时，正在带领农夫耕作的虞舜闻讯赶来，将三本木槿重新扶起，汲水浇灌。木槿枝叶顿活，花开如初。当晚，虞舜梦中出现三位仙女飘然而至，施万福，口称恩公。虞舜这才恍然，三仙子原是由自己救下的三本木槿而化。之后，三仙子取讳舜为姓，助虞舜登天子位。自此，虞舜得三仙庇佑，国运长盛不衰。"

巴清向来认为神明庇佑之事，是百姓家茶余饭后的闲话，是平常人对英明君主附会生造的各种桥段，听之付之一笑便好。可她从嬴政口中听到，看到他殷切灼灼的目光，不禁五味陈杂。

他究竟遭受了怎样的孤立与倾轧，才会如此祈求神明的庇佑。

她眸光微动，安慰道："大王乃天之骄子，自有神明庇佑。"

他听罢，对她微微一笑，淡然道："是非成败，旦夕祸福，皆由人定。寡人从不信这些神鬼奇谈，但希望世上真有能为寡人带来洪福的女子相助相伴。"

她无言看他，霎时间，旁物渐渐模糊，只剩二人默默相对。

她看着他带了些期盼而变得明亮的双眼，早已想好的周旋与拒绝的说辞一时间不知该如何出口。

嬴政的话对一个刚刚失了夫君的女子而言，无疑是催泪的利器。天高地阔，人生漫漫，能与交付真心的知己共进退、同患难，实属人生最大福祉。可世事无常、天意弄人，偏偏让它抵过天南海北的阻隔，经得住岁月沧桑的消磨之后，生死两忘。

一时间，物是人非的感伤在巴清心中汹涌激荡，只觉曾经的一情一景都重于山峦。

嬴政痴痴地看着她微红的双眼，见过她浅笑时的明眸巧弯，沉吟斟酌后的幽深沉静，却未见过她泪眼朦胧的楚楚动人。此情此景，直让他目眩神迷，怜惜不已。

夜风再起，卷起她齐腰青丝，缭绕水眸。她心神从旧事中抽回，敛起悲戚，撇过脸，打破沉静："夜已深，大王应早些就寝。否则明日倦怠，不利早朝。民女也该离宫了。"

嬴政似料到她会如此说，不强求也未失望，话语轻似羽毛，缓缓落下："寡人不困。在这里坐着总比噩梦缠身的好。何况，大小事务皆由相邦全权处理，用不着寡人费心。"说着，顿了顿，目光远眺，冷清道，"你一定好奇，为何那日寡人的登基巡视变成了狼狈雨中行。"

她确实好奇。当她得知他就是秦王时，各种疑问接踵而至，最先想到的便是那日的雨中相遇。

"你可体会过不分昼夜的担惊受怕，身前身后的鄙夷嘲笑，人为刀俎我为鱼肉的滋味？"嬴政未待巴清回应，便自顾道来，话中有委屈，有恨意，有不甘。

原来同是天涯沦落人。他所说的她又何曾没有。

她心底漫开片片苦涩。她儿时的记忆，深深烙在心底。她更不会忘记，自懂事起便开始逃亡的日子正是他的先祖所赐。

可不知，是时过境迁后，怨与恨已在她心中烟消云散；还是她默认征战杀伐、开疆扩土、成王败寇的俗世规则；或者她只觉得稚子无辜，前人恩怨与他无关。她看着眼前这个瘦小、无助，敞开心扉，信任地向自己诉说心事的少年，提不起半点恨意。

她眼波轻扬，声如涓涓流水，悦耳动心："大王乃大秦之主，给予天下人的是别人所给予不了的。如今的韬光养晦，便是为日后达到王权巅峰的养精蓄锐。民女相信，不出几年，大王定会与随身的太阿一般，长剑出鞘，直指天下，无人可挡。"

他双眼陡然发亮，话中有掩不住的欣喜："你真这么想？"说罢，不待她回答，又神色黯淡，垂眸失落道，"寡人知道。这都是些安慰之言。"

她盈盈一笑，拂掉他发冠上的残瓣，道："大王可还记得鹰鹫的故事？"
他点点头。他怎可能忘记。

她道："成大事者，苦难必多于常人。想想您的先祖。大秦第一王，惠王。北扫义渠，西平巴蜀，东出函谷，南下商於，震慑六国，何等威风。而建立这赫赫功绩前，又何尝不是受制于商鞅，阻力万般。"

他若有所思地重复着"商鞅"。

她身子稍稍倾向他，几近贴在耳边，轻声道："商鞅之法让大秦雄立一方。其人两朝重臣，四海名扬。风光时，商於十五邑，百姓称其君。落魄时，凄惨亲信叛，车裂示众人。他成于孝公，败于惠王，也算死得其所。一朝之纲纪，历来为臣辅、君治。然士有经世之才者，常越俎代庖有碍王权。

故应用其才，莫依其人。若国不再需，断不能为他国所用；若国有所需，则委以重任，给予厚禄。此间，只需忍一时之辱，便可换得数年国强。而其贫穷富贵、惨淡辉煌，亦在您股掌之间。"她轻柔话音如滚落朱盘的珍珠从唇齿间滑落，音微轻脆却掷地有声，如暗夜骤风下盛开的芳华，如溪流触石时激起的水花，激起嬴政心海翻腾。

嬴政自懂事起博览群书、百家尽读，上至盘古开天、炎黄建族；近至周鼎失重、七国割据，历代君王之术亦研习牢记，自有心得。平日里，对他各执己见，言传身教，谈治国驭民之道者均是男子。今日，听得一女子有如此见地，他不由得十分诧异。

他灼灼目光似激燃的烈火，微张的瞳仁又似撒下的天罗地网。他凝视着她，柔敛的神色陡然多了几分冷峻，语气如平静无波又深不见底的沧海："你就不怕这话被有心人听到，引火烧身？"

她微微一愣，旋即坚定笑道："不怕。大王乃一国之主。大秦的生死兴衰皆由您来主宰。民女相信，大王定能护得子民平安。"

他看着她眼中透出的真挚，心尖微润，心中漫起一片酸楚与感动。在所有人都当他是一个傀儡儿王时，唯有她表里如一，坚定不移。

"谢谢。"他勾起唇畔，眼角有晶莹闪动，声音轻缓如飘落的叶，有秋意的萧索，又带着落地生根，破泥重生的喜悦。

谢罢，他又轻笑两声，一动不动地端详着她，神色竟有几分诡异与神秘。

巴清看在眼里，只觉那笑令她寒意漫遍心底。

他抖擞身上碎花，起身望月，似自语："难怪吕不韦如此青睐你。你确实比我的母亲更迷人。"

巴清不明白嬴政为何突然阴晴变换，不明白他为何突然说出此言，不明白他从何处听得这是非之言。她怔怔地看他，心底寒意更浓。

他回头迎上她双眸，笑道："徐总管待在寡人身边许久。他偷听之举数之不尽，可为什么寡人要在今夜拔剑相向，刺破他的诡迹？因为，天时、地利、人和。"

嬴政所言非虚，他早欲拔除徐总管这颗眼中钉，但非杀，而是策反。杀

只会令吕不韦警醒，再派窥者。唯有令其倒戈，方于己有益。

于徐总管这般权臣爪牙，仅凭嬴政一人的威逼利诱效果甚微。有些话与事，总要由旁人辅助才更有胜算。可放眼整座王宫，于嬴政而言，于此事而言，适合之人且可用之人半个也无。换言之，宫内也无人有胆量愿为一个傀儡小儿去得罪权倾朝野的吕相。

而朝堂之上，除却吕党，他人非庸碌自保之辈，便是两脚野狐。唯一一个昌平君，嬴政试他，用他，却不能尽信。

就如那晚的谈话，嬴政猜到徐总管定在暗处探听，却不阻止。他有意让徐总管告知吕不韦，目的有二：一、令昌平君无法取信或投靠吕不韦。嬴政了解吕不韦性情，料定其一旦得知此事，便会疑心深重，绝不会与昌平君近交。吕不韦对昌平君倾轧一分，昌平君便与自己亲近一分，总归有利。二、他恨吕不韦，亦要倚靠吕不韦。他疑吕不韦毒害自己父亲，亦不失理智，知其若有心篡位，便不会拥护自己登基；更知其即使有意篡位，也断不会屈尊嫪公之下。所以，他故意提出巴蜀异动，是为让其对与韩氏交好的嫪公一派生存戒心，阻止朝中两员权臣过于紧密。至于巴蜀究竟异动与否，便要看昌平君自己的造化。

而巴清，他本不欲利用她行事，本以为她只是寻常的富家女儿，却在听到昌平君说"相府求财，颇受吕相青睐"后起了念头。他数次回忆、思量昌平君说话前后的神态，笃定其言可信大半。

能让吕不韦青睐的女人，除却容貌，必有其他过人处。最关键的是，她身份与地位不低亦不受制于徐总管。他想，若她足够通透，足以助自己一臂之力。另外，他也想看看，她是不是真的值得青睐。

今夜是除奸亦是试探，嬴政夹着几分赌博的意味。

庆幸，她不负所望。

他心中欢喜，对她更为喜欢。

可巴清此时却筋麻骨软，惶惶不安。

她已然明白，今夜殿门外的一切皆在他计算之中。她此刻只觉寒意由心房鼓进血脉，流遍全身；只觉眼前人根本不是一个十三岁的少年。

她目瞪舌僵之际，他抬起右臂，手掌攀上她肩头，轻轻抚摸，温柔地说："我喜欢你，相信你，愿意将许多事分享与你。你呢？是不是真如殿门前所言，'寡人不忍心的，你可以；寡人不愿做的，你愿意'，以及你未说出口的那一句'寡人做不到的，你能够'？"

不待她答，他又微整气息，走近一步，覆在她肩头的手指微微收紧，双目殷殷望进她眼里，言辞恳切："我并非要你做什么，只盼你不要为人利用，不要欺瞒于我。你是我心中唯一的美好。我不想让它破碎。"

她望着他眼里流露的悠悠情意，感觉着他掌心的温热烤灼着自己隔着衣襟的皮肤，心神震荡，呼吸颤颤，缓缓离座，惶惶跪地，恭敬垂首。

这一夜，月明，星灿，风铃叮咚，园中飞花迷蒙。

第十九章 针锋相对

天边一丝橘红直照，又是一日清晨。

直至四更鼓声止，巴清夜里惊骇的心情方有好转。

她与嬴政一同返回咸阳宫西偏殿，跟在他身后进了寝室，微低着头，不多言语，不敢四顾。

他看出她的拘谨，柔声道："待之如家。"

她惶惶谢恩，闻殿门外有悦耳声飘进，唤道："大王。"

巴清循声望去，只见数名素衣宫娥手托洗漱用具与朝服分行两侧。走在最前的，是一个十三四岁、仪容韶秀的女孩。她观女孩一身华丽宫裙，斜钗珠联合璧，银星弦月垂衬，纤腰微步，身姿曼妙，便知绝非宫婢。

巴清看到女孩正是郑初音。

郑初音笑意盈盈地走进寝室，那笑意像极了一个妻子，看见久未归来的夫君出现在眼前时的欣喜。

郑初音向嬴政行跪礼。嬴政接过宫婢呈递的锦帕，合眼轻轻敷擦面颊。片刻，他将锦帕扔向宫婢，对郑初音淡漠道："起吧。"

巴清虽不甚了解后宫品级，但见她在性情阴沉暴戾的嬴政面前可免于等候通传，神态无半点畏惧，便更加肯定这个女孩是嬴政授予特许，较为亲近之人。

她审思罢，上前一步恭谨跪拜。郑初音见状赶忙伸手相扶，娇嗔微微：

"姐姐这是做什么，折煞妹妹了。"

巴清依礼叩谢，抬眸迎上郑初音目光，暗自斟酌着"折煞"二字的含意。

郑初音牵住巴清的手将她细细端详，如花般的脸上漾起浅笑，声似银铃："姐姐果真绝世独立，倾国倾城。"

巴清嘴角弯起弧度，垂首道："娘娘才是天姿国色。"

郑初音提袖掩口，扑哧一笑，声音清扬："可别这样称呼。咱们之间莫要被那些繁文缛节生了隔阂。姐姐若不嫌弃，日后叫我初音便好。平日里，大王早朝皆由妹妹伺候更衣。既然姐姐昨晚……"

这时，一旁默不作声的嬴政打断了郑初音的话，看向巴清，和颜悦色道："这是下人做的事。你且一旁歇息吧。"

郑初音笑意一僵，旋即浅笑道："还是妾身来吧。待姐姐日后熟悉了再行不迟。"

二人的"一唱一和"让巴清更觉尴尬，垂首立在一旁，心中无措。

衣间纱幔缓缓放下，将巴清隔绝在外。

郑初音依次侍更，贴身环腰，玉手轻系，轻车熟路，时而贴耳私语，唇齿笑意渐增，似在说着一件隐秘趣事。

巴清望着纱幔内，二人若隐若现的背影，如金童玉女，极其般配，不由得猜起嬴政此时的表情。

窗外微风吹进，拂了纱幔轻扬波动。巴清盯着纱幔内似亲密无间的两人，忽地想起昨晚嬴政对自己说的话，顿时失了观者兴致，目光移向别处，心下莫名生出一丝不快，腹诽嬴政既有如此般配的人儿，昨夜又为何要说那些动听之言。

不消片刻，嬴政朝服换毕。巴清不敢独坐，急忙起身。她看着他通天冠盖发，玄衣纁裳袭地，虽显瘦弱却英气凛然，不由得定睛惊叹。

嬴政向殿门行了几步，忽而住脚回头，对巴清温柔笑道："不会太久。你若累了就在这儿歇息。"

巴清颔首，与郑初音送其至殿门，目送其为他人簇拥而去，方松了口气。她立在门扉间举目四望，目及之处尽是梳着环鬟的素衣宫娥，或手端茶

点，或手捧锦盒，来往于回廊庭院，飘逸如天宫仙子。可久看之，又觉得凡是能见之人，面色皆毫无生气，神色呆滞，看不出是喜是悲，像极了一具具行尸走肉。

伫立间，一个女官走近，对郑初音欠身行礼，道："启禀慧嫔娘娘，用具已备好。"

郑初音点点头，冲巴清莞尔道："姐姐。我们回吧。"巴清轻应着随在后侧。

郑初音一边检视宫女端捧的各式用具，一边娇声道："每日早朝结束，妹妹都会陪大王在后园练剑。大王年纪虽小，却终日练习，毫不懈怠，剑术高妙得很呢。如今姐姐来了，这份荣宠妹妹不敢贪心。以后便由姐姐陪伴。"

巴清垂首静听，微扬的唇畔渐渐僵硬。她蓦地想起昨夜嬴政挥剑斩杀徐总管时的情景，余悸又起。

郑初音见巴清心不在焉，走近轻唤："姐姐有心事？"

巴清恍然回神，攒出笑意，摇了摇头，似答非答："民女与大王昨晚并未有过。"

郑初音有些惊愕，旋即轻笑两声，欲开口再问，却被径自进门的宦侍打断。

郑初音做宫婢时与这宦侍有过几面之缘，知其为长乐宫江总管的义子。既是长乐宫的人，那定是太后授意。郑初音心神不禁提紧几分。

宦侍来到二人面前，先对郑初音见礼，后瞥一眼巴清，尖声细气道："奴才奉太后之命，请巴氏长乐宫回话。"

巴清陡然一惊，滞愣地看着宦侍，忐忑顿生。

郑初音轻舒口气，对巴清颔首微笑，示意其不必紧张。

宦侍对郑初音再行礼辞别，转身对巴清高声道："走吧。误了时辰你我可担待不起。"

巴清没有回旋的余地，只得听命跟从。

郑初音独立殿中，望着巴清离开的背影，眸光闪动，心绪烦乱，暗暗自问："若巴清真如爷爷说的那般。日后，若一同侍奉大王，我该如何与她相处？"

巴清跟随宦侍至长乐宫正殿门前。宦侍只留下"稍候"二字便没了踪迹。

卯时末，骄阳已然灿灿。巴清站在殿门外，气息微重，心神微快。昨夜的未眠，加之尚在病中，让她有些难耐。

然更始料不及的是，这一候竟是半个时辰。巴清获准进殿时体力已耗了大半，脸色苍白，虚弱无力。

她忍住不适，跪地行礼，举止从容。

赵姬令她起身，仔细打量。

巴清进宫时，穿的是一袭淡粉曲裾，双刀髻束发，两边各戴一支银荷步摇，宛如芙蓉仙子。

赵姬打量片时，目光落在巴清髻上，缓缓道："你喜欢荷花？"

巴清恭敬答"是"。

"为何？"赵姬又问。

巴清微微敛了一下眼眸，不解赵姬为何要这样问，一时又难猜测有何言外之意，便如实回道："回太后，民女喜欢荷花的不染淤泥，青涟不妖。"

赵姬闻言嗤之一笑，娓娓道："在我看来，这人世便是一口污浊的染缸，只要身处其中，便不可能做到彻底干净。就如窃根水生的莲花，若无藕取淤泥之物供养，何以生长？何以盛放？"

巴清心中惊愕，将头深埋，卷翘浓睫颤动，谨慎道："太后教训的是。"

赵姬敛起笑意，又道："抬起头来，让我仔细瞧瞧。"

巴清遵命而行。

赵姬眯起美眸，眼角眉梢扬起几分赞意，笑道："不过，巴夫人形貌确如出水芙蓉，灵秀出尘。让我们这些穿金戴银的俗人无地自容了。"

巴清听着讥讽不焦不躁，微微一笑，恭敬道："太后如天上明月，萤烛之光岂敢争辉。"

赵姬眼波流转，浅笑道："好一张巧嘴。难怪政儿喜欢。你的容貌在这宫里不是最美的，却是最让人舒心的，像是一道令人永不厌倦的风景。"言罢，她执起案上玉杯，抿一口杯中清茶，慵慵续道，"红尘虽泥泞，然心存淡定，亦可清浊独醒。你既爱莲，便该知道它的生存之道。"

莲花若离水，转瞬便枯败衰萎。

巴清倒吸口冷气，了然赵姬是在提醒自己，若不安分守己，则性命忧矣。

她正思虑如何回应，又听赵姬冷冷道来："听说你的夫君离世尚不足百日。一个女子能担起偌大的家业确实不易。我欣赏你的勇气与魄力。可人贵有自知之明。有时过分自强最后只会自戕。有事明知不可为而为只会自毁。"

听到此处，巴清已明了赵姬召见自己的用意，而赵姬却并无停下之意。她唇畔笑意不减，言语如锋芒直刺巴清心房："我儿乃大秦之主。唯有六国公主才能般配。不论前朝或后宫，皆不会让你这个寡妇如愿。你趁早死了这条心，免得自取其辱，招来祸端。"

从开始的柔声温语到冷言警告，再到此时的尖利如针，字字扎心，步步紧逼，直至击溃心防。巴清纵有委屈亦无从开口，只淡淡应道："太后教诲，民女铭记在心。"

赵姬冷眸凝视，森森道："如此甚好。记住。慧极必伤，情深不寿。"

赵姬话音刚落，嬴政的斥骂声便从殿外传来。

须臾，嬴政一身朝服怒气冲冲进殿。赵姬看着儿子形色，面露不悦。

巴清亦是惊愕地看向嬴政，樱口微绽，血脉收紧，呼吸缓滞，生怕他说出什么气话，惹得情势更加难堪。

嬴政走至巴清身旁，气息微喘，不与赵姬见礼，不言片语，肃然而立。

赵姬挥手遣退侍婢，讥诮道："看来，我日后要多让巴夫人来这长乐宫坐坐。否则想见自己儿子一面都是奢望。"

嬴政不予回驳，阴沉道："母后若讲完了，寡人便带她告退。"

赵姬轻笑两声，淡淡道："大王留下，我有话要说。"

巴清叩首退出，转身时目光与嬴政双眼相迎，她从他投来的目光中，看到了君王的威仪，看到了披荆斩棘的襟怀，更看到了他的关心与紧张。她于他只对视一瞬，心波却荡漾许久，直至蔓延至唇角，绽出一抹足以融冰消雪的温暖。

嬴政虽未听到谈话，但从赵姬的神态举止间已看出端倪。他目送巴清退出正殿，回头冷冷看着赵姬，问："她哪里不好。"

赵姬盯着嬴政，颇觉可笑，轻哼一声，缓缓道："你乃一国之君。她乃丧夫之妇。身份悬殊。岂能举案齐眉？"

嬴政不以为然，当即反问："那又如何？"

赵姬眉眼蹙紧，松懒的身子拧拔前倾，言语中尽是急促与失望："如何？你以为她一个女人轻而易举地接掌家业，凭的是什么？她能求得宫中丹砂的供应，与坐上一家之主，皆离不开糜啸郴相助。如此昭然若揭的野心你竟看不出！当真被她外表迷惑得青红不分了？那糜啸郴是糜公的亲侄。他为何要帮她？天下间的权与利岂有无偿付出之理？这样的女人有几个是干净的？糜啸郴若只为得她的人倒算好的。若不是，我们已是警惕不及，你却让她进宫，实在让我心寒！"

嬴政听罢亦是分毫不让，步步逼进："此事儿臣自有分寸。母后以干净与否论她，将置自己于何地？"

赵姬被儿子的话戳中痛处，拍案呵斥，狠意陡升，"放肆！你趁早死了这条心！只要我还是太后，这宫里就不会有她的容身之地！"

殿内骤然静谧，二人怒目相视，剑拔弩张，大有水火不容之势。

良久，赵姬看着儿子坚决的模样，终是微微动容。她缓缓坐下，徐徐吐了口浊气，将头别向一旁，语重心长道："当务之急是培植咱们赵氏一族的势力，而不是儿女情长，任性妄为。当下朝局不稳。华阳与夏姬的宗亲蠢蠢欲动，大有与韩氏勾结辅佐成峤取你王位之意。真到那时，咱们母子有谁可依靠？又靠谁来保命？"

赵姬的话勾起嬴政儿时的记忆。他高昂的头缓缓垂下，厉色消减，静默不语。

赵姬见儿子终有所醒悟，疲惫地揉了揉额角，轻叹着起身，道："你若真对她有意，便该先丰盈自己的羽翼，待你一人之威足以震慑群臣时再接她进宫。否则，你连她的野心都无法制衡，更会害了她。我累了，大王自便。"说罢，她转身离去，再无回头。

巴清立在殿外，听不清殿内的任何声音，陪她一同等待的只剩下万丈晴空里的一轮烈日与几片浮云。

她并不知道嬴政与赵姬刚刚起了一场骤风暴雨般的争执，只一心想着赵姬对自己说的一字一句，暗自斟酌："看来，大王与太后嫌隙颇深。若大王今日是为护我才进这长乐宫，那太后定会对我更为不满，也决计不会让我在

宫中久住。如此甚好。"

未几，嬴政沉着脸走出正殿，径直走向宫门外的步辇。

巴清跟上他脚步，与众侍从一同立于步辇一侧。

嬴政上了步辇，向左侧挪了挪，腾出一半空间，对巴清柔声道："上来。"

巴清惊愕，立在原地迟迟未有动作。宫中礼数她不尽知，但与王同乘唯后方可这个七国皆行的规矩还是知道的。

她自知无名无分，一旦入座必招口舌，便跪地叩首，忐忑道："民女谢大王恩典。但此举有失礼数，民女惶恐，恳请一旁随行。"

嬴政接道："失礼与否寡人说的才算。"

巴清听着他微有冷硬的声音，不敢再推，只得依令，拘谨地坐在右侧，双手合握搭在腿上，目光垂垂不敢四望，更不敢想象所经之处，来往的宫娥与宦侍目睹此情此景会作何议论。

步辇穿行于宫廊环墙，二人静默一路，各怀心事。

嬴政见步辇缓缓行近咸阳宫门，侧头看她，温热的气息，夹着淡淡龙涎香味拂在她耳畔与脸颊："你舟车劳顿又一夜无眠，一定神累身乏。寡人已命人备好香汤。待你梳洗歇息后，我们一同出宫。"

听到出宫二字，她惊喜地看向他，唇边笑意同初升朝阳，柔和得令他想要去触碰。

他亦对她展颜，心中却苦涩无边。他看得出她不愿待在宫中，暗想这是不是也意味着她不愿待在自己身边？

晴丝袅袅，情丝缭缭，绕着步辇座上两个同样玲珑剔透的人儿，心起心落，缘展缘收。

也罢，她不愿留下，那他就陪她多看几回宫外的热闹繁华。

第二十章

璞玉知己

巴清在咸阳宫偏殿内稍作休息，与嬴政各自换了身衣裳，兴冲冲出宫。

二人出了宫门。嬴政择路向北，似早已打算好了路线。

繁红嫩翠妆点的北街，宝马香车迤逦而过。散淡悠然的行人，三两并肩，缓踏香尘。歌止行云的佳人，红妆楚腰，舞袖飘雪。肆意寻欢的客人，推杯换盏，谈笑樽前。

二人穿过三巷，望着前方壮阔的相府，脚步渐缓。

巴清行在嬴政身侧，隐隐忐忑，小心试探："大王，这是……"

嬴政立在巷末拐角处，打量着相府门前停着的几辆豪车，与几个身着华服，谈笑互礼的人，悠然回应："我只想远处看看，平日里都是些什么人来往相府。"

说话间，他双眼闪过一抹惊诧，唇角微微扬起，翘首遥望，似看到颇为有趣的人事。

巴清循着他目光看去，只见相府门前，华服之人或入府，或乘车离去，独剩下一粗衣男子与相府守门的小厮交谈，举止透着几分无奈与愤慨。

嬴政与巴清并不知晓，那粗衣男子已拜访过相府两回，但皆被拒之门外。

今日，粗衣男子再次来到相府大门前，对小厮作揖道："鄙人李斯前来拜见吕相，烦劳二位通报。"

这一次的小厮已换了两人，两人从未听过半点有关李斯的名事，又见他

衣着简单，料到又是一个卖弄才学欲求官者，便想趁机捞上一笔。

其中一个精瘦小厮上前一步，笑道："既来投奔，便该知道这入门的规矩。"

李斯明白其所指，心中生了犹豫。他数日奔波餐宿，身上钱财已所剩无几，若打点了小厮，只怕连住店的房钱也难支付。

精瘦小厮见李斯迟迟未有动作，脸上露出厌烦神色，双手环胸，鄙夷道："你到底想不想进去？"

李斯狠了狠心，讪讪点头，不再计较，从袖间取出钱袋。他只想尽快被吕不韦重用，到那时，自然不会像现在这般拮据。

精瘦小厮看到李斯手中的钱袋，脸上又堆起笑意，环在胸前的手不由得放到腰前，微微摩挲。另一胖小厮双眼亦陡然变亮，直直地盯着钱袋鼓起的地方。

可谁知，两人的好心情与期待在李斯倒出三贯圜钱时全然颠覆。

李斯向精瘦门卒递上两贯圜钱，轻舒口气，笑道："鄙人可否进得大门？"

精瘦小厮撇撇嘴接过，将其中一贯扔向胖小厮。他掂量了几下手中的圜钱，怏怏道："就你这穷酸士子还想进相府的大门？"

李斯闻言，惊诧拧眉，语气亦显不快："这是何意？在下已给过二位钱财。依你们所言，理当通报放行。"

精瘦小厮不耐地挥了挥手，下了驱逐令："这儿住的可是堂堂一国之相！你当我们乞丐？快走。免得伤风败景，有碍相府门庭。"

李斯怒火中烧，高声喝道："这已是我大半家当。你们怎能言而无信！身为一国之相，又有广招天下贤士之意，便不该究其财产多少、地位高低。想不到堂堂相邦竟会用尔等势利之辈！"

"你这不知死活的东西！胆敢折辱相邦！快滚！"精瘦小厮更加咄咄逼人。

李斯强忍怒意，冷冷道："既如此，你们将那两贯圜钱交还与我。"

精瘦小厮轻"嘁"一声，神色凶狠："我说你还真是不想活了。马上给我滚！不然要你好看！"

说罢，他挥手招来胖小厮，拳脚相向地推赶李斯。

嬴政望着李斯愤愤离去的背影，沉思片刻，对巴清笑道："一会儿你试他一试，看看此人是否真有能耐。"说罢，拉着她快步跟上。

李斯垂头丧气地漫步街市，愤怒渐渐转为苦涩。

时近正午，街道店铺各色美食竞相出炉，香气四溢。

李斯抬头，望了眼天上的艳阳，又看了看周身飘扬的店铺，腹中一阵饥饿。他走进一家酒肆，点了几壶寡淡的酒与一盘酱牛肉，随处找了个位子颓然而坐。

可坐稳不过片时，酒菜还未齐全，他便恍然记起，身上仅剩的那点钱财根本支付不起，不禁长叹口气，唤来店家，低声商量暂且赊账一笔，来日定悉数交付。

一脸笑意的店家顿时直起腰身，冷眼冷眉，提了嗓子，大声道："想赊账？打你进门那会儿，我就觉着你这落魄样儿不是什么好东西，你马上给我滚出去！"

店家的痛斥引得旁坐客人无不关注，也被站在店门外观察的巴清与嬴政看在眼里。

李斯脸上顿时青红交替，然确实囊中羞涩，无言以对，只得强忍屈辱，起身离店。

巴清看着疾步出门的李斯，扬声道："不知何事让这位兄台如此烦恼？"

李斯听到身后传来莺鸣般悦耳女声，脚步一顿，回头看去，只见一位貌美女子与一个瘦黑男孩正直勾勾地盯着自己。

李斯率先打量巴清。巴清亦仔细打量着他，见他身有七尺，狼目鹰鼻，颧骨高耸，颇觉英气凛凛。

李斯此时正心烦意乱，即便见到美貌女子与自己搭讪，亦烦躁不减，快快道："你是何人？"

巴清并不回答，微笑反问："你又是何人？"

"姓姜，名尚。"李斯懒得闲聊，随口胡诌一名，转身欲去。

巴清眼神一动，抬袖掩口一笑："奴家不才，却也猜得姜尚绝非兄台真名。这随口编来的化名，倒让奴家觉得兄台此刻颇不得意。"

李斯微微一愣，顿生几分兴致，想听听巴清作何解释。他住脚回身，收敛烦躁，谦逊笑道："何以见得不是真名？"

巴清笑而不语，与嬴政走进店内，寻一僻静之处入座，回头冲愣在原地的李斯笑道："无酒无菜何来谈兴。兄台若不嫌弃一同可好？"

李斯早已饥肠辘辘。他见巴清言语间给足了自己面子，便弃了素日里的架子，快步上前，与其对坐。

待酒菜备齐，巴清提壶为李斯满斟一杯，悠悠道："渭水之滨，姜尚垂袖。名为钓鱼，意在兴周。君将自己比姜尚，囿困咸阳。直钩虽下，鱼儿不上。"

李斯握杯的手一顿，挑眉看着巴清，兴致更深。他举杯浅酌，轻笑道："咸阳乏水，何鱼可钓？"

巴清见他仍做掩饰，无奈笑道："兄台何必明知故问。奴家说的可不是那水中欢游的鱼儿。"

李斯再无饮兴，定睛屏气，等待下文。

巴清身子微微贴案前倾，拉近与李斯的距离，轻声细语："而是当今的吕相。"

李斯登时目瞪口呆，望着眼前这美貌女子，心中生出几分敬畏，拱手正色道："姑娘才貌双全，方才失礼之处还望姑娘莫怪。"

巴清莞尔，再为其斟酒一杯，笑道："言重。兄台取周朝第一名相之名自用，足见是怀才抱志，是有意入仕之人。"

李斯垂首望着清透的酒色，神色落寞，怅怅不语，举杯痛饮。

酒过三巡。他只觉胃中酒菜翻滚，心中愤愤难平，将离家数月的思妻念儿，至咸阳后怀才不遇的辛酸苦楚，借着酒劲倾诉而出："不瞒姑娘。在下李氏名斯，楚国上蔡人氏。师从荀卿。在下来咸阳已三月有余，却至今未得进相府之门。想我李斯满腹才学，论辩术纵横，不输苏秦张仪；论富国强兵，可比商君吴起。天生我才而不可用，为之奈何？"

他慨然长叹，满面抑郁不平之色。

巴清与嬴政见其自比苏秦张仪、商君吴起，皆是一惊，暗自猜测此人这般自信满满，不知是狂妄自大还是真有雄才。

嬴政斜视李斯一眼，轻蔑道："大言不惭。"

李斯未料会被一黄口小儿嘲讽，一时愣住，不知该如何接答。

巴清斟酒解围："家弟顽皮，李大哥莫怪。"

李斯了然一笑："童言无忌。"言罢，他小酌一杯，看着一旁的嬴政，眼波微动，悻悻道，"我儿与你家弟一般大小。"

巴清笑道："李大哥思家心切。居咸阳又欲投无门。可想过回楚？"

李斯以为巴清看低自己，心中微有怒意。可他再一想，萍水相逢，寥寥几句，互不知底，说此话也属应当，便平心静气道："在下以为，大丈夫于人世，有两件事须问问自己：一是生时怎样站立？二则死时如何卧地？"

巴清闻言，起了兴致，与嬴政相视一眼，放下手中羹匙，挑眉道："愿闻其详。"

李斯慨然续道："在下不愿离世后被子女葬于乱坟堆中，不愿让自己的名字与棺椁里腐朽烂透的肉身一样消失殆尽。我李斯活着，为的是建功立业，名垂青史，而非平庸一生，生死无别。"

嬴政神色一动，斜眸渐正。巴清心中一震，暗自赞他好一番豪言壮语，只觉得能有此青云之志，能割舍妻儿只身赴秦，想必绝非那纸上谈兵之辈。

巴清自斟一杯，敬李斯身志如钻天白杨，如盎然修竹；敬他一心扶摇直上，雄心昭昭。敬罢，她莞尔道："奴家有一事不明。李大哥既为楚人，何不事楚？"

李斯神色怅然，道："楚不用我师荀卿，何况于我？"

巴清点头，再问："当下七国割据，为何弃六国而择秦？"

李斯当即慷慨道："六国皆弱，秦独强。今秦王欲吞天下，称帝而治。良机已至，怎能错过？"

嬴政双眸一动，接道："六国虽弱，但非强弩之末，亦不缺贤能之士。秦国虽强，却难以一敌众。况且，秦国才华横溢者颇多，要想于群英之中拔得头筹绝非易事。你大可在别国身居高位，何必来秦国做个被人支配的小官儿。"

李斯见这瘦弱男孩见识不凡，惊诧地打量起这对姐弟，心道：一个国色天香、行色温婉，谈吐间颇有巾帼不让须眉之气；一个黑矮瘦小，看似羸弱寡言却出口惊人，字字珠玑，当真是有趣得很。

想罢，他神色一凛，眼中锋芒尽露，答："处弱者之中，强终有限；居

强者之中，强则更强。"

嬴政听着李斯的一番激进之言，对其战而胜之的勇气与自傲颇为激赏。怀才者，总要有傲视群雄的霸气，方有争夺万人之上的勇气。

巴清亦对李斯三月之久却还未入仕，生出几分惋惜。惋惜罢，她又将李斯审视一番，脑中闪过一念，微微垂头，眸光烁烁，夹一块青笋入口，细品细思。

三人把酒言欢，指点江山，不觉已烈日西垂，不禁慨叹相见恨晚，又不得不起身告别。

店门前，巴清脱下手腕玉镯赠与李斯。

暮光烁烁投映玉镯，镯身色如碧波潭，滴露玲珑透彩光，一看便知是市面罕见的佳品。

李斯微微一愣，后退一步，摆手推辞："无功不受禄。姑娘这是做什么？"

巴清淡笑看他，道："这镯子是奴家随身之物。今日能有这般际遇，实乃毕生之幸。独品脱胎美玉，自当与君子结缘。此物与李大哥更为相配。何况，这也是小女子预祝李大哥早日功成的小小心意，还望大哥莫要嫌弃。"

直到末句，李斯方恍然。他不再推辞，伸手接过玉镯，感激道："敢问姑娘姓名？家住何处？他日李斯得志，定亲自登门拜谢。"

巴清嫣然一笑，慷慨道："区区小事，何足挂齿。相逢即是有缘，有缘亦可再见。愿李大哥有朝一日亲身辅佐秦王立不世之功，夙愿得偿。"她说罢，与嬴政颔首告辞。

陌路相逢遇贵人。李斯心中激动不已。他对着巴清与嬴政远离的背影，拱手高声道："后会有期。"

"为何赠他玉镯？"嬴政与巴清行过数座客店、事食馆，目视前方，淡淡道。

巴清浅笑道："民女不过应大王所想。"

他闻言侧目相视。她感察回头相迎，默契一笑。

然笑罢，巴清又忽地蹙眉，思忖道："大王不担心李斯与所投之人结成一党？"

嬴政神色自若，笃定道："君子有三变，望之俨然，谈吐不苟，近之可亲。而他，有二缺一。三月欲投无门，吕府受辱。这般怨愤怎能轻易忘记？如今，吕不韦于他不过是只借不依的东风罢了。"

　　她听罢，不再说话，神情似怔忪，似阴似明。她抬起头，眺望着滚滚流云，忽而憧憬起他亲政后的光景。

第二十一章 执凤定情

巴清漫步长街近半个时辰，只字未言。

天际之上，流云滚滚，熔金的落日光幕拉长二人身影。和暖夏风，徐徐穿过闹市，拂动她垂顺墨发，缭绕他颈项、袖袍、脸颊，拂出丝丝痒意，挠在心底。

巴清刚刚执掌家业，却离家近一月，早已归心似箭。家中是何情势，是危是安，她一无所知。但她深知，地位未稳便离家数日，恐会让心怀不轨之人有机可乘。可王命未下，她又怎能擅自请辞？但若听凭安排，又要等到何日何时？

她眸光辗转，飘动不定，掠过身边渐少渐远的人群，移至四处寻觅地上残食剩羹的流浪猫狗，看着收起货架纷纷归家的商贩，心中千回百转，不知不觉间距宫门只数步之遥。

她抬头看着前方的青砖灰瓦，朱红百尺，脚步渐行渐缓。既已出宫，她便再也不愿进宫。

嬴政察觉她的微羞，侧首看她一眼，复垂眸一阵思量。

他沉吟少顷，停下脚步，从腰间取出一块双首凤纹的玉佩，拉过她皓腕，放在她手心，神色平静，观不出爱憎，语气如拂过耳边的阵阵夏风，轻淡却又灼热："今日一别，许久难再见。但终有一日，我会亲自迎你入宫。到那时，你可愿意？"

她垂眸盯着手心的凤佩，脑中一阵轰鸣，噤声难言。

她沉吟着避开他殷殷的目光，另只手轻轻抚上通透莹润的玉身，指尖及处，有如水的清凉钻进肌肤，攀附每一根脉络，蔓延至五味杂陈的心房。

她看着曲长颈、抬高冠、卷翘尾、立于莲花之上的双凤，手掌微拢，似在轻颤着掂量，似怕它不小心掉落破碎。

从初见昌平君到进宫觐见至今，她无时无刻不提醒自己小心谨慎，越规之举不可为，越制之物不可收。可与嬴政接触后的一日一夜间，一切都超出她的意料。最让她莫名且难以相信的是，当自己看到手中这块足以带来杀身之祸的凤佩时，竟对他淡了心防，忘了紧张，竟连数日戴月披星，舟车颠簸的烦扰亦悄然退去。此刻，她的脑海与耳边，徘徊的皆是他的音容笑貌、一字一句。

然而，王侯贵胄的赤子心，常常让人欲舍难离，近又止步。

进宫前，她数次猜测秦王是何样的性情，是昏是明，却偏偏想不到会是这般光景。他对别人的冷漠、阴狠、暴戾；对天下的雄心、隐忍、筹谋；对自己的利用、温柔、荣宠，一丝一毫，她都不敢忘记。其实，她更希望自己面对的是一个平庸无为、终日玩乐的君主。如此，她便可名正言顺地反驳他的强留，反驳他的一切。而现在，她想好的说辞、定好的决绝，全都含在嘴边，又尽数吞咽。

她千思百虑后，终是说出了一句自己也不知是拒或迎的理由："民女乃丧夫之身，于礼不合，必会累及大王。"

"我既能迎你入宫，自然能护你周全。"他语气坚定，不容置疑。

她听着他信誓旦旦的话，看着他灼灼双眸，再次无措。

远处的歌楼舞坊生起的咿呀、旖旎的曲调穿云破雾而来，席卷空中微尘，撩得她鼻尖微痒，心头仿佛生了野草，慌了手脚。

他好似早已料到她的反应，平静道："你有足够的时间考虑。不论愿意与否，我都会竭力护你周全。如你所说，大秦的生死兴衰，百姓的安居乐业，皆由我定。"

万千女子向往的承诺与荣耀，巴清忧虑多过欣喜。她缄默地梳理心绪，却发现千丝万缕缠绕难分。

哪个世间的女子不愿被宠爱的目光轻抚，被倾慕的视线簇拥，被融化心尖的誓言环绕。即便是经历世事变迁、人情冷暖后，心门深锁的巴清亦不能不为之心神动荡。然王侯公卿的承诺总是让人望而却步；她亦半信半疑。

二人各自垂首，再次沉寂。夏风涌动，吹隔喧闹，仿佛周边皆是清净天地。

良久，他打破安静："原想带你看看西北的千峰万壑、猿腾虎跃，如今怕是要搁置些时日了。"

他踌躇着顿了顿，黯淡双眼闪烁灿若星辰的光，抬头笑问："素闻巴蜀九曲东流，十里飞絮，千云万花。若哪一日我去了，你可会亲自带我游历一番？"

她微微一怔，亦抬头相对，迎着他眼中的期盼与明亮，心中似有马蹄哒哒踏过，似又看到了昨晚清流泻石、荷红玉影的园中，那个与自己谈古论今、明朗耀眼的男孩。

她心角冷固如冰的清湾渐渐化开，温婉笑道："当然。悬崖飞瀑，群山流水，神剜奇石，红绮白练，还有民女，随时恭候。"

他嘴角扬起如墨染素衣、星缀夜幕般鲜明的温柔，欢喜道："那便就此别过。我已命昌平君护你安全返回。"说罢，转身向宫门走去，言得干脆，行得果断，将万千眷恋与不舍皆藏心底。

离别总易勾动人心中停荡的秋千，摇摆间放缓了脚步，疏散了决绝。她望着他单薄的背影，快步走近，轻唤他名字。

他微有惊愕，回头看她。

她贴近他耳畔，轻声细语："民女还须去相府一回，呈报丹砂事宜。"

此话如春风化入春雨，融进嬴政眼里心里。局势如此，她肯弃权倾朝野的吕不韦，而与孤立无援的自己并肩，便是对他承诺的最好回应。

他心神激荡瞬时，收敛感动与欣慰，点头叮嘱："万事小心。"这一次，他离去再未回头。

她望着他渐远的背影，须臾，折身背对而去。宫门重重闭合声传入她耳，一如昨夜初闻时那般震撼。她握着玉佩的手蓦地收紧，加快了步伐。

轻薄云雾踞空而盘，夕阳乘着空隙迸射条条绛色霞彩，宛如沉沉大海中的游鱼，偶然翻滚着金色的鳞光。只一次，便惊艳难忘。

第二十二章

神言鬼行

天浮白云如火焰嫣红。余晖紧贴北街曲折巷路，顺着巴清轻盈的步伐直直延伸至吕不韦府邸。

巴清告诉嬴政去相府呈报丹砂事宜，是真也是假，为公也为私。她深切明白，当下唯一值得依靠的只有吕不韦。既如此，又怎能过府而不拜？

她一路行至相府门前。对李斯横眉冷视的精瘦小厮看到巴清走近，赶忙上前两步，微微躬身，嘿嘿笑道："巴夫人，相爷说今日无暇见您，让您明日辰时再来。"

巴清脚步还未站稳便被小厮的话止住了上扬的嘴角，心下猛地一沉，料想吕不韦定是对自己与嬴政亲近多有不满。

她取下腰间的翡翠吊坠，塞到精瘦小厮手中，微笑道："夏热难当，二位大哥辛苦。这点点心意还望二位收下，闲暇时喝酒解暑也罢。"

精瘦小厮摩挲着桃核大小的翡翠，脸上露出谄媚笑意："客气。许是朝堂上的事儿让相爷今早回府面有不悦。巴夫人明日来也好，到时相爷的气也消了。"

巴清心中又是一悸，琢磨着小厮的话，点头告辞。

胖小厮嘿嘿笑着跑到精瘦小厮身边，从他手中抢过翡翠傻乐："这巴夫人出手可真阔绰，足够咱哥俩吃喝玩乐两月。"

"那是。听说在巴蜀，她可是出了名的人美钱多。"精瘦小厮瞅一眼背影

远去的巴清，得意洋洋。

夕阳拉长了街上的花树亭屋、楼阁人影。

街市行客渐稀，门庭冷落，比起熙熙攘攘的白日，平添几分萧索。

巴清独自走在北街，思绪杂乱，脚步缓慢，脸色因小厮的话而深沉。她双手交握腰前，脑中反复估测着明日与吕不韦相见后，最好与最坏的结果，专注至身后有人跟行亦全然无觉。

直到两人影子几近重叠，巴清才猛然回头，忙向旁侧跨了两步，惊疑地看着身后人，狐疑地轻唤了声："郑方士？"

她唤罢，定了定神，打量着眼前含笑相望的老者，脚下再退一尺，敛起方才的急促，点头道："在此处遇见先生，当真是巧了。"

郑方士炯炯双目疾快地扫视四周一回，最终落在巴清莹润精致的面容上，微微一笑，道："所谓巧合，多半是其中一方有意为之。老朽惦念姑娘，故在此等候。"

巴清盯着直言不讳的郑方士，一时竟觉得有些尴尬，半晌道："不知先生有何事？"

"老朽想为姑娘算一卦。"郑方士苍苍说罢，自顾向西。

巴清立在原地，默念着郑方士的话，又回头凝视静静矗立在夕阳之下的相府，心中疑云反复：在此等候？为何在此？他怎知我会经此地？惦念？不过一面之缘怎说的像是认识了许久？

她想罢，又侧眼看向前行的郑方士，带着诸多疑问，快步跟上。

她行在郑方士右侧稍稍靠后的位置，打量着他，平静道："先生不是咸阳人士。"

"姑娘如何得知？"郑方士神色如故。

巴清答得干脆："感觉。"

郑方士依旧目视前方，微笑道："姑娘可还能感觉出其他？"

巴清抿嘴一笑，笃定道："先生虽与弄权者交好，为的却不是功名。"

郑方士抬手将顺下颏被吹乱的黄白胡须，扭头看向巴清，眼中闪着意味不明的光色："姑娘以为，老朽为的是什么？"

巴清莞尔相对："这就要问先生自己了。"

郑方士收回目光，直视前方，悠悠道："老朽确非咸阳人士。早年各国纷争不断，饱尝家破人亡之痛，后为避战乱之苦隐居云梦山。"言罢，又顿了顿，眼角余光停在仔细聆听的巴清脸上，接道，"看姑娘年轻富贵，不像是经历战乱之人。"

巴清摇摇头，无奈笑道："战事频频，各国争相夺城、杀伐屠戮，几家百姓能够幸免？"

郑方士挑眉，眼中多了丝希冀："想不到姑娘也是苦难之人。不恨么？"

巴清淡然一笑，道："恨，也不恨。恨，因敌人让自己家破人亡，毁了原本应有的一切。不恨，因我觉得，在这人如草芥、命如飞蓬的年月，成王败寇，理所当然。败有败的情由，胜自有胜的缘故。与其怀恨郁郁而终，倒不如顺势一争。"

夕阳尽没。寥寥余晖映衬着渐暗的晚霞。郑方士举目远眺，回味着巴清的话。

直行片刻，他凹陷的双眸与稀疏松弛的眉睫忽地舒展，抬手向前指道："到了。"

巴清打量着郑方士所指的门店，竟是陈年旧木架盖的一间不大不小的屋子，桐木拼接出两扇紧锁的宽门，门面寡淡，无窗无饰，外观沉闷，看了便不想走进。

郑方士解了锁，推门进屋。

巴清立在门口环视屋内，惊叹连连。她实难料想外观如此不堪，内里却如临奇园。她快步走进，看着满屋的琳琅风景，久愣无言。

郑方士淡淡笑道："姑娘喜欢？"

巴清双目不移墙壁，点头回忆："突然想起初来咸阳那日，在这西街闹市的一家食店中，有人送了一个与奴家一模一样的木雕。那人雕技与先生一样出神入化，真切难忘。可惜无缘当面道谢。"

郑方士苍苍一笑："姑娘还留着那木雕么？"

巴清点点头，神思飞转。倏忽，她双眸一亮，惊喜地看向郑方士："莫非那人就是先生？"

郑方士笑道："让人难忘的并非老朽的雕技，而是姑娘本人。请吧。"说

罢，他瘦骨嶙峋的手轻轻转动墙壁浮雕中一只体态小巧的鸟儿，只听"吱呀"一声，身后的墙壁缓缓开出一道入口。

郑方士回头看了眼瞠目结舌的巴清，转身走近暗室。暗室内的烛火咻地亮起，昏黄诡异。

巴清谨慎地走近室门，仔细观察近门处的烛台，思索着它们为何不被点燃却可自燃。

"姑娘请进。"郑方士沧桑的嗓音从暗室内传出。

巴清立在门扉间，微微倾身向内里看去，只见整个密室长约四丈，宽二丈有余，唯有一张矮足漆案置于中央，漆案上又摆着一方暗红木盘。她一步一缓地走进室内，看着神色严正的郑方士，目光落在案上的方盘。

她脚步忽而加快，移近桌案，双眸瞬也不瞬，诧异道："这……是六壬神盘？"

郑方士微微一惊："姑娘知道此物？"

巴清盯着这约莫近二尺长短的方盘，左看右瞧，像是见到一件奇宝，口中话语不断："儿时，听到坊间长辈提起，奇门、六壬、太乙为世间三大秘术，须得有缘、异禀之人方能修学。"

她的话只说了一半，另一半隐而不吐，只暗自斟酌：精通秘术者多为隐秘之士，不问世俗，无心权利，亦正亦邪，全凭自己喜恶行事。此人身怀绝技，蛰居咸阳，又与昌平君交好，绝非普通门客那样简单。

郑方士双手五指并拢，手背贴合漆案放于神盘两边，淡淡笑道："人口互传多有夸大之词。姑娘请报上生辰八字，老朽算上一算。"

巴清未有多虑，依言道出。郑方士双眼闭合，左手上抬，拇指在另外四指关节处上下移动，嘴唇不断张合，似在默念着要诀。

巴清紧盯郑方士口型竭力辨察，仅得出大安、留速、赤口几个起始的词语，却又如天文般难解。

蜡台上豆大的火苗不时跳跃，光影明灭。二人无言对坐，整间密室沉静异常。

少顷，郑方士缓缓睁眼，抬右手覆上神盘中间如碗倒扣的圆盘，轻轻转动。机关启动，咯咯声漫布室内。

巴清屏气凝神，注视着神盘，生怕错过一个细节。

民间最喜将神秘之事编成传说流转不绝，对三大秘术更是各执一词，段子夸夸其谈，模具形色逼真，可真要展示一番时又鸦雀无声。

巴清七年前见过坊间流传的六壬神盘，与眼前之物大同小异。神盘由上下两盘同轴重叠而成。圆盘称天，位上；方盘称地，居下，意为天圆地方。天盘正中绘有北斗星辰，周边为大篆要诀，外圈刻二十八宿，内圈有代表着月将与月神的十二数。地盘三层，内层为八干四维，中层有十二支，外层是二十八宿。

短短时间，郑方士已转了三转。每转一次皆要停顿须臾，再用中指指尖顺着天盘北斗星尾端所指方向，对应地盘连结，时而直顺，时而跳跃。

巴清欲记下郑方士手指所触位置，却突觉眼花缭乱，盘上字符腾起，在空中漂移变换不断。她用力眨了眨眼再看，活动的字符竟悉数安躺在盘上，不禁心惊难定，越发觉得诡异。

片刻，郑方士盯着神盘，眉头微动，开口道："姑娘近日将有一劫。"

巴清还未从方才余惊中舒缓，听得此话神经又是一紧，追问："当真？不知这劫是大是小，能否躲过？"

郑方士气定神闲道："姑娘希望这劫，是大是小，能否躲过？"

这一句反问让巴清蹙眉不解，暗自不快。她语气微怏："奴家希望无劫。即便有，不论大小最好躲过。若躲不过，那自愿做劫后余生之人。"

郑方士淡笑道："姑娘既有此想，定然能够逢凶化吉。有人喜用占卜预断，助解凶吉，殊不知祸福多由心生，亦由心终。只有遇事者本身的意念方可决定命运的好坏。"

巴清怔忪，旋即惊赞道："先生这般参透世故，若能提点那些身陷泥沼，执迷不悟者，当是功德一件。"

郑方士眉眼一敛，苍迈的笑声回荡昏暗室内，只听他悠悠道："世间正邪黑白本是同源之水，清浊善恶终有同流之时。为人，便要因果自食，不需救赎。何况，老朽连自己都救不了，又如何顾得别人的生死。"

最后一抹晚霞融进冥冥暮色。无边的青黛色从天边欺压至咸阳。大地陷入一片混沌。

风未因入夜有半点消减，吹动木屋虚掩的门，发出吱呀的声响。暗室角落的烛火散出的光照亮外屋的壁角，原本精美真切的花池游鱼一时间变得有些光怪陆离。

巴清侧身望了望室外，再回头看着静静盯着自己的郑方士，莫名升起一股慌乱。

她赶忙起身，仓促笑道："天色已晚，奴家不便叨扰，告辞。"话音未落，她便急忙退出密室，快步离开这座处处透着古怪的木屋。

郑方士目送巴清走出室门，凝思片刻，缓缓行至外屋，于墙角的木匣中取出墨汁与竹签，寻来一方纯白绢帛，挑灯伏案，写下两行文字。写罢，他卷起绢帛，从暗格内抓出一只毛色灰白的信鸽，将卷好的绢帛放进细长的信筒内，绑在信鸽腿部，而后轻抚信鸽头部三下，送回暗格。

信鸽穿过暗格，飞立房顶，左右顾盼片刻，展翅飞向西南，迅敏矫捷，瞬间消失于茫茫夜色中。

繁星烁空，如开在漆黑天幕的花盏。

巴清回到昌平君府邸，疾步绕过正堂，向客房走去。花香扑鼻，驱走她几分疲惫。微风起伏，偕缕缕琴声飘荡而来。

琴声浅浅偶如珠玉跳跃，清脆短促，此伏彼起。徘徊须臾，繁音渐增，如鸣泉飞溅，群卉争艳，间关鸟语。

她侧耳细听，暗叹弹奏者琴技精湛，加快步速寻觅琴音源头。

寻觅之时，琴声又忽如百鸟离去，急转低沉幽咽，似春残花落，万物枯败，天昏地暗，令她顿觉置身一片凄凉肃杀之地，心生恻隐。她已辨出声出何处，急急奔向后园。

她躲在通往后园的回廊尽头，静静望着前方凉亭内抚琴的昌平君。此时，琴声沉稳如松飒崖，激扬如惊涛拍岸。她停留片刻，转身欲去，并不想现身打扰。

谁知，琴音重重铮响三声后戛然而止。昌平君淡雅的嗓音从亭中飘然传至她耳畔："既来，又何故离开？"

巴清见无法避开，只好转身走向凉亭。乍起的清风吹鼓她宽大的锦袖，如蝶展翅。

凉亭四周种满了千花葵，一路曼开在月光之下，由白渐红，像云里裹了烟霞，香气馥郁缠绵。

亭内，紫檀木的长案上摆着两盘糕点、一个银质嵌宝的酒壶及两只精巧惹眼的翡翠杯。

烛灯将昌平君的影子拉得颀长，投印在身后。

巴清进亭，欠身行礼。礼毕，她被昌平君腿上的筝琴吸引。那琴以上等马尾成弦，通体深黑，隐隐泛着幽绿光芒，如绿色藤蔓缠绕于古木之上，十分诡异精妙。她懂琴，自知这是一架绝世宝琴。

昌平君小心地将琴放至长案，讶异道："你懂琴？"

巴清谦逊道："不及公子精通。"

昌平君细眉轻挑，缓缓坐直身子，遥遥地望着天上的月影："晋国伯牙访楚，夜至汉阳江口山下，见风浪渐平，云开月出，琴兴大发。一曲《高山流水》引来楚国钟子期。子期以琴音品意，洞伯牙之心。自此二人相知相惜，视为知己，也成了众口传颂的佳话。人生幸事之一便是得一知己，至死不弃。"

她领会其意，清冷道："公子并非伯牙。"

他侧身看她，不以为然地笑道："难道不是伯牙，就不能有知己？"

巴清垂眸，柔声道："真正的知己本就难求，不是每一种心性的人皆可。所谓知己，自在安乐，无多挂碍者易得。伯牙触景生情，意在山水，心性恬淡，故遇志同道合的子期。而公子属意的并非那点点景致。"

昌平君唇角勾起，执起案上杯盏把玩，兴致勃勃道："你倒说说，我属意的是什么？若是说中了，这琴便送你。"

"同样是山水之景。伯牙子期志在欣赏，而公子旨在拥有。"巴清轻快道出，毫不避讳。

昌平君脸上笑意倏地收回，举杯的手僵在半空，眉心微皱，警惕地看着巴清。半晌，他起身拂袖，目露一丝冷意，轻笑道："这琴，你拿走吧。"

巴清未料他会这般爽快，站在原地不知是进是退，思虑一会儿，跑回所住客房，取来昌平君相赠的佩绶回亭，放置桌案。

　　昌平君倚着亭栏，目光随着她的玉手移动，哧地笑出声："你这是做什么？那是我送你的东西。就算作为回礼，也要用个别的吧。"

　　她抱琴于怀，莞尔道："公子既然赠与民女，那便是民女的。再者，佩绶乃象征公子身份之物，意义非凡，民女实在不敢独占，理当奉还。"

　　昌平君细长的眼中闪动着点点冷光，声色轻柔而摄人心魄："总有一天，你会求我帮你。还记得咱们初次相见的地方么？日后你若有事求我，去那客栈便可。我静候佳音。"

　　巴清心绪微恙，但仍笑意盈满眼睫，镇定道："公子这么肯定？"

　　他一脸玩味地靠近她，握住她身前一缕发丝，低了眼，看不清表情，薄唇几乎贴近她耳畔，语声温软："当然。因为你听懂了我的琴音。知己者，志同也。其实，西施的结局，除却昨夜说过的三种外，还有一种。那便是，越王勾践江山美人皆收囊中。"言罢，他后退两步，温雅一笑，转身离开，留下两句无多情绪的话，"早些休息。明日，待你见过吕相后我遣人送你回巴地。"

　　他步出凉亭，行至回廊入口，忽的脚步一顿，似想到了什么。他回身，目光落在她怀中的宝琴上，眼中闪过一瞬光彩，淡淡笑道："此琴名绿绮，乃我心爱之物，望巴夫人善待。"

　　巴清伫立在亭中，目视着翩翩而去的昌平君，又低头看了看怀中闪烁诡异绿光的宝琴，一阵不安涌上心头。

　　她隐隐感到，在这波诡云谲的咸阳城内，正有一场惊天的阴谋向自己悄悄靠近。

鸟鸣动院林，晨光透花窗。客房内，绢灯残烛湮灭，铜炉燃起一缕清香。

巴清早早起床梳洗，算准了时辰，提前半刻抵达相府。

她抵达时，相府门前停着一辆王青盖车，二十名近卫牵马分立前后。

秦国，有资格乘坐王青盖车者，除了嬴政便是相邦吕不韦。

巴清见此阵势分明要即刻启程，不禁疑惑吕不韦为何要将召见自己的时间与别事重合。

她踏阶而上，欲求通传，不料大门忽而打开。她闻声望去，数名门客簇拥着吕不韦阔步出府。她一时微愣，旋即快步上前，双膝跪地，盈盈跪拜。

吕不韦脚步不停，目不移视，从她身侧径直走向马车。

巴清未得准许，只得保持跪拜姿势。她隐怀忐忑，贴地的掌心微微冒出冷汗，沾湿了地上零星沙粒。

车夫就位。二十名近卫上马待命。吕不韦撩袍上车，整襟坐稳，这才漠然地看着跪地的巴清，道："巴夫人上车吧。"

巴清惊讶地抬眸一掠，又赶忙垂首道："民女不敢。"

吕不韦淡淡瞧着巴清，语气漫不经心，却隐有森然："巴夫人是否觉着本相的马车太窄，比不过大王的轿辇宽敞，故不愿乘坐？"

巴清脸孔瞬时苍白，倒抽一口冷气，前额重重磕地，声音呖呖发颤："民女并无此意。"

吕不韦审视她几巡，语气陡转，带着些许调侃："本相方才不过开个玩笑，不料竟让巴夫人这般惊恐。比起初见那时，巴夫人胆小了许多。罢了，上车吧。"

巴清仍难安心，更腹诽嬴政善变，吕不韦更善变。她惴惴起身，低头走近车身，右手挽起裙边，左手扶车厢外沿，踏阶上车。

不料方才的紧张跪地使得她双腿酸软，半空一个不稳，踉跄后仰。眼见将要摔倒，她忽觉手腕一紧，惊慌中看去，原是吕不韦伸出了援手。

她稳住身子，惊愕神色缓和，谨慎上车，与吕不韦对坐，尴尬垂首，低声道："多谢相邦。民女失礼，望相邦恕罪。"

吕不韦淡淡一笑，挥手示意车夫策马启程，复背倚厢壁，悠悠道："马有失蹄，人有失足。再聪明谨慎者亦难保万事无差。失足不重要，重要的是你抓住的那只手是不是真的能够救你危急，付你荣华。"

吕不韦一字一句看似随口而出，实则意指巴清与嬴政的亲近让他颇为介怀。

然正是吕不韦方才的伸手相扶，亦让巴清看出，吕不韦对自己仅是言语的警示，不会有行动上的为难。她微抿朱唇，轻吐口气，眉眼舒展，上车前的恐惧消减许多。

辘辘车轮辗过安静的街道，轻缓出城。

出城后，车夫力甩三鞭，驷马疾驰。装裹车厢的薄锦，被风吹鼓得呼哧作响。遮挡窗口的帘幕随风后翻，不时露出车内静坐无言的二人。

巴清撩开车帘，拘谨地侧头望向窗口，观察马车行驶的方向。

马车正顺着宽直泥路向北行驶。马蹄声震耳，尘沙乱扬。她探头回望，城门早已渺远难辨，再看道路两旁，远处排排房舍炊烟四起，农田遍地。

她放下帘幕，垂眸思忖，心中无底，不知此行究竟何地为终。

"听闻你出资万金助郑国渠修建。此举倒是颇引人瞩目。"吕不韦打破安静。

巴清抬眸看去，见他目光三分温柔，七分凛然，恭敬道出己见："民女以为，郑国若能建渠成功，那么雨量稀少的关中、汉中、南阳三地，便可由含大量泥沙的泾水灌溉。届时，贫瘠之处成千亩良田指日可待。此等功在千秋之举，身为大秦商贾理当响应。相邦为国为民，力排众难，以一人之肩扛如山重责，让人慨叹。民女区区万金何足道。"

自吕不韦将郑国渠修建一事昭告天下至今，朝中老贵族反对不止。数年工程所耗巨资亦是难题。巴清出资助修于吕不韦而言无异雪中送炭，也正是此举，让吕不韦对她的心思由单纯的喜欢变做了另眼相看。

吕不韦听罢，平静的脸上漾动笑意，目露赞赏："巴夫人聪慧明理，矫矫不群，又得王心，有朝一日荣宠贵重定让人望尘莫及。"

巴清垂眸浅浅一笑，谦逊道："相邦说笑。民女自知身份，怎敢有非分之想。此番有幸入宫，实在是因数日前的一次机缘巧合。大王德厚仁慈，念及民女雨中相救，故召见……"

他打断她的话，语气果决不容辩："身份好坏无碍大雅。大王乃一国之君，号令百官，若真有意，身份这等小事不足为碍。"

巴清不再说话，微微侧头，避开吕不韦灼灼双眼，望着卷动的车帘，望着风景明媚的车外，心中对吕不韦于嬴政的冷嘲热讽生出点点不满。

车马所经之路由宽变窄，蜿蜒无尽，周边农家零星，人烟渐少，密林无际，叶随风响，花野草长，群莺乱飞。

吕不韦斜倚着颠簸的车厢后壁，一只胳膊搭着窗框，一副懒散模样。他眯眼打量巴清好一会儿，眼角微微挑起，似笑非笑道："巴蜀盐矿名扬各地，其产量、销量、商家规模皆不逊巴蜀丹砂。不知巴夫人对盐业了解多少？"

巴清如实相告："掌巴蜀盐业者是糜公子，民女只知皮毛，细节不甚了了。"

吕不韦望向车外疾驰而过的山田野地，指尖轻点窗扉，悠然道："心大力行者路远业广，心小拘谨者平庸无为。本相观巴夫人应属前者，难不成眼光只停在丹砂一面？"

巴清微愣，风声频频冲耳，一时难辨话中深意。

吕不韦瞥了眼巴清，轻呵一声，双目冷峻："糜啸郴为何帮你？只因素日的交情？本相为何弃北地择你？仅仅碍于糜将军的情分？讲情，亦要看清。历来，审时度势、纵观全局者才有决胜千里的资格。"言此，气息微顿，冷淡神色兀然浮出一丝笑，笑意渐至眼角，"巴夫人心思机敏，相信一定不会辜负本相的期望。"说罢,他闭目静气,不再言语。

巴清微低着头,眼波辗转,眉心紧蹙,细想吕不韦的一字一句。车外艳阳高照,气温炎人,车内却如浸寒潭般幽冷。如今想来,那日相府求取丹砂供应,确实有些过于顺利。

那么,吕不韦今日这一番话究竟意欲何为?若縻啸梆的相助当真另有所图,图的又是什么?难道就连縻啸梆亦是虚情假意,表里不一吗?

巴清神思俱紧之际,车身陡然后倾,行速变慢。她一个不稳,倒向右侧,赶忙抬臂支撑。

吕不韦斜睨了眼距离头冠一尺外的纤纤玉手,重合双眼,嗓音沉沉:"巴夫人可要小心啊。"

她赶紧收回手臂,拘谨地埋着头,用力抓住窗棂,勉强坐稳。

马蹄不停,车速渐快,疾行在绿树荫浓,山花烂漫的长径似无尽头。空中不见半片云彩,似被高悬的烈日灼得化开。阳光伴着稀疏的蝉鸣,透射层叠的枝叶,将地面印满粼粼光斑。

她目光空落地在车外的风景间徘徊,仔细地回想着縻啸梆与昌平君的一言一行,画面在脑中一幕幕列开,如瞬时长成的参天大树,根茎盘绕,枝节交错。

她沉思良久,眉睫陡然上扬,恍然清醒,心中对自己的简单与疏忽懊恼不已。她暗暗自语:"啸梆至巴蜀仅六年时间,便轻而易举垄断国内半数盐业,不及富甲天下却也是堆金积玉。能有此效绩,定少不了叔父縻公相助。縻公朝中地位并不高于吕不韦,但其在三军中的威望远胜。军功、兵权、财力,若三者合一,不要说取吕不韦而代之,就算图谋叛逆亦大有胜算。好在调兵虎符一分为二,一半归将,一半归君。纵使兵将相辅多年,亦不敢轻举妄动。但兵权尚可安心,财力却是隐患。吕不韦因縻公身份之故,不便亲自动手,唯有依靠其他手段。那日,吕不韦见我拿啸梆手信拜访,当即顺水推舟,看似照顾縻公情分,实则借此掩饰,意在提携于我,收为己用,替他解忧除患。"

巴清瞄了眼仍闭目休憩的吕不韦,不由得眉心耸动,面露愁色,又转念斟酌:"顾忌縻公日后拥兵自重祸乱大秦,未雨绸缪,为己为国确实让人敬畏，可这终是招险棋，且极易得不偿失。纵使他对巴蜀诸事了如指掌，此计亦深思许久，可他又怎知我能解忧？纵使他想入虎穴得虎子，我也愿倾力相助，又谈何容易？巴家与糜府财力旗鼓相当，啸郴生意若无闪失，根本无法对其并购。即便出了事故，插手亦非朝夕可成。难不成，他以为啸郴对我有意，想我使美人计？"

她几番思虑罢，脸上泛起一丝苦笑，心境与车辘声一同渐渐沉闷。片时，她眉心舒展，轻舒口气，唯愁容不散，心生隐患："若巴家与糜府对立，只怕会引得巴蜀哗然动荡。何况，啸郴待我不薄，不曾有负于我，我又如何去行那不仁不义之事？"

车夫缰绳收紧，马车缓缓停稳在一片山野。二人依次下车。

巴清举目望去，眼及处山形秀丽，峰峦起伏，好似一匹跃跃欲奔的苍色骏马。

夏季山野的气温较之内城总是清凉许多。阵阵风起，穿过层峦叠嶂，吹动花柳密林，摇成一片绿浪，沙沙声低响，夹杂着花草清香，轻扑面颊。

吕不韦目视前方不远处的苍绿山头，颜色神怡："巴夫人看此处如何？"

巴清道："此处风景独秀，地势颇佳，是个风水宝地。"

吕不韦浅笑，命门客取来牛皮长卷展开，眉梢眼角尽是扬扬意气。他观看少时，将长卷递与巴清，道："这里四时有不凋之树，三春有飘香之花。南依骊山，北临渭水，更近王宫。实乃王陵最佳之选。"

巴清双手接过，看到长卷画景，朱唇轻启，瞠目结舌。她依照长卷上的设计与标示，眺望着前方辽阔山峦，一点点比对，脑海渐渐浮出王陵竣工后的景象。

整座王陵占地不逊咸阳整座城池。六座城门连接各墓室甬路，四通八达，条条通往地宫。内城总长三千余米，为陪葬墓群。外城则六千余米，为珍品坑、兵俑窖等诸多无名墓室。中心地宫布局则如秦王宫之貌，殿堂楼阁，珠光宝社，应有尽有。此般宏伟的设计，怕是开天辟地以来，千古第一。

巴清暗自计算着完工所需的时间与耗资，不由得倒吸口气。

吕不韦撇开众人，引巴清向西漫步。行至一绿野山坡，吕不韦下颌微扬，指向西南："巴夫人有所不知，各地峻岭，随四时变化，花鸟树草大同

第二十三章 千古交易

// 153 //

小异，唯有骊山不与群山同。每当夕霞晚照，立于山脚仰观，可见彩霞争翠，漫山皆红，层林尽染。立于山顶俯视，人与物却全没了影子。故而它另有一别称——无影山。"语顿，他双眼转望远处三五成椅，已残断无用的烽火台，凝重道："那里便是周幽王烽火戏诸侯的残迹。他为博爱妃一笑，以致大周三百年社稷日渐沉沦。自古，朝代更替，江山依旧，美人层出。夏桀妹喜、商纣妲己、吴王西施，末代君王皆有妖妃祸国。愿我大秦不再重蹈覆辙。"

巴清静静听罢，清浅一笑，不置一词。

吕不韦斜她一眼："巴夫人似不以为然。"

巴清莞尔："丞相所言自是一说。不过，民女有自己的看法。"

吕不韦浓眉一挑，侧身正视，饶有兴味："愿闻其详。"

"周幽王用佞臣，昏庸无道，不思治国，盘剥百姓，民怨四起，以至周鼎失重，国力衰竭。各诸侯本就蠢蠢欲动，早有反叛之意。烽火戏诸侯不过是诱因，给了诸侯一个名正言顺的机会。将国家衰败的责任推诿到一个女子身上，未免太过牵强。君王的言行若任由枕边人的喜恶左右，那这样的君王本就不配为一国之主。江山美人，孰轻孰重，这般浅显的道理都不懂，又怪得了谁呢？"巴清声如莺啼婉转，言词却掷地有声。

吕不韦沉吟片刻，目光悠远，淡淡道："巴夫人所言不错。"说罢，侧头看她，微笑道，"我们来做笔交易。大王曾叮嘱过，王陵建成后，墓顶嵌夜明珠，代表日月星辰；墓内燃鱼油灯，以示长明不灭，而整座寝室则要注满水银，象征江河湖海。巴夫人若能解我心结，王陵的水银供应便全权交付于你。本相对天下女子是否皆为善类之想，同对巴夫人的能力刮目相看一样，总会有鹤立鸡群者出世，至于是女中尧舜还是红颜祸水，日久方见人心。本相不愿多想，只希望与巴夫人合作愉快。"

说是交易，语气却不容商量。

能为王陵提供水银，不单是至高的荣耀，更是垄断全国丹砂绝好时机。在商言商，没有任何一个商人会对如此绝佳的机会置之不理。

然巨大的诱惑，向来伴随着同等的风险。于巴清而言，这笔交易若成，家业壮大，光宗耀祖；若败，那便是倾家荡产，声名扫地。

赌与不赌？巴清心头鹿撞，血脉中涌着从未有过的惊慌与激动。

万丈深渊

巴宅大门前，鸢儿抬头看了看阴云密布的天，复担忧地翘首东望。

过了半刻，东街有辘辘车声由远及近，传入鸢儿耳中。她望着疾驰而来的金钲车，粲然一笑，忙不迭跑到还未停稳的车旁，欢快道："小姐。你可算赶回来了。我刚还在对老天祈祷晚点降雨呢。"

巴清挽帘下车，浅淡一笑。别过吕不韦后，她便马不停蹄直奔家路。咸阳之行已让她身心俱疲，无力过多言语，只想着早早回房歇息。

"小姐。二公子和三公子在厅堂待了一个时辰呢。"巴清一进前院，鸢儿便在耳边小声提醒。

堂内，静坐的二人看到巴清走来，倏地起身。

巴清微微蹙眉，不愿多言，捏了捏鸢儿手腕，欲改行绕过厅堂的西廊。

"嫂子。别走啊。我有要事要说与你听。"巴煜泽拖长了语调，端的是意气风发。

鸢儿不满道："三公子。当家的舟车劳顿，若非急事还是休息要紧。"

巴煜泽打量着鸢儿，嗤笑一声，鄙夷道："还真是一人得势，鸡犬升天。你是个什么东西，敢这样与我说话。滚开！"

鸢儿嘟着嘴气愤不已，正要出口反驳，被巴清拦住。

巴清近他两步，微微一笑，道："数日不见，三弟的学问差了许多。'一人得势，鸡犬升天'意为一人得权，与其有关之人皆得好处。而这鸡犬

二字则指有关之人。咱们乃家亲。你用此句斥责下人，岂不是连同自己也归为鸡犬一类，不妥吧。"

鸢儿扑哧一声，挑眉得意地看向巴煜泽。

巴煜泽反遭讥讽，顿时脸色涨红，欲反击却一时找不到应对之语。巴清冷冷一哂，转身离开。

巴煜泽上前一步，抬臂横眉怒指："你给我站住！谁与你是一家！"

巴清亦没了方才的微笑与调侃，回身正色道："三弟。有些话我可以不计较，但你也应适可而止。当家之位向来能者居之。与其心有不服，不如多关心你蜀地的丹矿。据我所知，与你长期合作的商户，近几月的购买力度均有下滑。你要能做出一番成绩，这位置让与你又何尝不可。可你若连自己的生意也打理不好，还有什么资格不服！"

巴煜泽冷哼两声，音调更扬："让与我？这位置本就是我的！是你厚颜无耻，耍手段抢了去！"

"我看厚颜无耻的是你！"众人循声看去，只见巴老夫人缓步进堂，目中怨恨、阴狠迸射。

巴煜泽恶狠狠地盯着巴老夫人片刻，嘴角忽而上扬，整了整衣襟，边从容地重回堂内，边悠悠道："人齐了，那便开始吧。"

巴清正猜测巴煜泽意欲何为，便听巴老夫人开口："瑞儿，什么重要的事非要将众人齐聚在此才可讲？"

巴煜瑞摇摇头："三弟说有要事相告。具体何事我也不知。"

巴老夫人瞥一眼巴煜泽，冷笑道："虚张声势。若是有人在这家里待厌了，尽管离开。想留下，便予我守好规矩。不知天高地厚的东西，野种、低贱胚子！妄想一跃为龙，真是可笑。"

本想依巴煜泽的性子听到这般侮辱定忿然作色，未料他只死死盯着巴老夫人，面色由阴转晴，渐浓的笑声引得众人一阵发寒。他笑罢，神色玩味道："野种？低贱胚子？巴家确实有一个人堪称如此，可惜不是我。"

此言一出，堂内众人无一不惊。

巴老夫人呼吸一滞，紧紧握着拐杖的手更紧，眼角蓦地抽搐起来。巴煜泽更是一脸难以置信。

巴清走至巴煜泽身旁，厉声呵斥："三弟。看看你自己现在是个什么样子！目无尊长，口不择言，狂傲自大。我念亲情，一忍再忍，你却得寸进尺。今日，你若不向母亲好好悔过，便不要怪我动用家法。是去是留，你自己打算！"

众人从未见巴清如此疾言厉色，皆屏气凝神不敢妄动分毫。

巴煜瑞看了眼面色不佳的母亲，又看着堂中对峙的两人，心底升起一股莫名的慌乱与不安。

巴煜泽并未恼怒，斜睨巴清，勾唇道："我问你，若有人违反家规，不论年长或幼小，是不是皆要受罚。"

巴清眉眼上抬，下颏微扬，声色凛然："自然。国有国法，家有家规。王子犯法，与庶民同罪。家法亦如此。不论男女老幼，无一例外。"

"好！记住你的话！"巴煜泽嘴角笑意更浓，扭头冲堂外喊道："把人带上来！"

巴清与巴煜瑞皆是满腹疑问，目光齐齐转向敞开的堂门。巴老夫人却眉头紧皱，垂目不动，好似早有预料。

不消片时，管家领着两男一女快步赶来。

那两男一女皆半百之年，似再普通不过的寻常人家。妇人与中间的男人皆着粗衣，不时交换眼神，略显局促。另外一人，年纪稍大，鬓有鹤白，一身布衣，神色惶惶。

堂门外侍候的鸢儿最先看到四人。当她目光落定布衣老者时，呼吸一颤，面如土色，双手紧紧揪住衣裙，瞳仁中透着前所未有的恐惧。

四人进堂，脚步声惊得众人心思各异。

巴老夫人闻声抬头，瞬时瞠目结舌，心中鼓声阵阵。她立刻抓起拐杖起身，双脚却突然虚软。一旁的侍婢想要伸手搀扶，被她一把推开。她强撑着地面起身，死死地盯着管家身旁的三人，脸色铁青，呼吸沉重，苍白的双唇微张轻颤似有话欲说。

巴清见到布衣老者，亦有些惊愕，却不解母亲为何那般神色，转头问道："你是当年为我保胎的那个郎中？"

布衣老者侧着头，胆怯地看了眼巴清，又垂首不语。

这时，仆人来报，郡守到访。众人诧异，匆匆整襟相迎。

巴清瞅了眼自信满满的巴煜泽，心中腾起不安。

空中阴云由浅变深，黑压了整个天际，同府邸背倚的青山连在一起，如铁笼一般将巴家困住。

郡守昂首阔步走进，见众人面色各异，尴尬一笑，作势离去："观各位似在商议要事，本府明日再来。"

巴煜泽赶忙唤住："大人。今日之事确实要紧。您来了，也好做个见证。"

郡守神色一动，环视众人，抬起的脚不客气地收回，心中想着糜啸郴的话，暗自寒栗："让我酉时来此，现在时间刚好。看这几人神态，似在我来前已有过争执。还真如他所说，早了无用，晚了误事。别家家事，他倒是处处关注，连时间都算得这样精准，我日后须得小心提防。"

巴煜泽回头看向巴老夫人，笑问："大娘，您这是怎么了？若有不适，这儿正好有位郎中，不如让他为您诊治一番？不过，这郎中治得了身病可治不了心病。"

巴老夫人怒目相视，咬牙道："你到底要干什么？"

巴煜泽顿时笑意尽失，目露凶光："干什么？当然是要驱除野种，正我巴家血统。巴家百年基业怎能拱手让与外人？"

"竟有这等事？这可非同小可，定要说个明白。"郡守惊讶地看向巴煜泽，嘴上附和，心中暗道："原来是家变。糜啸郴让我帮助巴煜泽，却又不说何事。问他，又说提早道破便了无乐趣。我当他故弄玄虚，如今看来，还真有点意思。"

巴煜瑞听着三弟胸有成竹的说辞，心中疑云大起："谁是野种？大嫂本就不属巴家儿孙。如此便只有大哥、我与他自己。难道是指我与大哥？"巴煜瑞看了眼母亲，一阵心悸。

一道闪电如利剑划破天空，明亮的尾端从云间一路奔下。远处传来轰轰雷声，震得堂内众人心神慌慌。

"谁是野种？你不要信口雌黄。"巴清厉声打破安静。此时，她的从容已渐渐被疑惑与不安替代，隐隐感觉，骇人的危机正向自己迫来。

巴煜泽一脸鄙夷地看她，笑道："事已至此，你又何必故作无辜。垂死挣扎……"

巴清惊愕不已，旋即厉声打断："你胡说什么！除了那郎中，那两人我从未见过。我看你是想当家想昏了头，这般龌龊的手段也拿来用！我是嫁进巴家的儿媳，未育子嗣便无血缘之亲。你加罪于我，也当找准时机，选对说辞。你当堂上众人皆是傻子，由你随意蒙骗吗？"

巴煜泽嗤之一笑，回头瞟了眼脸色由铁青变得煞白，如木雕般僵立一旁的巴老夫人，声音突地森冷："你当然不能为我巴家生儿育女。因为你生出的孩子就是野种。我说得对么，大娘？"

此言一出，如雷贯耳，轰轰不绝，震得巴清脑袋浑噩，久久不能清醒。

巴煜瑞亦是神思恍惚，瞠目结舌地看向三弟，却见他无声的笑意越发狰狞。

天色昏沉，黑云压顶。雷声由远及近。忽的一声巨响震彻整座府邸，响声迫耳，似近在头顶。屋外风愈大，摇得花窗与树叶哗啦作响。凉风卷起地上的热气与下落的雨丝，夹杂着干土的腥躁，扑进堂内。

鸢儿费力地合上堂门与花窗，径自站到离众人较远的角落。方才的疾风吹乱她挽好的发髻，额前与眉睫上的雨珠摇摇欲滴。她全无心思打理，自顾地盯着脚前的一片空地呆呆而立。

窗门隔开了疾风的惊扰，堂内更加静谧。空中闪现的光亮透过窗纸照在巴老夫人身上，明灭不定，映衬得她如一具可怖的僵尸。

"三公子，这等事可不能胡乱言语，口说无凭。"郡守的话将众人从游离的神思中拉回。

巴煜泽唇边笑意如潮水退去，横眉对着一旁的粗衣男女，语气冷得骇人："你们两个，将事情从头到尾、原原本本地说出来！郡守在此，敢有半句假话，便让你们老死牢中！"

粗衣男女闻言，吓得赶忙跪下，冲郡守磕头，哭喊着饶命。

郡守干笑两声，和气道："三公子莫要惊喝他们。"说罢，又对跪地的两人，温声笑道，"你们只管道出实情。本府会秉公断理。"

粗衣妇人最先开口，声色颤抖："禀大人，民妇今年四十又八。一旁是我的夫君。早年我与夫君靠贩卖茶叶为生，日子过得也算宽裕。然三十一年

前，八月十八，我突觉身子不适。夫君观我见食厌吐，头晕乏力，认为是孕象，便带我去了当时名气颇盛的陈郎中处就诊。"

此时，粗衣妇人指了指布衣老者，续道："他便是那陈氏郎中。到了药铺，药童推说陈郎中出门就诊，让我们明日再来。谁知我又忽然恶心干呕起来，夫君怕污了药铺忙扶我出门。门外休息时，药童又说郎中因事改日出诊，现在可见。我们随着药童进了内室。内室除了正坐诊位的陈郎中，还有当时巴氏当家的夫人。"

巴老夫人身子猛地一抖，拐杖不知何时被指甲抠出了斑驳痕迹。

粗衣妇人瞄了眼木着脸的巴老夫人，接道："她如今已是巴家的长者。她见我们进来，一脸和善，主动交谈，得知我与她的孕期相近便更加亲切。那时，我只当她好意。待到孕满五月，我去诊脉时又见她。我当时只想是凑巧。后来，陈郎中断定我腹中是男胎时，她对我更加热心，询问我家住何处，以何为生。我们见她温柔可亲，又是名满巴蜀的大户人家，便如实相告。谁知，此后不到一月时间，家夫便开始早起晚归，甚至连夜不回，生意搁置不理。起初，他总是春风得意，买了许多价值不菲的物器。可后来，回了家便愁容满面，唉声叹气，时常噩梦惊醒。我几番询问，他才将自己近日辗转赌馆欠下巨额赌债的事情说出。我们变卖家财，四处借钱，仍巨壑难填。讨债者几次三番上门，言语威逼，拳脚相向。就在我与夫君以为在劫难逃时，巴夫人找到了我们，说她可以帮我们还清赌债，可以让我们从此衣食无忧，但条件是腹中孩儿出生后由她抚养，且不准对旁人说起只言片语。那时，我才恍然，一切的偶遇与巧合，以及夫君欠下的赌债，皆是她一手所为。我们并不愿将孩子交付，可无奈赌债压身，若还不了只怕连命也难保，无奈之下只好忍痛答应。为防她反悔，我们让她写下契约。契约里约定，孩子出生后由她抱养，与我们再无任何关系。后来，巴夫人也确实依约而行，替我们还清了所有赌债，并补偿数百镒金。"

粗衣妇人说罢，从袖间取出一个脏旧的锦帛展开，递与郡守。

巴煜瑞快步上前，一把夺过郡守手中的锦帛。他实在不愿相信，与自己朝夕相处了二十六年的同胞兄弟，竟是随意抱来的无名儿。可当他看到锦帛上再熟悉不过的字迹时，瞬间呆若木鸡，张嘴无言。他怔怔片晌，摇了摇头，捏着契约的手微微颤抖，侧头看向自己的母亲，声音沙哑，语调愤恨："这是真的？"

巴老夫人听着儿子质问，将头微微转向一旁，闭口不答，眼中是被追捕的惊惧与绝望，嘴唇与面颊更加惨白恐怖。

任谁遇到了这样的事都会错愕惊慌。郡守对巴煜瑞的动作毫不介意。他眯眼打量着众人，目光最终落定巴清身上。

今日的戏，唱的是巴老夫人偷子，为的却是当家之位。他很好奇，这个沉稳缜密、进退有度的女人会如何应对突来的家变与自己岌岌可危的地位。

巴煜泽对巴清扬眉抬颏，自得道："此事被我发现，实属老天不忍我巴家百年家业毁于外人之手。"

其实，真正发现此事，找到布衣郎中与粗衣夫妇，告知巴煜泽的人是糜啸郴。

巴煜泽环视堂内众人，对巴清满面的幸灾乐祸，"另有一件事，我想还是告诉你为好，免得你到死还蒙在鼓里。"说罢，他顿了一顿，斜睨着战栗不已的布衣郎中，阴阴道："两年前，你流产的真正原因是水银，是平日里你最尊敬的母亲与这郎中串通，打掉了你的孩子，而后编造种种理由哄骗于你。"

又一个撼人真相。

旁人无不瞠目之时，唯巴清声色不动。早在粗衣妇人说出陈年阴谋时，她就已猜到自己的流产绝不简单。

巴煜泽的话如利刃，句句剜进她心，带出森然的血。可除却失血太多而致脸色苍白外，她再未显露任何情绪。

她虽脑中混沌，耳鸣嗡嗡，但她清楚，不论是何因由，这一次是自己输了。输得凄惨荒唐，输得毫无余地，输得只能被对方扫地出门。

然纵使心中云海反复，浪涛汹涌，她仍竭力泰然自若。事已至此，她绝不会让难堪与落魄成为敌人的笑柄。

风狂飙疾作，天沉地暗，黑夜足足提前了两个时辰。侍婢小心地点燃堂内烛灯，悄声退下。

巴清敛眉收拳，卷睫轻颤，收起双眸中涌动的水波，微仰起头，冰冷望

进巴煜泽满含哂笑的眼睛，语调凉进他骨子："寻到他们想必费了不少时力。胜败反复，世事无常。整日倾尽心思与人相争，你能坐得几日安稳？"说罢，她转眼望向巴老夫人，隐了隐微颤的声线，轻吸口气，淡淡道，"你因自己失去便掠夺无辜的人，时至今日，可有真的得到过？"最后，她将视线移至巴煜瑞，但未语片言，只极短的一眼，旋即转身走向堂门，径自取下门栓。

强风推门袭来，带着尘杂的雨水淋打着巴清纤弱的身子，刮掉她鬓上的荷花簪。青丝撩落，长发随风飞扬。银簪清脆的落地声被雨声淹没。光洁的簪身躺在含着沙泥的水洼中，被急促的雨滴扑打得乱颤。她双眸微合，迈过被雨水浸湿的门槛，步步从容。

"嫂子！"巴煜瑞唤她一声，欲挽留，却被巴煜泽拦下，"二哥，你不要敌我不分。"

巴煜瑞缓缓放下伸出的手臂，将头别向一边，叹出的气息中轻颤着愧疚与不忍。他从她方才的一瞥中，看到了怨恨、失望、无助，更有强留的最后一点尊严。那一眼，短暂却揪心，深深烙在他心底。

在众人都不曾在意的角落，鸢儿强忍住呜咽，泪珠滚落脸颊。她瞪着大眼，隔着风雨拍打的花窗，怔怔地盯着雨中巴清远走的背影。她细白的贝齿在苍白的唇上轻轻一咬，似下了什么决心，一把抢过郡守侍从手中的伞，跑出门外。

"大胆。"待侍从反应过来，鸢儿已数步之外。

"罢了。一把伞而已。"郡守制止欲追赶的侍从。他想着巴清的话，斜睨两眼巴煜泽，心中嗤笑，暗暗讽刺："为一己之利，对一个女人这般赶尽杀绝，如此急功近利，当家之位确实难坐长久。"想罢，他尴尬一笑，对巴煜泽拱手道："王陵开建，需大量石料奠基。上家拟定从巴蜀、汉中及骊山周边取用。今日本想来与巴夫人商议，谁知……"他话音稍顿，垂眼凝思少顷，看向巴煜泽，续道："贵府有此变故，本官亦深感遗憾。但事已至此，各位切不可再误了要事。"

巴煜泽当即信誓旦旦回应："大人放心。没了外人作乱，巴家绝不辜负厚望。在下亦不会让大人失望。"

"小姐！"鸢儿跑出巴宅大门，遥望前方步影踉跄的巴清，一边追赶一边呼喊。

云雨遮天，昏暗延伸无边空际。各家接连点起烛火。

巴清独行于空荡的街道，冰凉雨滴扑打着单薄的衣襟，整个人越发显得弱质纤纤，凄凄戚戚。一阵风袭来，卷起枝上松垮的叶子，稀稀疏疏地落在她瘦弱的双肩。偶有寻觅避雨屋檐的路人经过，看到狼狈的巴清，无不放慢了脚步，神色惊讶。

巴清听着鸢儿声嘶力竭的呼喊，停脚，稍稍转身，斜斜看去。

鸢儿撑了伞，两步并作一步赶上，看着木人般的巴清，心如箭穿，强忍哭声，伸手拂落她肩上残叶，又将她散落的发丝捋顺耳后，从腰间取出已湿了半边的手帕，轻轻拭去她脸上的雨水。

雷声再起，鸢儿身子猛然颤抖。手帕与伞双双跌落。她扑通一声跪在巴清身前，泪水决堤，呜咽道："水银是老夫人逼我混到饭菜里的。她说，我是小姐身边人，只有我做才能放心。她说，我若不做，便将我赶出巴蜀。"

巴清直直地站着，神色未变，恍若未闻。

鸢儿惊慌地仰着头，抓住她裙摆，哽咽企求："小姐！你打我也好，骂我也好，不要不说话。"

鸢儿哭得声嘶力竭也不见巴清有何动静，不禁心灰意冷，垂头呜咽。她并未发现，此时的巴清已气息微弱，早没了说话的力气。她只以为，她定是恨透了自己，只觉得她定要赶走自己。可她无论受怎样的惩罚都不想离开。想着想着，她一把揪住巴清的衣袖，摇晃着恳求。谁知，她刚要出口的话，竟随着巴清的瘫倒悉数变成了惊吓的呼喊。

巴宅堂内，众人已散去，独剩巴老夫人母子。

巴煜瑞走近堂门，躬身拾起静躺门边的荷花簪，轻轻拭去泥水，转身压低了怒气质问母亲："为什么？"

烛火越发暗淡，晃晃似要熄灭。

　　巴老夫人沉吟许久才开口，语调不扬不沉，听不出喜悲："我有孕不到两月，你父亲便迷上了一个花馆的歌姬。那时，丹砂正值低产，订单不断，出货极慢，更有同行恶意针对。商户多次登门催促，索赔不断。我将情势告诉你父亲，好言相劝。可他充耳不闻，仍旧撇下家业，与那贱人厮混，对我和腹中的孩子不管不问。我找到那贱人让她离开巴地，你父亲却说我蛮横善妒。无奈之下，我只好亲自打理生意。我整日接待商户，安抚工人，往来矿场，挽回损失，换来的竟是他的一句'莺歌可怜，我心悦她，择日赎身娶之'。孕期未满五月我便因积劳内郁流产，郎中说若不好生调养恐难再孕。薄情更胜刀剑刃，我劳心劳力到头来却'成全'了他们的风光甜蜜。贱人进门后，你父亲日日宿在她处。我这才清醒，若那贱人怀了子嗣，日后家业定落在他们母子手里。我怎能让那贱人得逞。情急之下，我心生一计，一边装作胎象平稳，一边重金收买陈郎中，让其留意每日诊脉的人中是否有与我孕期相近的女子。老天怜我，终让我寻到合适之人。我本以为余生不会再孕，谁知三年后又怀了你。我希望日后你来当家，可煜祺自小便聪明懂事，你父亲更属意他。后来，你父亲离世，煜祺成亲，执掌家业。我不愿说出实情，但心里仍旧希望你来当家。我见你大嫂有孕，我便狠心打掉。我想，只要他们没有孩子，煜祺一定会将当家之位传与你……"

　　"你想，你想，结果呢？如你所愿了？"巴煜瑞低吼着打断母亲的话。

　　黑夜弥漫。巴煜瑞空落落的声音响在幽微的烛光中："大哥究竟是不是你害死的？他临终前那晚，你到底有没有去他的屋子？"

　　"那晚我确有找过他，但只是让他将家业传与你。我从未想过害他。他虽不是我亲生，却也养了整整三十年。"言罢，巴老夫人短暂地顿了顿，声音变得哽咽，"何况，煜祺秉性纯良，自小便是个懂事的孩子。"

　　巴煜瑞不再说话。不知过了多久，他望着大雨滂沱的窗外，怒火渐消。恍惚间，他似看到了自己与大哥儿时一同玩闹的幕幕景象。他努力回忆，何时何因让彼此疏远冷淡，却发现早已模糊难辨。

　　忽地，他觉得一直心心念念的当家之位此刻也无足轻重。事到如今，他只想着，是该怪父亲的寡义薄情？还是怨母亲的自私毒狠？抑或是三弟的绝决残忍？若自己没有出生在世，一切会不会不同？

　　雨重重捶打着廊檐屋顶，一点一滴敲进他心中。半晌，他闭目长叹，只愿这场天雨冲走往日一切的是非爱恨。

　　云峰浩浩乌墨重，雷鸣轰轰涤魄魂。风雨森森卷微尘，木叶瑟瑟罗街深。争名逐利家四分，心性最狠唯世人。

第二十五章

爱与阴谋

天空澄碧，纤云微染，远山含黛，和风送暖。

巴清醒时，已是隔日。她微微挪动的手臂触醒了趴在床边小睡的鸢儿。

鸢儿睁开布满血丝的蒙眬睡眼，伸手揉了揉昏沉的脑袋，以为又是莫名的惊醒。她掖好被角，起来支开窗户。可刚刚直起身子，便发现巴清正睁着眼盯着自己。

她稍稍愣神，随即扑向床头，脸上漾出一朵花儿，泪滴扑簌。她压低了欣喜的声音，轻唤："小姐。"

巴清未语，只静静地看着她。鸢儿抹掉脸上泪水，笑道："小姐，我去告诉糜公子。"说罢，她欢快地跑出屋子。

温热的风携着细碎的阳光穿过镂空的雕花窗棂，闲洒进屋，撩起香炉内徐徐升起的幽香，萦绕满室。

香是醒神的木玲珑。巴清深吸口气，顿觉清心静神。她撑起身子，倚着床壁环视屋内，最先入眼的是挽至床栏的粉色帐幔。她伸手拂过凉薄的纱幔，指尖抚上床栏，摩挲着绕栏直延床身的朵朵睡莲，低眉看去，被子与罩单皆是一等的锦缎，上面银线刺绣而成的荷花形态各异，栩栩如生。

再抬眼望去，墙壁上有一幅八尺宽、金丝银线绣成的芙蓉出水图，如真如幻，精致无比。

悬挂画幅的墙壁角落，有四盏银制灯架，皆摆放着玲珑灯烛。灯烛一旁绿绮静躺。绿绮旁，靠近池塘的窗边摆一高足漆案。四方的案上立着直长二尺的莲花香炉。炉身质朴自然，由上下两部分组成。上部是三层含苞欲放的莲花瓣图案。每排莲花有十一瓣，每瓣形近三角，并刻有大小不等的花茎，清晰十分。下半部为圆柱形空心支柱，形同支撑荷叶的茎秆。盖顶饰有一精美的小鸟，亭亭玉立，眺望远方。

她再循着徐徐上升的淡烟望向窗外，只见假山、小池，荷藕、水莲，名花盈风吐香，佳木欣欣向荣，飞泉碧水喷薄潋滟，奇丽幽美，如在画中，颇惹人喜爱。

屋外不时有小婢穿过，脚步极轻，谈话极轻。一处一角皆幽静美好，清新闲适。不难看出，糜啸郴皆费了许多心思布置。

巴清忽而想起前日种种，恨如潮涌，白无血色的脸更加黯然，心绪纷扰仿佛被单上绣着的散碎不尽的花纹，纹路饱含着怨愤、委屈、不甘与茫然，一丝一扣缠绕难分。

家变来得猝不及防，是该怪自己太过天真，还是该怨他人的阴险毒狠？事到如今，孑然一身，何去何从？难不成真要寄人篱下，无依而终？

她闻有脚步声渐近，努力收敛满面愁容，望向门口。

"清儿，你怎起来了？"糜啸郴进屋，见巴清径自起身，急忙快步上前，坐榻关切。

萨孤卓韫行在糜啸郴身后，缓了步子，离二人稍远处停脚，观察巴清无碍后将头微微侧向一边。

糜啸郴撩拨开巴清脸上散乱的发丝，抚摸着她额角的碎发，柔声道："你身子尚虚，应好生休养。哪里不适，一定要讲。萨孤公子医术高明，定会保你无恙。"

巴清看向风度傲然，目视别处，未言片语的萨孤卓韫，顷刻间，一阵酸楚泛滥心头。愁绪难掩。她淡淡的眉眼中晕出痛苦神色，泪水倏地涌出，顺着脸颊淌下，划过手背，染湿了薄衾。

"郁怒不消，思虑繁复，伤脾劳神，恢复大忌，巴夫人切记。"萨孤卓韫闻哽咽声回头，轻淡提醒，神态自若，俨然局外看客，实则隐忍痛惜，心如刀绞。

当他看到糜啸郴怀抱着昏迷的巴清出现，当看到她苍白的面容、湿透的衣衫、凌乱的发丝与紧闭的双眼，当即有了带她远走的念头。

糜啸郴轻轻擦去巴清脸上泪珠，握住她冰凉的手，慰语缓缓："巴家变故我亦有所耳闻。我知道，你心里有怨有恨。可无论如何，身体为重。待你痊愈，我们一切从长计议。"言罢，他稍顿，握着巴清的手紧了紧，嘴角弧度温润如和煦春风，"日后，你就是这荷薇别院的主人。这里可为你遮风挡雨，没有尔虞我诈，无须齐家奔波。"

萨孤卓韫呼吸一颤，十指骤地收拢，眉心微蹙，仔细观察巴清的神色，投去的视线中尽是紧张。

巴清听着这些动情的话，似有所动，似神思远飞。她垂眸静默片刻，神色突变，反握住糜啸郴的手，眸中满是忧惧，嗓音沙哑如秋叶般凄凉："郴哥，帮帮煜祺。巴煜泽心狠手辣，他定以冒充巴家血脉为由挖坟抛尸。整件事，煜祺无错，甚至他在临终前仍不知自己的真实身世。他是无辜的。不能让他魂游山野，无家可归。"

看着巴清眉峰压翠，声泪俱下，一旁的鸢儿也跟着抽泣。一时间，屋内充斥着女子的嘤嘤凄凄，惹得两个男子局促不已。

糜啸郴拍了拍巴清手背，语气有些为难："我知道，我都知道。煜祺与我相交五年，发生这样的事我亦不忍。如今，阻止巴煜泽已不可能。毕竟，非自家事，难管别家人。"

巴清双眸陡然黯淡，别过头，径自擦去悬在脸颊的泪珠，不再言语。她知道，自己的要求的确太过无理。巴煜祺确非巴家血脉，纵使让郡守避让三分的糜啸郴也无权干涉。可她怎能让自己的夫君曝尸荒野？

她沉吟片刻，薄衾被攥出了层层褶皱，眸光闪着坚定："不论如何我绝不能让煜祺黄泉之下再遭劫难。糜公子已仁至义尽。我不该这般无理。我会亲自去寻，另择新地安置。其间，巴煜泽若从中作梗，只盼糜公子能适时解危。清儿不求其他，只求夫君能有一方安寝之地。"说罢，她噙着泪，掀开被子下床。

萨孤卓韫闻言满面忧虑，不由得前挪一步，欲阻止又不知从何说起。

糜啸郴微愣，按住巴清直起的身子，紧张道："这是什么话。我怎能让你只身前去。你也是心急，不听我讲完。"

见巴清缓了动作，他续道："我虽无权干涉，却也不能眼睁睁看着好友如此遭遇。昨日，我已让管家去巴府协商，并命人在碧峰峡长寿山选了一处风水佳地，连夜修建墓冢。若无意外，棺椁今早已移往长寿山。再过几日，待一切妥善，便可入墓。"

萨孤卓韫眉眼舒展，松了口气，向糜啸郴投去钦佩的目光。他感觉得到，糜啸郴对巴清的用心与真情丝毫不输于自己。

虽知棺椁被移出，但不论经由谁手，于巴清而言，亲自看到方能安心。她感激一笑，商量道："我想去看看。"

话音刚落，管家便在门外提醒："公子，半个时辰后，要去郡守府商议采石诸事。"

糜啸郴看着神色怏怏的巴清，犹豫片响，宠溺地冲她一笑："好。我们一会儿便启程长寿山。不过，你要答应我，看过后要安心调养身子。"

她欣喜地点点头，见他起身要走，抓住他的手，发红的眼眶中滚下一滴热泪，话中有细微的哽咽："糜公子大恩，清儿无以为报。我……"

从助她求得丹砂供应到暗中支持她夺得当家，再到现在的名利皆失、雨中落魄仍不离不弃，事事周全，重情重义，体贴入微，他的心意她怎会不明白。

糜啸郴细长的手指附上她的薄唇，嘴角弧度柔美，话如潺潺溪水轻缓舒畅，又如行走荒漠时出现的一个绿洲，不必饱受饥渴煎熬，令她清透安心："无须见外。你好便好。"说罢，他转身看向萨孤卓韫，语气诚切，"清儿尚未痊愈，天气炎热，路途颠簸周折，恐有不适，还望萨孤公子一同前往，在下感激不尽。"

萨孤卓韫只浅淡地点头，不做停留，转身那刻，眼底的酸楚与羡慕跃跃欲出。

二人离开后，巴清起身梳洗罢，坐于铜镜前，命鸢儿为自己挽发。她对着铜镜，抬手抚上自己憔悴的面容，指尖摩挲，神色幽怨："我是不是老了？"

鸢儿攒出笑意，疼惜道："小姐才双十年纪，怎会老呢？您天生丽质，姿容佼佼，豆蔻女孩亦有不及。只是最近变故太多，换作谁都会身心疲惫。"

巴清勉强一笑，不再言语，打开案上的锦盒，略施粉黛。鸢儿细巧地将长发分成几股，曲转结鬟倾向两侧，戴上几朵花钿，又打开精致的檀木柜。柜内尽是华服，形色多样，琳琅满目。

鸢儿呈上一件件美衣，自顾地推荐。

巴清淡淡一瞥，毫不流连，指了指最底下的一件。

鸢儿寻着巴清手指的方向看去，颜色僵滞。她依言取出展开，是一套月白曲裾。裙上除了尾端绣着的点点梅花有零星淡粉外，不论内衬或是罩衫皆是纯白。

鸢儿眉头耸动，犹豫道："小姐，会不会太素？况且梅花较之其他花卉大相径庭，名字也……"

巴清端起案上的汤碗，吹散缓升的热气，抿一口参汤，淡淡道："我觉得很好。寒冬自开，领百花之先，独天下而春。"

鸢儿眨着眼，呆愣地回味巴清的话。屋外清风拂过，柳枝摇曳，传来两声鸟鸣展翅的声音。她伸长了脖子望向窗外，只见柳树上，两只黄鸟不知怎的惊起，掠过院墙，飞向远方。

忽地，她双眉一挑，似想起了什么，一边伸手进袖间，一边对巴清道："小姐，这是昨日我在您换洗衣物中发现的。"

鸢儿掀开外层包裹着的手帕，手捧着递到巴清眼前。几缕光束漏过枝丫缝隙，穿过敞开的窗户，溜进屋内，落在鸢儿手中绝美的玉上。

巴清放下刚刚夹起的糕点，葱段般的手指捏起玉佩，兀自出神。鸢儿不知，这是嬴政送的凤佩。

嬴政瘦弱的身影；咸阳宫的月下畅谈；长乐宫的临危救护；宫外长街的离别诉情，在巴清脑海一一浮现。

她卷睫微动，唇角一颤，脸上似有笑意微微扬起。她回忆罢，不禁忧虑起他的处境，想着他有没有被朝臣为难？与太后的关系可有缓和？夜半有无被噩梦惊醒？可还记得自己？

想来想去，她终自嘲一笑，心底泛起一片苦涩。自身难保，何以顾他人？

她眼波晃晃越过窗口，望着前方石榴花开尽的深处，脑中再次浮现嬴政音容笑貌。她握紧手中凤佩，目光回转，理了理发髻，轻吸口气，动身向长寿山去。

巴清与糜啸郴同坐一辆马车。萨孤卓韫独坐一辆。众人到时已过正午。

马车停在距墓地百米外的长寿湖边。萨孤卓韫因不愿看到糜啸郴与巴清同行，下车后便径自向墓地走去。

山水环绕的旷野，千草百花，清香四溢，鸟语回荡。

巴清手遮前额，挡住刺眼阳光，仰望着苍翠峭拔、云雾缭绕的碧峰峡。满山翁郁荫翳的树木，湛蓝辽阔的天空，缥缈的浮云，恰好构成了一幅雅趣盎然的浓墨画景。

巴清走至湖边，俯身将手伸进清凉的湖中拨弄，水面激起层层波纹，由深渐浅向湖心荡去。

糜啸郴静立在她身旁，凝视着望无尽头的河流，眼中光色复杂。

巴清弄水少顷，侧头看着糜啸郴，只觉斑斓光色下，他更显威凛堂堂，英气逼人。片刻，她轻声道："谢谢。"自始至今，她欠他一句感谢。

他低头，轻轻挽起她玉手，指着南向百米外正在修建的墓地，眉眼间尽是笑意："我们去那边看看。"

"这里夏秋傍晚的飞花流萤，月明繁星，格外清晰。你若喜欢，日后我们来这里赏景。"

巴清听着他的话微微一笑，不置可否，放在他手心的玉指缓缓抽出。

他感到手心的空凉，淡淡一笑，神色不改。他相信来日方长，相信自己会让她回心转意。

"他们……"巴清目光锁在石洞入口处的一男一女，眯起眼仔细打量了一番，原来是巴煜祺的生身父母。

糜啸郴解释："我想他们应该见见自己的儿子。"

巴清点点头，道："不知他们这二十几年过得如何？"

糜啸郴嗤笑道："如何？百金可非小数目。若是安心经营，怎会衣衫连农夫也不如。赌是能让人生瘾的药，怎会那么容易戒掉。有了钱，便想再赌一次，将从前输掉的全部赢回。可怜煜祺……"

巴清眼中腾起怒浪，不等糜啸郴说完，快步走向洞口。

在陵墓周边观景的萨孤卓韫，见巴清径直地走过，看了眼跟在她身后的糜啸郴，亦提步跟了过去。

男人看到巴清，推了推正面对棺椁抽泣的妻子。妇人赶忙用袖子擦了擦脸上的泪痕，止住呜咽。二人理了理衣衫，低垂着头，面色凝重。

巴清瞥了眼鬓发斑白，憔悴不堪的妇人，侧身对她一旁的丈夫，冷笑道："我在想，我该怎么称呼你。"

男人拘谨地抬起头，刚要咧出一个谄笑，便被巴清嘲讽着打断："我在想，巴三公子替你还了多少赌债。"

巴清见男人埋着头怯怯无言，便知糜啸郴所说无假，当即怒火中烧，指着洞内的棺椁，手臂颤抖，声色狠厉："这座棺里躺着的是你的儿子！从一出生就被你卖掉还债的亲生儿子！不要以为将一切的过错推在他人身上，你便可以心安理得！当初，你若没有不劳而获的念头，何至今天这步田地！到现在还不知悔改，你对得起死去的儿子么！"

旷野的风没有了密林屋宅的阻挡肆意吹掠，撩动着野花野草，蹭着岩边溜进山洞，带出一股浓重的药草味，吸引了萨孤卓韫的注意。

在炎热潮湿的夏季，为避免下葬前尸身腐烂，气味扩散，棺椁的四周都会围上一圈味道浓重且能够去除异味的药草。若有棺椁重新出土，更需此举。

萨孤卓韫自幼修习医术，随师傅尝尽百草千药，对气味极为敏感，一丝一毫皆难逃他鼻。此时，他对一旁的人事全无心思，上前一步，身子微微前倾，侧头看向洞内。洞内短矮的四角长架上，放着巴煜祺的金丝楠木棺，周围铺满了药草与蒜花。萨孤卓韫仔细地分辨出药草的种类后深吸口气。异样的味道再次让他眉头紧蹙。

此时，巴清已收敛了怒扬的音调，对男人漠然道："自今日起你不必回家，留下守墓。"

不待男人作答，糜啸郴声音响起："照做。"

男人战栗着抬头，跃过巴清，对上糜啸郴晦暗的双眼，惊慌地连连点头。

在长寿山徘徊几时，糜啸郴将巴清送回府邸，快马加鞭赶往郡守府。

巴清回房后，望着窗外渐渐西落的斜阳，指甲轻轻滑打着叶纹样的窗棂，默默不语。

庭院里开着的灼红如火的木芙蓉，在泣血的夕阳下格外鲜红浓郁，欲要滴落一般，刺痛人眼。

风来，满院枝叶飒然有声，带着轻薄的花香与隐隐热意逼迫而来，扑打着巴清纤弱薄凉的身子。

"小姐。"鸢儿低着头，双手紧握身前，蹑脚进屋。巴清轻嗯一声，未有回头。

穿堂风过，扬起鸢儿裙摆，乱舞的发丝掠过她凝重忧虑的脸颊。她前迈两步，立于巴清身后，扑通一声跪地，额头重重磕地，声泪俱下："鸢儿自知犯下大错。请小姐责罚。只求小姐不要赶我走……"

巴清打断了鸢儿越发哽咽的声音，转身走至她身前，虚虚一扶："起来。"

鸢儿愣愣地仰起头，对上巴清柔光潋滟的美眸，泪滴摇摇欲坠。她搓了搓眼，确定不是错觉后更加瞠目结舌。

巴清莞尔道："怎么，要我扶你起来？"

鸢儿痴痴地摇头，垂头起身。

巴清牵过鸢儿颤抖的手，语气甚是温柔："世道如此。我不怪你。我当你是妹妹，不论荣华屈辱，不论曾经将来，一直都是。时下艰难，人心叵测，我们姐妹二人更要风雨同舟。"

鸢儿抹去眼泪，连连点头。可她欣喜没一会儿，若有所思地眨了眨眼，回味着巴清的话，好奇道："小姐不喜欢縻公子么？您昏睡时，縻公子可是彻夜守在床边不离寸步。这荷薇别院也花了心思呢。"

巴清放开鸢儿的手，转身长叹一声，无奈道："你年纪尚小，有些事不明白。感动非心动，恩情当不得爱情。"

鸢儿不再多言，又听巴清道："打听清楚了么？"

鸢儿点点头道："萨孤公子一个人住在后园。小姐要去么？"

巴清淡淡"嗯"了一声，步出别院，向后院去。

巴清独自来到后园，过了门楼，便看到一身雪白袍服的萨孤卓韫一动不动地站在药圃边凝思。

早在巴清走近门楼时，萨孤卓韫已知来者何人。他回身看着她，含笑的眸子如山巅含满神韵的池水，漾动的波纹蕴着久违的温暖。虽时隔多年，但

她的步调与气息，他永不忘记。

"卓韫哥哥，别来无恙。"巴清嫣然一笑。

粉黄的余晖拉长了二人映在地上的影子，五步之遥时便已相叠。

药草香随风弥漫整个后园，亦迷离了萨孤卓韫的心神。恍惚间，他似看到离别的那一年。那时，同样是春光早逝的盛夏，连绵的青草与杨柳掩映着夜郎的城都。老王山月亮洞外，小湖中心，漂着细碎浮萍、伶仃初荷。而豆蔻妙龄的巴清，在紫藤秋千架上摇曳蹁跹，长发飘逸，嫣然巧笑，宛若不染尘俗的仙子。而那时的他，站在湖边听着清脆的笑声，想着永远。

后来，他渐渐发现，他们的相遇与分别，就如没有过尽人间芳菲，便铺散在天涯各处的春花春草，欲留难留。

"卓韫哥哥何时来到巴郡?"巴清试探着询问。

她想，他数日前的假装不识，许是有什么隐秘的要事。

萨孤卓韫望了眼天边缥缈的绛色云霞，平静道："有些时日。只是想换个地方，换种生活。"

他想，不能给已是负荷累累的她再添压力。

他不愿她多想，不愿她怀疑，便移开话题，敛起嘴角的笑，正色道："有件事我想问你。巴公子因何病辞世? 病时有何症状?"

巴清疑惑地看他，理了理思绪，忆道："煜祺初觉不适时，伴着头晕、乏力、恶心。郎中只说感染风寒加之劳累过度。服药后，好了几日却又反复。此间，换了许多郎中，又从外城寻医，结果却没什么两样，皆说是风寒过重，五劳伤体。之后，煜祺病情加重，最厉害时咳中带血，四肢抽搐，不省人事，用了许多方子仍不见效。两年的时间，整个人被折磨得不成样子。"

萨孤卓韫听着巴清的话，沉思良久，面色沉重道："巴公子患的绝不是风寒。说五劳伤体者也有偏颇。在长寿山时，我闻棺中散出的气味与平常身体衰竭而死散出的尸臭有些不同。另外，数日前你突发的病疾，症状也与巴公子相同。种种迹象，实在不得不令人怀疑。我想，巴公子的真正死因，极可能是有人暗中下了慢性的毒药。当然，这不过是猜测。要证实，需开棺验尸。"

"什么?"她踉跄倒退，呼吸陡颤，像是一个惊雷在脑海轰地炸开。只是瞬时，贴身的小衣便被冷汗濡湿的黏腻。

说到投毒，巴清最先想到的是巴老夫人。她认为，巴老夫人设计夺子，害她流产皆是手到擒来，区区毒药有什么不能？可她又转念一想，巴煜祺终究是巴老夫人养育了三十年的儿子，难道可以为了当家之位如此绝情吗？或者另有他人？

她默思少顷，眼中露出恨厉的光，愤愤道："待啸郴回来，我要将此事告知与他，定要揪出投毒之人。"

"切莫冲动。你信我么？"萨孤卓韫一听，急忙阻拦。

她惊讶不解地看他，犹豫片刻，终是点头应下。

萨孤卓韫温柔一笑，点头郑重道："有些事尚未明了。我查明后再与你说。莫要让第三人知晓我们今日的谈话。"

巴清望着他的双眼，清澈依旧，温暖如初，心中的憎恨、怨怒、惊恐，点点柔化。她总是信他的。

半晌，她理了理鬓发上的珍珠簪，冷冷道："好。我倒要看看，藏在暗里的人是何面目。"

第二十六章　旧怨新情

夏虫未与任何人事话别，带着夏日残热，隐身而去。

秋分已过，绿淡红稀。柔长的细雨，夹着丝丝凉风，不知不觉间由远至近，渗入大地。

少了春夏的百花烂漫，莺啼蝶舞，西南之地柔媚风姿依旧丝毫未减。

拢翠阁内，美人巧笑，影舞扬袖，琴瑟和鸣。可谓天意繁英落素秋，地有百炼钢化绕指柔。

阁内的清糜斋是楚涟雪的住处。屋内摆设清简，与欢场之地应有的华丽大相径庭。

楚涟雪一身深蓝曲裾，怀抱琵琶席地而坐，未戴面纱，淡妆素抹，手指随意拨弄着琴弦，心不在焉。

琴声杂乱，顿挫无章。她抬眼看向躺在床上、悠闲自得的巴煜瑞，停下手中动作，无奈道："巴公子待在这儿已半月。即便喜欢听琴也该腻了吧？我的床都快成您老的睡榻了。还让不让人休息？"

巴煜瑞慢慢悠悠地把玩着酒杯，挑眉道："我们可以同床共眠。"

楚涟面色顿沉："我说过卖艺不卖身。"

巴煜瑞置杯添酒，一饮而尽。饮罢，他抿唇回味，扫视屋子一回，勾唇道："楚姑娘这儿与别人就是不同。一物一件，甚至酒的味道也别具一格。"

楚涟雪不予理会，将琵琶置于桌案，望着窗外渐停的细雨出神。

雨水顺着檐角滑落，滴答声清脆悦耳。巴煜瑞收起调侃之色，直身坐起："这种地方鲜有女子卖艺不卖身，即便有也终要就范。你若不愿待在花坊，我替你寻个住处，安置下来可好？"

楚涟雪目不移视地眼中闪过惊诧，口中却淡然答："不必。"

巴煜瑞听罢，亦是一惊。他从未见过哪个风尘女子会放弃离开烟花柳巷的机会，回答得还这样干脆。他起身走近，侧头想看清她神色，不解道："你喜欢这儿？"

楚涟雪目光旁移，面无表情道："喜不喜欢何妨，不劳巴公子费心。"

楚涟雪虽性子孤僻，不喜与人交谈，但与巴煜瑞相处半月，竟也时而打趣调笑。现在，她语调却陡然转冷，疏离得如两不相识。

巴煜瑞急躁起来，扳过她身子，一脸认真："涟雪，我不想你总待在花坊，不想你与风尘女子共处，更不想你终日对着那些个浪荡子弟拨弦弄曲，我的心意你明白么？"

楚涟雪当即嗤地笑出了声，面露鄙夷："我是第几个听到巴公子倾诉衷情的人？回廊对面七巧斋里的人可是日日盼着这话实现呢。如今，公子总与我一起，对人家不理不睬。她对我可是恨到骨子里去了。"

不待巴煜瑞回应，她目光回转，直视他炯炯双目："风尘女子又如何？没有哪个女子天生便愿出卖自己。沦落风尘已是不幸，就是这样的不幸又让人觉得卑贱，也有了合法伤害她们的权利。旁人的欺凌、歧视、压榨都变得合理。你们男人不懂，世间女子虽形色各异，但不论美丑贫富，身世清浊，为后为婢，最期待的，便是恰到好处的尊重。不尊重，没关系，但也不需要怜悯。"

巴煜瑞呆愣地立着，一时语塞，不知该如何接答。

楚涟雪退后两步，脱离巴煜瑞双手，转身坐于妆台前，自顾梳理青丝，声色中隐有落寞："彩云易散琉璃脆，大多好物不牢坚。巴公子请回吧。"

在拢翠阁的时间里，楚涟雪更像是一个旁观者。她见过太多形形色色的男人一手美酒佳肴，一手美人在侧，满口浓情切意。总是有几个天真、存有一丝侥幸与期望的女子因相信那些醉酒时的山盟海誓，而在短暂的风流快活后望穿秋水，肝肠寸断。最终，一年一年，成了风中尘埃，雨中花屑，飘零无依，碾落成泥。

有时，誓言不过一指流沙，转身便是天涯。

巴煜瑞缓步走近，坐在她身旁，握住她拿着梳子的纤手，盈满眉睫的笑意中，全无从前的恣意风流，言语间是十分的真诚："方才是我失言。我向你赔礼。我从未真正喜欢过谁，可那日，我看到台上弹曲的蒙面女子，就觉得她是我的。后来，我看清了她的模样，听见了她的声音，和她共处半月后，我发现当初的感觉没有错。你就是我的。我承认，我曾经确实对别人许过无法兑现的承诺。你若不信嘴上的誓言，我会在将来用行动证明我的真心。"

自巴煜瑞开口至最后一字结束，楚涟雪整个人似静止一般。她侧头看他，脑中想着从最初街市相遇到今日今时的点滴，不经意间唇畔微扬。很久前，她就常听人说，巴家二公子风姿倾众目，文采动诸公。数日接触下来，她发现这话不假。

巴煜瑞见她似有笑意，以为是相信了自己，心中欣喜不已，嘴角亦跟着她一起扬起。

谁知，楚涟雪轻呵一声，冷淡道："真心于你们富家子弟而言，如同手里的钱币，随意挥洒，从不管是不是一时兴起。你若真想娶我，那便回家休妻，再立下契状，不休我，不纳妾，否则赔上万贯家财。"

巴煜瑞听着楚涟雪的讥诮，微微垂眼，眉间微蹙，不再说话。良久，他松开她的手，起身走向门口。

楚涟雪眸光微动，手中木梳瞬地滑落妆台。她神色黯淡几分，未回头看他，缓缓呼出的气息颤颤分明。她暗暗嘲笑：果然，都是假的。

巴煜瑞至门口，忽地停了脚步，回身正色道："我若照你说的做了，你是不是也会兑现你的话。"

她呼吸猛地一顿，惊诧地看向他。

二人对视片刻。巴煜瑞开门，出了屋子。楚涟雪回神，赶忙起身追上。她一把抓住他手腕，一脸惊疑："你干什么？"

巴煜瑞神态自若，道："休妻。立契。娶你。"

她环视四周，将他拉进屋内，关上房门，瞪着眼，难以置信："我只是开个玩笑。"

他则一脸认真："可我信了。"

"别闹了。你一纸休书写得轻快，她收得痛苦。你让街坊如何说她？况且，她无大错，理亏的是你。况且，你的家人也……"楚涟雪怔愣少顷，轻笑着一口一个况且。

"你是在关心我？"巴煜瑞打断她的话，满脸期待。

这个问题回答起来很简单，可楚涟雪却犹豫着难以开口。当她自问时，巴煜瑞走近一步，眼底的温度渐渐烧起，贴在她耳畔轻啄："其实，在你心里，是愿意相信我的。不然，你方才为何会追我出门？涟雪，相信我一次，好么？给你我一个机会，好么？"

她沉吟片晌，仰头盯着他璀璨的双眼，果决道："不好。"

巴煜瑞脸上并未露出失望，反而扑哧笑了出来，委屈道："不能委婉点么？你这样会让人颜面尽失。"说罢，他径自坐在床边，又敛了笑意，好整以暇地看她，"你说什么我都依你，绝不勉强。你不愿，我会等你心甘情愿。"

楚涟雪拧紧的心渐渐舒展。她不再言方才的话题，素手焚香，摘几朵新鲜的茉莉煮一壶清茗，清香四溢，风雅逼人。

巴煜瑞坐于案几另侧，静静观赏。

楚涟雪提壶倒茶，递过莹润的白玉杯，笑道："巴公子近日愁容不展，可是因家中的变故？"

巴煜瑞接过玉杯，目光自杯盏移至她雪白的脸庞，停留片刻，低头品一口清茶，言色颇为失落："自大哥去世，大嫂当家后，家中人心各异，无一日安宁。如今，大嫂走了，三弟当家，毫不犹豫地接下了为王陵供应石料的生意。采石不同其他工程，尤其是大块完整的石料，不论是人员、工具、质量、流程，难度之高，要求之精，丝毫不亚于丹砂与水银的制取。这样的买卖初次投资时，郡守、糜府、巴家三方合力是最好的选择。既可共同受益，又不误工期。可谁知，商议的结果竟是全权交予三弟。不知郡守与糜啸郴打的什么主意，机会不要，钱也不赚，更不知三弟是哪儿来的自信和底气，大言不惭地应承下来。三家货一家出。丹砂要做，石料要采，时间紧迫，需求量大，用不了多久，巴家便会分身乏术。何况，丹砂已然出了问题。三弟实

在不应妄自接下采石这单生意。与官府打交道怎能这般刚愎自用、急功近利。我曾提醒三弟，他却不理，一意孤行。只怕这次是凶多吉少。”说着，他放下酒杯，又兀自叹道：“若大嫂在，绝不会让这等事发生。大嫂虽是女流，却德才兼备，遇事处变不惊，生意上精明通透，巾帼不让须眉。只可惜……”

巴煜瑞话止于口，别过头望着稀疏的雨丝，怏怏不语。

楚涟雪右手托腮，目光投到他气恼的脸上，玩味道：“本以为终日无忧无虑的巴二公子，脑袋和心里装的全是风花雪月、诗词酒令，未料也懂经营。你一本正经的样子还真让人有点不习惯。”

巴煜瑞含笑看他，语声却万分委屈：“本以为我喜欢的人儿通情达理，善解人意，未料竟是个不分场合、随便拿人打趣的狠心人。”

楚涟雪端起案上茶烟袅袅的玉杯，眸光从朦胧水雾后淡淡眄过，挑眉看他：“然后呢？”

巴煜瑞左臂抵上案几，手指轻揉了揉太阳穴，装出一副愁苦状：“能怎样，忍着呗。”

楚涟雪嫣然一笑，如绽开的白兰花，碧波般清澈的眼中露着鲜有的暖意。

巴煜瑞讷讷地看着，痴痴地说着：“涟雪，你笑起来真美。”

楚涟雪抿了两口茶，漫不经心道：“名门豪族总有是非不断，身处其中自然无法幸免。巴公子整日流连花丛，对家中生意却尽数知晓，想来也是心系当家之位。”

巴煜瑞似想起了什么，眉头微蹙，语气有些不满：“可有些事我绝不会做，更不会闹得人尽皆知。以三弟的性子，以后的日子必定不顺。”

楚涟雪声色轻淡：“所以，你不愿回家？”

“家不成家，不回也罢。”巴煜瑞抿一口茶，无奈一笑。

她听着干脆的回答，斜睨着他，冷清的嗓音自喉间响起：“人心各异怎会只有几月，不过是一些暗里藏着的事毫无防备地显露出来，一时间难以接受罢了。其实，心还是那个心，黑白善恶从未变。巴公子在意的是离家的那个人，觉得少了她，家不成家。”

巴煜瑞笑吟吟地打量她：“你吃醋了？”

楚涟雪看着窗外渐停的雨势，淡漠道："巴公子喜欢一百个、一千个与我何干？"

见她眉眼间似有怒意，巴煜瑞赶忙解释："你看你。我方才不过是句玩笑。我对大嫂绝无半点儿女之情。只是大哥已逝，大嫂为巴家付出不少，此次遭难又与我母亲有关，我实在觉得……"

"有愧于她。"楚涟雪接下他的话。

巴煜瑞蓦地迟钝起来，眼睛眨也不眨地看她，见她悠然恣意，粉唇抿起一个似笑非笑的弧度，才知被戏耍了一回，当即拍案佯装恼怒："好啊，敢骗我。你当偿我揪心之痛！"说着，伸手去抓她撑在案几上的手腕。

二人交战了一会儿，楚涟雪收敛嬉戏的心情，立在窗边，笑问："巴夫人现在如何？"

巴煜瑞负手立在她身旁，轻叹："听说住进了糜府，衣食住行绝不会差。"

楚涟雪侧头看他，好奇道："坊间传她与糜啸郴之间有情，难道是真的？"

巴煜瑞淡淡一笑，不置可否："以前我从不理会那些传言，因我相信大嫂的为人。如今，我倒希望是真的。若确有其事，大嫂也算有了一个依靠。"

第
二
十
七
章

糜府惊魂

"秋雨渐凉，好生舒畅。"鸢儿仰着头，眯眼望了望高悬的太阳，一脸惬意。

初秋的午后，温馨恬静。天晴如一张铺展的上好蓝缎，绣着纯白的云纹，再嵌一轮灿阳，像极一幅扬帆畅游沧海间的浩荡图景，引得人心绪开阔，愁思飞远。

巴清一袭月白曲裾游走园中，莲步轻缓，顾盼生姿："秋风送爽。此时的天气当是四季中最好的。"

"小姐，今日是糜公子的生辰。听说，巴蜀大大小小的商户和官员送礼的送礼，贺寿的贺寿，连郡守也亲自拜访。礼品成山，门槛都要断了。"鸢儿跟在身后，轻声说着。

巴清明白她是暗示自己做些表示，微笑赏花，不置一词。

巴清住进糜府已近三月。府中上至管事下至佣人，对她们主仆无不恭谨有礼，照顾有加。糜啸郴更是日日探望，无微不至。

一个女子在遭遇劫难后，能遇到像糜啸郴这般财貌兼备、推心置腹的男子，定感激涕零，爱意萌生。鸢儿便是这样想的。她认为，对女子来说，没有什么比找到一个依靠更重要，尤其是在身如浮萍，处境艰难时，遇上这样一个深情的男子，若是不抓住，都枉活一场。可她等了半刻也不见巴清回应，了然又是白白提醒，嘬了嘬嘴，不再说话。

雨后，泥土的清香萦绕着盛开的蔷薇，密密匝匝地点缀别院前园，远远望去犹如艳丽夺目的织锦。

巴清踏着粉白蔷薇，围绕的碎石小径出了别院大门，行了几步，下颏微扬，目光飘向左前方的一座精巧凉亭，淡淡道："代我转达縻公子，今夜酉时亭中一叙。"

鸢儿一脸惊喜，跳到巴清面前，开心道："小姐，你终于想通了？我这就去。"说罢，她急切切地跑开，好似生怕巴清反悔。

巴清望着鸢儿欢快的背影，轻叹口气，心有无奈。

鸢儿的话一直在她耳中打转，不是从未想过，不是毫不感动，只是牵扯太多，顾虑太多。倘若一切只是寻个依靠那样简单又哪会生出这许多枝节。

她兀自前行，至蔷薇尽头，俯身摘下一朵，一时竟忘记枝茎上带着尖利的小刺。她吃痛地收回手，摊开来看，右手食指的指尖已渗出了豆粒大的血迹。

"绿攒伤手刺，红堕断肠英。蔷薇又名刺玫，摘取时要小心。"萨孤卓韫款款走来，递过一方锦帕。金色阳光点点洒下，投在他如扇的睫毛，在眼周映下浓浓暗影，掩着那双灿灿星目。

巴清接过锦帕，拭去指尖血迹，温婉道谢，又笑言："许久未见到哥哥。"

"平日，我需外出采药炼丹，不常待在府中。"萨孤卓韫环视四周，指了指前方不远处的凉亭，道，"这里阳光刺眼，我们往前处走走。"

巴清了然其意，点头跟随。

"哥哥怎炼起丹药了？莫不是由医者改行成了术士？"巴清巧笑着进亭，寻一阴凉处坐下。

"是縻公子需要。能在縻府住下全靠这点本事。"萨孤卓韫语气淡然，目光流连周边，颇为警惕。

巴清眉心微动，疑道："啸郴炼丹药做什么？我从未听他说起此事，也不曾觉得他是个相信丹药延寿之人。"

萨孤卓韫双目仍巡索四周，声音压低了几分："近日，我游走巴蜀各处，发现光雾山、石城山与白鹤山各有几处隐秘洞穴，里面常有敲打声与火光传出，日夜不休。每个洞口皆有人把守，无法进入探知。从外观与地势来看，

那些个洞府应是天然形成后再由人工深凿而成。我一直在想，这些洞府究竟是谁开凿，有何作用？直到五日前，我在白鹤山的一处洞穴外看到糜府的管家，身后跟着数十名壮丁，抬着许多制好的兵器。"

巴清不由变了脸色，垂首低声自语："啸郴这是要做什么？难道他不知这是重罪么？"语罢，吕不韦的话又闪现在她脑海。她猛地站起，神色大骇。

萨孤卓韫见她如此模样，意料之中，续道："至于为何炼制，用于何处，不得而知。我虽不懂秦国律法，却也知道私自囤造兵器不论在哪一国皆是谋逆大罪。"停顿须臾，他担忧道："清儿，你应当小心。若此事东窗事发，糜府上下皆难免遭灭顶之灾。我尚可自保，但你……"

忽然，一声猫叫将二人的谈话打断。

二人循声望去，只见东北方的门楼边有一小猫，毛色黑亮，轻轻地晃动着尾梢，双瞳闪闪地望向这边。

萨孤卓韫警觉地起身，走近巴清，柔声道："我现下须出门一回。你若厌倦了这儿，可随时找我。我带你远走。"说罢，他快步离开，头也不回。

巴清怔在原地，不明白他为何走得那样急，好似对那只小猫很是在意。她回头朝门楼处看看，发现黑色小猫还在远处默默地注视着自己。她挑眉望向门楼内里的景色，眼及之处尽是绿草花丛，安静恬淡，好不怡人，不禁挪动脚步，向那门楼深处走去。

小猫见有人走近，毫不怕生地静静蹲踞在门边的石板上，双眸闪着琥珀色的亮光，观察着巴清的一举一动。

入了门楼，恍如进了另一片天地。她沿着蜿蜒的花石小径一路行至一片树枝幽密、花朵飘香的金桂园，欲住脚欣赏，却发现小路忽然没了去向。她张皇四顾，发现那小猫竟在身后五步外跟着自己，虽诧异却也未在意。

她脚踏泥路身入密林深处，见前方有一道宝瓶状的园门。她穿过宝瓶门，又是一片清幽茂密的竹林。风动树梢，如浪翻涌。林中有一玲珑假山。假山后隐约显出一座房屋。她快步向林中深处走去，丝毫未察觉那黑色小猫仍跟在身后。

假山后的房屋青石黛瓦，飞檐斗角，雅而不失严峻。

巴清打量着美轮美奂的华屋，缓步上阶，轻叩房门。无人应答，她再叩三下。见仍无动静，她又轻轻试推。不料，门竟吱呀地开出了缝隙。

糜府书房无人擅自进入，亦无须终日上锁解锁。

巴清欲推门进屋，身后忽然传来小猫尖利的叫声。她回头，见那小猫双眸闪烁着恼怒的电光，弓着身子，尾部高耸，咻地转身沿着过来的路回跑。

她虽觉奇怪，却仍未在意，只当它在玩闹，转身推开门，进了屋子。

可那只小猫绝非玩闹。

巴清怎么也猜不到，小猫飞奔的方向正是糜啸郴所在的厅堂。而此时堂内，已生起了一场惊魂血杀。

鸢儿离开巴清后，问了偏院的侍婢，得知糜啸郴在厅堂后急忙去寻。然刚刚行至回廊中途，她便听见堂内传出巴煜泽的声音，虽字句不清，却可感到怒意不轻。

她心头一紧，贴着回廊外侧，轻声细步，慢慢靠近。

堂内，糜啸郴把玩着手中的青玉凤柄执壶，微笑道："巴公子这话真是让人颇觉好笑。巴家当家的是你。贵府过得好与不好，一丝一毫，我怎会知道？你说来为我贺寿，却进了门大吼大叫，好似谁得罪了你。现在又说一切都是我算计好的，真是不知所谓。"

巴煜泽面色铁青，脸孔几近扭曲，怒道："王陵采石一事，难道不是你与郡守为瓜分我巴家家业而为吗！"

糜啸郴敛起笑意，将玉壶搁置一边，倚着玉榻，漫不经心道："我与郡守是何想法有什么关系。没人逼你接下这单生意，是你自己大言不惭，无半点自知之明。出了问题，只知怪罪别人，怎不反省反省自己。你也是……"

话音戛然而止。糜啸郴眉眼瞬地凌厉，目光如飞刀射向敞开的堂门。

一旁的管家看了眼右扇堂门的窗棂上隐现的发髻，悄声走进通往后堂的旁门。

巴煜泽瞪着眼，琢磨着这主仆二人搞什么名堂。

糜啸郴见管家已有行动，恢复常色，双眼悠悠落在气结的巴煜泽身上，玩味道："本以为你能完成一半货量，怎知是一塌糊涂。你让巴家成了众商户茶余饭后的笑谈。我劝你趁早交出剩下的家业。你若老老实实，兴许我会留点颜面与钱财让你维持余生。"

巴煜泽忍着怒气，嗤笑一声，反唇相讥道："你这么狠毒，我那可怜的大嫂知道么？你说，她若知道是你害死她夫君，又是你帮我争夺当家之位，会有什么反应？"

躲在堂门外的鸢儿死死地捂住欲惊呼的嘴，趔趄着连退两步，几近丧魂落魄。她惊怔片晌，稍稍回神，只听堂内縻啸郴厉声呵斥："不知好歹！看来只有倾家荡产，饿死街头，才能让你明白应该如何做人！"

鸢儿不敢再听，心想要马上回去告知巴清，却不知管家早已站在她身后。她还未来得及转身，便被管家左手勒颈，右手封嘴。

她纤瘦的身子经不住管家发狠时的力气，挣扎几下便双手松垂，拼命踢蹬的双脚再无动静。短短片时，她便鼻息全无，唯有两只泛着泪光的大眼死死瞪着前方。

鸢儿的挣扎声引得堂内二人快步出屋子，一看究竟。

"你怎么把她杀了？我怎么向清儿交代！"縻啸郴本意留她一命，见此情景当即急躁起来。

管家松开手，任由她尸身跌落在地，阴狠道："这丫头十分忠心。方才说的话她听得清楚，绝不能留。"

管家看了眼错愕的巴煜泽，上前一步，贴近縻啸郴，低声道："今早，郡守送来一年幼白虎。我们可假作笼子未有牢固，白虎径自冲出，意外咬死。"

巴煜泽闻此，惊惧地看着眼前的主仆二人，顿时毛骨悚然，半刻也不想停留，急急离开。

縻啸郴望着死去的鸢儿，微微蹙眉，犹豫间似有不忍："做得像些。"说罢，他抬脚往偏院去，行了两步，又回头叮嘱，"修一座坟厚葬。白虎不必留了，当做陪葬吧。"

管家点头应下，唤来几个仆人一同处理。

"喵。"轻细的猫叫声响起。

管家回头看向回廊尽头，见小黑猫正对自己用力摇晃尾巴。

他仓促地吩咐仆人几句，匆匆赶往书房。

书房内，巴清被独特的布局与装饰吸引，莲步轻移，惊叹不已。她由门前向内环走，经过悬着利剑的墙壁，手指轻抚近窗的琴瑟，欣赏着隔层内的珍宝，目光最终停在南墙隔板上的数卷竹简。

她拿起最上层的一卷展开，是撰写虞、夏、商、周政事与官员言论的《尚书》，再换一卷，是倡导内修文德，外治武备的《吴子兵法》。

她见这些竹简不是治国之论，便是军事之道，颇觉无趣，搁置一旁，再寻其他。她眼波流转，看到压在最底下的一卷罩着白色锦帛的竹简。她好奇地将它取出，解下外层锦帛，小心打开。

简上刻有三行文字，曰："今日，我巴煜泽为争当家之位，求助于縻啸郴。事成后，应其所求，将巴家蜀地产业全权交付。特立此据为证。若违约定，连同谋害手足巴煜祺之罪一起对质公堂。丁卯，七月二十三日。"

顷刻间，一字一句如巨锤重重砸向她头顶。巴煜泽嫣红的指印更让她触目惊心。她惶惶退后，握着竹简的双手颤抖不已，一时间呼吸停滞，身体木然，顿感天旋地转，周身物什悉数颠倒，万般颜色皆变灰沉。

风声乍起，屋外竹林一片沙沙低语。恍惚间，她似听到屋外有脚步声传进，矫健有力，节奏沉缓。

她猛地清醒，战栗地将白色锦帛重新装好，放回原位，深吸口气，重整情绪，稳住虚软的双腿，提步出屋。

管家立在假山旁，看着出屋的巴清，阴沉着脸，冷冷道："这是我家公子的书房。"

小黑猫乖巧地蹲坐在管家脚边，张开虎口打了个哈欠，炯炯双眼泛着精光，似将眼前事当做一场戏，悠哉观望。

巴清并未应答，抚了抚鬓角，声色不动地下了石阶，径自按原路返回。

"巴夫人。"管家再唤。

巴清停脚，侧头看他。

管家淡漠道："寿礼白虎不慎出笼，几名仆人皆受其害。您的侍婢鸢儿因伤势过重，已无力回天。她现在厅堂前院。您去看看吧。"

风势又涨，卷着几片薄长的竹叶凌空飞舞，回转间，擦过她的脸颊，留下一道红痕，带起隐隐地痛。

她嘴角抽搐，唇瓣微张似要说话，最终只字未吐疾奔厅堂。

天色一分分暗淡，浮月当空，星蒙如尘。

荷薇别院前铺各色蔷薇，后植满池睡莲。如今，正值秋季，满池残荷，红衣尽褪，飘着余香冷韵，凉意中透着残败。而前院的各色蔷薇开得异常繁盛，澹澹的月光下，如点点碎金，香气馥郁缠绵。

别院挺挺地立在呼号的劲风中，孤寂而又诡秘，仿佛前一眼如临天堂，转身便是地狱。

巴清独坐在案前，一动不动。屋内昏暗无灯，四面窗敞，点点月光照进，一处一角透尽凄凉。

每当夜幕时分，鸢儿总会端着晚膳进屋，眨着水汪汪的大眼，笑吟吟地立在她身旁，数年如一日。如今却换了模样。

"姑娘，公子让奴婢来伺候您。"一个十四五岁的白衣少女推门走进，将饭食搁置桌案，一边点亮烛台，一边轻声安慰，"鸢儿姑娘的事，奴婢听说了。姑娘节哀，身子要紧。"

白衣少女熄了火折，停留片刻，见巴清仍旧不理睬自己，只得悄悄出门。

"午后，几人贺寿，姓甚名谁？"巴清冷冷唤住刚要合门的白衣少女。

白衣少女道："除了蜀地的盐商，便只有巴家三公子。"

晚风丝毫未减，游移整座别院，穿堂，拐角，无处不在，时远时近，时有时无，仿佛是来自阴曹地府的呜咽。

她搭在案上的手缓缓攥紧。她知道，鸢儿一定不是因白虎而死。

风吹进屋内，扑打着她脸上绷紧的茸茸毛孔，似每一个毛孔都在风中尖啸战栗，每一根神经都在风中怒吼炸响。

时近子时。糜啸郴一身蓝色锦袍踱步进屋，落座巴清身旁，借着烛光小心、仔细地观察巴清神色。

巴清并不看他，只哑着嗓子道："她才十三岁。"

糜啸郴垂头，唇角微抬，欲言又止，拘谨不已。半晌，他才缓缓道出一句："我已命人将那畜生卸为八块，以解你心头之恨。"

屋内再度静谧，只剩风声喝厉。

糜啸郴见巴清不回应，也不看自己，心中慌乱。他踌躇片晌，扯了扯嘴角，本想好好安慰，却说了句最不该说的话："她虽年小，可也应明白是非对错。今日有此一劫，也是当初她害你腹中孩儿之报，只当是老天有眼了。"

闻此，巴清转过身子，脸上没有一丝表情，整个人显得异常冰冷。跳动的烛火，晃映着她幽深的瞳仁，闪烁飘忽。她目光缓缓迎上他双眼，一字一顿，语气出奇的平静："老天真的有眼么？"

此时的她，素日的温柔大方、率真热情统统销匿，取而代之的尽是冷酷森森、阴狠漠然。

縻啸郴从未见过她这般模样。幽幽烛光下，他不再答话，缓缓起身出屋，声色不动，嘴唇却血色尽失，心中层层叠起，巍峨牢固的高塔轰然垮塌，一切皆支离破碎，再难复原。

门开，一阵疾风涌进。烛火在晃荡闪烁中奄奄熄灭。唯有窗边玉案上静躺的绿绮，泛着悠悠光亮，似攀缠在老树上的青藤，蓄势欲冲破漆黑无际的密林。

縻啸郴出了别院，一路神色怏怏。

一直在院门外等候的管家跟在縻啸郴身后，轻声道："主人。巴夫人今日去了您的书房。"

縻啸郴矫捷的步子忽地停住，颀长挺拔的身影，浓墨般斜印在身后的石板路上。摇曳的树影，深深浅浅地落满他衣衫。光影交错，映出他失落灰败神色。

"主人，巴清留不得。她与吕不韦相交甚密……"

未待管家说完，縻啸郴转身一把揪住他领口，拉到身前，声色阴狠道："你若敢动她分毫，我定将你挫骨扬灰！"

管家顿了顿，失望道："以前，主人征战杀伐，哪怕是斩人千数亦从未有半点犹豫。今日，却对那鸢儿心软。属下实在不愿看到主人为了一个女人，置大业于不顾……"

"够了！念你跟我多年，纵你一回。如若再犯，绝不轻饶！"縻啸郴推开管家，甩袖而去，俊挺的轮廓在黑夜中淹没。

当爱恨变得太过执着，便会令人着魔。当心中开出黑色的花朵，光明也难照破。

第二十八章　绝地反击

糜啸郴走后，巴清彻夜未眠。

她走至窗边的玉案，抚摸着幽光隐隐的绿绮，指尖滑过琴弦，清冷无调的弦音涤荡着她繁乱的心绪。

此时此刻，她的脑中反复地想着一个人。

这个人，就是昌平君。

冷冷月光照进，映出她漠然无神的双眼。那双眼再不似从前清澈明媚、灿如繁星。

决心就在这一夜落定。

一切都将于明日翻转。

次日，曙光映万瓦，朝雾戏云烟。

巴清梳洗整装，出了糜府大门。

"姑娘，咱们去哪？"白衣少女跟在巴清身后轻声问着。

巴清漫无目的地四处观望，神色悠然："久未出府，心中憋闷，随处走走。"

巴地街市分为三处，各售不同，贫贵不齐。南有朱雀门，交易金银珠宝，玉器珍玩，动即千万，达官显贵常临。北为酒楼林立、茶饮美食、衣行药货，无一不齐、无一不精的鼓角肆。东是每当向晚，灯火四起，酒廊花坊彻夜长欢，博彩占卜、曲令杂耍，车马阗拥的兴河夜市。除却只在夜晚繁闹的兴河夜市，其他两处不论晨、午、晚时皆热闹无比。

巴清步伐轻快，一路穿过纵马长街，东西两巷，直抵北市门庭。

靠近门庭处的街路两旁为大小货行，皆是工作伎巧者所居。向里行百步，为酒楼、果子行。旭日当头，已过辰时。放眼前方数里，炊烟渐起，食香四溢，百味羹、千家饼，飞禽走兽样样有。食客、买主接踵而至，好不热闹。

一茶饮铺门前，楚涟雪独坐一案。初升暖阳斜晖脉脉，映着她与碧空同色的淡蓝曲裾，如天降仙子，清灵秀逸。

她一手托腮，一手捏起一块精巧茶点入口细品，双眼在前方袅袅的炊烟与各色行人之间流连。

几块小食下肚，她拿起案上盛满香茗的檀木茶杯，轻轻吹散上浮的雾气，抿一口，唇齿留香。

她辗转的目光落在渐行渐近的巴清与白衣少女的身上，又移至二人身后鬼头鬼脑的灰衣男子。

灰衣男子距巴清二十余步，紧紧地盯着巴清的一举一动，不时驻足各摊铺前与商贩攀谈询价以作掩护。

楚涟雪缓缓放下茶杯，美眸微眯，嘴角浮一丝笑意。

巴清亦隐隐感到有人跟随，但回头观望几回，皆未发现可疑之人。她踟蹰片时，停在一果子摊前，随手点了几样干品，转身对白衣少女道："你去朱雀门内街的玉尘坊替我买几盒胭脂。我有些累了，不愿走动，在这里等你。"

从鼓角肆赶到朱雀门，来回至少一个时辰。白衣少女皱了皱眉。巴清看出其心思，笑道："我看你太过素净，此去你便挑选几样自己喜欢的。"

玉尘坊的胭脂名扬各地，价格昂贵堪比珠宝，唯有贵妇才舍得去买。白衣少女遇到这等好事，脸上顿时露出欢喜神色，赶忙向巴清道谢，急急跑向朱雀门。

巴清支开了白衣少女，扔下手中装好的果品，快步前行。隐匿的灰衣男子见状，急忙跟上。行了几步，她发现了灰衣男子的诡迹，停下脚步，踟蹰在摊位前焦急地想着摆脱之策。

此时，铺外闲坐的楚涟雪付了茶钱，取出面纱遮颜，起身向巴清走去。

她走近巴清，并不搭话，也无其他动作，只缓了步速，静看一眼后擦肩

而过，径直走向灰衣男子，挡住他去路。

灰衣男子双眼紧盯巴清，不耐烦地推搡着眼前人，凶狠喝道："让开！"

楚涟雪冷冷一笑，一手迅敏地扣住灰衣男子的手腕，一手在他面前扬出优美弧度，顿时白色细粉飘扬，一股异香弥漫。

灰衣男子呼吸两下，突然一改方才的暴躁，双眼光色迷离，整个人痴傻一般，静立不动。

楚涟雪粉唇一勾，松开男子手腕，取下他腰间钱袋，转身离去。

半刻过后，立在人群中的灰衣男子身子一颤，瞳仁大张，神色忽然惊恐慌乱，似噩梦惊醒，似见可怕怪物，瞬间手舞足蹈，张皇失措，呼喊着撒腿回跑，引得旁人无不侧目嫌弃，以为是哪家疯子偷溜了出来。

巴清听见呼喊声，回头探查，见灰衣男子已疯疯癫癫跑远，顾不得思虑何因，趁机疾步赶至街市尽头，进了一家名为和顺的酒馆。

她走进店内，环视四周，摆设装饰与初见昌平君时无异。

店家笑吟吟地走到她身前，问："姑娘用些什么？"

"找个清静的雅间。"她淡淡回应。

只一句，巴清便已看出店家绝非酒馆做主之人。她随店家走进一间雅间，从袖间拿出一颗金珠，平静道："听闻你们老板的厨艺堪称一绝，今日我特来品尝一番。不过，我要的菜与你们店里常做的不同。选用何料，生熟几分，咸淡深浅，我要亲自说与他听，否则味道差了，这金子可要打折扣。"

店家看到金珠，未露出喜色，摆好茶壶杯盏，后退两步，低了低身，恭敬道："稍等。"

片刻，一黑衣男子推门进屋。

巴清定睛细看，此人正是昌平君的门客黑衣军士。

"许久未见，巴夫人憔悴了些。"黑衣军士含笑对坐。

"恕民女无礼。今日情急，方才也是周旋了许久才到这里。"她淡淡一笑，忐忑未消，对不知去向的灰衣男子仍心有余悸。

黑衣军士浓眉一挑，从容笑道："哦？何事这般要紧？"

巴清身子贴近案沿，压低了声音，冷冷直言："糜啸郴在光雾山、石城山与白鹤山各建隐秘洞穴私造兵器，图谋不轨。此外，他命人私下炼制秘丹，欲控朝臣心智，助己谋逆。"

巴清并不确定糜啸郴炼制丹药的真正用途。她说得这般肯定，其实是掺杂了自己的臆断，有些欲加之罪何患无辞之意。此时的她，只想着以彼之道还治彼身，谈什么真假。

黑衣军士一愣，提壶倒下两杯清茶，推一盏至巴清眼前，狐疑道："巴夫人想通了？"

巴清神色落寞，恻恻道："我本无心，他们却步步紧逼，害我夫君，堕我腹孩，杀我侍婢，刀已架颈，我怎能坐以待毙？"言罢，她目光回转，眼中有诚恳，更有森森恨意，"此仇不报，誓不为人！"

黑衣军士手指轻快地敲点案几，垂眸思虑，不置一词。

巴清猜到其正暗自揣测真假，权衡利弊，便殷切道："军士来巴地已有些时日，许多人事亦有耳闻，想必暗里也有打探。糜啸郴借他叔父之势，短短几年便垄断全国盐业，在巴蜀只手遮天，更有买官卖官、私通别国密使之嫌。如今他暗积粮仓，私造兵器，狼子野心，为祸大秦之举已经坐实。好在他尚在筹备，未成气候。此时，公子若收集罪证将他揭发，既除去心患，又护国有功，一举两得。若再过些年月，只怕木已成舟，祸害无穷。逢此良机，失不再来。"

黑衣军士了然一笑，道："巴夫人好见识，倒让我们这些为公子筹谋的门客显拙了。"言罢，他话锋一转，意味深长道，"在下听说，巴夫人与糜啸郴交情匪浅，是真是假？"

巴清微笑道："军士大可放心。民女断不会与仇人共谋。何况，良禽择木而栖，民女也是为了自己与家业大计。"

黑衣军士点点头，沉吟须臾，又道："巴夫人与吕相亦有往来，怎不将自己的遭遇呈表，请他做主？"

巴清盯着黑衣军士，眸中精光盛盛，莞尔道："实不相瞒，民女呈表吕相同样可大仇得报，同样可重掌家业。但不同的是，此事在朝中激起的权与利，与公子毫无干系。换言之，您与公子，希望民女将此事告知吕相吗？"

其实，她的实不相瞒实有隐瞒。她并非真心为昌平君打算，而是助嬴政一臂之力。她料想，嬴政能够遣昌平君寻找与护送自己，必然对其有试用或

提携之意。她知道，糜啸郴一事若谋划得当，那便是震撼朝野、剑指糜公的大事。她更明白，如此大事若交由吕不韦处置，一旦糜公败，对嬴政无利有害。

这便是嬴政对她说的那一句"寡人做不到的，你能够"的真正用意与期待。

然此事上，没人能够左右她的选择。只要她大仇得报，选择任何一方皆可。而她之所以如此选择，是因为她认为，嬴政值得。

黑衣军士面色如常，心中震撼，眯眼审视巴清好一会儿，方阴阴笑道："如此说来，公子是必须要接受巴夫人这份人情了？"

巴清饮茶不语。她知道自己不需回答，那不过是黑衣军士惊诧与不甘的反问。

黑衣军士提壶为巴清将茶杯斟满，凛声道："若大事得成，吕相必然警觉。巴夫人希望吕相知道您拨弄其间吗？"

巴清挑眉浅笑："您说呢？"

其实，只要糜公败，吕不韦知不知道没什么大碍。纵有不满，她亦可寻机化解。但她知道，昌平君绝不会让吕不韦知道她在其中的关窍。因为，她几番接触，了然昌平君乃隐忍而非蠢钝好事之辈，必然明白掌权者最忌讳的便是旁人背后谋权。此事，昌平君不论成功与否，皆会被吕不韦警惕甚至记恨。他已然应付不暇，又何必再将她抖出，再添一笔恩怨。隐总好过明。留得他人路，日后好共图。

"此事非同小可。我会尽快禀报公子。巴夫人耐心等候，万事小心。"黑衣军士终于首肯。

巴清欣慰点头，为其斟茶，亲自举杯递与，又寒暄几句，起身告辞。

黑衣军士亦起身，看着巴清背影，唤道："巴夫人。"

巴清回头看去。黑衣军士负手挺立，声色冷冽："在下想提醒巴夫人，同事多主，易寻死路。"

她颔首一笑，不言片语，稍理襟袖，簪牢鬓上微微歪斜的步摇，从容出店。

她当然知道，只是时候未到。

两杯茶盏，简单笑谈，巴清仅停留四刻便走出酒馆。

她抬头迎着娇艳刺眼的阳光，长舒口气，似将积压在胸口的怨闷统统呼出。

她重整心绪，再回糜府，然未行十步，忽听得斜后方有悦耳声传来，唤得正是自己的名字。

她驻足望去，看到酒馆一旁的巷口，一蓝衣女子正背倚墙壁，冲自己嫣然巧笑。

蓝衣女子正是楚涟雪。

她走近些，疑惑道："姑娘可是叫我？"

蓝衣女子干脆道："特意在此等候。"

巴清惊愕地打量着这个清秀女子，不解道："姑娘怎知我在此处？"

蓝衣女子笑道："有心自然知晓。"

巴清又将她从头到脚细细打量一番，见不像怀恶之人，便温声笑言："姑娘等我所为何事？"

蓝衣女子晃了晃手中绣着糜字的钱袋，玩味道："当然是来向巴夫人讨赏。"

巴清望着晃荡的钱袋，蓦地想起跟踪自己的灰衣男子，想起与自己擦肩而过的蓝衣蒙面女子。想此，她一脸惊疑，紧张道："是你致他疯癫？"

巴清此时关心的不是她意欲何为，而是那灰衣男子的处境。一旦那男子受伤或死亡，巴清都将处于险境。

蓝衣女子微笑道："放心。我用的是一种吸入口鼻后致人通神见鬼，清醒后记不得发生何事的香料。此香由七星海棠、曼陀罗花、川乌、草乌、茉莉根、莨菪碾碎榨汁，提炼而成。若是巴夫人喜欢，我可……"

巴清打断她，满眼警惕："为什么？"

蓝衣女子见她神色凛然，于是从袖间取出一手掌大小的玉石。玉石通体血红，在阳光下熠熠生辉。

"血玉？"巴清诧异惊呼，屏气定睛，靠近仔细看那玉上的雕像，不禁后退一步，错愕失色。

蓝衣女子收起血玉，正色道："看姐姐的样子，是知道这血玉的来历。"

巴清垂眸不语，眉心生生皱出两道深纹。

蓝衣女子续道："传说千年前，蚕丛、柏砯、鱼凫共建蜀国。为保国家长盛不衰，三族血脉永世不断，三王临终前将三大神兽，白虎、黑蛇、咸鸟雕于宝玉之上，再命巫师赋予通神之力，而后一王一枚吞咽脏腑之中，致死血透渍，直达玉心。百年后，由王族血脉中生辰与三王殡天时辰相同者取出守护，代代传承。国遇大难，三玉齐聚可消灾。国若毁灭，三玉齐聚可复辟。早年，此说闹得满城风雨，惹得秦惠王发下海捕文书，搜杀蜀王后裔。"

说到此处，巴清脸色已是铁青。

蓝衣女子靠近一步，低声道："我的是白虎驾云。按生辰算来，姐姐的应是咸鸟展翅。"

巴清身子一颤，冷眼看她："姑娘说的什么我不甚明白。传说终究是传说。鬼神之事不可信，姑娘好自为之。"说罢，她转身便走。可未行几步，她神思一闪，脚下一顿，忽然想起讨要自己生辰八字占卦的郑方士。她恍然，折身逼近蓝衣女子，语气凛冽又有几分慌疑："你与郑方士有什么关系？"

蓝衣女子微笑，避而答其他："姐姐若认为我在行骗，大可去僰王山落魂谷看一看。悬崖峭壁之上，停着数十座棺椁，均是被秦赶尽杀绝的蜀王后裔。我自小随爷爷习驯鹰术护谷，脸上的疤便是儿时被鹰鸷啄伤的。"

巴清倒吸口凉气，顿觉周身寒意森森。

蓝衣女子上前扯了扯巴清衣袖，言语中尽是委屈："姐姐不信这些也罢，只当是一番胡言乱语。可妹妹现在过得不好，为谋生计不得不花坊卖艺。妹妹不愿终日对着那些酒肉色相之徒陪笑。不求其他，但求姐姐收留，愿效犬马之劳。"

最后一句让巴清颇为震惊。她再三打量楚涟雪，暗自斟酌：若有图谋，留在身边眼见耳闻，总好过放任在外明暗不知。

想罢，巴清缓和神色，微笑道："妹妹遭遇实在凄凉。我自然愿救人苦难，积德行善。日后你便留在我身边。"

蓝衣女子一听，欢喜不已："姐姐放心，我绝不会擅惹是非。"

巴清点了点头，笑道："你叫什么？"

"楚涟雪。"

第二十九章

杀伐立威

深秋，咸阳。碧云高天，黄叶满地，深沉而又孤寂。

昌平君端坐在渭水河岸，手执长竿，凝神垂钓。随行门客静立一旁，不敢出半点声响。

河水波光潋滟，寒烟薄雾弥漫。河上，两三渔船，浩渺如浮在水面的鸥鸟。

岸边离离野草，铺向无尽天边。一行大雁掠过长空，一字向南。

静谧的河畔林荫路，一阵马蹄声渐近河畔，哒哒不停，直奔昌平君所在。

骑马者是从巴蜀日夜兼程而来的黑衣军士。距昌平君尚有数十米时，他赶忙收紧缰绳，下马步行，快捷轻细，小心翼翼，生怕惊扰鱼群，惹罪上身。

行至昌平君身后，他越发轻缓，单膝跪地，低声道："主公。巴地急报。"

昌平君持竿不语，紧盯鱼漂。一阵风过，鱼漂微动。他仍置之不理，目不转睛。静默片刻，鱼漂突地上浮，又猛然向下一顿。他立即用力上拉，鱼竿扬出水面，只见一条七寸长的鲫鱼腾空翻转，挣扎不断，水滴四溅，银黑鱼鳞闪烁耀眼。

昌平君将鱼扔进竹篓，示意黑衣军士起身，淡淡道："她想通了？"

黑衣军士垂首道："是。巴夫人告知属下，糜啸郴在光雾山、石城山与白鹤山各建隐秘洞穴私造兵器，暗中屯粮，炼制毒丹，意图谋反。"

昌平君神色依旧，负手望江，悠悠道："糜啸郴借糜公威势集资巴蜀，呼风唤雨，郡守几近傀儡。纵使他无心叛逆，朝廷难容亦早晚而已，只苦于找不到有力的说辞。"

黑衣军士走近道："属下为防有诈，派人探查各山洞穴，证实巴夫人所言非虚，并已暗中取得物证人证。巴蜀两地人事皆预备妥当。"

昌平君点头赞许，眼中露出点点喜色："单凭贪污军饷不足以扳倒一员功勋赫赫的两朝重臣，唯有谋逆的大罪才能将其一网打尽。糜啸郴行事向来隐秘谨慎，不易让人察觉。她能适时而动，果断投诚，着实帮了我与嬴政，功不可没。"

他言罢，凝思片刻，回头望向数尺外恭敬待命的四位门客中最瘦矮的一个："吕不韦那里如何？"

瘦矮门客上前一步，躬身道："主公放心。媚瑶得宠，枕边碎语，吕不韦早已对糜公起疑。二人关系再不如前。"

"好。立刻召集向咱们投诚的官员聚议。待得入夜，我再进宫与嬴政共谋明日朝堂应对之策。"昌平君声调顿扬，唇角微微挑起，信心满满。

瘦矮门客眉头一皱，犹豫道："主公，嬴政那小儿恐难以服众。不如说服吕不韦……"

昌平君挥手打断："吕不韦老谋深算，疑心容易，说服不易。他若提早知晓，难保不会暗自打算。咱们与他谋事，如同与虎谋皮。他那点点疑心在此事上足矣。至于嬴政，自那晚他召我进宫后，我发现当真是小瞧了他。我与他虽终要兵戈相见，但此时所谋相同，唯有齐心协力，方可达成目的。我相信，明日早朝他会拿捏得当，运筹帷幄。糜啸郴这盘棋，我与他都将是赢家。"

黑衣军士面露忧色，仍有不安道："虽有证据与罪名，可为保万全，最好能获得宫卫及守城军的调配权。只是，那杨中令与主公并无交情，恐怕……"

瘦矮门客咧嘴一笑，道："军士有所不知，杨中令早已拜倒在太后的石榴裙下。"

黑衣军士一怔，旋即忧色全无，大喜道："如此甚好。那女人本就忧心韩氏一族与糜公联手夺她儿子王位，逢此良机，定不会袖手旁观。"

两门客各言顾虑，昌平君一旁静听，毫不在意，悠悠道："只要糜公人在王宫，我们便胜券在握。措手不及便是最好的制胜法宝。"说罢，他拿来弓弩，执箭对准水中结队游来的鱼儿。利箭咻地射出，穿透一条鱼身慢慢浮出水面。气势浩浩的鱼群顿时四散，胡乱逃窜。

峭厉的西风吹过路边寥寥树梢，带起飘落的半黄脆叶，扫过旷野低低的野草，拂过江面惊起的千波万浪，蓄势直上，将天空推扬得越发高远。

日落西山，倦鸟归林，江面血色苍茫。昌平君丢掉手中弓弩，动身上马，拉过缰绳，挺直的身影在夕阳暮色映衬下格外高大阔长。他凛凛道："让郑方士仿写一份糜公与糜啸郴谋逆往来的书信，我自有用处。"

凉风驱白雾，峰影遮城庄。圆月穿薄云，窥千家灯火。

咸阳外城，村庄周边的槐树姿态决绝，高耸错杂的枝杈刺穿云梦，刺穿黑幕。

无人知晓，这一夜，预谋着猝断。

寡淡的月影眨眼间消散，寥落的星光惶惶隐没，又是一夜西风过。

浓云遮住了欲出的太阳，鸟雀仓惶飞入巢穴，秋蝉悲鸣着躲进高林。

卯时，东西街人影零星。步履匆匆者多为踏月披星、日夜兼程的外来商客。咸阳内城百姓尚在睡梦之中，加之天气阴沉似有雨水之兆，早市几乎无人无烟，分外安静。唯有身着朝服的百官，乘马车，坐轿辇纷纷赶至王宫大门。

朝阳未出，暗云涌动。凉风肆意，转角鸣嚎。

杨中令立在城楼，一脸阴沉地望着最后一位进入宫门的朝官，对一旁的宫卫冷冷道："传令下去，无我指令任何人不得擅自出入宫门。"

百官纷至咸阳宫大殿，依文武之分，职位大小，分列两边。右为文职，吕不韦最前。左为武将，糜公当先。二人各自昂首挺立，气定神闲。昌平君立于左相之后，双手交握身前，与身后的御史大夫谈笑风生。其他人或自顾思虑，或三两私语，或闭目养神。

不消片时，殿外传来内侍悠长细亮的声音："大王到——"

嬴政一身玄衣纁裳，头顶通天冠，从容进殿。

众官齐齐礼行叩拜。

"有事起奏，无事退朝。"执事宦侍高声一呼。

殿内安静十分，无一人出列。离殿门较近，排在末位的几位官员有的理理衣襟扭头望外；有的脑袋摇晃连连打盹；有的半睡半醒只差鼾声。

朝上众官心知肚明，有关国家大事的奏简早已堆放在相府的案几上。所谓早朝，不过是个不得不走的形式，用来敷衍王座上的小儿。久而久之，便养成了宦侍声起，打道回府的习惯。

嬴政正襟危坐，冷眼环视殿内，说道："寡人有一问，想听各位卿家之见。"

朝上众官互视不解，向来言语甚少、呆若木鸡的小儿，今日怎突然开口提问了。

排在队列中后的一位大臣，挺直了身子，小心地伸脚踢了踢前面正低头酣睡的廷尉。廷尉一个激灵，睁开一双金鱼眼，摸了摸圆润凸起的肚子，迷糊着转身就走。大臣赶忙揪住廷尉朝服的袖袍用力下拉，压低了声音急切提醒："干什么你！是大王有话要说。"听了此话，廷尉清醒过来，慢悠悠地站好。

二人举动，嬴政淡扫而过，不置一词。片刻，他目光回拢，正视前方，从容道："《庄子》有云，北方天池有一名为鲲的鱼，身体巨大无比。当它跃出水面，奋起而飞时，则化身为鸟，称之大鹏。大鹏羽翼如同垂天之云，拍击水面激起波涛三千里，掀起狂风盘旋而上直冲高空九万里。各位卿家以为这只大鸟是否真的存在？若存在，那么书中所言又是如何做到，如何维持的呢？"

百官交头耳语几时，一身骨消瘦，鹤发垂鬓的老者出列，躬身一礼，苍苍道："微臣以为，这鸟并不存在，不过是庄子表达自己观点的奇谈罢了。"

其他大臣见说话人是掌古通今的博士，便跟着点头，随声附和。

掌理祭祀、宗庙之礼的太常出列打断众人，道："臣以为天地生养万物，众生千奇百怪，形色各异，世人不知也是应当，故而这鸟存在实属常理。"

许多大臣听其说得也有道理，又转念支持。

眼见二人各不相让，正要据理力争时，嬴政开口："太常即认为存在，那么它是如何做到长居空中，俯瞰天下的呢？"

太常面露难色，眼珠一转，垂首道："恕臣愚钝，并不知晓。不过，李大人身为博士理应上知天文下晓地理，或许他深谙这鸟的飞行之术。"

李博士见太常有意让自己出丑，瞪眼回应："老夫根本不信这鸟存在，哪知什么飞行之术！太常学术不精便自己回家修习，何必拉着别人一起！"

"寡人以为，这鸟真切存在，不是其他，正是我大秦。"太常正要出言反驳，却被嬴政的话堵在嘴边。

大殿陷入一片沉默。众官面面相觑，一头雾水，不知这儿王意欲何为。

嬴政停顿须臾，正色接道："大鹏能穿云过气，背负青天，盘踞高空长久不下，除天赋神力外，最重要的，是它有千万只毛羽遮风蔽体，挡雨避寒。在寡人看来，那千万只毛羽就如同带动、运转大秦庞然机制的地方及在朝众卿。没有众卿，寡人无法安坐王位；没有众卿，大秦无法崛起西陲；没有众卿，六国无法胆怯惧畏。"

嬴政的一番话语顿挫有力，三分孩童稚气，七分王者凌厉。众官一时惊愕无语。昌平君微微一笑，面有赞色。吕不韦抿嘴挑眉，目光中闪烁一丝欣慰。麃公左拇指摩挲着右手虎口经年的深茧，手中笏板稍斜，神色微滞，似在回味。

百官呆愣间，嬴政又道："寡人时常梦见先祖。每当想到列位先祖居王位，谋天下，理政事，辨忠奸，寡人便心中忐忑，寝食难安，自觉有愧。无奈年小，不懂政事，万幸有众卿辅佐，可谓高枕无忧。但寡人读史学政时，发现历朝历代，不论励精图治、强国富民或施仁减税休养生息，皆有官吏搜刮民脂。衰落时，更贪腐横行，法不治国，民不聊生。故而寡人常常思考，这等祸国恶事，为何绵延不绝？大鹏羽翼腐朽损坏可径自啄去，那么我大秦若遭遇此难又该当如何？"

此言一出，百官又是一愣，顿觉嬴政意有所指。他们或前后私语；或佯装镇定，看似各执己见，眼睛却不住地向站在最前处的吕不韦与麃公瞟去。

吕不韦神色微僵，一改轻松姿态，敛眉拢手，心自揣测："这小儿今日有些反常，言词也很得人心，莫不是要生什么事端？"

"陈卿家，你以为如何？"嬴政凝眸机变，黑瞳精光辗转，最终落到一肥头圆脑的大臣身上。他口中的这位陈卿家不是别人，正是因酣睡被身后大臣踢醒的廷尉。

陈廷尉大跨一步出列，睡意未有全消，撇了撇嘴，思绪尚停留在博士与太常对大鹏的争吵中，不假思索道："臣不知。"

殿内顿时鸦雀无声。有的大臣瞄了眼陈廷尉，报以同情神色。

缪公眉头微皱，轻叱一声，神色颇为嫌弃与懊恼，似十分不满陈廷尉的回答。

嬴政面有怒色，忍气道："寡人自登基至今日，早朝共计一百七十七次。而陈廷尉你，有七十九次在昏昏欲睡。寡人很好奇，咸阳宫大殿是有多么不堪，以至你连眼都不愿睁开！"

陈廷尉这才清醒过来，发觉情形不妙，心悸不断，结巴着回道："臣……臣没有。"

"啪！"嬴政猛地狠拍桌案，大声呵斥："寡人是年小，不是瞎子！你的一举一动寡人都看得清清楚楚。你说没有，是在指寡人冤枉你了么！"

百官第一次见嬴政如此发怒，未料竟有几分王者风范，无不瞠目结舌，心中一颤。他们心知肚明，嬴政方才所言看似责骂一人，实乃告诫每一人：一言一行皆铭记于心，是非好坏孤自有分寸。

陈廷尉知事态越发严重，赶忙跪地叩首，道："臣有罪，臣……"

嬴政凶狠打断："你当然有罪，且罪不可恕！身为廷尉，掌国家律法，竟对官员受贿行贿应受何刑罚丝毫不知，国家法纪便是败坏在你这等昏庸的臣子手上！身为大臣，吃百姓税粮，拿朝廷俸禄，对上不能匡扶君主，对下不能有益人民，空占其位而不谋其职，要你何用！给我拖出去！"

嬴政急切严正、铿锵有力的怒斥在大殿回荡，音波碰及悬栋皓壁，击得金银玉器隐隐发出当当回响。诸多神思混沌、心不在焉的大臣们见吕不韦毫不干涉，急忙用力甩头眨眼，让自己更加清醒，生怕被点了名，与廷尉一样下场。

陈廷尉见大势不好，不住地求饶，额头硬是磕出一道嫣红血痕。两名宫卫进殿，架起陈廷尉向外拖去。无奈陈廷尉肚大身肥，拖延了点点时间，只听他高声呼喊："缪将军救我，缪将军……"

嬴政句句名正言顺，无人提出异议，亦无法提出异议。

吕不韦微微抬头，眯眼审视嬴政，带着几分玩味。他暗想嬴政说道半天，却只为一个廷尉，未免太小题大做。然只须臾，他心神一动，目光转至脸色微变的糜公，心中自语："廷尉是糜公的人，莫非……"

昌平君唇角勾起，嗤之一笑，斜睨一眼身后的几位御史，只见其中一人旁出一步，躬身道："大王，陈廷尉做陇西郡郡丞时，每遇官司便故意虚与委蛇、敷衍应付，之后又假以各种名义向被告与原告索要钱财。他是非不分，黑白不辨，以两方出钱多少断案，以至坊间恶霸横行，欺压百姓，民怨甚深。臣曾拟奏简递呈，却无故被压，石沉大海。后来，他竟升迁咸阳担任廷尉。臣身为御史理应监察百官，然未能做好分内之事。今日听大王一番豪言，动容之余更觉愧对王恩。"说着，他摘下官帽，跪地叩首，高声道，"臣请辞去御史一职。"

不待众官反应，又一御史出列，快快道："臣自去年七月暗中调查陈廷尉，发现其升迁与巴蜀盐商糜啸郴难脱干系。糜啸郴身居巴蜀仅六年，便风生水起，垄断大秦半数盐业，门庭若市，往来拜访者中不乏大小官吏。此后，臣又访得民意，两地百姓皆对其多有怨言，有胆大者揭发他气焰嚣张，权势凌郡守之上。臣已记下去年至今日，拜访糜啸郴的所有人士的姓名与职衔。大王只要一一审讯，便真假立见。另有巴地郡监御史在宫外等候，大王可召其当面问询。"话毕，他缓息少顷，呈上奏简，又将官帽与笏板搁置在地，大义凛然道，"身处官场二十载，日夜如履薄冰。今日蒙大王感召，良心未泯，不愿再唯诺奉人，阿附权贵，颠倒是非。臣自知此番言罢凶多吉少，但生死无畏，唯盼大王与相邦严惩奸佞，平民愤，正朝纲！"

众官屏气凝声，神色各异，或提袖拭干额头细汗；或紧握笏板埋头闭目；或伸脖探看吕不韦与糜公反应，或瞪眼紧盯从御史手中取走的奏简，忐忑不安。

宦侍呈上奏简。嬴政不接不看，只淡淡说了六字："先请相邦过目。"

吕不韦一怔，盯着送来的奏简，手臂缓缓抬起，极不情愿地接过，暗自盘算："这小儿真要生事。看样子是仔细筹谋过，欲来个措手不及，将糜公一势连根拔起。他若赢了，便皆大欢喜，也了却我一块心病。可若输了，便祸福旦夕，糜公一势定会借此发难。最可恶的是，他竟连我一起算计，送一卷破简，让百官以为我与他是一路，岂有此理！"

嬴政望向縻公，见他低头不语，眉心紧蹙，脸色青白交替，便思忖道："縻啸郴，这名字有些耳熟……"

縻公一愣，随即扑通跪地，恭谨解释道："臣有罪。縻啸郴是臣的亲侄。臣平日管教不严，致使他犯下大罪。"

嬴政赶忙温声道："老将军请起。寡人相信此事与老将军无关。"

昌平君微微侧身，目光移向殿外。

此时的天空较之百官刚入宫门时更加阴暗。黑云四垂，狂风急作。宽大直长的石阶下，两对夒龙铜雕兽嘴大张，似在警告与提防前方疾奔的来者。

一中年短须男子快跑至大殿，顾不得整理被吹乱的前襟，直跪在地，急促道："启奏大王，臣乃巴郡监御史，特携急报奏呈。一月前，郡守暗中查得縻啸郴在光雾山、石城山与白鹤山各建隐秘洞穴私造兵器，并炼制剧毒丹药欲控群臣，又与各国人士来往密切，极有叛国谋逆之嫌。郡守为防縻啸郴犯上作乱，无法亲赴咸阳拜见大王，故令微臣带亲笔信帛呈上。信中写明縻啸郴在巴蜀六年数条罪状。大王明鉴。"

此言一出，大殿之上一片哗然。縻公更是目瞪口呆，笏板从手中滑落，半时未能缓和。

嬴政不动声色，仍是一句"先请相邦过目"。

众官目光齐齐转向吕不韦。吕不韦心中波涛翻腾。宦侍还未站稳，他便一把揪过信帛，怒意尽显。

众官不知吕不韦是因嬴政的算计而愤，皆以为是不满縻啸郴恶行，顿时殿内议论又起，感慨縻公大势已去。

吕不韦展开信帛，工整笔迹入眼。他目及第三行，浓眉一挑，沉吟片刻，勾唇照读："三年之内，其擅自调升巴蜀山地海泽之税，并将秋、夏两季税粮由朝廷所定每亩二斗升至四斗，余出皆占为己有。"

縻公交握的双手顿时攥紧，魁梧身子猛地向后一仰，脚力似有不支。他强作镇定，嘴唇苍白轻颤，侧头看向吕不韦，眼中满是惊恐与怨怒。

吕不韦念罢，合上锦帛交予宦侍，抬头与嬴政四目相对，一种前所未有的忧惧在血脉中急蹿，狂奔至心房引，一阵怦怦起伏。

吕不韦沉默少顷，终是选择为自己与縻公各留一步。他深吸口气，低沉道："此事非同小可。不论真假，都应先派人前往巴蜀核证……"

闻此，糜公轻舒口气，紧绷的拳头稍有松缓。只要还有时间，一切皆可周旋。

嬴政不露声色，剑目微敛，长睫张合，不置一词，静放膝上的手蓦地揪住袍服，力道深狠。

昌平君泰然自若，似对吕不韦举动早有预料。

"相邦素来处事果决，今日怎瞻前顾后、畏首畏尾！"一声凌厉清脆的声音忽地传入大殿。

百官循声望去，见赵姬一身蚕衣，手握一四方信帛，快步走进大殿，玉面浓妆淡抹，头戴火凤珠钗，裙裾拖地，琉璃小珠软软坠地，摩擦有声。

"太后，此乃前朝。自古有训，后……"博士出列欲拦住赵姬。

"收起你的古训！"赵姬扬臂，将手中信帛直扔博士头顶，厉声呵斥。众官目瞪口呆，不知所以。博士扯下冠顶信帛，细看上面字迹，仓惶间瞠目结舌，双腿下垂。

赵姬转身怒视百官，道："哀家卯时七刻至咸阳宫看望大王，可人影未见，等来的却是一封糜氏官商勾结、谋权篡位的书信！哀家是一国太后，更是大王生母。儿有危难，身为人母，怎能安坐别处？"说着，她扭头，直逼手拿信帛，战战兢兢，张口结舌的博士，愤愤道，"试问，若你儿孙身处险境，性命堪忧，你是否还能安然若素？"

博士手托信帛，看了又看，哆哆嗦嗦，刚要开口，忽听一阵哽咽。他用力眨了眨眼，只见身前的太后眼角竟有泪滴晃晃欲坠。

赵姬梨花带雨，嗔呵百官："先王临终授命，意在众卿拥护辅佐大王扬大秦威名。如今大王登基刚过百日便有人按捺不住，看来先王真是错信了你们这帮臣子！"

"母后，寡人相信在朝众卿皆是忠义之士，绝不会辜负父王所托。朝堂乃威严之地，您哭哭啼啼成何体统！"嬴政淡淡声起解尴尬。

赵姬收起泪眼，厉眸扫视朝堂，甩袖大步踏阶而上，稳坐嬴政身旁，"哀家今日就坐在这大殿之上，看看你们这些满口忠义仁孝的臣子究竟是在辅佐大王巩固基业，还是在欺辱我们孤儿寡母！"

嬴政侧目相视，似看到了母亲从前的模样。他手指微拢，心中冰山稍有消融。

"吕相邦。"赵姬唤道。

吕不韦拱手道："臣在。"

"此信帛乃杨中令在糜将军府中搜出。您乃大王仲父，遇此家国大事，为何不言片语？"

吕不韦看一眼赵姬，见其神色坚定，了然木已成舟，回道："臣等有负王恩，请大王降罪。"

大雨倾盆而下，狠落在地，溅起无数水花。殿外有如利箭从天而射的"啪啪"雨滴。久经沙场、练兵数载的糜公早已辨出，雨中交混着守城军甲片摩擦声与军靴踏地的响动。他心中苦笑："哪里来的谋逆书信，不过是借机控我府邸，逼我就范。"想罢，他闭目长叹，嗒然若丧，绝望中颤声自语："好一个猝不及防。"

嬴政看罢信帛，随手扔到一旁，锐利目光落在神色灰败的糜公身上："老将军可什么话要说？"

"无话可说。只求大王对老臣府内的家人仆从网开一面。"糜公话中带着隐隐凄怆。

嬴政当即回应："老将军乃两朝元老，为大秦立下赫赫战功，寡人岂能不分轻重，不辨是非，随意降罪。一切皆是糜啸郴自作主张，而您是受名声所累，被其利用，自当别论。"

阴风飒飒，大雨滂沱。昌平君听到最后四字，眉头骤地收紧，呼吸一蹙。他盯着糜公交出的半边虎符，布满血丝的双眼似要冒火，心中暗骂："好你个嬴政，昨夜佯装恨极，答应我要将他处死，现在竟然改口。当真阴险至极！"

嬴政摩挲着虎符上的错金铭文，沉吟瞬时，高声道："大将军糜公徇私枉法。寡人念往日功绩，免其死罪，撤三军统帅之职，准其留住将军府安养余生。"言罢，他顿了顿，鹰目一转，道，"昌平君何在？"

昌平君敛怒静气，出列上前，跪拜道："臣在。"

"寡人命你即刻赶往巴郡，剿灭谋逆贼子。其下属门人，卿自行酌情处置。"

吕不韦大惊，看向跪地的昌平君，恍然大悟："是他！好一个措手不及！观他平日言行瞻前顾后，一副不谙政事、混沌度日的平庸之相，原来竟大隐于朝。怪我将他连同这小儿一起轻视，实在失策。看来日后我当万分小心，否则今日之事必在我身重演。"

吕不韦凝眸片晌，反复思虑，不禁暗自疑惑："他是楚国质子，这般隐忍蛰伏，处心积虑，为的只是助王除异，盘踞高位？"

吕不韦思虑之际，嬴政已起身走至他面前，温声唤道："仲父。"

众官探脖仰头细看。

吕不韦赶忙后退一步，恭敬垂首道："臣在。"

二人距一臂之遥。嬴政脚步稍稍前挪，伸出右手，左半虎符静躺掌中。

吕不韦抬眼一看，错愕无言。

嬴政笑道："寡人年幼，朝中大事全靠仲父辅佐。日后更要倚仗仲父，扬我大秦威名，扩我大秦疆土。号令三军之权，一半在寡人，一半在仲父，大秦安矣。"

此时的嬴政，处置糜公时的沉着与狠戾尽转成了稚气与真诚。

吕不韦惶惶下跪，双手接过虎符，看似镇定自若，实则满心忐忑。

第三十章　成王败寇

一声王令，糜公被禁，朝野轰然。囤粮造兵，忤逆谋反，巴蜀天翻。

大小官吏人人自危，纷纷与糜氏叔侄划清界限，更有搬弄是非者落井下石。

糜府的高墙在苍苍的暮色中显得暗沉而孤寂。大门内外重兵把守。无关百姓远观驻足。西风渐作北风呼，冰裂云影游离不定，冷絮凋，悲鸿切，寒霜彻骨。

府内，士兵穿梭各屋室房舍，将侍婢仆人悉数收押。整座宅院哭声四起。红叶满阶，残菊萧索，满眼枯丧。

巴清立在缦回的廊腰内，看着疾步走来的黑衣军士与身后手端毒酒的门客，静立无言。风动，她袖如蝶展翅，发丝绕双眸，耳畔凌冽声起，卷睫一颤，目色颓然。

"禀公子，郡尉已带兵清缴各处山穴兵器。"黑衣军士瞧了眼巴清，走近昌平君，又贴耳细语几句。

昌平君点头望着回廊尽处，扇门紧闭、官兵环绕的落景轩，冲门客使了个眼色，扭头观察身旁一言不发的巴清。门客会意，将端着的毒酒递给巴清。

巴清瞳仁蓦地扩张，无色的脸上露出惊愕。她眉心缓缓皱起，抬手接过，踌躇不前。

昌平君见她迟疑，淡淡道："心软了？"

巴清摇了摇抬起的头，又渐渐垂首，低声道："可否……"

昌平君逼近一步："他是你的仇人。你选择与我联手不就是为了有朝一日大仇得报，可以亲眼看着仇人死在你的面前？如今机会来了，还犹豫什么？记住，愚者多被人弃，怯者同样下场。"

巴清双手紧攥着托盘边沿，沉默片刻，眉心舒展，举步前行，目光中有隐隐冷意与决然。

落景轩坐落糜府的最高处，重楼复阁，檐牙高啄，曲涧斜廊，假山环洞，修建费时两年之久。从建成至今，鲜有人目睹屋内洞天。府中有传，这是糜啸郴特地为爱妻打造，待到大婚后双双入住。落景轩共有三室，由石径曲桥相接，间或有奇花异卉点缀。每间房室四面皆窗，不单四时风光可各收一境，春夏秋冬亦皆有奇景。

天挂孤月，树停寒鸦。

巴清脚步声轻轻，散在穿堂而过的夜风中，惊扰了屋内独坐静思的人。门外的士兵开了门。她与凉风一起进屋，晃荡了烛火灯光。

月光透过薄纱洒在桌案，光色蒙昧流淌。四盏烛火幽灭不定，映出糜啸郴苍凉身影。糜啸郴并未抬头，目光执着空茫，黯黯道："你可知自己在和什么样的人打交道吗？是我从前低估了他。你尽早和他撇清关系，否则定会招来祸端。"

糜啸郴说的那人正是昌平君。他言辞切切，带一丝忧惶，毫无将死之人的恐惧与绝望。

巴清不言片语，单手将毒酒放置桌案，推至他眼前，后退两步，别过头，置若罔闻。

糜啸郴似早已料到她反应，自顾续道："鸢儿死去当晚，管家说你去了书房，动过那几卷竹简。那时，我便知道，我与巴煜泽的计划你已尽数知晓。我清楚，以你的性子定不会弃仇不报。"

她眉心不由得蹙紧，双眼微合，紧张着他是不是预谋着别的阴谋。自那晚至今日已一月有余。此间，府中如常，她未察觉任何异样。糜啸郴更待她一如既往。

糜啸郴抚了抚前额，嘴角浮起一丝自嘲，轻叹道："旁人以为我心系江

山，可没有你，要江山有何意义。"

他嗓音寡淡温柔，响在她耳畔，引得她心中颤颤。

屋外老树上，一只金腰燕探出头，跳至窝沿。它紧盯着华轩里一坐一立的两人，眼珠左转右动，忽而尖叫起来。金腰燕素以音脆婉转著称，如今声嘶力竭的呼号，乃不祥之兆。它似闻到了血腥的味道，看见了凄惨的诀别，看到了时光倒转的一幕，为眼前的景象哀悼。

麋啸郴初见巴清是在四年前，林花著雨燕支湿，水荇牵风翠带长的四月。

巴地城北狭长的碧湖上，一条画舫飘然游荡。船身悬彩挂灯，雕梁画栋。歌女舞姬在翠帷绣幕中隐隐露身，展喉弄姿。船艄隐约可见一杆风锦，放眼望去，墨书三字"揽月舫"。

舫内共设九方食案。麋啸郴为宴会主办，独坐东位。宴请的八人皆为巴蜀盐商大户。四食案为一排，南北对摆。美食花汤无一不有，无一不精。

他们各坐一桌，有的三两谈笑风生；有的肃穆低语互商要事；有的敬酒主位阿谀谄媚。

其中，南北两边，距麋啸郴最近的两座均有空出。站在他一旁随侍的管家，俯身低声道："已过半个时辰。巴氏有病在身，不来也罢。可樊氏无伤无疾，接了请帖又迟迟不现，实在无礼。"

"等等无妨。"麋啸郴淡然一笑。

西南商贾大户中共有两家同姓巴。一家为单营丹矿业中的佼佼者巴煜祺。一家为盐主丹辅，双向经营的巴潭盛。管家口中的是后者。

巴、樊两家相争已久。从前巴氏销量年年首屈一指，现在当家病危，樊氏乘虚而入，要手段，抢合作，占尽风头。麋啸郴心中明白，樊氏得意也罢，显示也好，今日迟到是必然。

众人笑谈间，樊氏昂首阔步走进。其他商户纷纷起身拱手相迎。麋啸郴笑脸礼待。

樊氏看着空出的两张食案，不等管家示请便径自坐在南向首位。

座次礼节可体现宴饮者的身份高下。宾主间的宴席座位，以东向最尊，次为南，再为北。麋啸郴本意南位留与巴氏，不料被樊氏强坐。樊氏此举，无疑是在昭示巴氏家业衰败，而自己将独占鳌头。

众商声色不动，谈笑依旧，相视的目光中微露端倪。

樊氏举杯向糜啸郴敬酒。几杯下肚，瞟了眼对面空位，一声叹息，道："潭盛兄身染重疾卧床不起，恐怕时日无多。糜公子还留着他的位置，实在让人动容。"

正当糜啸郴执杯欲言，画舫忽地再次减速，向岸堤停靠。他掀帘倚着栏杆看去，只见二十余米外的岸边，四名黑衣侍从护在一女子身后。那女子，约莫十四岁的年纪，一袭淡粉曲裾，墨发如瀑，肤白如脂，亭亭静立，望向画舫。

待船停稳，粉衣女子踏板而上，步履不疾不徐。船内畅饮欢谈的商户们停杯住声，就连抚琴助兴的艺妓亦戛然而止。

粉衣女子缓步走至众人中间，双眸微微一动，四周人物尽数了然。

糜啸郴将她上上下下看得清楚，只觉得她姿如出水芙蓉，韵同幽兰吐蕊。

粉衣女子自报家门，行态不卑不亢，直视糜啸郴，从容开口："我代父亲应公子之约。"

静悄的舫内低语声乍起，有的侧目相看；有的交耳点头。在座九人有五人为巴地盐商。他们对巴潭盛之女巴清早有耳闻，但只知她自幼喜经营之术，十三岁便助父打理丹砂生意，而目睹芳容者，这五人里只有两人。

糜啸郴眼光微闪，缓缓坐直身子，嘴角噙着一抹微不可察的笑意，温柔道："巴姑娘请入坐。"

巴清斜睨端坐在父亲位子上的樊氏，对糜啸郴微笑回礼，一举一动大方得体，毫无寻常女儿家的羞怯。

这时，樊氏声起，言辞咄咄逼人："许久未见，巴侄女出落得越发清丽。不过，这儿可不是你这样的女儿家应来的地方。我看巴侄女也到了出嫁的年纪，却迟迟不见动静，莫不是登门提亲的男子均入不了眼？日前，我儿提及巴侄女时颇有赏惜之情。我想与你父亲做个亲家也好。"

在座众人抛开樊氏话中的嘲讽，只想着若这小姑娘答应，那么樊氏等同于将巴氏盐业并为己有，此后极可能在西南盐业中成独大之势。

糜啸郴亦敛起悠然神色，屏气凝神看着巴清。

巴清下颏微扬，一双黑亮如珍珠般的眼定定地盯着对座的樊氏，淡眉轻

挑，谈吐不苟："多谢樊伯父提醒。但父亲将家事交付于我，今日坐在这儿的便必须是我。至于女儿家该不该来此，我认为，在座诸位只要是为生意为合作便不会拘泥这等小节。"说罢，她垂眸提壶，自斟一杯，嘴角漾出净无瑕秒的笑意，"听闻，前几日樊世兄在花坊为一歌伎与人大打出手，闹至官府，还扬言让对方死无葬身之地。可见樊世兄心中挚爱乃是那位歌伎。看来，唯有歌伎才入得了樊家大门，做得了伯父儿媳。"

樊氏未料巴清以此事反讥，脸上青白交替。众人抿嘴隐笑。

糜啸郴薄唇一勾，赞赏地向她看去，碰巧对上她笑意莹然，似秋水桃花的眸子，心中蓦地翻腾起一股暖浪。

巴清细瓷般的手腕从衣袖间浅浅露出，莞尔执杯相敬："不知糜公子是否有意收购巴氏盐场？"

她声似潺潺流水、风拂杨柳，婉转轻柔，却引得一旁闲适看戏之人手中酒樽一个不稳，洒下两滴。他人亦敛气收声，瞬也不瞬地看着巴清。

众商皆知糜啸郴能够短时内将盐场办得小有所成，离不开他叔父糜公的帮衬。此次，他若收购了巴氏盐场，那么实力将直跃前列。假以时日，逐一兼并其他商家绝非难事。

众商互视不语，心中各自盘算着日后的经营与这小姑娘究竟意欲何为。

樊氏更是铁青着脸，怒视巴清两眼，又将头别向一边。

糜啸郴一动不动，似若有所思，又似惊愕难信。

巴清将手中的酒樽向前递了递，笑带诚意，道："若公子有意，我随时可带公子察视盐场，核对账簿，评估价值。"

糜啸郴沉默片晌，发出听不出情绪的一声笑，目色坚定，举杯道："在下明日登门拜访。"

糜啸郴自知众人能应邀齐聚，不过是顾及叔父的身份。众商素日里表现得诚意交好，生意上却暗里将他孤立，他更心知肚明。逢此良机，怎能放弃。可他除惊喜外，更有种莫名的情愫反复撩拨着心绪，就如琴端流淌的柔软悠长的天籁，听后挥之不去，无时无刻都在回味。

这笔交易随着巴、糜二人的对饮敲定。

在场众人不再似初时那般随意谈笑，虽有歌舞助兴，但气氛仍冷淡了许多。

巴清稍作应酬，起身辞去。

船慢慢荡近岸口。糜啸郴望着巴清远去的背影，不觉间已起身追出数步，口中唤道："巴姑娘请留步。"

巴清回头，湖风吹得杨柳摆动，叶梢拂过她发髻上的荷花簪，阳光萦绕翠绿与银色荷瓣间，整个人更显婉丽脱俗。

糜啸郴微微一怔，柔声道："姑娘匆匆离去，可是在下哪里怠慢了？"

巴清摇头道："公子多虑。家父病中，我当早些回去照料。"

话谈至此，本该散场各行其事，可糜啸郴却不愿挪动步子。他风度翩翩立在船头，问着大可明日再问的话："姑娘为何要将盐场卖与我？"

巴清犹豫少顷，扬眉笑道："卖掉盐场实非我愿。无奈家父病危，樊氏与其他商户联合打击，欲瓜分巴氏盐业。我一己之力很难将家业撑起。局势如此，困兽之斗如同水中捞月，只会成全他们的贼心。樊氏无视行规，手段卑鄙，我父心血断不能葬送他手。想要垄断一行，便要有足够的势力与实力。势力，公子有您叔父依靠，前途定更加平顺，身后金库自然充裕。实力，那便是庞大的盐场规模与合作商客，也正是您缺少的。你我交易，巴氏盐场既可卖个不错的价钱，公子也可一跃成盐商中的佼佼者，何乐不为？"

她顿了顿，玉指捋顺缠绕卷睫的青丝，目露锋芒："我知道，其他商户对您心存芥蒂，暗地里将您孤立。而我也相信，糜公子眼中的风景，绝不只限于巴地这点山山水水。明日，恭候大驾。"说罢，她颔首微笑，转身离去。

这一番直言不讳的言辞，让糜啸郴顿觉天阔云舒，伫立船头久久未去。他从未见过这样临危不乱，大气笃定，刚毅果断的少女。

爱上她，他只用了一个时辰余半刻，几近一见钟情。这样的感情总让人觉得太仓促，太唐突，但只有真正懂得的人才会明白，对注定要爱上的那个人而言，一眼亦长。

也正是这一时半刻，让他心魔成冢，甘愿执迷成错，即使春梦零落，亦不悔蹉跎。

夜深，凉意肆侵。

縻啸郴眼帘微微张合，眼中粼粼波光满怀柔情。他缓缓道："巴煜祺若不死，我便要一直等下去。我讨厌漫长无尽的等待。我哪里不如他？想来想去，一定是因为你不屑我靠叔父势力做到如此。我想证明与你，我不是一个只会依靠宗族的纨绔子弟。我想证明与你，凭我自己的能力同样可以创一番功绩。我想证明与你，他给你的我同样可以，甚至更好。来巴地，我有我的筹谋。一切都在计划之中，遇见你是意料之外。去年本可收购巴家，却延期至今最终人财两空。"说罢，他忽地笑了一下，眼睛看着不知什么地方，淡淡道，"天意弄人。"

有时，想字之前最怕添一个我，许多误会与错过皆因臆断引起，尤其是情爱里的揣度与猜测。

凉风阵阵，秃裸的枝蔓投在窗棂，影像光怪陆离。他抬头盯着巴清，沉若冰潭的眼中透出几分希冀："清儿，从相识至今，你对我，可有一丝心动过？"

房间静极。巴清眸光微动，转身背对，低头看着织锦绣云的履尖，抿嘴未答。屋外的风愈大，将帷幔吹得高扬，落叶凌空飞起。月光趁机溜进，照得她一身红衣格外刺眼，眉心一朵鎏金花蕊，唇如垂挂枝头的红樱，分外动人明艳。

除却与巴煜祺新婚那一夜，她从未打扮得这般艳丽。今日清晨，她对镜梳妆，描眉涂脂时，心里装的是满满的恨。她想，以盛装看着仇人死去，一定是最淋漓尽致的报复。可此时此刻，这一身的装扮并未给她带来一丝快意。

他未听到她的回应，眼中点点颜彩渐渐泯灭，神情暗淡空荡，干笑两声，脸色惨白，声音沙哑："我十四岁起，随叔父南征北战，数年戎马，逃得过刀口，却逃不过情网。将军阵上死，我却为情亡。从前，我觉得男人战死沙场才不枉活一场，可自从见到你，我便一心想着，此生执子之手，九死不悔，如违誓言，天诛地灭，不入轮回。"

她手蓦地攥紧，嘴唇因紧咬而渗出血色，卷睫颤抖，眼睛似难以抵受风的干冽，浮起湿意。

他眼神里再无光彩，凄凄道："清儿，你真的再不愿回头，看我一眼么？"说罢，他苦笑着拿起案上毒酒，一饮而尽。

他话语与动作一气呵成，未给她半点思考的时间。也许，他在说出时已料定只是徒劳；也许，他觉得只有真的命归黄泉，才能换得她一眼。

江山为聘终成一抔黄土。千里山河，万丈红桑，多少侠少英豪，终逃不过情字煎熬。

玉杯落地，碎裂一地，脆响回荡。巴清猛然回头，一瞬不瞬地看着埋头伏在案上的人，看着他嘴角的鲜红慢慢流出，沾染桌案，滴溅石板。她突然失力，跌坐在地。早该饮下的毒，这一瞬，她竟觉得太仓促。蜡炬燃成一捧泪，滑下烛台，最后一截烛芯眼看着将烧尽成灰，微弱的淡光勉强映出她含泪的冷眸。

那一句"此生执子之手，九死不悔，如违誓言，天诛地灭，不入轮回"在巴清耳边久久回荡。情深如此，纵心硬如磐石，亦难不为之转移。可情缘，最经不住错过，最怕是欺骗。当以爱之名的种种手段与谎言被拆穿，往往一别便是永远。

残花半叶凌空飞舞，悬檐绢灯偶有熄灭。

昌平君背手立于回廊，盯着落景轩内的一举一动。淡薄月光洒他半身，映出高挑身影与隼鹰猎杀般的窥探。

黑衣军士轻叹道："糜啸郴有勇有谋，是个人才，可惜毁在一个女人手上。"

昌平君冷哼道："为情所困，算得什么人才。"言罢，他顿了顿，神思变换，眸中露出阴狠，"倒是那小儿可恶至极。"

黑衣军士了然话意，接道："糜公不死恐会反扑，主公当小心为上。"

昌平君墨眉向心收紧，无奈道："糜公已行将就木，死与活都奈何不了咱们。只是，那小儿将虎符授予吕不韦颇让我吃惊。"

黑衣军士点头附和："吕不韦本就大权在握，如今又得了半边虎符，定会更加猖狂无阻。"

昌平君未有回应，目光时而辗转，时而停顿。夜风呼号，周遭一片冷冽。他提起鼓扬的袖袍，环手胸前，唇畔笑意渐浓，话中似赞，似恨："糜公大势虽去，但他数十年南征北战与将士累下的生死之情犹在。嬴政判他谋反大罪，却留将军府让他安享晚年，实为拢将士之心。不独占虎符，一、看似更加倚重吕不韦，实为警告他若有半点颠覆大秦之念，下场与嫪公无异；二、让众将士认为这突来的变故乃吕不韦主导，对其心怀芥蒂，使他纵有虎符却无人顺服，以达到将士忠心向王权靠拢之目的。好个一箭双雕，嬴政心思缜密，行事果断机变，当真不容小视。"

黑衣军士听罢，忧道："吕不韦亦非平庸之辈，怎会不晓得其中利害。朝堂上他措手不及，有苦吞忍，可难保日后不会伺机报复。嬴政有王位护身，可主公身处异国，属下担心……"

昌平君打断："母国遭遇尚不如此。不入虎穴，焉得虎子。"

他沉吟片刻，又似笑非笑道："若我猜得不错，待此事了结，嬴政定会以护国有功之名封赏于我。嫪公一派废黜，曾在他身下乘凉的猢狲，想再寻高壮健挺的大树定会再三审思权衡。他们未必会选择吕不韦。如今，朝野上下人人自危，吕不韦同样如履薄冰。他现在一定在担心自己那点儿丑事败露，招来杀身之祸。"

黑衣军士眼角一挑，小声道："主公说的是他与赵姬……"

昌平君轻笑道："不错。太后与当朝相邦淫乱宫闱，此等奇耻大丑一旦揭发，罪比谋逆。吕不韦若想保全地位与名望，就必须与那女人撇清关系。此时，他定在急想应对之策。"

黑衣军士若有所思道："床笫之私不同其他。赵姬又非善类。吕不韦想断绝恐非易事。况且，他与赵姬的关系也未必真的隐秘。嬴政那小儿怕是早已知情，许多大臣也是心照不宣。凭吕党在朝中的地位，即便此事公之于众，也难保能够重创。"

昌平君点头，神色玩味："不急。且任由吕不韦逍遥几年。想除他的人并非只有咱们。嬴政对这位仲父不满之心已久。待秦王亲政之日，便是旷世良相大限将至之时。此间，咱们以退为进，蛰伏拢人，顺势帮他一帮。"

黑衣军士凑近一步，道："主公的意思？"

昌平君整襟笑道："找个能替代吕不韦解赵姬之渴的人扶持，让他们互斗互伐，两败俱伤。咱们无须与任何一方针锋相对便可收渔翁之利。"

良久，巴清只手撑地起身，走出落景轩。屋外老树上嘶叫的金腰燕早已没了影子。几只银翼乌鸦，停落枝头，发出"咿呀"的声响。这样不祥的鸟逐腐肉而生，想必是闻到了死亡的血腥。

　　她抬头，迎着苍白月光，望了眼暗无边际的天空，秋水的眸子内冻结了寒冰。

　　与落景轩相接的廊檐上系着铜质的风铃，六步一挂，两侧一对。绑住风铃的五彩锦带被强风吹开。风铃滚落，叮当声淹没。彩带四乱飞舞，像是躲避追捕的蝴蝶，终逃不过网的束缚，折腾几下便停息了挣扎。

　　巴清行于曲折回廊，踩着地上翻动的彩带，面无表情。

　　昌平君见巴清走近，停止谈话，示意黑衣军士处理糜啸郴尸首。巴清在昌平君五步外住脚，静默而立，鲜红裙裾与及腰青丝缠绕扬动，眉心鎏金花蕊映光闪烁，七分寒意，三分妖娆。

　　昌平君将她打量一番，微微侧头，目光锁定她眼角残留的泪痕。他上前两步，缓缓抬手，伸出修长手指，欲贴上她脸颊。

　　巴清眼帘一颤，后退一步避开，低头无言。糜啸郴对她的告诫终是进了她的心里。

　　昌平君手臂在半空顿了一顿，旋即收到背后，面带浅笑，柔情道："走吧。郡守已在厅堂等候多时。"

　　糜府厅堂内，灯火通明，华丽依旧。

　　郡守立在主位后的白玉雕前，时而贴近细看，时而远站观察，一副垂涎三尺的痴傻模样。他伸手轻轻触摸冰凉透骨的玉身，不由得咧开了嘴，听到脚步声迫近，又赶忙端正姿态，转身相迎。

　　巴清与昌平君进堂，全不见此前冰冷模样。

　　三人互礼，各自入座。

　　郡守极轻地清了清嗓子，对昌平君正色道："下官已带人清缴各处山穴兵器。收得弓弩一万，戈与矛一万一千支，长短剑共计五千，另有丹药百粒，然并无毒。此外，所有参与铸造、运送、存储者均已入狱，听候发落。"

　　查抄糜府时，萨孤卓韫早已隐匿，查无踪迹。

　　昌平君点头赞许道："贵府雷厉风行，乃地方众官楷模。本官定如实上报大王。贵府入咸阳参政指日可待。"

　　郡守微微一愣，旋即干笑两声，婉言推辞："下官何德何能受此恩惠。"

巴清秀眉一挑，惊异看向郡守。为官者哪个不想身居高位，这是第一次见到拒绝得这般干脆的人。

昌平君笑意稍敛，疑问同样。

侍婢端美酒奉上，玉樽在烛光下更显莹润通透。昌平君执起案上酒樽，左旋右转片晌，抿一口放下，意味深长道："宁为鸡首，毋为牛后。巴蜀确实物阜民丰，贵府不忍割舍乃常理，是本官考虑不周。"

郡守闻言，急急解释："不，不。参议朝政者当为能人贤士。下官自知才学不济，空有心而力不足。"

巴清卷睫张合，嘴角浅浅勾起，自顾垂眸品酒，不需观昌平君神色便知郡守的回答绝换不来好脸色。

果然，昌平君未有接话，眉宇间隐隐露几分凌厉，拿起玉樽缓缓送至嘴边，手指力道之重似要将薄脆的玉捏碎。

郡守察觉，连忙赔笑，恳切道："昔日糜啸郴独大，下官受尽屈辱。今朝得以收权，全靠公子相助。公子的恩情下官永记在心。"

冠冕堂皇的陈词滥调丝毫未有奏效。郡守窘迫地动了动身子，手心冒汗。

巴清微微侧身，正视昌平君，莞尔道："公子用心良苦，郡守怎会不知。方才一席话，想必正是因心怀感激，不愿辜负公子诚意。"她顿了顿，目光转向一脸忐忑的郡守，柔声道："公子有此提议是相信您，亦非急于一时，来日方长。一切未尝不可变通。人活在世，总要相时而动，趋利避凶。"

"是，是。下官正是此意。"郡守一听，赶忙朝昌平君点头应和。

巴清见昌平君戾气略有消减，又向郡守使了个眼色。

郡守见她目光下移至案几，眸光一闪，随即拍了拍额头，执樽起身，敬道："公子一举剿灭叛逆，护国辅王之心为众官表率。下官本应首当拜贺公子不日升迁之喜，却拖延至今，实在失礼。待公子受封之日，下官定亲赴咸阳拜贺。"

昌平君瞟了眼巴清，淡淡一笑，举杯道："贵府执意留守，本官不再强求。望贵府日后竭力协助大王处理地方诸事，莫要再出差错。"

尴尬缓解。三人对饮几巡，郡守起身请辞。

昌平君斟酒饮罢，漫不经心地把玩着玉樽，饶有兴味道："想不到你与郡守交情匪浅。他那样不识抬举，你竟替他圆场。"

巴清淡淡然笑道："点头之交而已。民女不懂政事，但经营之术略知一二。有时，同行、同地的商户为争夺利益，往往与远处的对手联合，内外夹击。此计看似权宜，却可长久维和，互惠互助。"

玉樽在昌平君手中转了一圈，又移到左手，最后被他倒扣在案几，发出一声闷响。他侧头斜睨她，映着烛光，瞳仁幽静漆黑，"巴夫人果然慧眼独具。"说罢，击掌两下，笑道："大王念你除逆一事有功，特赐锦绣长卷一幅。"

仆人手捧一宽二尺、长五尺的礼盒走进。礼盒通体由深沉润泽的沉香木制成，八处边角均雕有瑞兽麟角，盖面镂刻四朵对称祥云栩栩如生，中心嵌一白玉荷花，甚是高雅。

巴清赶忙起座双手接迎，粲然道："蒙大王赏赐，民女不胜惶恐。"

她如获至宝地将礼盒抱在身前细细观赏。

昌平君又道："太后口谕，待巴夫人下次进宫时再行封赏。"

她覆在盒盖上的手一顿，神色微动。昔日传召长乐宫时，赵姬的警告与排斥，她记忆犹新。现在赵姬示好的意图，她亦明白，微微一笑，不做言语。

昌平君起身，含着笑温文尔雅。他闪烁星眸看进巴清眼睛，温柔道："谢过大王，我呢？一郡之首调任牵动甚广，尤其对乡绅商贾多有不利。我可是顺着你的心思不与他计较。你怎半句好话也不肯说与我听？"

巴清神思一滞，呆愣间，已与他仅距半臂之遥。她瞳仁蓦地扩大，心头一紧，小退一步，低头避开他笑里藏锋的双目，恭谨笑道："多谢公子。"

话音刚落，他风拂柳絮般低柔嗓音便缓缓响在她耳侧："我要的，不是这四个字。"

她攒出的笑意蓦地消尽，眉心微蹙，仰首对视，强作镇定，道："公子想要什么？"

偌大的厅堂静剩穿门的风声。他饶有兴味地盯着她，片晌，脸上漾出更深笑意，暧昧道："如你所说，来日方长。"言罢，转身离去。

银的月，孤冷的夜。昌平君走出堂门，匆匆行过前院，高挑的身段被灯火拉扯出长长的影子。

她看着他渐渐消失的挺背，再次想起糜啸郴对自己的告诫。

她初见昌平君时，觉得他是谦谦君子，丰神如玉。可几番接触，她越发觉得他如沐春风的神态之下，藏着如狼似豹的狠戾与精明，稍一靠近，便让人不寒而栗。

巴清怀抱礼盒，心情渐有舒缓。她将它放置案上，轻轻打开，一卷锦绣静躺其内。她小心取出展开，刚半边入眼便觉所绣景物似曾相识。她继续铺展开来，定睛细看，不由得惊喜于色。

整个绣卷长约三尺，宽有二尺。所绣之景正是咸阳宫的花园。一物一景皆无差漏，一针一线不露边缝。绣工精巧，光彩夺目，神形俱备。

她由右向左，流转的眼波停在中下方，娇艳夺目的木槿花丛。朵朵菱形花朵，或脱离枝叶凌空飞舞，或零落长阶点缀。花丛对面绣着一个坐栏。坐栏黑线衬底，中间金丝绣着勿忘二字。

她仪态微顿，神思飞驰，想起初入宫时，嬴政讲的虞舜与木槿仙子；想起他谈古论今时明朗耀眼的模样。那时的一景一物，与绣卷毫无差别。她伸手抚着坐栏上的两字，嘴角扬起盈盈笑意。根根细比发丝的金线，如同昔日她与嬴政一起时的一言一行，明亮清晰，永不褪色。

"姐姐。"楚涟雪清脆的呼声打断巴清思绪。她快步走进，见巴清安然无恙，缓缓松了口气，忧色消散。

巴清微笑着收好绣卷，转身安坐主位，静静环视厅堂，似有思虑。

楚涟雪轻问："恶人已死，姐姐却笑得勉强。可是仍有什么心事未解？"

巴清沉吟一会儿，转身看向身后的白玉雕，脸色一分分冷淡，语气亦如屋外凛冽的夜风，让人发寒："明日一早，派人将它送至郡守府，便说是我的一点心意。另外，你亲自向郡守转达两件事。一、我家业有变，分身乏术，实在难当采石重任，愿他另择高人。二、希望他能将糜府的管家交由我来处置。"

冬雪纷飞山水屋舍，苍苍巴蜀皓然一色。

巴清一行车马缓缓行在通往巴宅的街巷，车声辘辘，留下一地辙痕。

鹅毛大雪簌簌而下，伴着时来的风，或飞扬，或盘旋，沉沉切切，似有情绪千丝万缕倾尽发泄，似海浪波涛汹涌的要淹没一切。

巴宅似一只巨大困兽，沉寂在飘雪的笼中毫无生气。

自巴煜泽当家后，为一己之利私自割让矿场，经营无方致丹砂产量急剧减少，合作商客索赔不断，损失惨重。其间，他兼营王陵采石，因从未涉足又急功近利，伤乱频出，延误王陵工期，惹得少府怒不可遏，要将巴家众人按欺官罪连坐。

巴宅的金丝楠木门再没了往日的光彩。守门小厮身影未见。管家一人立在门扉，看见巴清渐渐迫近的车马，脸上闪过恐惧，仓皇返回宅院。

巴清的车队停在巴府门前。几匹马轻嘶着抖搂马鬃上的浮雪。车夫搬来木墩，恭敬退后。楚涟雪下车立稳，伸手搭扶已出车厢的巴清。

巴清轻盈下车，外罩裘皮斗篷，内着一套烟笼梅花曲裾。裙摆上的点点散落梅花，与街巷两旁的梅树格外相称。她伸出手，雪花穿过指缝飘零而下。披风边裾的绒绒软毛与漫天飞雪融为一体。她微微仰头，望着苍白混暗的天际，淡淡自语："一切，终可了结。"

巴清吩咐众侍从前院待命，只留楚涟雪一人跟随。她步往厅堂的路上，

眼波流转，审视四周，府内树木山石皆在，一屋一瓦未变。她记得，自己被逐出的那一日，花叶满梢，盛气犹在。而今，树上堆雪随风簌簌散落，露出光秃枯瘦的枝头，隐隐透着颓败。

她踏雪近堂。地上松厚的雪在她脚下变得坚薄，发出"吱吱"声响。

堂内四人闻声，齐齐向外看去。主位右座的巴老夫人，瘫痪的右腿蓦地抽搐一下，伸手抓住一旁的儿子。

巴煜瑞拍了拍母亲布满细纹的手，紧紧盯着巴清身侧的楚涟雪，沮丧神色之中又添了惊讶。

巴煜泽盘膝而坐，低眉垂首，握手成拳，与立在身后的管家脸色一同煞白难堪。

巴清迈过门槛，缓步走进，面色如常，目不斜移。她解披风，敛好衣袖，正主位，含笑环视，不漏一棱一角。

屋内静极。壁炉内火苗吱呀四溅，跃跃欲跳出围栏，每一次都只在半空便湮灭。

巴煜瑞双眼直直盯着立在巴清身旁的楚涟雪。两月前，他照常去拢翠阁寻她，可老鸨却说她已筹了钱赎身离开，并留下四字有缘再见。突然的消失，毫无征兆的告别，让巴煜瑞心绪难平。他派人四处寻她，均未得踪迹。如今却以如此方式相见，实在让他难以接受。

楚涟雪见巴煜瑞一副不可思议模样，对视一瞬便侧头移视，神色中显露几分无奈与黯然。

巴清的目光在楚涟雪身上打了个转，移至坐于左座颓然无神的巴煜泽身上，又目视前方，缓缓开口，听不出任何情绪："还记得我离开那日说过的话么？"

巴煜泽未理睬，冷哼一声，对她正眼不瞧。

巴清不予计较，淡笑道："世间名利，人人皆想，人人皆争，可赢得却少，长久维持者更寥寥无几，可知为何？"

屋内仍无人应答。众人互不相视，或垂眸思虑，或自顾黯然。

巴清垂眸理了理袭地的裙裾，嘴角漾起纯美的弧度，平静道："因为，能力根本撑不起野心，且毫无自知之明，刚愎自用，急功近利。巴三公子就是最好的例子。"

火苗噼里啪啦地乱窜，在这静谧的屋中甚是刺耳。巴煜泽久忍的心火噌地跳出。他回头怒目相对，欲言又止。

巴清嗤地一声轻笑，道："怎么，我说的不对？未有一年，偌大的家业被你败毁到这步田地。你父亲若泉下有知，定悔极了生养你。官府欲没收你们全部财产，我可是费了许多周折才保全了这座宅子，让巴家不至颜面扫地。你不谢我反倒摆出一副恨之入骨的样子，不识好歹的性子莫非是随了你母亲？你们母子还真是……"

"啪！"巴煜泽猛地拍案，打断巴清。在座者惊愕看去。他双眼布满血丝，似有烈焰燃起，咬牙道："我母亲对这些是非毫不知情，休要牵扯到她！你以为你时来运转，能长盛久安？高不胜寒。不出几年，你就会和糜啸郴一样的下场！你会尝到他被最信任、最爱的人出卖的感受，然后凄惨而死！"

未等巴清回应，楚涟雪厉声呵斥："混账！死到临头还口出狂言！你这人面兽心、杀兄害嫂的东西，人人得而诛之！"

楚涟雪性子嫉恶如仇，尤其在得知巴清的遭遇后，未见人便已记下了仇。说着，她反手伸到后腰取出皮鞭。

立在巴煜泽身旁的管家，看到楚涟雪手中排满倒刺的皮鞭吓得连退几步。

巴老夫人虽面露畏惧，身子后挪，眼睛却透着喜闻乐见的光色。

巴煜瑞心头一紧，终究是同父异母的兄弟，此情此景于心不忍，双手紧扣桌沿几欲起身，急止道："住手！"

巴老夫人诧异地看着儿子。

楚涟雪抬起的手臂僵在半空，高扬的皮鞭倏地落地。她侧头看向目露恳求的巴煜瑞，怔愣间狠戾消减几分。

巴煜瑞神色缓和，目光移到呆若木鸡的巴煜泽身上，口气惊疑道："是你害死了大哥？"

巴清斜睨着楚涟雪，看着她收回皮鞭，犹豫着退到一旁。巴煜瑞与楚涟雪的关系，巴清已猜出十之八九。她换了坐姿，背倚身后玉榻，手指轻扣着白玉扶手，悠悠道："巴二公子好像不太相信，将证据给他看。"

楚涟雪微微垂头，缓缓走近巴煜瑞，目光闪烁躲藏，从袖间取出竹简递

过，立即转身回到原位。

巴煜瑞展开竹简，三行文字与鲜红的指印刺痛双眼。他直挺的身子突地无力，双手连同竹简齐齐跌落，眼眶泛红，嘴角抽动着欲开口，却被一阵脚步声打断。

侍从推门进堂，对巴清躬身行礼，道："郡守已派人将糜府的管家送来。"

巴清挑眉，冷冷道："带进来。"

侍从领命出正堂。众人面面相觑。自见了楚涟雪那狠戾气势后，堂内众人更加惶惶不安。如今又多了个糜府管家，不知又会出什么惊险。

片刻，堂门再开，雪花簌簌飘进。两名侍从将五花大绑的糜府管家快步带进堂内。

众人看着被侍从踢了数脚终无力支撑、扑通跪地的糜府管家，不禁各个神经紧绷。

巴清盯着一脸不甘的糜府管家，笑道："是不是后悔当初没杀了我？"

糜府管家挺直身子，神态昂然，毫不畏惧，眼中燃起的怒火似要将她烧成灰烬："是。我后悔自己太过忠心。我若是有半点违逆，主人就不会遭此劫难！当初若非主人告诫，我早就将你扔进荒野喂食猛兽，还能留得你今天。他视你如珍宝，你却待他如草芥。我为主人不值。"顿了顿，扫了眼面如土色的众人，嗤地笑道，"这些个你曾经的家人，现在成了你报复的人。至亲背叛的感觉如何？风光无限，百人簇拥，千人追捧的感觉如何？是不是寝食难安？是不是感觉别人对你的笑与好都藏着阴谋？"

巴清不动声色，抚着扶手的手缓缓收紧，五指狠狠掐着莹润光亮的白玉，似要将其捏碎。半响，她深敛口气，问："鸢儿是被你杀死的？"

管家鄙夷道："是她门外偷听，自寻死路。"

巴清猛然绷直身子，眼角含着泪光，哽咽道："她还是个孩子，何以至此！你简直禽兽不如！"

那一日，巴清疾奔至糜府厅堂，立在前院的回廊末端，远远地看着躺在地上的鸢儿，血肉模糊、白骨外露。那是怎样的可怖、怎样的惊魂，她再不敢向前半步。

此后，每当夜阑人静，她闭目休憩时，脑中总会浮现鸢儿清秀无瑕的面庞忽然变得狰狞，灵动含笑的双眸突然充满恐惧，阵阵痛苦的呼喊萦绕她耳畔，日复一日，徘徊不断。

糜府管家龇牙咧嘴，像极了一头凶恶的猛兽，呷呷笑道："人死便无知觉，喂豺狼虎豹也不会觉着痛苦，有什么关系？只要能解主人之忧，再死几个又何妨。"

屋外天色格外暗沉，雪势布天盖地。风尖厉的呼哨，卷着雪疯狂扑打着厅堂的窗门，急促凛冽，似要将整个屋子吞没。

巴清秋水微漾的眸子瞬间成了一汪寒潭，深泉一点点冷固，凝成坚硬的冰棱。她沉吟少顷，神态忽地松弛，眼中冰棱稍有消融，似笑非笑道："很好。既有当初，便应料到有今日。欠下的债，你要偿还。你让我身边人喂了虎，我便以你之道还治你身。不过，白虎是神兽，你没资格成它口中食。所谓物以类聚，将你喂狗最为合适。"

巴老夫人看着被仆人拖走的糜府管家，心惊跳不止，握着拐杖的手慌慌乱颤，恍惚间似听到了狼狗们为抢食发出的低吠。

巴煜瑞察觉母亲的恐惧，反握住她的手想要安抚。却自觉掌心冰凉，冷汗浸湿袖沿。

巴煜泽面色苍白，额头泛出细汗，一动不动强作镇定。

巴煜泽身旁的管家，哆嗦着双腿，踉跄几步跪倒在地。他狼狈地爬到巴清面前，唇色青紫，结巴着开口："当家的饶命。是三公子，是三公子逼我在大公子和您的饭食里下毒。是他，都是他。我是迫不得已。"

"咣当！"案几被巴煜泽踢得四角倒翻。他箭步上前，对着管家猛踹两脚，嘴里嗔骂："狗东西。你以为这样她就能放过你？"

巴清饶有兴致地看着那主仆二人的一举一动。楚涟雪一旁低声道："临危叛主者，姐姐要小心。"

巴清点点头，微微扬起下颏。

楚涟雪会意，冲门外高声道："拖出去！"

他人惶惶不安，巴煜瑞却低头蹙眉，心中不解楚涟雪为何叫巴清是姐姐。

管家求饶声渐渐消逝。巴煜泽再难承受坐以待毙、恐惧入骨的煎熬。他转身，横眉怒视巴清，呵道："要杀要剐直言！用不着在这装腔作势！"

巴清神色急剧一冷，眼中掠过一丝雪亮的恨意，出口的话却是调侃的语气："要杀要剐？你受得起么？你死了一了百了，可你母亲呢？她不会难过？我想，一定是痛不欲生。"说着，她挑眉望向门外，一字一顿，"你怎么忍心呢？"

巴煜泽心头一震，顺着她的目光看去。

风雪中，三个人影快步走近厅堂。门开，风雪簇拥着巴家弱柳扶风的二夫人出现在众人眼前。

巴煜泽见状，赶忙跑上前一把推开仆人，搀扶着母亲找最近处的位子坐下。

二夫人拉住儿子的手，立在原地，翩翩纤纤的身子因波动的情绪轻颤，栖落在睫毛上的几片雪花，融化着与泪水合为一体。她道："你怎能如此任性妄为！做出这等伤天害理之事，我还有什么颜面去见你的父亲！"

巴煜泽鲜有的红了眼眶，轻轻拍抚着母亲单薄的后背，脸上写尽疼惜与愧疚。片晌，他猛地看向巴清，眼中的厉光如要噬人般刺入她肺腑："我说过，所有事皆是我一人所为，与我母亲无关！"

巴清无分毫退让，目光如利刃，在母子二人脸上狠狠刮过："你骨子里流着你母亲的血。你的一举一动，生死荣辱，皆与她相关。你若孝顺，便不应做那恶事。"顿了顿，她嘴角一扬，耳垂上的银色梅花坠子晃出隐隐亮泽，又道，"你亲手杀死你大哥时，怎不见半点犹豫？怎不见泪眼红眶？早知如此，何必当初！你没有资格与我计较，更没有资格住在这里，与你母亲一起滚出去！"

有时，最狠的惩罚不是死，而是生不如死。

巴煜泽肩膀激烈地颤抖，似扑腾着利爪，挣扎于笼中的困兽，任凭趾盖被磨得断裂亦难逃困死笼中的宿命。

在仆人的驱赶下，巴煜泽与他的母亲抖抖颤颤地行走在茫茫风雪中。于他们，逐出家门并非惩罚的结束，而是开始。

堂门开开合合，使得冷风有机可乘，屋内暖意大减。巴老夫人身上裹着厚重的裘袄，却未带给她一丝暖意，反衬得脸色更加苍白。她垂着头，一手紧抓儿子手腕，另只手强撑着地，支着已瘫软的身子，眼中透着任人宰割的绝望。

楚涟雪面色凝重，几番犹豫，欲言又止，终别过头，移开视线，无奈低叹。

巴清泰然注视着巴煜瑞母子，慢条斯理地拨弄着手腕上几串银质的梅印镯子。哗啦哗啦的脆响，扰得巴煜瑞心跳混乱不已。他发现，此时的自己，竟连巴煜泽那怨恨的怒气与咒骂也没勇气。

片响，巴清指尖轻轻敲了两下隐隐泛光的白玉扶手，温婉开口："巴老夫人气色不大好，可是病了？"

楚涟雪合眼，眉头紧蹙着不忍。终究与巴煜瑞相识一场。此情此景，她实在不愿看到。

巴煜瑞深吸口气，强作镇定，道："我愿代母受过，请巴夫人……"

巴清打断他："身有不适，便安分休养。"

楚涟雪吃惊地回头。巴老夫人猛地抬眼，不可思议地瞪着巴清。巴煜瑞亦是瞠目结舌，以为耳听有误。

巴清淡淡瞟一眼巴煜瑞，姿态娴静从容，道："巴二公子留下。"

巴老夫人警惕噌地加剧，死死地抓着儿子手腕不肯松动分毫，生怕远离一步，便天人永隔。

巴清淡淡眸光在巴老夫人面上一剜，讥诮道："是听不懂我的话，还是希望我改变主意？"

巴煜瑞未显忧惧。他想，以巴清的性子，话既出口，便不太有收回的可能。做出这样的让步，自然有比复仇更重要的事。他亲自送母亲出了堂门，拍了拍她手让其安心。

待旁人离开，巴清整个人长舒口气，臂肘抵着扶手，揉了揉额角，面露疲惫。

巴煜瑞安静地打量她，流瀑一样的青丝柔顺地披散在后背，蟒首蛾眉之上银玉额环压着发髻，面容较之数月前更加清秀消瘦。一个徘徊于家族纠纷，权谋争夺，亲朋背叛的女子，走到这一步，所承受的痛苦，他不敢想，更难以体会。但他知道，那种感觉，一定不比山轻，不如海浅。

休息片时，巴清缓缓起身，嘴角噙着一抹稀薄的笑意，走至窗前，目光

远眺，看着被雪花点缀的旖旎天空，淡淡道："这世上，醉生梦死者有两类。一类是精神，一类是肉体。精神者，除痴傻外，其他人越是活得清醒，看得越透彻，心里越迷茫痛苦，故不愿自拔，昏沉度日，久而久之如行尸走肉一般。因他们胆小、无能，只懂得逃避。而肉体者，他们虽沉迷花街柳巷，玩乐于色相众生之间，内心却无时无刻不冷静自若，凡事皆自有打算。因为他们隐忍、有志，明白螳螂捕蝉黄雀在后的道理。二弟觉得，自己属于前者还是后者？"

巴煜瑞惊愣地看着巴清。让他惊诧的不是那意味深长的字句，而是她唤他二弟。

当初，为争夺当家之位，巴清与巴煜泽各自处心积虑笼络人心。最名正言顺的继承者巴煜瑞却终日风花雪月，全然一副事不关己模样，以致众人认为巴家二公子玩世不恭已无可救药。于是，所有看客皆对他不再注意。巴清亦是毫不指望。直到一日，他满身酒气地与她院中相撞，嬉笑致歉后，将郡守儿子私卖假酒，又与父小妾私通二事装作失口说出，她才恍然一震：原来，看似无用的二弟自有筹谋。自那日起，她时时留意，细细观察，渐渐对他生出几分欣赏。而真正让她安心将其收为己用的关键，是自己被逐出家门时，与他极短的对视，及他在身后的挽留。那日，四目相对的瞬间，她看到他的愧疚与不忍。他明知她大势已去，自己更人微言轻，却依旧唤她嫂子。她感觉得到他仍有亲情与善念。也是那时起，她确定，他终究不是巴煜泽一般心狠手辣的人。

于巴清而言，用宽恕换来一位得力助手，得偿所失。

半晌，巴煜瑞答非所问，道："你不恨我母亲？"

巴清走近他，笑容绵柔如四月的和煦春光："煜祺生前，最疼爱的便是你这个弟弟。若他在世，我想，即便他知道了你们非亲生手足，亦会待你如初。"顿了顿，她坐在他一旁的位子，眼睛里只有期盼，没有仇恨，话语只有暖意，没有寒刺，"仇可以有，但要适可而止。没有谁喜欢怀着恨生活，你说呢？"

巴煜瑞盯着一脸诚挚的巴清，神色微动。她如花的笑靥，让他想起昔日一家合欢时的幕幕景景。那样亲切、情浓于血的感觉已数年未有。他神思往来，心中温热复酸楚，不觉间，轻唤了声："嫂子。"

巴清展颜，赞许地点点头，道："巴家沦落至此，非我初衷。当下丹砂要做，盐业初涉，我一人分身乏术，希望有个得力沉稳的人相辅。不知二弟是否愿助我一臂之力？"

没有别的选择，这是最好的结果。他感激一笑，恭顺垂首，回味着她的话，忽而星眸一转，抬眼相对，不解道："王陵修建，采石是笔大买卖。冬季天干气燥，雨水稀少，最适合开采，嫂子不做？"

巴清斜靠案几，若有所思道："王陵初期，设计难免会有变动。墓基石难以统一。采出的石料，形大形小，质地好坏，咱们都要听从安排，永远被动受制。最关键的是，采石是官家一手操办，关窍甚多。我看郡守对此事颇感兴趣，便做人情送他。官家事，官家人做最好不过。郡守乃地方之首，日后总要依仗于他，理当给他留些油水。有时风头占尽，易引火烧身。最重要的是，巴煜泽将丹砂经营得一塌糊涂，伤劳不理，克扣工钱，搅得人心涣散。当下，内有合作人与外商勾结，从中作梗欲吞并矿场；外有北地陈氏联合采买商客打压巴蜀丹砂，至产销渐显萎靡。如今，解此危机才是重中之重。"

巴煜瑞恍然，点头称是。

巴清殷切地看他，轻扬的眉梢狡黠若隐若现，笑道："不过，我已想到了法子，只差个放心得力的人去做。如今二弟肯助我，所谋定成。"

第三十二章 霹雳手段

　　料峭寒风，凛冽冰霜，随着元日拜天祭祖的结束悄然离去。几场雨雪冲刷，天地分外素净。偶有雪花零星飘下，如飞鸟弹落的华羽，似玉人摇荡的梨花，无声无息，轻似芦絮覆在街路房舍、草木花枝，薄如纱衣，铺罩巴蜀大地。

　　宅内，巴清款款细步，踏雪游园。处置巴煜泽那日，她亦将细软收拾，一并搬回巴宅。糜府太大，大得心慌，不经意的一眼，不知名的一物，皆会让她惴惴不安，梦魇缠身。巴府终究存着她四年点滴，一切更加熟悉。

　　她漫步至后园水塘，走近青石垒砌的池畔，凝视叶卷蓬空，枯黄折茎的残荷，似一座冰雕立在曦光之下。

　　风乍起，卷动地上浮雪如轻烟般追逐，扑打在巴煜瑞不染片尘的软皮靴上，流转四散。他快步走来，和煦的日光映着他俊朗的轮廓，较之从前的风流佻傥，今时的眉目间多了几分沉稳干练。

　　干瘪残荷被风吹得左偏右旋，宛若醉汉。巴清闻声并未回身，只道："办妥了？"

　　巴煜瑞在她身旁立稳，望着满池残破，道："共十车，二十海筐，均安置隐秘之处。郡守已至厅堂。四位商户已全部应邀来齐，在南院等候。"

　　她点点头，又道："巴煜泽克扣、拖延的工钱，可有悉数补发？"

　　巴煜瑞道："嫂子放心。矿工们收到钱后，心态颇有好转，怨声少了许多。"

"辛苦二弟。"巴清满意展颜，转身欲走。

巴煜瑞唤她一声，从袖间取出一枚荷花簪递过。

巴清眸中闪过惊色，微微愣神。

他见她未有动作，向前递了递，垂首似有愧色，补充道："因常见嫂子佩戴，当时见落下了便收起来，想着日后有机会再送还。"

言罢，他顿了一顿，极快地看一眼巴清复垂首，讪讪道："以前的事，我也有错。我以为一切皆会如自己预料的那般，可谁想事事多变。母亲、三弟竟做出……"

"二弟。"巴清轻声打断他，目光移向他身后不远处的几株梅树，粲然笑道，"你看那梅花，凌寒自开，傲雪斗霜。有时，绝处逢生，否极泰自来。"

巴煜瑞依言转身，看着枝枝成簇的粉红，凝思间，手中的荷花簪已被巴清取走。

巴清微微转动簪身，白玉嵌琢的藕心迎着阳光散出莹润光泽。她确实很喜欢它。她记得，它是在自己被逐出家门时落下。几片雪花飘落，在玉润的藕心凝化成水珠。她眉眼微颤，想起昔日赵姬以荷花为喻的告诫。

她扬手，抛出柔美弧度。荷花簪落池，溅起苍凉的水花。

此举太突然。巴煜瑞看着波纹回荡的池子，又看了看眼前的巴清，诧异得说不出话。

她冲他莞尔，分插发髻两侧的金云翠珠晃荡着散出五彩斑斓的光，只听她从容道："荷花虽美，却离水衰萎。我非荷花，不爱荷花。往事已去，莫要追记。日后，你我齐力，共谋大计。走吧，莫要让郡守久等。"

南院是巴家为接待宾客所建，一厅三栋，规模布局与厅堂大同小异。每栋以封火墙相隔，以廊门相通，以天井两旁分厢房。厅堂更为富丽堂皇，周围玄色的木柱、石梁、石枋上刻满祥云飞禽。厅门边立着一对近三尺高的抱鼓石，两面均雕以花草走兽，图案精美，功底精细，令人叹为观止。

厅内四人两两对坐，皆为巴蜀两地丹砂大户。南为巴，北为蜀。四人或盘腿静坐，自顾思虑；或正姿跪坐，互相交谈。

蜀地一商仰头看了看房梁，又环视四周，对一旁的蜀商低声道："巴煜

泽得罪了官家本应倾家荡产，她还能留下这宅子，果然有些能耐。"

对方点头应和："这女人能走到今天，确实不易。"说罢，顿了顿，望了眼门外，小声道，"你说，縻啸郴被赐死，与她有没有关系？"

另一方将声音压得更低，颜色显露几分兴味："听说，是在秦为官的楚国公子昌平君成了她的靠山。你猜，他们之间有没有暧昧？"

相比蜀商，巴地两商则安静许多。近门者姜氏，黑瘦高挑，四十有余，始终不言不语，偶尔看着宽大的主位旁多出的两方软垫若有所思。

另一个姚氏，年过半百，身材矮胖，满脸横肉，看着对面两人，轻呵一声，好似料到他们所聊内容，不屑道："女人嘛，无非是靠那点姿色与一张巧嘴罢了。巴蜀丹盐若落在她的手里，当真悲戚。"

四人各自思虑之际，巴清与郡守走进门楼，边行边语，相谈甚欢。巴煜瑞随行身后。

堂内四人见郡守与巴清并肩而来，话音戛然而止，气氛突变沉寂诡异。四人飞快地互视几眼，忙起身相迎。

众人拱手互礼，几句寒暄，各自入座。

巴清将东向主位礼让郡守，自己落座其右侧。巴煜瑞于郡守左侧。

她目光辗转，将四人一一打量，欲开口被姚氏先抢。

姚氏看向巴煜瑞，笑道："巴二郎别来无恙。"旋即，捋着胡须，故作回忆状，关切道："几日前，我路过北街巷尾，见一神色狼狈、衣衫褴褛的男子挨家挨户地敲门。那模样像极了巴三郎。二郎应去北街看看，或许真是三郎，或许他是在寻你。"

姚氏一直屈居巴氏之下。巴煜祺及其父在时，两家尚且和睦，时有合作。然巴煜泽当家后，因二人皆高傲之辈，生出诸多分歧，使得关系恶化，几欲中断合作。姚氏此时提起巴煜泽，自是有意嘲讽巴家。

说话间，旁人目光齐齐看向巴煜瑞。巴煜瑞微垂着头，脸色红白交替，唇畔抽动几下欲言又止。

忽然，一声轻笑吸引所有视线，只见巴清抬袖掩口，眼中波光流转，挑眉回敬姚氏道："姚当家的兴趣何时变成了观察路人的衣着打扮了？难怪您的十车精选矿直到收货地验检时，才发现一半皆是劣等质地。想来您处处谨慎周全，对生意上的事更是严格把关，绝不会出这等差错。听说后，我本想是误传，今日一见，才知传言非虚。"

巴煜瑞欣慰一笑，向巴清投以感激目光。

半月前，姚氏运往北地陈氏的整整十车上等矿石，卸车后竟成了五车中等、五车下等。他被指违约白白丢了上千镒金。姚氏虽查出了装车时疏忽大意的工人行了处罚，但此等蠢事前所未有，一有提及仍是满腔怒气。

姚氏见在座几人皆看向自己，两蜀商竟含笑耳语，目中似带讽意，胸中有怨却不好发作，只得干笑两声，虚与委蛇。敷衍间，他忽地前额耸动，侧头拧眉看向巴清，狐疑道："你怎清楚……"

巴清不理姚氏，下颏微扬，正色道："今日，劳烦各位齐聚在此，为的是丹砂价格。近几月，巴蜀丹砂价格下滑，精品尤甚。据我所知，始作俑者是北地陈氏与几个买主。他们故意压价，赊账而致，意在孤立巴蜀，然后逐一吞并。"

此言一出，蜀地两商再次凑近，一人嘴巴张合，声音极小，另一人附耳细听，连连点头。

巴地姜氏面色稍沉，仍旧自顾思虑，不言不语。

姚氏哧地一笑，不以为然地摇了摇头，道："最近丹砂销量与价格确实不如往昔。巴夫人居安思危也不错。可您说北地有意针对，怕是多虑。北地丹砂实力并不强于巴蜀。他要联合采商打压必定要出重资，让厚利。咱们历来与他各自经营，素无瓜葛，怎就突然蓄意作梗呢？为的是什么？有什么人事值得这样大费周章，耗损财力？于理不通，于情难讲。"言罢，他身子后仰，把玩着腰间玉佩，玩味道："真要计较起来，当初，可是巴夫人去咸阳求合作，抢了人家的生意。"

巴清垂眸一笑，轻呵道："为什么？细数七国各地丹矿，唯有巴蜀、北地、南郡与楚国阜阳、郢地、临湘产量最高。其他各国因地理位置、设备不齐、技术欠缺，寥寥无几。产地少，需求多，加之王陵修建，需大量水银，值此良机，其中哪家若成垄断之势，便是无尽的厚利。付给采买商客的那点点钱财，如何能与此相比？"她缓息须臾，身子微微前倾，手肘搭在案沿，樱唇上勾，道，"何况，您与陈氏接触密切，他有没有这份野心，您应比我

们更清楚。"

姚氏一愣，旋即眯眼冷言反击："巴夫人这话真是自露三分哪。"

巴清冷笑道："谁人不想让家业繁荣壮大？您若不想，会坐在这儿？"

二人互不相让，你来我往，眼见针锋相对，郡守忽而赞道："好茶！真是好茶！叶形纤细，嫩绿油润，汤似甘露，碧清微黄，香馨高爽，久闻如畅游青山绿水之间。"

众人看着一脸陶醉的郡守，颇觉扫兴，紧张的气氛亦有消减。

郡守执杯再抿一口，转头看向巴清，道："这是蒙顶甘露？看汤色叶形像是，可入口的味道与香气有些不同。"

"此茶于蒙山山顶精选，三炒三揉，故较之其他茶叶更佳。"巴清冲门外侍候的侍婢挥了挥手，示意再添一壶。

郡守了然点头，眼珠转视其他案几，眨了眨眼，道："哎？怎只有本府自饮，各位快品，确实美味。"

众人依言执杯细品间，又听郡守道："本官记得百年前有传，连亘巴蜀的蒙顶山上清峰有茶树七株，高不盈尺，长生不灭，使巴蜀茶叶名扬各地，繁荣不衰，被历代茶商誉为茶中圣品。不知各位可知，这蒙顶茶另有一名，唤做茶中故旧。当时，百姓认为此茶是先祖恩赐，为感念故起此名，意在念祖庇佑巴蜀长盛久安。本府亦认为，巴蜀祖先本是同血同脉，虽朝代更替，分分合合，但不论同属一国或各自为政，对外而言皆是一荣俱荣，一损俱损。"

蜀地两商相视一眼，声色不动地将剩下的茶水饮尽。姚氏缓缓放下茶汤只减毫厘的杯盏，两眉收拢。姜氏垂眼盯着案上的半杯茶水，若有所思。

一个身形娇小的侍婢提着茶壶在前院快行，身后跟着一布衣男子，神色焦急。

二人刚近门，布衣男子便赶超侍婢，疾步进屋，对郡守礼罢，走到姚氏身旁，低头耳语。

须臾，姚氏脸色陡然铁青，猛地拍案，怒斥布衣男子："还不快抢回来！"

众人还未从姚氏的喊叫中回神，又听"啪"的一声，侍婢一个战栗将茶壶打翻在地。

众人怔愣片刻，不同的表情在脸上慢慢浮现。

布衣男子怯懦回道："劫匪人太多，实在……"

"废物！一群废物！"姚氏甩袖打断，恼怒训斥，早已忘了周围另有他人。

郡守关切道："姚当家这是怎了？有难处不妨直言，不知本府能否帮上一二？"

姚氏长叹口气，握拳忍气道："车队路遇强匪，十车精选矿全部被劫。"

早些年，劫匪猖獗，确有各种货物被劫之事，但多数会选中小商户下手。姚氏家业在巴蜀颇有名气，又有家丁护送却突逢大难，不禁让众人惊疑不已。

郡守当即厉声道："岂有此理！姚当家放心，本府定会严加查办！"

姚氏勉强攒出笑感谢，未觉半点宽心。他明白，货物一旦被劫，便很难寻回。

巴清看一眼巴煜瑞，转而盯着蹲在地上手忙脚乱的侍婢，拧眉道："几日前，我是不是见过你。"

侍婢神色惊慌，眼中泪滴坠坠欲落，答也不敢答。

这时，巴煜瑞开口："嫂子忘了，她前几日打扫厅堂，不小心将香炉摔落。管家要惩，恰巧被您遇见，才得一免。"

巴清卷翘长睫张合，了然一笑，对侍婢道："我容许犯错，但你记住，事不过三。"

侍婢连连点头。一旁愤慨的姚氏却猛地抬头，惊见巴清正看着自己，顿觉她温婉如春水的双眼似漩起巨大深洞，深不见底足将一切吞没。他瞬间恍然：原来掉包与劫匪皆是她所为！

姚氏怒火中烧，欲开口指责，见巴清转向郡守笑谈，又忽地止住。他瞄了眼二人，想着郡守方才以茶为喻的话，心中掂量：看来，不论郡守是不是早已知晓她所做之事，皆会对她回护。即便我人证物证齐全，可公然指责了她，也会让别人知道我与北地陈氏合作压价一事，反而对自己不利。这可如何是好？难道我要这般窝囊地咽下苦水吗？

姚氏神思烦乱间，又想起巴清告诫侍婢的话，不禁默念着揣测起来："掉包为一，截货是二，那么第三……"他心中猛地一颤，未敢再想，身子

绷紧又倏地松垮，跌坐下去。

侍婢收拾好地上狼藉，忐忑退出。

姜氏瞥了眼垂头丧气的姚氏，说出了第一句话："巴夫人的担心不无道理。陈氏若当真怀有野心，咱们却被蒙蔽后知后觉，那便是岌岌可危。不知您有何应对之策？"

巴清赞许地看着姜氏，笑道："首先，我们要统一出售价格。采买商的出价低于咱们的规定，那便让他另寻别处。不论他们辗转巴蜀哪一家，绝不脱手。"

蜀地商客当即提出疑问："可各家原矿质地不等，手工技术不一，丹砂的好坏参差不齐，如何统一？再者，如果我们不让，买家不让，丹砂怎么出售？一直囤积岂不便宜了北地？"此言一出，另一蜀商亦点头认同。

巴清微垂着眸，淡淡一笑，道："价格，我们可定下最低标准，比如上等丹砂一石十金，中等一石六金，下等则一石二金。各位想想，以现在的低价买卖后而获得的利益，究竟比往年差了多少。我料想，各位的账簿上早就对比鲜明。我希望大家不要把心思用在讨价还价上，而是努力提升各自矿场的人员监察、能力训练与技术配备。手段终究是一时之需，货物质量的好坏才是长久之策。至于买家让与不让，是否便宜北地，那就要看各位愿不愿意，以其人之道还治其人之身。"

姜氏侧头看向巴清，道："巴夫人的意思是，咱们与需求大量的买家私下合作，反击北地？"

巴清点头道："不错。我知道，在座各位皆是经营有道的商贾世家，人力、财力丰厚殷实。各位若能团结一致，不要说垄断富甲北地的陈氏，便是再多出几个，于咱们，不过蝼蚁。"她停顿须臾，执杯浅啜一口茶汤，美目转向姚氏，笑道，"不怕危机，只怕人心不齐。您说对么？姚当家。"

姚氏一怔，旋即尴尬地挤出点笑意，连连称是，初始的跋扈之态尽数隐退。

"巴夫人居安思危，高瞻远瞩令人钦佩，我们没有异议。"蜀地两商一番耳语后，一致认可。

姜氏眼睛转了一转，思索片刻，道："那么，我们从今往后的丹砂价格，便按巴夫人所言。不过，没有约束，谈何约定？一旦出了问题，又应如何？在下以为，当选一位德高望重、经验丰富、思虑周全、处事正直的人来做裁决者。"

众人不约而同地将视线移至郡守。

郡守正专心端详杯盏，觉有目光投来，停下动作，眨着眼环视一周，呆愣须臾，好似明白了什么，赶忙咧着嘴赔笑，摆手推辞，道："本官为政者。各位是商人。思维不同，经营上的决策与投资，各位永远比本官高明，还是不干涉的好。要想咱们巴蜀长盛不衰，这点一定要分清。"他顿了顿，一只手支着头，一只手指尖点着膝盖，悠闲地闭上眼，声音低沉似要睡着，"本官便做个见证者吧。今日，各位的一言一行本官皆记着。日后，生意上的困难不要苦了自己，说出来，大家互帮互助。至于裁决者嘛，各位还是另择高人吧。本官看姚当家就很适合啊。"

姚氏一惊，极快地看了眼巴清，急切道："不，不。在下自觉能力有限，无法胜任。主意是巴夫人提出，不如就由巴夫人来做。"

姜氏接道："在下也认为巴夫人最为合适。"

蜀地两商亦随声附和。

郡守突然睁开眼，精神抖擞，道："既然大家一致认可巴夫人，巴夫人便当仁不让吧。"

真心假意，众望所归。

巴清没有推辞，眉眼间挂着淡淡笑意，双眸宁静柔和，语速从容，不卑不亢道："多谢各位抬爱。如今，巴蜀、北地、阜阳可谓鼎足三分。只要咱们同心协力，垄断天下丹砂指日可待。"

第三十三章　情业两难

午后，浮雪消融，染湿石路。凝垂廊檐的冰棱，化作清澈水珠，滴滴落下。

巴清送走郡守与几位商户，与巴煜瑞并肩，漫步通往北苑的西廊。

巴煜瑞浅笑悠然，道："嫂子的办法果然有效，姚氏总算是安分了。"

巴清打量着周围景致，凌厉笑道："对吃里扒外的人，必须用非常手段。"

巴煜瑞点点头，思忖道："不过，姜氏颇让我惊讶。他好像在向咱们示好。"

巴清步态不急不缓，淡淡道："随他。路遥知马力，日久见人心。他若真有诚意，自会主动上门求取合作。当下，最要紧的是整改咱们自己的生意。"

巴煜瑞侧头看她，洗耳聆听。

"下月起，丹、盐所有矿场长工的工钱，由每月八十圜升至一百圜。每逢元月、春社、祭祖、腊八四节，再增发一百圜。三餐由每月一次炖肉改为每七日一次。所有矿工，只要出现伤病，不论是不是在矿场患得，咱们都要给予关怀与补助。另外，凡是能对经营与技术提出合理建议并可施用者，以及预见灾害，早察人祸者，皆重金奖励。反之，若有私自偷矿，蓄意破坏致人员伤亡者，严惩不贷，绝不容情。"

在巴清还未讲完时，巴煜瑞便眉头皱起。听罢，他更是缓了脚步，沉默不语。

她回头看他，微微蹙眉，道："二弟有话不妨直言。"

巴煜瑞沉吟少顷，犹豫道："此前的工钱，虽不高却也不低。咱们名下的丹、盐矿场，矿工数以千计。如今福利再涨，恐怕年底清账时，减去所有支出后剩下的纯利，会比往年明显减少。咱们岂不是要落后其他商户了？"

巴清微微摇头，抬眼望着蔚蓝无云的长空，勾唇道："执政者，得民心，得久安；经商亦如此。不克扣，不拖欠，多福利，分奖惩，拢劳者心，家业才会繁盛不衰。万不可一叶障目。"

巴煜瑞了然一笑，谦逊道："是。小弟只是担心，这样的厚待，会让矿工们自视甚高。久而久之……"

巴清打断他，语气多了分严厉："收益是谁为你创造？没有矿工，如何开采？如何筛选？如何提炼？你亲自去做？记着，你的锦衣玉食，你的豪园美宅，皆离不开他们。利，取自他们，更要回馈他们，如此往来才能长久。"

她脚步稍顿，目光锁在北苑院门的两排梅树间。枝上的梅花或单瓣深紫，如骨红照水；或粉花垂枝，含羞怒放；或自然扭曲，如龙游戏，煞是秀丽。

巴清走近一株，伸手压下一枝白梅轻嗅，零星水滴滑落。她双眸透过繁茂错综的花枝，迎着日光熠熠生辉，话中凌盛的意气如梅香盈满周身："我要让天下所有需求丹盐者，永远将巴氏丹盐作为首选。"

巴煜瑞未应，风度翩翩地立在一旁，面向巴清，心思却早已飞至院内的楚涟雪身上。

楚涟雪一身紫衣立在正房前大片的白色玉茗前，青丝随风微微扬动，在耀眼金光下散着动人光泽，宛若仙子。她微微扬颏，望向立在院门的二人，粉唇轻抿。比起巴煜瑞显露的灼灼殷殷，她是一贯的颜色冷淡。

忽然，"咔嚓"一声脆响惊断巴煜瑞心神。

巴清折下花枝，瞥了眼楚涟雪，捏着断枝走近他身，淡淡道："二弟好像心不在焉。"

巴煜瑞尴尬垂头，欲言又止。

巴清稍抬了抬手中梅枝，翻转着玩赏，悠悠自语："有人觉得花开堪折直须折。可我在想，花一旦离开枝叶，枝一旦离开根茎，还能存活多久？那些折花之人一味地去得到，去留住，殊不知，摘下的那刻起便是再没有

复苏的凋零。真正赏惜的人，会让它待在原处，四季更替反复，开落观赏两不误。"

两片粉瓣从巴清指间悠悠荡荡飘落，随风贴上巴煜瑞青色袍角，又滑至鞋尖。他低头看着，沉默伫立，眉间川字若隐若无，风流无愁的双眼里浮起淡淡忧色，竟连巴清的离开也没有察觉。

巴家三世荣华，败毁于妻与妾的争斗中。嫉妒与她们的夫君是始作俑者。

巴煜瑞明白，她怕他重蹈覆辙。

巴清紧了步子走向正房。楚涟雪前迎两步，微笑道："姐姐。巴煜泽的母亲，今早冻死在荒废的草屋中。"

巴清推门进屋，解下披风，神色如常，淡漠道："他呢？"

楚涟雪接道："巴煜泽将他母亲葬在阴灵山脚后，一直跪在坟前，未曾离去。"

巴清踱至窗前，玉手轻搭窗沿，望着光秃的树干，眼睛眨也不眨，阴阴道："阴灵山离内城少说也要十里。他还真是孝顺。既然去了，便让他一并留下吧。"

楚涟雪应下，垂眸少时，犹豫着开口，声音轻细，似试探："姐姐，你真的，不计较二公子与他母亲了吗？"

巴清回身，倚窗看着楚涟雪，清隽无瑕的脸颊漾起一抹不深不浅的笑意："你好像很在意他们母子。"

楚涟雪目光闪烁，赶忙解释："不，不是的。我只是在想，巴老夫人害死了您的孩儿。您真的不计较吗？"

巴清笑意变得温润，调笑道："你究竟是希望他们平安，还是遭难？"

楚涟雪这才发现自己的话变了味道，尴尬地垂头，脸上浮起一抹窘色。

巴清浅笑着走至妆台前，打开一个小巧的楠木锦盒。盒内是一个半环形的玉佩，盈盈润润，翠色欲滴。

她取出玉佩，走近楚涟雪，执了她手，放在手心，眸光似祥云散出的瑞光柔和："这玉玦是我命人采了上等的花青精雕而成，与你甚是相称。我知道，来到我身边，你有你的使命，但数月的接触，我能感觉到，你心本善。咱们都是飘零女儿。你唤我声姐姐，我当你是妹妹。既用人，不疑人。我信你。"

一缕箫声悠悠飘来，萦绕屋顶，徘徊脚下，绕梁不绝。箫音时而婉转，时而低沉，如轻飘的云烟袅袅柔柔，像急流的河水遇石激荡起的晶莹水花，沾染了岸边的绿柳，浸湿了楚涟雪的眼眶。她抬起秋水涌动的双眸，话中含着感动："谢谢。"

巴清欣慰地轻拍了拍楚涟雪的手，闲谈几句，便遣她去做别事。

待到楚涟雪出了屋子，箫声突转明朗，如海浪层层推进，如雪花阵阵纷飞。

巴清迎着箫声源头侧耳细赏。片刻，她走至筝琴案台，盘膝而坐，玉手缓缓落在弦上，一串清音从指尖滑出，如青峦间嬉戏的山泉，清逸无拘；如杨柳梢头飘然而过的微风，轻柔绮丽。

她衣袂随手臂轻柔摆动，每一个弧度都是绝美。

起初，琴音与箫声时分时合，顿挫融洽。然维持半刻后，巴清拇指与中指蓄力上勾，弦声顿时沉如稳立崖顶的飒飒松竹，又陡转激扬，如峡谷旋风，急剧盘旋上碧落，坠入地狱卷黄泉。

箫声势渐转低，应和着高昂的琴声，温婉如絮。

琴箫和鸣，寥寥几时，互诉心事。

突然，琴音戛然而止。巴清手压着琴弦，眼中升起一层水雾。

她这才明白，萨孤卓韫在巴地的真正目的。

感激的泪自她眼中扑簌而下，落至弦上，润了乌黑的绿绮。

萨孤卓韫独坐北苑墙垣。琴音消匿时，他亦止了吹奏，摩挲着箫身刻着的少女画像。垂肩黑发随风摆拂，乌丝绕住他眉间五色莲纹，却遮不住他双眼中坚定的光芒。

能够不计得失，不去管谁是谁的依附，守护便是幸福的爱，开始了就不会结束。

楚涟雪出了北苑，穿过一片梅林，再行百米便是她的紫兰阁。她步子轻缓，手中握着巴清赠的玉玦，想着巴清说的话，目光空愣。

玦，似环，而缺不连。玉玦能为人喜爱，备受追捧，除了它用料、做工的精良外，还在于它的缺口。

许多人沉在达到目的则圆满的心墙中，忘记了值不值得，忘记了对与错，最终越垒越高再不见墙外的天地，丢失了自己。等到发觉，想要摧毁高墙时，却没了力气。殊不知，有时，放下也是一种圆满。

楚涟雪明白，巴清是希望她放下，是在告诉她，不论国恨家仇或是其他，太过执着，不但得不到圆满，更会葬送了一生年华。

她一路低着头，踏着花石子路自顾梳理心事，直到巴煜瑞近了身才恍然察觉。

她抬头，眼中闪过一丝道不出的情愫，转瞬垂下。

巴煜瑞握着她因冷风拂掠微微泛红的手，脱口而出的每一个字都饱含柔情："涟雪，我此前所言，你考虑好了么？"

楚涟雪眼帘垂得更低，浓密的长睫，在眼下映出深深的阴影。沉吟半晌，她深吸一口气，冷冷道："你应该可以猜到，我现身花坊，与你结识，突然消失，所行诸事皆有图谋。你不厌我吗？"

巴煜瑞脸上的柔情瞬时凝固，俊美的五官仍是风流韵致，眼底却腾上了一丝痛楚和哀凉，握着她的手紧了紧："往日种种，我不在乎。我只想知道，你对我，是否存有真情？"

"没有。"她收回手，打断他，斩钉截铁，同时听见了自己心开裂的声音。

"你撒谎。"他逼近，几近额首相对，语气透着不甘。

她仰头看他，眸光如清莲，淡淡之音毫无情感："我为什么要撒谎？"

"这话应我问你。还有，你为什么突然成了我嫂子的贴身随从？为什么叫她姐姐？你们什么时候认识的？"他语速变得急躁，眼中燃起灼灼火焰。他有太多的疑问，可她一个也不曾解答。自来到巴家后，她一直躲着他。他越来越看不明白她。

他目光太过炙热，灼伤了她眼眶。她的长睫因他一连串的问题而颤抖，如同无力的蝴蝶扑腾着翅膀，最后被雨水打落。她欲开启的朱唇，似要出口的解释，终随着迈出的步子消逝。

"也许，你有你的苦衷。但爱这种东西，不是说收回就可以收回。决定握住的手，也不是说放开就可以放开。"他看着她渐行渐远的身影，语调平静而坚定。

她迈开的脚停了一瞬，旋即加快了步伐，决绝地离开，未有回头。

风乍起，离枝的梅花像下起的一场雨，隔在二人之间，模糊了视线。

于楚涟雪而言，前方是生死未卜的苍茫，背后是经历数年的荒凉，如果每个梦都要散场，心何必为了谁动荡。

第三十四章

商贾齐聚

山色青苍，寒烟漠漠，松涛隐隐，冰凌挂梢。云雾中传来一声猿啼。

巴煜瑞策马在蜿蜒山脚疾驰。骏马长鬃飞扬，四蹄翻腾，哒哒不停。山风骤紧，扬起他暗蓝披风，飒爽俊逸。

他穿过几处矮岭，见前方数缕白烟随风北飘，微微收了缰绳，缓了马速。

他经过丹矿场，未作停留，沿坡而上，勒马停在矿场旁的一座巨大石屋前。

石门外待命的小厮牵过缰绳，恭敬一礼。

巴煜瑞走进屋内，顿觉一股热气扑身而来。他耸了耸眉，走近巴清，低声道："姜氏与其他矿主已在路上。不消片时便可到达。"

巴清轻应，盯着铜炉若有所思。

石屋为提炼水银而建，每处矿场旁皆有一座。屋内共有五个铜炉，状如大锅，高有三尺，直径四尺，依次排列。每个铜炉下放柴火，配一人看住火势，稍有减小便添柴扇风。

每个炉口皆有深底铁锅倒扣。锅身铸有两个缠着层层粗布的粗长手柄。铜炉与铁锅皆有一扇可活动的盖顶，外拉两侧。每个盖顶同样有包裹严实手柄。

提炼水银耗体力，久而损害健康。常在石房的工人多半是长衫掩口的健壮男子。提炼时，铁锅每半刻取下一次，将蒸馏出的少许水银装入旁边备好的铜桶内,再检查炉内丹砂是否需用添加后,重新扣上铁锅,如此反复。

烈焰燃烧不休,火光明明晃晃。巴煜瑞只待了片刻便觉闷热烦躁。他从袖间取出锦帕,递与身边仍盯着铜炉凝神的巴清,轻声道:"嫂子,这里交给他们便好,咱们出去看看。"

巴清未理,盯着铜炉缓步围观,额泛细汗,眉心微蹙。

旁侧的铜炉时至提取。两工人握住把手各自推动外侧的铜、铁盖,隔离后一齐翻转铁锅,将水银倒入备好的铜桶内。虽一气呵成,但仍有水银几滴溅落。

巴煜瑞疾步上前,将巴清拉远,关切提醒:"小心。"

水银滚落,分散成珠。巴清看着向银珠撒上硫磺的工人,思忖道:"虽非次次提炼,次次溅洒,然日积月累,损失仍重,更易伤人。"

工人以为当家的意在责怪,急忙躬身赔礼。巴清解释道:"我的意思是,这种提炼的方式有弊端,需要改进。"

巴煜瑞打量着屋内铜炉,接道:"此法,其他矿主亦在使用,想必是最优选择。水银贵重且难炼,改进谈何容易?"

巴清环视铁锅,凝视顶部中心,若有所思道:"历来沿用的,不一定是最适合的。有弊端,便一定可以改良。没有先例,那就创造先例。"

屋顶敞开的天窗闯进一阵疾风,撩拨火苗。火势突地蹿起,黑烟呛鼻。巴清卷睫扑颤,掩口轻咳几声。

巴煜瑞锦帕捂嘴,待烟消散,望了望门外,提醒道:"嫂子,矿主们已到。"

她点头道:"你先替我应酬片时,不要让他们来这里。"顿了顿,思索少顷,又唤住出门的巴煜瑞,"我与各位矿主的午膳设在矿场。饭食与矿工们一样。"

巴煜瑞一愣,面带忧虑:"不妥吧?"

巴清微笑道:"我自有分寸。"

屋内角落休息的几名工人蹲坐在一起,互递眼色,你推我搡,低声商量,似欲与巴清说话,却又胆怯。

巴清察觉工人们投来的目光,侧头看去,温声道:"各位有话,但说无妨。"

一高瘦男子在另外几人推耸下走出，躬身一礼，局促道："您方才说提炼方式有弊端，我们几人也很认同。前几日想了个法子，也不知可不可行。"

巴清眼光一亮："请讲。"

男子指着铁锅，道："可将它换做一个铁质漏斗，倒扣后的顶部连通一个弧形铁管，铁管另一端下放铜桶接汇。铜炉与漏斗的口径皆要缩小，铁管弧度亦不能太高，便于挥发导流。如此一来……"

巴清听顿悟，喜上眉梢，急切接应："省了人力，降了危险，更减少了水银丢失。"

然男子仍有难色，犹豫道："只是……一旦更换，现在所用器具均要废弃，有些可惜。新用器具均要量身定做，颇费周折。我们曾与监工说起，结果不了了之。想来，监工也是对此法的耗费颇为顾忌。"

男子所言显然利大于弊。监工不予理会，无非是瞧不起工人们的能力。

巴清唇角突地下沉，眉间悄然染上一丝怒气。她围着铜炉转了一转，审视几番，抬眼道："此乃一劳永逸之举，绝不可惜。你们肯说与我听，我已是感谢不及。我会派人将奖励分发与你们。"

几位工人一听，连连鞠躬欢喜言谢。

巴清走近几人，虚手相扶，旋即环视屋内，对众人温婉叮嘱："各位不论开采或提炼，一定要安全为先。你们的安全才是我巴氏经营长盛的保障。日后，任何建议与问题皆可直言与我，只要得当可用，我一定重奖。"

众人听罢，纷纷感激行礼。男子却惋惜一叹："可惜陈老不在，听不见当家的话。"

巴清回头问道："他怎么了？"

男子道："前几日天气冷得紧，他正巧在矿地值夜，染了重寒，现在家休养。那改良的法子他也有份。他今日若在，听到当家的这番话，一定感激坏了。"

巴清关切道："他家住何处？可有什么亲人照顾？"

男子再叹一声，无奈道："他家住城北子亭巷东三号。妻子早丧，未再续。有个女儿，已嫁人。若不是什么大病，他女儿不会回来照看。我家与他只隔一条街，平日互相照应。不过这几日我要值夜，怕是回不去了……"

这时，一旁的人戳了一下男子，拧着眉向他递了个眼色。男子恍然，连忙对巴清尴尬赔礼，道："当家的莫怪，我这唠叨的毛病真是惹人厌。"

巴清和颜悦色道："只要是我巴氏的劳工，我绝不会置之不理。你们因工伤所需的一切费用均由我来承担。我会请最好的郎中为陈老诊治，不日便可康复。你大可放心。"

众人从未见哪家矿主有过这种言行，不禁听得呆愣。

巴煜瑞轻敲了敲石门，冲巴清点了点头，示意一切已安排妥当。

巴清叮嘱工人几句后走出石屋。她行至门口，忽而想起一事，折身看向屋内众人，道："每逢四节的福利，你们可有尽数收到?"

众人接连点头，巴清这才安心离去。

料峭山风吹散巴清华服上沾染的热气，骤添几分寒意。她紧了紧披风，加快步子，眉宇间多了分严厉，口中的话直指一旁的巴煜瑞："你马上至城北子亭巷东三号陈家送上抚恤金。他病时所有费用全部由咱们承担。一定要亲自送到。"

"难道监工没有去?"看着巴清阴沉的脸，巴煜瑞小声自语。

巴清冷冷一哼，怒意分外明显："连工人的建议都不予理睬，何况是他们的病情。此般态度，留他何用!"

巴煜瑞一怔，赶忙低头认错："小弟监察不周，请嫂子责罚。"

巴清缓舒口气，止步看他，语调柔和，词句严正："你记住，咱们定的规矩能不能起效，关键在中间人的传达。纵使你想得周全，说得详细，监工敷衍了事不去落实，又有何用? 更有甚者，临时应付，自觉上有政策下有对策。你必须时常走访，亲自查验，多与矿工接触，了解实情，万不可懈怠。明日，你召集所有矿地监工，告诉他们，从今往后，任何补给与福利，若敢隐瞒不报，中饱私囊，发现一次永不录用，不要心存侥幸。当然，若管理有方，成绩斐然，我自当重奖重用，绝不亏待。有我巴清一日荣华，便有他们一日富贵。反之，毁我经营者，我会让整个巴蜀都不再有他们的容身之处。"

巴煜瑞鲜少见巴清如此凌厉，心神震颤，连忙点头应下。

二人出了提炼场。巴煜瑞骑马返回内城。巴清独往矿场工棚。

每处矿场共有南北两处工棚，南处供矿工休息，北处则分发餐食。几位矿主被安排在北处。

北处工棚外，正立着一个神色踌躇，肥头圆肚的厨子。厨子见巴清走来，赶紧上前，急道："当家的，二公子吩咐矿工吃什么您与贵客们就吃什么，可我这真的下不去手。您快进去看看，几位贵客的脸色差极。要不我再做点别的？好歹……"

巴清轻笑两声，打断道："不必。分餐。"

厨子见当家的回答得干脆，眨着眼应下，挠了挠头，琢磨不透搞什么名堂，匆匆进门，依言而行。

"各位久等。"巴清翩翩走进工棚，笑意盈盈。

几位矿主早已等得不耐，但见巴清来阴沉的脸瞬间布满笑纹，齐齐拱手相迎。

工棚内摆设简陋，仅有几张长形案儿。矿工领了饭食围在一起吃吃说说，因听说今日有几个贵家老爷在，特地让出一桌。

巴清走至长案前盘膝而坐。地面未铺席，亦无垫。泥尘染脏她裙摆。她毫不在意，回头对立在一旁的几位矿主浅笑邀请："各位请坐。此前有事怠慢了各位，耽搁了饭时，实在抱歉。"

厨子唤来几人端着六大碗青菜汤与数张大饼，分发长案。

巴清重掌家业后，削减无用人员，重金招揽资深监工，提升质量，增加福利，逐一吞并了邻郡零散的小型矿商。其间，她又联合巴蜀其他几大矿主，与采买商户几番谈判，打压陈氏。不到两年时间，便重振了巴氏经营，甚至更胜从前，使得各国中型矿主纷纷前来求合作。

此次的几位矿主中只有姜氏同地。其他四人，两人为南郡，两人来自楚国临湘与郧地。

五人看着长案上粗陋的饭食，皱了皱眉，无动无语。姜氏盯着巴清侧影，思虑片刻，抬步入座。

南郡二人看了看姜氏，亦敛起不满，相继入座。

楚国郧地矿主恼色溢于言表，怒哼一声，拂袖欲离。一旁的临湘矿主赶忙上前拉住，与其耳语，似在劝导。

临湘者刘氏，近不惑之年，方脸白肤，眉目清朗，仪态平和。刘氏本是丹砂世家，实力曾与阜阳曹氏不相上下，但如今的当家者不善经营，实在参不透商场如战场的道理，几个回合下来曹氏便占尽上风，大有破产之势。刘当家心有不甘，为保家业，只好与外联合。

郢地矿主听了刘氏劝说，阴沉的脸勉强缓和，不情愿地入座。

巴清余光瞥着几人动作，微笑道："各位请。"说罢，她拿起粗陶制成的勺子，舀一勺菜汤，吹散热气，送入口中。

另外几人见她吃得自然顺畅，看了看自己眼前的糙面干饼与油花零星的菜汤，估摸着只是看着难以下咽，或许吃到嘴里别有一番滋味，便跟着吃起来。

谁知，刚一入口，几人眉头骤然紧锁。用惯了玉盘珍馐，哪里受得了这般连清汤寡水都不如的饭食。几人食已入口，不便吐出，只得忍着咽下。

南郡两人捏着勺羹搅着汤水，捞出几块残碎的青菜，互视轻叹，艰难地抬起第二勺。

姜氏则从容许多，少顷已喝下大半。

巴清环视几人，向姜氏投去赞许目光。

郢地矿主实在难以忍受，将汤匙咣当摔到案几，噌地起身，怒道："我承认，经营确不如你。可你给我们这种东西吃，未免太过分！早听闻，巴夫人处事周全，心思精细，待人有道，今日一见还真是'名不虚传'。既如此，合作不谈也罢！"说着，不顾刘氏的拦阻，大步出门，再未回头。

在座其他人面面相觑，齐齐看向巴清。

巴清淡然一笑，不拦不请，不回不应，自顾用食。

刘氏见巴清无动于衷，踌躇着坐回位子，不再言语。

片晌，众人将汤菜尽数用完。

巴清看着长案上空空的陶碗，双眸扫过旁坐的姜氏，落至南郡与刘氏三人，展颜勾唇，言语间挟带几分锋芒："很高兴三位留下。我非常尊重各位。三位弃就近的北地与阜阳两商，而不远百里择我巴氏，想必是深思熟虑，几番权衡后的决定。商者，利为先。你们有你们的盘算，我也有我的标准。养尊处优，鲁莽武断，不肯与工人同甘共苦，对一顿饭斤斤计较者，与我道不同不相为谋。另外，我可以看出，各位平日很少来往矿场，不愿与矿工接

触，大事小事只吩咐下属，自己则安坐听报。今日之后，我希望各位记住，过分的权利下放，会导致私利横生，继而出现中饱私囊，假账假传，最终致使人心不满，劳力懈怠，衰败待毙。"

在座几人默然垂首，脸色微沉，似在反思，又似因巴清不留情面的话觉得尴尬，心生些许不满。

巴清粉唇一勾，眼波笃定，话锋调转："各位既然选择留下，便不会空手而归。我会投资扩建三位的矿场，并分派人手调训矿工，使开采、筛选、提炼，所有流程更加规范有效。至于采买，我会为各位打点，减少每年的囤滞。如何？"

三人一听，眉眼顿扬，交头耳语。

刘氏审思几回，开口："不知每年的收益，巴夫人意在几成？"

巴清挑眉，干脆道："五成。"

此言一出，三人瞬间噤声，眉梢松垮，迟迟不语。

这时，一言不发的姜氏开口："据在下所知，陈氏与曹氏一直对三位虎视眈眈，几欲吞并。他们一个垄断北地，一个独占阜阳，同地商户都不留情面，何况对你们？如今，巴夫人肯出钱出力，互惠互助，又无吞并之意。各位可不要错失良机，最终让自己成了别人的口中食。"

三人听后，思忖再三，终是齐齐应下。

巴清秀眉一挑，英气凛凛，道："好。各位信我，我定不负各位。我已备好上等客房，待各位休息一晚，明日签下合约。"

谈话至尾声，巴清也未对姜氏有任何言语。直到她送走三位矿主，回头看着未有去意的姜氏，莞尔道："方才多谢姜当家。"

姜氏谦逊道："巴夫人说笑，是在下抢了您的话。"

巴清沿着矿场外的羊肠小路漫步而上，凉风拂面，清秀脸庞添一分飒爽："我看姜当家与方才的三位路不相同，怎会同来？"

"路，总有同归时。"姜氏缓步走在巴清身旁，悠悠吐语。

巴清饶有兴味地看他，道："愿闻其详。"

"巴夫人曾说巴蜀、北地、阜阳鼎足三分。按地域而言确实如此，但分开来看，实有七家。除却陈氏与曹氏，剩下五家全在巴蜀。当初建立商会是為對抗外敵。有朝一日，外敵肅清，只怕商會不僅不解而散，還會群起而爭。屆時，蜀地兩商自成一氣。咱們巴地也要早作打算。"

姜氏稍停，嘴角忽地上揚，鼻翼下延伸的兩道紋路深而清晰，兩眼眯成一道透着精光的縫隙，笑道："說早作打算有些偏頗。巴夫人扶持北地、阜陽周邊的中型礦主，已是在未寒積薪了。可一人終究勢單，勝券難握。所以，在下特地來助您一臂之力。"

巴清住腳，側身盯着姜氏，雙眸射出銳利的光，似要將他看穿。片晌，她輕抿了唇，意味深長道："姜當家應該知道，一山不容二虎。"

姜氏微低了頭，懇切道："兩虎相爭皆有損傷。在下有自知之明，也不喜歡殺敵一千自損八百的買賣。巴夫人若不願五五，四六、三七，都可以。在下只覺着王陵的水銀，一分為二總好過一分為五。"

巴清沉吟片時，眸光微動，唇畔勾起詭秘笑意，靠近他一步，輕聲道："誠意，我更喜歡看到，而非聽到。"

第三十五章

风云际会

秦都咸阳添了一条街巷，坊间给它起了两个名字。

一为鬼街。因它一年之中，仅三月初一至初七听得见叫卖，看得见人迹。此街建成后，除了清扫路尘的几个衣着得体的小童与老者外，不许旁人随意进出，静谧非常。每当夜幕降临，街道中央高耸的阁楼上，灯火明灭闪烁，偶有强风呼啸穿堂，颇显诡异。

二曰金巷。此巷建于秦王政八年，仅开放过一次。然仅一次便是万人空巷，赛过内城其他商街整年的繁华。七日内，七国各行商户纷纷运送货物前来占位展示。其间，有同行合作洽谈，有观者一掷千金。日落之时，交易钱财总计万万之上。七日一过，各路卖商满载去，百姓翘首盼明春。金巷一名，由此而来。

市井传，这条街巷是文信侯吕不韦出资所建。因由亦是各执一词。

有人说，近几年，吕不韦为与魏国信陵君、楚国春申君、赵国平原君、齐国孟尝君一较高下，广招门客，著书立说，难分伯仲。于是，他利用自己是政客也是商人的身份，出巨资建此街广聚天下商贾富豪以拔头筹。

另有人说，自嫪毐获封长信侯后，家中童仆宾客多至数千，投奔求官求仕者不计其数，一时门庭若市，成为唯一可与吕不韦并驾齐驱的豪门显贵。吕不韦因权势被分化，怨愤甚深。嫪毐在雍城府邸大摆宴席，宴请达官贵胄，挥金如土，大显奢靡。吕不韦亦不甘落后，圈地掷金，数以万计，长街百里，望无边际，只为争一口气。一时间，秦国都城成了两大权臣势力的角斗场，势同水火，剑拔弩张。

传闻究竟确有其事或捕风捉影不得而知，然街巷内供给往来商户们的休憩之所，却是真真切切的富丽堂皇；寝居、乐坊、棋社、赌场，但凡想到一应俱全。

最为瞩目的，当属坐落街巷中央的那座九开间的阁楼。阁楼建有三重，重重飞檐反宇，瓦瓦万顷琉璃，只远望一眼，便知是高堂广厦，珍楼宝屋。

建成前，街巷的主人便对此楼大肆宣传，扬言此楼不论桌案器皿、美食家酿及厨子、侍女皆从各国精挑而来，可谓来此便知天下味，驻足一日游七国。

坊间听到如此豪言，即便是夸下海口，想必也有些斤两，于是纷纷摩拳擦掌跃跃欲试，初次开业便座无虚席。

后来，凡有幸得进一览洞天者，纷纷夸赞其名副其实，顿时此楼声名大噪，以至第二次开放时，门外队如长龙，更有文人学士彻夜守在楼外，平民百姓不惜拿出一年积蓄，只为能进去吃一餐品一味。

阁楼与街巷同开同闭，属酒肆却无招牌，每层大门上皆挂着对句与横批，各不相同。所接宾客大底三类，依层排座。第一层接百姓食客，第二层揽文人学士，第三层待商贾巨富。

相较一二层的济济一堂，热闹非凡，第三层显得颇为冷清。数十张彩石长案错落有致，不稀疏，不拥堵，只要不是高声阔论，临座间绝不影响。临窗处设有雅间，选用世间绝品青龙檀木精雕而建，幽香四溢，凝神怡人。

室内宾客仅有三十余人。皮毛兽甲，佳饮美食，木材宝矿，锦衣贵玉，行行皆有，行行巨贾。

众人不分国别，同行聚坐，或把酒漫谈经营术；或饮茶评论天下势；或对坐思谋谈合作，声温语细，凝眸机变，字字珠玑。

巴清与各国的丹、铜、铁矿商主拼桌聚坐。

数名侍女端着美酒飘然而至。酒杯轻巧上案。侍女柔声道："杯，是魏国独山玉中的白玉透水，名为掌中雪。酒，是楚国的百年佳酿绍黄酒，名沁香春。"

众人听罢，或伏案详观，或执杯细品。

酒杯形如梅花五瓣，似腊梅盛开。杯底中心镂花蕊，杯身外攀缠梅枝，枝上雕七梅与蕊相连，通体无瑕，晶莹似雪。唇齿轻触，杯中色如琥珀的玉液带着杯身的点点清凉缓缓入口，馥郁芬芳，甘醇似饴，回味无穷。

一齐国商人大饮一杯，冲酿卖此酒的楚国商人慨然道："当真是酒中极品，难怪越王勾践赞其'一壶解遣三军醉，不比夫差作酒池'。"言罢，欲再饮一口，却已见底，他唇齿微动尚在回味，双手托杯轻抚，只觉赏心悦目，道，"好一个掌中雪。唯有此名才配得上这杯，唯有此杯才与这酒相称。"

酿酒的楚商与制杯的魏商颇为受用，轻笑几声，欲畅谈心得却被一人抢先。

"酒，还是那百年的好酒。可味觉之中多了些绵柔甜腻，再尝不到三千越甲可吞吴那凛冽之中激人心血的热辣。可惜。"

众人循声望去，是矿商王氏。王氏抿酒两口，置杯于案，捋着斑白胡须，眯眼含笑。

王氏乃秦国铜器巨贾，开采、提炼、制造、售卖，全权垄断，是矿商中的翘楚。他正坐东位，近身的南北两座分别为巴清与楚国阜阳的曹氏。巴清的旁侧是姜氏，曹氏一旁则是临湘刘氏。

众人听出王氏意指楚魏两国今已衰败，再无昨日之荣，皆不愿接话，免逢尴尬。

楚商神色如常，仿佛真如自酿的酒水一般绵软无力。

制杯的魏商颇为介怀，反唇相讥："我倒认为多些甜腻未尝不好。越王卧薪尝胆，忍辱负重，使得吴王放松警惕，待察觉时已无力反击，结果便是如当年的阴晋之战一般惨败。"

阴晋之战，魏将吴起以五万兵力大破秦军五十万，以少胜多，大挫秦国。魏商以此回击自然挽回颜面。

王氏未有再应，斜睨一眼魏商，目光转向巴清，笑道："老夫最喜欢巴郡的清酒。冬酿夏熟，色清味重，再配上一支铿锵勇武的巴渝舞，剑弩齐列，戈矛同扬，不动则已，动则疾鹰鹞，龙战而崛起，颇有大秦之风。"

巴清莞尔道："奴家每逢出门在外思家甚深，见到家乡的物什都觉着是最亲、最好的。"说罢，她对待命的侍女挥了挥手，回头对王氏微笑道："听闻贵府刚刚诞下麟儿，未有及时恭贺，今日特备薄礼望您莫要嫌弃。"

说话间，侍女手托一精致的六角红木锦盒姗姗而来。

巴清接过锦盒，推至王氏眼前，揭盖笑道："此乃于风水宝谷中，经七七四十九日，昼夜不息观火察味而炼成的养元丹。每一颗皆选奇珍贵药，采天地之精华，获山水之灵气，捕异兽之真髓，得百草之仙酿，久服可祛病延年，养颜美肤。"

王氏双眼一亮，盯着盒内黝黑光亮的三十颗丹丸看了又看，伸手取出一颗近鼻细闻，又高举翻转观察。

糜啸郴死后，巴清并未废除丹药的炼制，而是请萨孤卓韫再配良方，制成保养极品，推销七国，谋取厚利。

浓郁的药香引得远座商客引颈相望，更有好奇者聚拢而来。

王氏摩挲着丹药，疑道："当真可祛病延年？"

巴清颔首道："我既敢赠予您，又怎会夸下海口。此丹七日一颗。效果因人而异。体弱者三月，强健者半年，但变化轻微，若想延年益寿还需长久服用。您大可寻名医品验，一探真假。"须臾，她侧了侧身子，环视众人，"丹，乃道家主要道术之一。终南隐圣文始先生为老子之徒，是道家第一隐仙。他创楼观道后又分犹龙与丹鼎两派。犹龙派主修龙虎胎息吐故纳新的内丹。丹鼎派则烹炼金石灵芝驱阴补阳的外丹。我的一位至交乃丹鼎派第五代弟子，他本不愿以修行之物谋财，我也是几番苦求才换得这秘方。"

众人听的入神，四周静悄，神色各异，或凝眸沉吟若有所思；或扬眉移目不屑一顾，或眼光闪闪似有心动。

忽然，众人中传来高声，略带调侃："怪不得您年近三十仍肤如凝脂，形貌窈窕动人，难不成都是这仙丹的功劳？在下也要试上一试。"

一席话引得旁人失笑。巴清循声看去，原是售卖名贵药材的燕商姬氏。她嫣然回应："长生不老实属无稽之谈，延年益寿确有其事。与其得病不如防病。药为病人而存。金丹为健者而出。谁人不想延年益寿，久活于世？谁人不想身体康健，乐享天伦？上至王侯将相，下至黎民百姓，谁人不想？送金银珠宝，赠美玉佳人，锦衣玉食，豪园美苑，喜欢却无福消受，岂不哀乎？"

屋内又归安静，众人各自思斟。片晌，燕国姬氏道："敢问一颗金丹的售价？"

巴清对姬氏伸出五指。

姬氏了然："五金？"

巴清摇头浅笑道："五十。"

姬氏声色未动，眉心轻轻一耸。

周围几人亦未再语，或低头默默思忖，或摇摇头似不以为然。

王氏精烁双眼极快地扫视众人一回，蓦地拍案笑道："礼新意，话有理。巴夫人如此推崇此丹，老夫宁可信其有。您再备一百二十颗，分装四锦盒内，老夫明日派人买来。"稍停，他拿起案几玉杯将剩下的酒一饮而尽，赞道，"弃奢宝送丹药，淡浮华固根本。不错，可行。"

齐国干果大商田氏瞥了眼王氏，略一思忖，对巴清道："不知巴氏可有意拓宽销路？"

巴清美眸一转，笑答："此物价格不菲，非人人可得，当选富庶之乡。我已在巴蜀、咸阳，楚国临湘，韩国新郑，魏国洛阳，各设门店。他国别地尚在观望。"

赵国一商当即高声质问："巴氏择韩而避赵是何意？你的意思是赵国无富庶之乡，尽是贫瘠草莽？"

燕国姬氏随即点头接道："堂堂燕国难道还比不上一个小小的韩国？"

姬氏的莽撞立刻换来韩国商客嗤笑一声，鄙夷回敬："十年间，向赵国割让十二邑，损失上谷三十六城，可真是堂堂的大燕国。"

姬氏虽失言在先，但韩商如此挑衅亦不甘吞忍，轻笑道："巴氏在韩设店是对的。弹丸之地几乎年年战败于秦，连君主都入秦朝见，我看用不了多久，新郑便会成为秦国的一个郡县。"

韩燕两商毫不相让，大有舌战之势。

巴清抿唇一笑，开口打断二人，道："几十年来，秦赵外交伐谋，针锋相对，战事连连。赵国君臣百姓对秦难免心存芥蒂。若在邯郸驻店，只怕进出的关税、门店的租金、累月的税收，足以让我得不偿失。风险太大，前景堪忧，怎敢投资？"顿了顿，她看向燕商，淡笑道，"同是经商人，往来皆为利，何必为了这等事争得面红耳赤。丹药上市不久，售卖还得循序渐进。"说着，她又短叹一声，身子微微侧仰，右臂搭在案沿，无奈道，"我倒十分想它遍布各地，买客卖商共同受益，可赵、燕、齐的关税及各种附加税实在让人望而却步。"

刘氏看了眼指尖轻叩玉案的巴清，笑吟吟接道："巴氏不如在楚国增设几家门店。沿海的丹阳、寿春、姑苏皆是富裕之地。临湘一家已供不应求。交了定金的买主多有催促。在下也想多代理几处。"

阜阳曹氏唇角一撇，眼中闪过一丝不屑。齐商田氏颇为关注。他凝思少时，缓缓道："如果您只是担心关税与附加税务，在下倒有个法子。"

巴清侧头看他，静待下文。田氏拱手笑道："请至雅间详谈。"

燕商姬氏见田氏已有加盟意向，亦不愿放弃生财之机，紧跟道："在下与田当家想法一样。"

赵国商客看着走进雅间的三人神色微怔，似还未明白。

王氏提壶倒酒，酒如一丝金线注进玉杯，斟满时如珠玉生辉。他自饮罢，浅笑几声，悠悠自语："得先机者得财源。"

第三十六章

金风玉露

　　艳阳高照，时近正午，风卷云舒。

　　嬴政与李斯穿过熙熙攘攘的人群，朝阁楼信步而来。二人一身云雷纹锦袍服，腰束嵌玉带，系挂翡翠坠，一副商人模样。

　　阁楼外环的车马场内，宝马雕车香满路，一派豪华富贵。

　　慕名而来的学士与百姓，在阁楼的厅门外队如长龙。

　　嬴政立在人堆旁打量着整座阁楼，目光渐渐落在第一层的楹联上。

　　"玉盘珍馐千家尝，一味入口永难忘。惠及万户。"嬴政默念着楹联与横批，透过扬动的绢纱绣帘看了眼座无虚席的内室，嗤笑一声，小声自语，"不知这玉盘珍馐是真的惠及万户，还是高妙的移花接木。"说罢，他与李斯向三楼走去。

　　阁楼外的入口分为三处，与三个楼层对应。较之第一层的大门，另外两处冷清许多。

　　另两处的梯口设在阁楼后园内。后园葱茏绿树，清池粉荷，幽静娴雅。

　　侍者亦不再是年轻的俊男美女，而换作了天命之年的老者。几位老者身着寻常布衫，鬓有斑白，身形消瘦，精神矍铄，双眼透着精明，一看便知各个皆是通晓世故、阅历丰富的练达之人。

　　嬴政与李斯穿过花径，直向三楼梯口去，不料刚一走近便被拦下。

　　侍者躬身拱手，善笑道："恕鄙人直言，二位并非商者。不如由鄙人领路，二楼对饮，长风万里，吟诗作赋，交酬高楼，岂不乐乎？"

嬴政微微一愣，剑眉轻挑，看向李斯。李斯诧异地打量侍者，道："你怎肯定我们不是商人？"

侍者淡笑道："鄙人观二位追金逐利之气寡淡，更像身份高贵、心怀天下的文人贤士。"

李斯含笑点头，望了眼高耸的楼顶，道："实不相瞒，我们是来寻一个朋友。她此时应在这第三层内。"

侍者定睛，语气微变恭谨，"不知二位朋友的名讳是？"

嬴政干脆道："巴清。"

侍者双眼一亮，身子稍稍前倾，再问："二位自巴蜀来？"

嬴政盯着陡然恭敬的侍者，若有所思，淡淡道："咸阳。我们与巴夫人是故友。"

侍者身子再前倾，"不知二位的名讳是？"

嬴政眉心一耸，不耐道："赵氏，李氏。"

侍者展颜，躬身一礼，语气分外尊敬："二位请先赴二楼歇息，鄙人即刻禀报。"说罢，他引着嬴政与李斯踏阶而上。

嬴政跟在侍者身后，唇角下沉，眉宇间悄然浮现一丝戾气。

三人拾级数阶，一宽阔楠木门楼入眼。门楣上又是一对楹联，从右向左刻着"擎杯踏云驾鹤，对饮醉品春秋"。门梁之上又悬着四字牌匾"乘风颂雅"。

二楼执事见有客来，急忙迎接。侍者低声叮嘱执事两句，往三楼去。

执事欲开口邀请二人进内室，被嬴政抢先道："不必。"

执事见嬴政剑眉鹰目、一身戾气，不敢多言，点头离开。

嬴政近门两步，审视内室。较之一楼的酒肉吵闹，二楼则文雅许多。数尺长绢如帘垂挂窗口与室壁，白绢黑字，龙飞凤舞。文人贤士或三两一起品酒论诗；或拼桌齐聚高谈阔论；或唇枪舌剑指点江山，济济一堂，觥筹交错。美人如玉，舞袖萦回。仙乐渺渺，不醉不归。

嬴政打量着窗口几个耳语的中年男子，身子微微侧向李斯，低声相问："你猜，里面有没有各国的暗探？"

李斯会心一笑，道："想必不少。"

侍者至三楼时，巴清与齐商、燕商已达成加盟协议，欲共进午膳。

侍者轻叩门扉，得了应允走进，对巴清恭敬道："有两位客人称是巴夫人的故友，正在二楼等候。"

巴清放下手中银筷，疑惑道："可问了名字？"

侍者道："他们只说是咸阳的赵氏与李氏。"

巴清微垂了眸，默念二人姓氏。咸阳城内，巴清所结交之人，不论是官是商无非为利往来，能称得上朋友，肯把酒言欢，真心闲谈者实在寥寥无几。

她凝思片刻，呼吸一紧，垂在膝上的手忽而抓住桌沿，猛然抬头看向侍者，上扬的唇畔如一朵含苞待放的花蕾。

她猜到来者身份又不尽确定，满怀希冀又难以置信，急切道："那赵氏是何模样？"

侍者忆道："约莫二十年纪，身形虽不高壮，却仪表堂堂，气势凛然，不像凡者……"

巴清唇畔花蕾粲然绽放，未等侍者说完已飞快起身跑出雅间。

她寻阶而下，一刻不停，行至转角处，李斯袍尾入眼。她倏地止步，身子稍稍左偏，屏息凝神，缓缓向李斯右侧看去。

当嬴政刀刻般刚毅的五官映入眼帘时，她心底深处泛起的酸楚如狂涛骇浪冲上胸口，化作千言万语涌动入喉。

她将他赐的绣卷挂在寝室百看不厌。他赠予的凤佩，她日夜戴在身边。他说过的一字一句，她时常回味，倒背如流。她回忆与想象，他当初及将来的模样日复一日，年复一年。

光阴如箭，穿日逐月；鸟惊花落，兔走乌飞，转眼数年。此间，他再没有找过她，哪怕一个口信。她时常盯着绣卷坐栏上的勿忘二字，凝思许久，想着他是不是早就将自己忘记。或者，那些话不过是戏言，纵使再与众不同，他总归还是小小的年纪。

渐渐地，她为自己轻信一个孩童的话而感到可笑。她不再观望那幅绣卷；不再去回想有关他的一切。凤佩被收在一个精致的盒内，虽放置床头却再未打开。

约定已破，何必一人坚守。

可当她为家业奔波咸阳时，记忆仿佛拥有了冲破盔甲的力量，将尘封牢固的幕幕景景重现眼前，又似乎这股力量本就存在，只是她将它深埋不愿放开。

终究难忘，心不会说谎。

她再次看到他时，除了惊喜还是惊喜，不快与疑虑早已抛至九霄云外。她只想将数年的喜怒哀乐统统讲与他听。尤其，当她身处亲友毒害与背叛的漩涡中，被绝望撕扯，几近无力支撑；当她复仇后噩梦缠身，蜷缩床角，被恐惧笼罩，难以入睡的年月里，她想的全是他。

嬴政亦感受到了数尺外的高梯上那炙热的目光。他转身看去，心弦陡然勾起，旋即回落，奏出清脆又惊人的音调。他一贯寒似冰山的神情霎时融化，冷峻的双目变得灼灼生辉。

他打量着她，粉白长裙，齐腰墨发，眉如胃烟，冰肌玉骨，雅如渡鹤，清似葬花。模样一如当年，身形却更加消瘦。他目光渐渐上移，对上她盈盈水眸，心蓦地收紧，痛与疼惜的风浪呼啸而来。

自糜公一党除尽后，百官收敛自律。吕不韦言行突变谨慎，与赵姬疏远断绝，朝堂之上沉默寡言，奏简拱手呈与嬴政，一副还权听命模样。昌平君似早已嗅到危机的恶味，受封少上造后时常称病，深居简出，政事上亦与从前一般不闻不问，处处避让。看似嬴政孤弱之势有所好转，权柄有所收回，实则意料之外的艰难。他每批审一份奏简，每下达一项命令，百官不是敷衍了事便是只接不行。他所提拔的官吏不是辞官回乡，便是被冠以罪名，遭受牢狱之灾。但凡与他来往近密者皆被监控与降罪。他几番周旋，终是无果。所有对抗如同蚍蜉撼树。无奈之下，嬴政不得不当百官之面，忍辱恳请吕不韦再次主持朝政。直至昌平君再次出面，提出扶持嫪毐以制衡吕不韦后，嬴政的处境才稍有缓和，可代价却是延迟两年的加冠亲政。

如此险局，他只能将情愫深藏心底，以免牵连到她。

如今，他听闻新建的商街内有一座阁楼，各国商贾巨富皆来此会首，于是迫不及待地出宫寻她。他虽不能与她相见，坊间的议论却早已传进他的耳朵：

西南有妇，巴氏名清，夫死亲叛，无心改嫁，独爱经营，上通权臣，下拢百姓，收秦丹盐，富可敌国，女子羡之，男子畏之。

重逢，如破茧而出、展翅高飞的蝶，翅翼散出斑斓的光彩倾泻而下，照亮嬴政高墙环护的心房。

他看着她，瞬也不瞬，良久，薄唇微启，轻唤："清儿。"

他第一次这样叫她。

她心尖颤颤，似有彩虹涌动。她打量着他，浓黑剑眉不怒而威，鼻梁挺直，翼如雄狮，深邃黑瞳闪烁着难挡的掠夺之光。曾经的他只是一个少年，如今的他英姿勃发。

她抬脚走下阶梯，一步一缓。可当她离他越近，心中的那抹彩虹便越发黯淡，渐渐被浓云遮盖。她忽然想到，他正值血气方刚，而自己年将三十，花信已过。

她虽未再入宫，却时有了解朝中局势。他本到加冠亲政之年，却被吕不韦一句驳回。一国之君被权臣如此摆布，那是怎样的屈辱，又要怎样的隐忍。

她心绪万缕，百感交集，竟忘了他是便衣而来，双膝一屈，欲要行礼。

他赶忙上前一步扶住。二人只半臂之遥。

她盯着他，唇畔缓缓上扬，笑意中仿佛凝聚了红尘里所有的温暖与明媚，刹那间冰消雪融，漫天花飞，敛尽一世芳华，倾了泱泱天下。

他闻着她长袖散出的隐隐暗香，备觉安定，目光透着万般柔情，手缓缓托抚她轻柔的臂腕贴上掌心，十指紧扣。

一直在旁观察的李斯，不动声色地向右侧挪了挪，以便将巴清与嬴政的神态看得更清。他双眼在两人之间飞速穿望，心中惊叹连连。此前，他从未见狠戾的秦王露过这般神情，当下的景象让他有些不太适应。

三人立在二楼入口处，往来客人时有侧目。

李斯眉头时蹙时舒，略显尴尬。地点实在不对。他上前两步，轻咳几声，含笑提醒："巴夫人，在下与赵公子特来拜访。现下午时只剩三刻，您不会想在这里接待我们吧？"

巴清这才注意到自己的失态，赶忙赔笑，道："怎么会。二位请三楼休憩。"

嬴政似想到了什么，松开的手背在身后，垂眸不语，浓密长睫映下深深阴影，柔情瞬间退去大半。

此前，梯口的那名侍者并未离去，见巴清与两位客人同至三楼，快步迎接，恭谨道："三位请随我来。"

李斯脚步一顿，被门上的楹联与横批吸引。他微仰着头，悠悠念来："巨贾八方来，煮酒论天下。和气生财。"言罢，他抿嘴回味，扭头看向巴清，玩味道："当真能和气生财？"

巴清莞尔道："有利便有和。"

李斯笑道："有利便有争。"

巴清一愣，随即轻轻一笑，声如花絮纷落："争和本一体，缺一难得利。"

二人说笑几番，全未注意到嬴政俊朗的眉间燃起的复杂怒意。

侍者引三人来到已备好的雅间，悄然闭门退下。

李斯打量着雅间的陈设，欲开口赞叹，却听到嬴政冷冽低沉的呵斥："你可知罪？"

前一刻是柔情万千，如暖风温雨，万物逢春，下一刻则是冷鸷无比，如腊月寒霜，百花枯萎。这便是她心心念念的秦王，依旧是当年的模样。

巴清神思一怔，盯着嬴政寒潭般的双眼，半晌才缓过神来，反复看了身前的两人才确定这一句是说与自己。

李斯亦对嬴政毫无预兆，莫名其妙的言行惊诧不已。

嬴政拧眉冷视，双眼犹如让人窒息的深渊，黑暗中仅存的一滴温泉，瞬间干涸凝成冰棱，刺穿她心房："此前，我与那侍者谈及你时，他神色行态突变恭谨，绝非对客之礼。客人之友怎比得过家主之友重要。勾结当朝相邦，参与权臣互斗，你好大的胆子！"

他恨吕不韦，那种奈何不得的恨如蚁噬心，如鸦啄肉。当他发现阁楼真正的主人是她时，怀疑、怒火、醋意顿时翻江倒海。他可以接受她与吕不韦公事往来，但绝不能容忍其他近密的行为。

李斯瞠目结舌地回忆着侍者的一言一行。

巴清饱含明媚的眸子渐渐低垂黯然，紧咬着苍白的下唇，缓缓跪下，淡漠道："阁楼确是民女经营。建造这条街巷亦是民女出的主意。长信侯雍城

大摆宴席，挥金如土。相邦不愿屈忍，也不愿像他那般穷奢极逸，故民女借机提出兴办此街。郑国渠后，相邦捐出家财大半，已无力负起耗资，所以由民女承担。"

"他无力负担，所以你出资。他不愿屈忍，所以你助他。如果，他告老还乡，你是不是也弃业相伴？如果，他图谋王位，你是不是也倾囊相辅！"嬴政字字切齿，最后一句几乎怒吼出口。

李斯快步走至门边，稍稍拉开一条缝隙几番环视，直到确定屋外众人各忙其事，并未听见方才的对话才松了口气，安心合上了门。

"不是。民女只是……"她抬头，黯淡的眸子渗出水雾令人揪心，嗓音也变得颤抖。

嬴政的脑海早已被怀疑占据，根本听不进她的话语，只反复想着，为什么一生中最重要的两个女人都要与自己的仇人有染。怨愤打碎理智，他执拗地认定她与吕不韦有私情，冷笑着打断她，声音低柔却带着十分的讥讽与阴霾，如同轻轻划过便足以致命的利刃："嫪毐呢？他势力与吕不韦相当。你最爱左右逢源。你和他又有什么勾当？"

他怎能这样误会。她的心撕裂般疼痛，委屈伴着嗔怒冲破喉咙，脱口而出："我没有！"

李斯惊愣地看了巴清一眼，来不及探究她哪里来的勇气顶撞一国之君，转身对嬴政温声劝慰："大王息怒。臣相信巴氏，她绝不是那样的女子，其中定有误会。"说罢，他冲巴清摇了摇头，敛起的眉眼中尽是担忧。

巴清沉吟少时，深吸口气，忍住眼中几欲凝结成滴的水雾，缓缓开口："大王可去过三川郡的洛邑？"

嬴政别过头，不予回答，脸上仍停留着未消的怒色。

李斯观察着嬴政神色，确定其并未有阻止意，接道："臣去过。"

巴清问："那是怎样的景象呢？"

李斯思忖答："贫人、学事、富家，相矜以久贾，数过邑不入门。繁华无比，富庶无比。"

巴清点头道："不错。自西周始，洛邑不仅是政治、文化中心，更是商贸中心。百年来，各国商贾不远万里奔赴洛邑经商。即便周王室毁灭，各国割据，征战杀伐，洛邑依旧繁盛不衰。如今，它归并为大秦城池。民女以为，四方富则天下富。大秦不能只有一个洛邑。故而提议兴办商街，揽各国商贾，聚天下之财。如此，西有咸阳，南有巴蜀，北有肤施，东有洛邑，大秦兴矣。"

嬴政紧握着的手稍有松缓，阴沉的脸微显柔和，但声色依旧凛冽："我大秦靠商鞅之策崛起强盛，与商何干。"

"商鞅之策确实救大秦于水火，解困境，免瓜分，震六国，但如今的大秦已非孝公之时。世异则事异，事异则备变。一切律法与制度必须顺应当前形势推陈出新，酌情改革，因循守旧只会复古倒退。一个真正长盛不衰的国家，不仅要严法、重农、重军，更要重商。法、农、军是立国安国之本，商是发展繁荣之源。支持民间商业，不单各地可互通有无，更能促进文俗交流，激生新生事物，使物变钱，钱生钱，钱富民，民富民。天下熙熙，皆为利来；天下攘攘，皆为利往。万乘之国必有万金之商。人，不论贫富；国，不论强弱，皆趋利而动。地方富庶，民众才会聚拢；国家富庶，百姓才会拥护。民女希望，未来的大秦能成为一个真正让四海升平、民富安居的强盛国家；民女希望，大王霸业得成后，不只受六国叩拜，更有八方来朝，九州同贺。"她从容不迫，抑扬顿挫，一泄胸中块垒。声如响鼓阵阵，激人心弦，激人志气；又如雏凤清音，不鸣则已，一鸣响彻山谷，引万物侧耳。

李斯刮目相看，兴兴道："好一番豪言灼见，巴夫人真让在下大开眼界。"说罢，他撩起袍角，与巴清并肩而跪，激动道，"巴夫人深谋远虑，巾帼不让须眉，臣自愧不如。一个女子商海沉浮，周旋于人各色官商之间，实在不易，其间辛酸苦楚外人无法体会。但臣愿以性命担保，巴夫人对大王忠心耿耿，绝无二意。"

巴清对李斯感激一笑，转眼看向嬴政，水眸噙着泪，似花瓣上凝结的水珠摇摇欲坠，开口的话颤颤沙哑："至于长信侯与相邦，民女从未刻意攀缠。大王昔日的一字一句，民女一直铭记于心，即便望穿秋水也不曾改变。您是大秦的君主，大秦的兴衰，百姓的荣辱，皆系您身。只有您，才是民女毕生的依靠。"

如此推心置腹，想他所想，想他未想，任谁都不能无动于衷。

嬴政喉结上下滚动，气息轻颤，眼底雾水若有若无。他转身走近，扶起她拉到身前，伸手拭去脸上泪水，环住她不禁一握的腰肢带到怀中，小心翼翼地抱着，像抱着一件稀世珍宝。

他眉心之间染上环环涟漪，薄唇在她耳畔低语，嗓音中带着微不可查的哽咽："是我的错。这些年委屈你了。"

她身子一僵，仰着头不可思议地看他，眼中的惊诧渐渐换成了深情的光，垂在两侧的手缓缓抬起，搂住他修长的腰背。

她将头紧贴着他宽阔的胸膛，静静地探听心跳的声响，唇畔扬起久违的笑意。那笑意由心而生，因爱而绽，令风月失色，令百花焕颜。

只这一句，所有的委屈都不再委屈，所有的选择与付出都值得。

忽地，她似想到了什么，脱离怀抱，径自走向窗口。

嬴政扶起李斯，随至她身边。

三楼高有数丈，一眼望去可将半条商街尽收眼底。

巴清望着商街上摩肩接踵的商旅，络绎不绝的车马，粉唇一勾，清秀柔美的面庞上露出几分锐不可当的光色。她道："此街主要用于货品互通，促成商客交易，增加民众流动。最大的受益者是各国商贾，并非咸阳。咱们予地让他们生财，但不能将财拱手相让。民女想，在外城设几处大型手工坊与囤储大量货物的库房，所有往来商户的货品皆可在此进行加工制作，然后销往各地。咱们既可从中赚取钱财，又能增添百姓劳作的机会，一举两得。民女相信，假以时日，咸阳定同洛邑一般，千骑拥高牙，参差十万家。奇人名士聚，万千商贾汇。"

嬴政右手握住巴清搭在窗栏上的玉手，眼中尽是赞赏，"我信你。"稍顿，他看向身旁的李斯，左手扣住他手腕，眉宇间冉升吞吐烟云、俯瞰九州的凌然霸气，"有你们，寡人之幸，大秦之幸！"

午后的咸阳，一城繁华半城烟，天南海北客流连。

自商街建成后，咸阳城原有的东西街巷，非但未门庭冷落，反而格外繁闹。粗粗一看，人头攒动，杂乱无章；细细一瞧，各色货摊，星罗棋布。

暖阳普洒在鳞次栉比的屋宅间。突兀横出的飞檐，高扬的招牌旗帜，粼粼而来的车马，川流不息的行人，一张张恬淡的笑脸，反衬着百姓对繁华的渴望与乐享。

二三只呆头呆脑的小燕，栖在西街末尾处垂鬃摇摆的柳树上打盹。暖阳，和风，还有个闭门不营、无人问津的老旧木屋，这里是它们唯一感觉安静的地方。

老木屋的房檐上立着两只正享受阳光，沉沉欲睡的胖麻雀。一只是黑头角雉，一只是白羽环莹。白羽雀安稳地倚着一旁的黑头角雉，闭着眼，惬意十分。

然好景不长，盈盈走来的素衣女子打破了原本的安静。

白羽环莹猛地睁眼，向前一跳，俯身紧盯来者。黑头角雉早已展翅飞走，不知去向。柳树上的小燕倏地直挺了身子，警惕观察，尖长的凹尾蓄势欲动。

素衣女子头戴悬纱帽，容貌尽遮。她行至木屋门前，轻叩三下，两重一轻。

片刻，门开出一条狭窄缝隙，露出郑方士深藏在凹陷眉骨中的烁烁眼珠。

"爷爷。"素衣女子亲切欢喜的声音自帽纱内传来。

郑方士眼中微露惊讶，大开了门，待素衣女子进屋后重新反锁。他打量着她，担忧道："私自出宫太危险，小心被人跟踪。"

"与爷爷两年未见，实在想念。宫里我已打点好，不会有事。"素衣女子摘下帽衣，桃腮带笑，脸庞如花似玉，发似流泉，带着勾魂摄魄之媚，说不尽的娇柔可人。

"初音妹妹，好久不见。"楚涟雪自暗室内缓缓走出，一身淡紫曲裾。她享岁月偏爱，蛾眉曼睩，容颜依旧。

郑初音扭头看去，惊喜唤道："楚姐姐。"

楚涟雪淡淡一笑，略显疏离："听闻妹妹宠冠后宫，受封三夫人之首，恭喜。"

此话似触到郑初音痛处。她神色一滞，眉眼浮现落寞，轻叹口气，无奈一笑："虚名罢了。后宫姬妾不少，未见王颜居多。大王虽时常去我宫里，但情有几分我心知肚明。"

楚涟雪一愣，旋即看向坐在一旁的郑方士，疑问："妹妹天姿国色，秦王竟毫不动心？"

"是我无能，辜负了爷爷的期望。"郑初音垂眸低语，面有愧色。

郑方士左手握木，右手持刀，神态专注，旁若无人。他平刀劈削，铲平凹面，圆刀横向适形勾勒，玉婉刀正反扼拧，剔角修光，将原本只有雏形的木雕雕镂得几近完美。

郑方士所雕之物为一只展翅大鸟，钩嘴大张，尖头微低，双目侧视，威猛下驯，矫健不凡仿佛挟风带霜而起，势态逼真，呼之欲飞。

离完成只差一步，雕羽。郑方士右手的玉婉刀换做了锋利的斜刀。刃尖腾起肃杀之气。翅羽乃是最轻薄细微之处，亦是最难之处，数有千百，密而清晰，稍有不慎则前功尽弃。他屏气凝神，一刀一划小心翼翼。

郑初音走至爷爷身旁，低头观赏，轻声自语："是咸鸟。"言罢，她凝思瞬时，抬头看向楚涟雪，眨着水眸，道，"姐姐可寻到血玉了？"

"没有。并非所有后裔都念念复国。我等执着，奈何他人无意。只怕这血玉再难寻回。"楚涟雪转眼盯着郑方士手中木雕，惆怅道，"木可雕成同状，人心却难一统。爷爷看尽天机，难道不知逆命而为的后果么？当真不愿放下么？"

郑方士刀速不减，于木雕之上行云流水。待一片浮羽刻出，他缓缓开口，略带怒意："她自己忘国恨、弃家仇便罢了，竟还教唆你。看来，让你跟在她身边是我错了。万千生灵多知反哺，你驯养的鹰鸷长成后也知猎物与你。看尽天机何用，逃不过人性多变，人心冷漠。"

楚涟雪眉头一耸，欲言又止，终移开视线，不再吱声。

郑初音欲出言调解，一时又不知从何说起。

屋内陷入异常的沉闷。锋刃与檀木割切声刺耳。气氛渐渐僵冷，预示着将不欢而散。

忽然，郑初音似想到了大喜之事，眉梢扬起兴奋，语调带着欢快，"爷爷。大王几日前与我谈及一个新来的能士，说他布阵行军神鬼莫测，用兵之术不输孙膑。您猜是谁？"未等郑方士反应，她急切切道出，"是您的师弟尉缭。你们……"

"咔嚓。"大鸟左翼断裂。

郑初音瞪着跌落在地的木雕，脸色如凋萎的花蕾。本以为同门再见是喜事，未想是如此情景。

楚涟雪与郑初音面面相觑，不知何以应对。

郑方士双手松垂，深目峨眉之中升起颓丧落魄之气："大势不好。"

五行阴阳开天地，纵横捭阖定生息。鬼谷虽不及儒、道、阴阳家收徒甚多，却各个身怀翻云覆雨、惊世骇俗之能。武有庞涓，使魏国死里逃生称霸中原。兵有孙膑，著旷世奇书，引各国谋士竞相争夺。苏秦合纵，配六国相印，迫秦止步关西十五年。张仪连横，解六国之盟，助秦雄起西陲。苍生涂涂，天下缭燎。诸子百家出世，奇门鬼谷俱经。百年来，各国王侯将相与坊间百姓常有传论：鬼谷门徒，一人之言重于九鼎之宝，三寸之舌胜于百万雄师，一怒而诸侯惧，安居则天下息。

尉缭先郑方士一步出云梦山，信誓旦旦欲建功立业，振兴母国魏国。这一去，二人再无联系。如今，尉缭入秦不单证实魏国已无力再救，于郑方士而言更如晴天霹雳。

尉缭若被秦王重用，昌平君恐难成事。郑方士的复国梦亦将化作乌有。半晌，他重重一叹："难道真的是天意。"

郑初音偏头思虑，片刻才恍然惊骇，脸色苍白，流转的眼波漾起波澜，出口的话也带着哭腔："爷爷，收手吧。回云梦山好不好？"

郑方士丝毫未听进她的话，低垂着头，嘴角抽搐，刻刀从颤抖的手间滑落，面如死灰，拧眉不动，唯有双目辗转不断。他沉吟少时，猛地起身，眼底腾地燃起光亮，只听他喃喃自语："还有李斯，还有李斯。"

楚涟雪神色一凛，心中蓦地忐忑。

五年前，巴清赴咸阳拜会吕不韦，得知李斯被赏识，亲自登门致贺。那时的李斯官小权微，而巴清结交者多为九卿重臣。她非但不嫌，反而与其私交甚好，年年赠礼。楚涟雪问及因由，巴清一句"将相之才，必成大器"应答。只简单八字便让楚涟雪记忆犹新。如今郑方士突然提及此人，她隐隐感到，话语内藏的玄机，恐会波及巴清与自己。

楚涟雪欲开口询问，忽闻屋外数鸟扑翅惊飞。她右手倏地伸到腰间，紧握倒刺长鞭，双眼凌厉呼之欲出。

郑方士一边噤声侧耳细听屋外动静，一边冲郑初音挥手，示意她即刻由暗室后门离开。

郑初音急忙跑进暗室。门合，再无动静。

楚涟雪轻声走向门扉，身子偏躲一边，欲取下木闩一探究竟。

"不必紧张，是我。"门外响起昌平君温润嗓音。

楚涟雪一怔，回头看向郑方士，见他点头后收起长鞭开门。

昌平君含笑进屋，悠悠道："街道项背相望，方士这里怎毫无人气。"

郑方士一改愁喜交替之色，上前两步，躬身一礼，和颜道："老朽失迎，望公子恕罪。"

昌平君环视屋内，目光落在地上的断翅，勾唇道："无妨。本想与方士饮酒闲谈，看来是我唐突了。"

二人谈笑间，楚涟雪不愿逗留，无声离开。

郑方士赔笑道："非也。老朽正要去拜会公子。"

"哦？那真是巧了。"昌平君挑眉，在案几旁席地而坐，随手拿起一把刻刀把玩。

郑方士捋须淡笑："公子今日来可是为我的师弟尉缭？"

昌平君指尖抚过刻刀锋刃，正色道："不错。你们既是同门，也该见上一面，告知我求贤之意。我想，方士也不愿同门事二主，互相残杀。"

郑方士无奈摇头，道："他决定来秦游说，自是深思熟虑、权衡利弊后的决定，劝说毫无意义。"

昌平君手中刀柄一扔，神色如常，话音果决狠戾："那便杀了。"

刻刀落地，咣当脆响惊得郑方士一个战栗。

郑方士急忙阻止："不能杀。师傅为防子弟重蹈孙膑、庞涓覆辙，曾让我们滴血立誓。伤同门者，业毁人亡。我为公子谋事恐有牵连，莫要冒此大险。"

"求不得，杀不得。那你说，应如何？"昌平君起身整襟，口气略显烦躁。

郑方士轻笑两声，悠悠道："公子莫急。老朽有两计。其一，先合纵后离间。以秦国当下之力，攻占一国易如反掌，但若六国联合，形势则大不相同。只要六国齐力，即使秦战将如云，又有尉缭运筹帷幄，也难决胜千里。待六国分秦后，楚再逐一分化攻占五国。其二，楚秦联合灭五国，同分城邑，最后一决高下。"

昌平君厉色消散，展颜赞道："有理。一时心急，竟忘了方士也是鬼谷弟子，足以与尉缭相争。"

郑方士摆手道："老朽主修六壬，可预算世故，观星察相。尉缭继承兵法，善布阵行军、六韬三略。这两计，我与他皆难胜任。术业有专攻。公子还需寻个能言善辩，工于外交谋略者。"

昌平君脸上泛起愁色，背在身后的手环至胸前，蹙眉不语，脑中翻覆数遍亦找不出适合的人选。

郑方士淡然道："老朽想起一人。"

昌平君眼睛一亮："快快道来。"

"李斯。"

"名字有些耳熟。"昌平君凝眸思索。

郑方士再提醒："两年前，公子一得力门客犯了重罪。奏谳掾与右监为讨好您，一个含混判案，一个避府不查。李斯当时为廷尉属官左监。他发现此案端倪，看出那二人意图，当即禀报廷尉，搜查公子府邸，将门客带走。那时，老朽正巧与公子堂内闲谈，故而与他有一面之缘。"

昌平君这才恍然记起，扶额笑道："是他，是他。此人进府后不卑不亢，讲法言情，出口成章，以至我有心庇护却无颜开口，恨不得将那门客就地正法。当真是铁齿铜牙，字字诛心。"顿了顿，他笑意收敛，拧眉看向郑方士，摇头道，"我记得，因这件事他受吕不韦褒奖升做了廷尉正。他是吕不韦的人。"

郑方士拾起地上鸟翅与刻刀，削掉断裂处参差尖利的木刺，握在手中重新雕刻，语气笃定："秦王一向视吕不韦为心腹大患。亲政后，灭六国可推迟，除心患却难等。树倒猢狲散。吕不韦死后那些门客无所依靠，不正是世子收为己用的好时机么？老朽看李斯狼目鹰鼻，颧骨高耸，虽英气凛凛，但路到险时绝非谦谦君子。吕不韦于他不过是借势而上的东风。吕不韦能做的，公子同样可以。给他所想，予他未想。"

昌平君点点头，若有所思，道："有能之士向来难驭。方士以为用何方法妥当。"

"若要彻底为公子所用，还需从长计议。可先赠金银与美人，一探心迹。"

昌平君又道："如若不成，当如何？"

"离间。"郑方士看向他，手中刻刀于木雕之上行云流水，木屑飞舞纷落，断翅渐渐变成了一把精巧的匕首。

昌平君细问："李斯官位不及九卿，离间毫无意义。方士说的是尉缭与秦王？"

"是所有。"郑方士加快手速，反复削摩匕首，刃如秋霜。

昌平君仍未解其意，然见其答得自信豁达便不再问，兀自思忖。须臾，他目露狡黠，扬眉道："金银充足，美人难寻。经世之才者眼光独到，寻常美色恐难拴住他心，还需个与众不同的佳人。"

他稍顿，深邃黑眸闪烁精光，似笑非笑道："方士收养的楚姑娘正合我意。她连鹰鹫都能驯服，想必人也不在话下。"

郑方士一愣，停下手中动作，诧异道："她独来独往，拒人千里的性子怕是难当重任，若强逼恐会多生枝节。况且，她现在是巴清身边的人……"

昌平君摇摇头，笑着打断他："当初，方士让楚姑娘接近巴清是为寻血玉。数年时间毫无收获，原因只能有二，要么寻错人，要么是巴清或楚姑娘自己故意隐藏。不论哪种原因，楚姑娘皆无再待下去的意义。至于性情，有时冰山美人更让人垂涎三尺，欲罢不能。"

昌平君静默少时，肃然道："巴蜀乃大秦粮仓盐库，亦是战略要地。巴蜀反，秦如断腿折臂。巴蜀助楚那便是如虎添翼。糜啸郴死后，我曾有意让巴蜀郡守入咸阳为官，一来可收为己用，二来为调任我心腹镇守巴蜀提供机会。谁料被他当场回绝。后来，我又提两回，不知是糜公一事让吕不韦对我心存芥蒂，还是巴清暗中作梗，均被驳回。如今，那郡守对巴清是言听计从，官商相助，地方保护，如国中国一般。想得巴蜀，巴清是关键。可她素来老谋深算，厕身权臣之间左右逢源，心迹不明。咱们寻机牵线，不单可试探李斯，更能试探她，将她在咱们这条船上拴得更紧些。只要大业得成，方士复国之愿，我一定实现，决不食言。"

言外之意：我败，你亡，一切成空。

"老朽定竭力劝导雪儿。"郑方士深沉郑重。

"那便有劳方士。"昌平君推开门，仰头看了眼高悬的艳阳，冷笑自语，"嫪毐与赵姬的事儿，是时候见见太阳了。"

郑方士未有恭送，立在原地摩挲着手中短小锋利的木剑，缓缓攥紧。

于醉心建功立业者，胜败如常，几番沉浮，数度荣辱后仍至死方休。

于一个算天卜地的术士而言，此时此势已是困兽之斗，最后一搏。

纵然手中有剑，还需天意成全。

第三十八章

雄心长策

红日跌落，溅起彩霞。

商街依旧人头攒动。阁楼内百姓流连，鸿儒谈笑，真假为求，名利奉酒，声色朗朗，好不热闹。

巴清、嬴政、李斯三人促膝长谈，互诉心意，不觉日沉。

侍女撤去换了数回的茶汤与茶点，端来精巧白玉果盘。盘内摆放四果，其中三种均切为半月状，尖角对接，环成三圈。金黄桃瓣于最外沿，其次为乳白的智慧果，向内再为雪白的雪花梨，中心则由三颗金丝枣点缀，形如娇花绽放，清香扑鼻，诱人食欲。

侍女将果盘放置在案，取来玉碟分与三人，飘然离去。

李斯盯着案几中央的果盘，像是在观赏一件美物。

"春干气燥，易生内火。齐国的雪花梨润肺清心，消痰止咳的效果最好，大王尝尝。"巴清捏竹签执一块梨瓣递与嬴政，脸颊漾起不深不浅的笑容，目光只及眼前之人。

嬴政接过，唇角微扬，笑如温泉，声如悬磁："清儿家业繁劳，更需注意身体。"

二人相敬如宾，柔情萦绕，妙不可言，沁暖心脾。

李斯见对坐二人情意绵绵似全然忘记了自己，垂头咽了咽口水。他深知，嬴政虽看重自己，却终究君臣有别。能与君上同案已是万幸，决不可再有非分之想。可食在眼前，想吃不能，也实在折磨，只得无奈暗叹。

叹罢，他忽听巴清道："李大哥，尝尝这黄金桃。"

李斯抬头看着巴清递来的橙黄鲜嫩的果肉，双眼闪过一丝欣喜，旋即正色推辞。

"不必拘礼。"

李斯见嬴政首肯，这才笑着接过，放心品尝。他轻咬一口，嘴里顿时盈满鲜汁蜜水，细腻爽口，不禁一叹："齐国果品闻名天下，名不虚传。"

嬴政搁下竹签，抿一口清茶，淡淡道："如今的齐国，也只有这点吃食值得赞誉。"

见要论国政，李斯狼目一转，精光闪现，美食搁置一边，食欲抛之云外，点头道："大王所言极是。自齐襄王始，齐政局混乱，摇摆不定，朝野上下昏昏无为。齐王建继位，后胜辅佐，更是贪腐成风，对外保守，终日声色犬马，不思进取。自以为先祖留下的积蓄千年不尽，岂不知早已挥霍一空。"

嬴政冷呵道："摇摆不定又怎是从田氏开始。早在姜姓治国时，齐人便目光短浅，国策多变，毫无信念。齐桓公时用管仲，齐灵公时尊晏子，毫无清晰国策。田氏掌权后更加愚昧，今天合纵，明天连横，堂堂大国被张仪、苏秦玩弄于股掌之中。合纵本是六国对秦，谁知齐妄自尊大称东帝，将其他五国一一得罪，最后竟成了秦与五国同攻齐。可笑之极。"

巴清亦放下手中果品，接道："没有一统天下的壮志，便没有一统天下的国策。民女走访齐国时，只觉齐国上至官吏下至百姓，小富则安之想甚深。官不思变图强，想富国却不重兵。民无志安享乐，利己而不顾他人。常说国之荣衰由君王决，但民女以为，当一国百姓习惯了麻木妥协与逆来顺受，君臣自然昏庸，朝廷自然无为。长此以往，家难富，国必亡。"

李斯笑道："有理。不过在下倒十分希望齐人永远这般心态。六国早知秦有一统天下的雄心，必会有所行动。为防六国联合，还需远交近攻。远交首选便是齐国。齐人越是懒惰贪婪，越是安于现状，咱们重金美女的收效便越大。"

巴清投去钦佩目光，道："李大哥对六国当下与未来的局势，早已了如

指掌。"

李斯微微一笑，看向嬴政，道："凡事预则立，不预则废。先发制人更添胜算。臣以为，交好的同时更要离间，让六国放松警惕，互存芥蒂，或积怨杀伐，耗损军力，秦则坐收渔翁之利。除外交手段外，每一国内再行反间计，分派暗使贿赂各王侯、宠臣、美姬，让他们进谗言设罪名，害能臣，斩猛将，自损臂膀。"

嬴政仔细听罢，未有出声，颔首示赞。沉吟少时，他鹰眸抬起，锐利洞心："卿对你的母国楚，是何看法？"

李斯怔愣顷刻，旋即抿嘴笑道："恕臣直言。楚的吴起变法兵震天下，威服诸侯，丝毫不输商鞅。若非楚悼王变法初行时驾崩，秦难有今日雄霸天下之势。臣，更不会入秦圆梦。楚败原因有三。第一，改革不利。悼王刚死，灵枢还未安葬，许多贵族大臣便等不及地将吴起乱箭射死。参与的宗族贵戚竟有七十余家。吴起提出废除世卿世禄换来的竟是七十余支利箭穿身，真真可怕。其二，排外，腐败。楚国用人，首选国君亲族与大姓公族，以致许多外姓能人贤士永无出头之日。若欲在楚为官，便要重金贿赂公族贵戚，久而久之，腐败横行，政事不治。第三，大势不明。邯郸之战，赵、魏、楚合力大破秦军六十万，可见合纵之力足可灭秦。此时，六国应立即联手逐步削弱灭秦。未料，各国竟撤秦互攻。楚亦毫无远见，去灭一个小小的鲁国。可笑，真是可笑。"笑罢，他摇摇头，一声长叹，"如今的楚国已是强弩之末，再没了问鼎争雄之力、横扫中原之志，国破之日已近。"

言此，李斯停顿片时，双眼正视嬴政，目光灼灼，诚恳道："君主英明，臣民肝脑涂地。君主昏庸，臣民互残叛离。大王要以楚为鉴。"

嬴政为李斯的坦诚与良言动容，提壶为其斟茶，勾唇道："卿赤心忠言，寡人铭记在心。"杯满，他话锋一转，鹰眸微眯，道，"百足之虫，死而不僵。楚虽衰落，但其当下国力尚可与秦抗衡一时。若先攻之，我大秦必集百万雄师南下。届时，国内守备减弱，另几国恐会趁虚而入。前线秦楚对峙胜败难料，后方别国入侵兵在其颈，险局一现秦再难有重振之日。攻楚之计，还需延后。与燕、齐交好，也要与楚联盟。"

"大王英明。"李斯端起茶杯，小心翼翼，如捧至宝。

巴清听着二人谈话，沉默不语。她微偏着头，左臂搭在案沿，水眸低垂，卷翘长睫轻轻张合，似在思忖。

嬴政握住她玉手稍稍拉向自己，笑意柔和明朗，声如丝丝暖流："清儿在想什么？"

巴清抬眸看了眼嬴政，目光移向李斯，复垂少时，缓缓开口："一统六国乃持久作战，所耗兵力绝非此前任何战役可比。粮草、药材、食盐等军需物资更是量与兵齐。前方纵有良将谋臣出策献计，但也要后备充足，否则前功尽弃。大王可知大秦各郡县粮、盐、药草的储备与产量是多少呢？若分担连年的征战是否足够呢？"

此言一出，嬴政当即眉心高耸，李斯亦是噤声，气氛瞬地肃静。二人不是不知，而是疏忽忘记。巴清提起，方恍然想起。

巴清见二人不语，又道："以粮草为例，郑国渠尚未完工，即便完工，初始之时仅能改善关中百姓缺粮贫困的生活，要实现富足丰余还需三至五年的周期。巴蜀、黔中三郡虽粮产丰余，百姓、官府皆有囤藏，可要维持庞大的军需也是勉强。陇西、北地、上郡遇霜冻天灾更是捉襟见肘。恕民女直言，自惠王至今，大秦确实堪称国富民强，但称霸七国无疑，一统天下不足。"

李斯思虑片刻，迟疑道："可奖励农耕，或增收赋税，鼓励百姓种田。"

巴清摇头，不以为然道："既要增田又要征兵。究竟是全民皆兵，还是全民种田？而且，苦了自家百姓，未免顾此失彼。再者，农田一旦扩增，其他行业自然削弱。农不足以盈利，钱从何来？奖励耕种固然要做，但一味的重农而不思变同样是倒退。"

李斯再陷沉默，面露愁容。

明晃烛火映出巴清自信神色。

嬴政侧头审视，一改方才严肃，眉舒唇勾，声调微扬："清儿，你早有良策。"

她凝视他，笑意满眸："取别国之物为己用。"

李斯大惑不解，当即提出质疑："六国？他们怎会将自家东西拱手相送？送的还是要灭掉自己的秦国。"

巴清淡淡一笑，从容道："许多看似的不可能，稍加变通则大不相同。

黄金因量少无法成主流货币，但受七国公认。刀币、蚁鼻钱、圜钱等流行货币只可在各国使用。百姓与商户赴别国贸易，只得先在本国将流行货币按比例换为黄金，再按所去国家规定的比例，将黄金换成当地流行的货币。咱们可在这一来二换之中做文章。"

"什么文章？"李斯听得入神，巴清只缓口气的时间，他便等不及地询问。

"针对外商，将秦国货币与黄金的兑换比例下调至低于六国。"巴清轻快回答。

李斯一愣，仍是拧眉，问道："没了？"

巴清道："没了。"

李斯直挺的身子渐渐松弛，紧皱的眉仍未舒展，垂头自语："下调不是贬值了吗？"

嬴政亦是听得惊喜，疑虑参半，紧了紧握着巴清的手，笑道："清儿，快快说来。"

巴清莞尔道："此计是为外商提供最惠待遇。一、吸引大量外国商客来秦经营，扩大秦与六国的交易往来，繁荣秦民间手工业，促进秦国内商品外销，形成贸易顺差，积累国库黄金储备。二、近几年，秦国经营铜器、美玉、珠宝、丹砂、水银、香粉等精细货物的民间商贾，制取技术多有提升，所耗费用均有降低。届时，联合各行商贾将货物以低价倾销外国。人人皆爱物美价廉。同样的物件，质好、精美且便宜的谁人不买？如此，咱们既可从中获利，又可冲击别国市场，使他们本国货物滞销。然后，咱们再用赚来的黄金换成各国货币，大量购买六国的粮、盐、药草、战马等军需物品，以备来日之战。此项法令施行后第一年便可立竿见影，但只对外商。秦本国国民出国兑换时比例照旧，也可鼓励国民去别国经营，同样享此待遇。"稍顿，她轻缓口气，看向正屏气细听的李斯，狡黠一笑，道，"当然，取各国之物为己用的时间能否长久，货量是大是小，还需与李大哥提出的重金美女离间权臣之策，相扶相助。"

她捏起竹签，刺进果盘内的一块果瓣递与嬴政，声色婉转，洋洋盈耳："上不治，下自乱。久而久之，六国国力与民心更加衰弱背离，好比这盘中的水果，待水分抽干，皮肉脆皱，稍一用力便可断裂。"

话音落，屋内静无声息。

嬴政接过她手中竹签，拇指与食指指腹轻轻对摩，凝视着随竹签微微转动的果瓣，似笑非笑。

李斯目光闪动，爽朗道："巴夫人神机妙术，在下佩服。"

嬴政剑眉微扬，鹰眸内幽暗的汪洋瞬地腾起吞吐山河般的惊涛骇浪，话中含着击穿山岩礁石的魄力："官商共谋。上下齐心。我大秦没有攻不破的坚城，没有踏不平的国土！"

晓月替残阳，咸阳城灯火千重。

侍女轻叩室门飘然而进，打断屋内激昂气氛，询问是否送上备好的晚饭。

李斯恍觉已近临别，挥手遣退侍女，望了眼窗外繁星簇拥的皓月，正色道："时已不早。大王应尽快回宫。今日乔装出宫已是担着极大的风险。亲政之日将近，万不可再出差错，给人生事之机。"说罢，他冲巴清拱手道别，起身离屋。

屋内又归安静。跳动的烛火闪烁着不舍，映上柔垂的窗纱，隔离了外界的喧闹与四月夜晚的微凉，屋内只剩下朦胧与温暖。

"亲政后，我接你进宫。"他将她揽入怀中，轻抚着她耀动着细碎光芒的长发，带着离别的惆怅与眷恋。

她依偎在他怀里，玉手抚上他宽广的胸膛，长睫如欲起飞的蝴蝶，伴随着浅浅的呼吸微微颤动，尽显小鸟依人之态。

她静静探听他心房鼓动有力，张弛有度的跳动，感受着那生而为龙的猖狂与俯瞰天下的霸气。片晌，她粉唇轻启："亲政后，大王首要的是除权臣，整朝纲，立威仪。然后，收军权，选名将……"

他拉她离怀，扣着她弱肩的手力道加大，生怕一松开便再也抓不住，话中带着丝丝惊愕与紧张："你不愿进宫？不愿与我一起？"

她赶忙解释："愿意，愿意得不得了。"

她重新依偎他怀中，双臂环住他修长的背脊，缓舒口气，娇声娓娓，似在哄着一个生了气的孩子："可是，我们不是无忧无虑的人啊。人活在世总要有担当，是不是？大王成为君主的那一刻起，注定一生要肩负大秦的兴衰，臣民的荣辱。民女执掌家业的那刻起，注定要肩负家业的兴衰，族人的

荣辱。我们都是心中有功业的人，是不是？与大王的宏图相比，民女的家业不足一提，但希望可以尽一份薄力。民女期待天下一统后，与大王并肩，立于宫阙之巅，看天地浩大，九州繁华。"

她感到环在腰间的手臂收紧，耳畔传来他低低笑意。她微仰头想要看清他表情，却迎来两片湿热的温唇。

炙热的气息夹杂着淡淡龙涎香扑洒在她脸颊。她一时错愕，睁大眼对上他深邃的黑瞳，清晰地看到瞳仁里燃着比烛光还旺盛的火苗。

他灵巧的舌头启开粉唇探入口中，舔弄着她口中每一寸甘甜，最终与她香舌交汇，霸道而缠绵。

好一会儿，她推开他，别过泛起红晕的脸颊，避开他炙热的目光，呼吸带着点点紧促与轻颤。

"难怪母后夸你嘴甜，一直惦记到现在。今日尝了尝，果然名不虚传。"烛光忽弱忽强，闪烁不定，却足以将他眼中那一闪而过的坏笑照亮。

她挑眉直视他，刚欲平静的心又咚咚作响，扬起的唇角显露着几分挑衅："民女想与大王比一比，看看是大王先一统天下，还是民女先垄断六国丹砂。"

"那我岂不是输定了？"他哧地笑出声，神采奕奕的眉眼间饱含宠溺。他知道，她只是想找个话题，转移让人脸红心跳的尴尬。

"不会。能成为天下之主，必然是天下的赢者，怎会输呢。"她神色忽而认真起来，心中有温暖亦有酸涩。她凝视着他刚棱有力的轮廓，一分一毫地刻进脑海。

他仿佛看透了她的心思，微笑着执起她手，十指紧扣，笑道："我愿意输与你。"说罢，他倾身在她额头落下一吻，语气坚定不容置疑，"他日，我若为帝，迎你为后。你若不做，后位便一直为你空悬。"

春夜，淡月笼纱，清寂撩人。

巴清辞别嬴政、李斯，出了阁楼，漫步梨园，穿行于黛瓦白墙，亭台水榭。转角长廊淡淡回风拂过她脸颊，掠起青丝，半明灯火映出眉目如画。

园中空气清新，池鱼戏水，梨花簇簇，轻灵静谧。

巴清回望着人影幢幢的阁楼，听着时近时远的喧闹，深吸口气，缓缓吐出，玉面泛起一丝苦笑。

世相如烟迷离，呛得人不敢呼吸，甚至丢失了自己。她清楚，越是灯火通明之所，越是藏着深不见底的黑暗；越是笑声四溢之处，越是隐着难辨真假的情意；越是热闹如火之地，越是燃着寒人心骨的冷漠。

久而久之，她越发喜欢置房产，建园林。凡是属她名下的宅院，皆种着大片大片的花草山水，只因她认为浮华世事之中，唯有这些花水树草的形色最真。

她取来一捧鱼食坐在塘边，拈起些许抛洒进池。

池面漾起层层微波，数条锦鲤簇拥而来。

她垂头，借着灯火映射的光亮，看着水中倒映着自己的脸庞，心中生出几分惆怅。

嬴政离别时的那一句"我若为帝，迎你为后"让她百感交集。本以为与嬴政的缘分只是短暂情动后的萍踪过往，可今日意料之外的重逢让她如梦初

醒。原来，早在与他雨中初遇的那一刻，缘分便落地生根，扎进了自己生命，绕进骨血，纠缠不清。

几只锦鲤吃完了鱼食仍不愿离去，瞪着鼓圆的眼珠盯着池边人，鳍尾微晃，似坚信池边人还会再撒下美食。

"鱼儿啊，你们说，我与他真有帝后举案齐眉之日么？"她注意到鱼儿的期盼，粲然一笑，撒下鱼食，轻柔呢喃。此时，她的心境与鱼儿竟有些相似，揣着隐隐期盼。

话音消匿。鱼食散落水面。锦鲤却倏地急游四散，似听到了什么骇人之音惊慌而逃，又或是看到了什么危机一雷二闪。

她扬起的手臂僵在半空，笑意滞在嘴角，望着漂浮的鱼食与昏暗静谧的池水，眉心缓缓蹙紧。

渐近的脚步声打断巴清思绪，巴清循声望去，是姜氏与刘氏。

她敛起方才神色，起身相迎几步，点头示礼。

"巴夫人丹药畅销七国，可喜可贺。在下特备一份薄礼聊表心意，还望笑纳。"姜氏笑着从袖间取出一方锦帛递与巴清。

她展开锦帛，看着上面的几行文字略显惊愕。锦帛上写的是，巴地丹矿主姚氏名下的矿山尽数归巴清所有。

自姚氏与北地陈氏，联合打压巴蜀矿商被巴清阻止后，姚氏一直怀恨在心。他一边收买巴清矿山监工制造灾祸，破坏秩序，一边挑拨蜀地两商与巴清对立。巴清对外只言，念姚氏同地且曾合作多年，不想置其死地。然姜氏终是下了狠手。这一张割让书寥寥几字，却写尽背后真刀实战的抢杀。从此，巴地丹砂业再没了姚氏二字。

这便是，巴清对姜氏说的那一句"诚意，我更喜欢看到，而非听到"的真正用意。

杀伐，假手于人更为上策。

她掂量着手中轻薄到一阵风来便可离手而飞的锦帛，抬眸笑道："如此重礼，我实在为难于如何答谢。"

姜氏轻笑两声，云淡风轻道："不知好歹，自寻死路者，我们必须成全。巴夫人近几月常在外繁忙，家中情形无法尽快知晓。据我所知，那姚氏欲说服蜀地两商与阜阳曹氏联合。在下为防夜长梦多，便先发制人除掉这毒瘤。您放心，此事已获郡守大人首肯。善后之行也已办妥。"

她垂眸思忖片晌，叠好锦帛收于袖间，勾唇道："姜当家雷厉风行，佩服之至。这礼，我就却之不恭了。"稍顿，她美眸转向神态严肃的刘氏，拧眉道，"刘当家这是……"

姜氏开口解释："方才，阁楼饮酒，刘当家与曹氏起了争执，心中难免不快。巴夫人莫怪。"

自与巴清合作后，刘氏家业免遭吞并，几年内收益稳增，地位稳升，成为楚国唯一可与曹氏抗衡的丹砂大户。刘氏也似开了窍，野心激涨，摩拳擦掌欲与曹氏一争高下。可让他扫兴的是，几次找巴清商议均被时机未到之由驳回。更令他不解的是，巴清不单让自己以弱相示，避免争锋，还要年年备礼，无偿地送与采购曹氏丹砂的官员与买主，以及春申君黄歇的宗亲。因此，他时常遭受曹氏冷嘲热讽，送出的金银更是石沉大海，积年累月下来，着实让刘氏憋屈烦闷。

"巴夫人，这时机究竟什么时候到！"刘氏终是忍不住哀怨，颇显烦躁。

巴清并不介怀，淡淡一笑："到了。"

刘氏一愣，不解道："怎就突然到了？"

巴清转身，望着远处婆娑昏暗的树影，悠悠道："你以为，曹氏能够垄断楚国大半丹砂凭的是什么？你以为，他飞扬跋扈地位却稳如泰山凭的是什么？凭的是他正妻为你们楚国令尹春申君黄歇的表亲。我让你忍耐，是因咱们斗不过黄歇的宗族势力。我让你送礼，是利用黄歇宗族中的互存芥蒂，暗中争斗，保住你临湘的家业。如今黄歇被杀，曹氏这条人脉便断了。咱们的时机自然到了。"

一个秦国人竟如此了解楚国局势，几近运筹帷幄，决胜千里。刘氏听得目瞪口呆，一时说不出话来。

巴清看了眼怔愣的刘氏，声色温婉，道："以竞争开拓家业，首要的是搜集一切有关对手的信息，其次才是筹谋。知己知彼，百战不殆。咱们不做赔钱的生意。刘当家这几年付出的金银皆是长远投资，日后自有回报。"

刘氏闻此不禁喜上眉梢，目光闪闪，急切问："巴夫人可是有打算了？"

旋即，他冷哼一声，语气狠戾，"最好能让曹氏与姚氏一样的下场，解我心头之恨。"

巴清摇了摇头，对刘氏咬牙切齿之态颇为无奈，严肃道："对付姚氏之法怎能滥用。刘当家这般耐不住性子如何是好。"顿了顿，她语气缓和，道，"我欲大量收购蜀地两商出产的低、中等丹矿，进行再选提炼，将制取出的上等矿石或精品砂粉，以略低于他们售与买客的价格卖出。届时，买客会渐渐弃蜀地而择我。而蜀地两商在提炼设备与技术上并无提高，降价后只会利薄甚至赔本。用不了多久，他们的货便会滞销，甚至连他们自己都认为卖与买客还不如卖与我。假以时日，他们的矿山便成了我巴氏的原料提取地。然后，你我合力，将丹砂倾销楚国。黄歇辅国，许多官吏借山而靠，并非真心拥护。黄歇死，他们便不再听其号令，更有落井下石，反目成仇者。"

刘氏怔怔地问："谁？"

巴清狡黠一笑，道："比如，掌管你们楚国百工的洛工尹。他身居高职，却要仰黄歇鼻息，分掉本应全归自己的油水，心中怎能舒服？你这几年送与他的财宝可没有白费。曹氏能眼睁睁看着你家业壮大？这暗中的你来我往，洛工尹怕是帮了你许多。如今，黄歇死，他便是朝中数一数二的权臣。你回国后亲自登门拜谒，表明心迹。他定会助你打压曹氏。如此，垄断楚国丹砂指日可待。"

"巴夫人神机妙算真让在下自愧不如。"刘氏如醍醐灌顶，点头赞服。

"这最后一战，姜当家可有参与的意愿？"巴清看向姜氏，莞尔相问。她几年观望，他确是个值得合作的人。

"荣幸之至。"姜氏拱手道。

"三人齐心，得利共享，失利同担。大秦王陵所需的水银，我势在必得。"巴清望着二人，灼灼目光似有火焰燃起，凌盛之势如利刃破竹。

"在下明日便回楚拜谒洛工尹。"刘氏一脸兴奋。

"还望姜当家早些返回，与煜瑞一同筹备。煜瑞经营资历尚浅，您要多多担待。"巴清轻叹口气，若有所思。

"巴夫人不回？"姜氏吃惊道。

"我要去探望一位故友，晚些。"她微仰着头，望着天空的西南方，唇畔绽出温暖笑意，明眸漾着清澈波光，似看到了净人心魄的隐世境。

那佳境中，有云洞仙境，繁花漫天，百草多情。

那里，立山巅看人间，暖风和煦，谷空回话。

那里，日夜交接，星月落湖，溅起奇迹彩霞。

那里，是她一生中见过的最美的风景。

那里，有她一生中最纯真的回忆。

梨园中又有一园，不供外人来往，是巴清休憩之所。

她辞了姜氏、刘氏，行至寝居欲歇息。

她快步走进门楼，刚欲左转入回廊而行，便被一只宽厚的手猛地抓住臂腕。突来的力量让她猝不及防，惊呼之际跌进一个温暖怀抱。

身后之人双臂环住她纤细腰肢，俯下脸，似有些疲累，万般眷顾地贴上她脸颊，刚毅的下颏轻轻磨蹭着她的玉颈，柔缓的嗓音与周身的花瓣一同扬落："我等了一个时辰。"

她呼吸一紧，掰开腰间的手，挣脱怀抱，前迈两步，转身警惕地盯着眼前人，正色道："公子自重。"

"巴夫人总这样拒人千里之外，好没意思。错过真心，不可惜么？"昌平君理了理衣襟，挑眉勾唇，一双眼眸如寒夜孤星闪烁，惑人心魄。

她心尖一颤，别过头，淡漠道："民女不知公子来此，有失远迎，望恕罪。"

她从不敢与他对视太久，仿佛那眸中藏着深不见底的漩涡，稍一靠近便万劫不复。

园中梨树含烟带雨，清香四溢，絮絮扬扬，飘洒闲阶，点缀池水，飞栖她身。

他靠近她，眉眼含笑，伸手欲拂去她头上落花。

她并不领情，后退避开。

他止步手垂，唇角笑意如层层远波的涟漪渐渐消失，话中带一丝不明的意味："你我之间，非要隔着几步么？"

"有时，靠的太近只会失望，倒不如保持距离，少些了解，少些惆怅。"

她未有直视他，亦没有看到他眼中闪过的落寞。

他盯着她，片晌，试探道："你不会还念着大王吧？"

她望着那一抹抹或深或浅的落英，敛眉不语，盈盈水眸映着清冷又闪着温馨情愫。

他从她的神态中看出了回答，哧地笑出声，摇摇头，无奈道："最难消受帝王恩。一国之君的真心能有几分？即便有，又能维系多久？"

"公子又有真心几分？何必五十步笑百步。"她心底泛起苦涩。翩飞的梨花漫上脸颊，遮隐了眉眼显露的忧伤。

他说的她不是不明白，只是止不住期望在心底发芽，更不忍去连根拔除。

他垂眸，言语中零落几分萧索："是啊。几番沉浮消磨，许多事自己都难辨真假。我们这样的人，谈真心确实奢侈。"

岁月的锐利可将一个骨肉丰盈的人，消减到无比瘦瘠。情寥寥，心漠漠。

她深吸口气，收起快快神色，微笑道："公子来此何事？"

"做媒。"他重回素日温雅之态，随手折下一枝梨花把玩。

她一愣，微微侧耳，以为自己听错，疑惑道："媒？什么媒？"

他墨眉一挑，细眼射出精光，审视道："自然是你的贴身侍婢楚姑娘了。"

她错愕少顷，狐疑道："对方是？"

他干脆道："李斯。"

巴清目瞪舌僵。片刻，她神思飞转，暗暗思忖："今日相见，李斯并未提及此事。涟雪亦从未说起。定是他暗自主张。李斯是吕不韦的门客，他此番举动是何用意？莫非，是知其被吕不韦看重有意拉拢？"

"民女与涟雪一直姐妹相称，从未将她看作侍婢。公子这般突然，民女有些……"她嫣然一笑，欲婉言推辞，谁料入耳的话再次让她咋舌。

"我已决定收楚姑娘为义妹，特许入熊氏族谱。身为兄长，理当为妹妹选个门当户对的郎君。李斯正合我意。"

"入族谱便是公主身份。李斯已有妻室，未免委屈了她。"她声色微露急切，想尽理由阻止。

他已有预料，轻踏落花走近，拉住她玉手，止住她连连后退的步子，声似寒冬抖搂的雪珠，触及一刻凉意侵心，却又蕴着深深的蛊惑："到时咱们一同出席。李斯知道她是你我的妹妹，自然不会亏待。"

她眯了眯美眸，心底不由得冷笑：好个一箭双雕。既断了李斯拒绝的念头，又让他成了熊氏一族的姻亲。既收为己用，又以秦连坐之法防他叛逃。可恨竟连我一起算计。日后若出了事，计较起来，只怕连我也难辞其咎。看来，他是猜到屡次调任巴蜀郡守未果是我从中阻挠，故行此计逼我就范。

二人只半臂之遥。他危险的气息让她惴惴不安，想要挣脱他的手却被抓得更紧。

她仰头对上他犀利洞人的双眸，压制住由心底漫上脸庞的忐忑，勉强一笑，商量道："民女清楚涟雪的性子。她若不愿，公子也不要强人所难。"

"你怎知她不愿？"他黑眸凝视，嘴角涟漪渐深，俊秀的轮廓近在咫尺，轻拂在脸上的气息让她心乱如麻。

繁密错枝的梨树深处传来窸窣的脚步声。巴清凝神看去，只见楚涟雪垂着头缓缓走出，一身素裹与花瓣融为一体，白清如雪，宛若仙子。

楚涟雪行了几步住脚，抬头极快地望了眼巴清，旋即目光移向别处，未言片语。

绢灯内，明灭的光微弱地照在她脚前，身后是一片不见物景的暗海。

巴清从她一晃而过的目光中，捕捉到了愧疚与无奈。

昌平君松开手，笑意温润："日后，你我便是一家人了。"

待巴清回头时，发丝上的落花已被悄然拂去。她看着昌平君远去的背影，长叹口气，垂头不语，面露不悦。

楚涟雪局促地迈了一步又止步，轻声解释："事出突然，我也是今日才知。若不答应，爷爷恐会有性命之忧。他对我有养育之恩，我不能弃之不顾。此事也当是我还了他恩情，日后再无瓜葛。"沉默少焉，她眼底泛起水雾，话带哽咽，"姐姐，没有个两全的法子么？"

良久，巴清烦乱的心绪渐渐平顺，失望与恼怒消退。她知道她是迫不得已。多年的相处，她相信，即便与李斯联姻，她亦不会害自己。

她走到楚涟雪身前，拭去她脸颊上坠坠欲落的泪滴，疼惜道："傻丫头，哪有许多两全的法子。有些人事，不是你想无瓜葛便无瓜葛，想断便能一干二净。有时，立场之上，总要选择一方，不论胜败，从一而终。选择了，便要承担。"

此时的楚涟雪，素日里的凌厉与淡漠全无，清秀的脸上写满担忧："可李大人他……我从未想过陷你们于难境。"

巴清执起她手，微笑安慰："事已至此，无需自责。李大人与我交好，定不会难为你。你只要照顾好自己。其他，我与李大人自会周旋。你要记住，既嫁了，他便是你夫君，心要与他一起。"说罢，她又哧地一笑，"瞧你这梨花带雨的样子，李大人见了会心疼的。"

可她的调笑并未起效。楚涟雪定定地看她，皓齿轻咬下唇，欲言又止。

片时，她秋水高涨的眸子终是承不住波纹荡漾，溢出晶莹。她取下腰间的玉玦递与巴清，嗓音沙哑："当年，姐姐送我玉玦，其中的含义我已明白，也已做到。现在，请姐姐将它交予煜瑞。今生缘浅，来世再修。"

风起，满园梨花香四溢，瓣如飞雪纷纷扬。

巴清接过玉玦，五味陈杂，眼眶微红。

玉玦的缺口在婆娑的光影下分外刺眼。缺，有时是一种圆满，有时却是一生的遗憾。

她举目四顾，雪白簌簌，心底忽然生出难以言喻的渺远与孤独。

惆怅乱花迷凡眼，人生看得几清明。

第四十章

明争暗斗

红日东出，霞光赫赫，云朵漫卷，气清空寂。

巴清一行人的车马，停在城门外十里坡的长亭，整装待发。

三月初十，夜郎国萨孤王崩。萨孤卓韫身为王子回国守孝。巴清得知消息时已在咸阳。这位曾在她颠沛流离、被恐惧不安笼罩时收留并给予厚待的慈祥如父的老者，是她永生难忘的恩人。他的离世，让她哀痛，更让她怀念起儿时的幕幕景景。她要去吊唁，要去他墓前叩首。

商街七日过。楚涟雪出嫁。理完几多琐事，她一日不停地离开咸阳，前往夜郎。

桃李芳菲，柳絮逐风，莺燕纷飞，鸣出声声离别意。

"蛮夷之地不比本国。姐姐此去多加小心。"楚涟雪关切叮嘱。

巴清微笑应下，看向立在一旁的李斯，示意近一步说话。

不知为何，这几日她总觉心慌。尤其昨夜，她漫步后园，倚栏思虑，忽见彗星划天。

彗星现，若非有大事，便是不祥之兆。这更让她莫名忐忑。

二人避开来往行客，行至馆舍不远的一处茂密柳树下。

巴清环顾周身，低声道："昌平君近日几番举动定欲图谋不轨。李大哥夹居吕相与他之间要谨慎，万不可大意。"

李斯垂眸点头，脸色略沉，敛眉不语。昌平君嫁妹之举着实让他措手不及。换做其他与自己职阶相仿的官吏，与王室宗亲联姻，无疑是飞黄腾达的开始。可到了自己这里，不单没半点喜气，反而是整日的提心吊胆。成婚之时，各路官员纷纷来贺。他看着那些恭敬的面孔、礼堂一角堆积成山的礼品，表面笑意连连，声声答谢，内里却阴郁满心，喜袍内的贴身衬里已被冷汗湿透。他愁的并非楚涟雪与楚王毫无血脉之联，而是这突来的联姻背后隐匿的无底深渊。他忧惧自己不得不行走的深渊的更深处，是不是还有让自己不经意便失足身亡的断阶残崖。

想来想去，李斯又想起吕不韦得知自己与昌平君联姻后那阴阳怪气的话。他长叹一声，神态快快，道："大王登基之初，吕相与嫪公霸朝。昌平君处处隐忍，最后，突然发难，至嫪党一朝溃败。如今，大王亲政在即。吕相与嫪毐相争不下，闹得满城风雨，他仍是处处以弱示人。我担心，不久恐有一场血雨腥风。"

巴清目露忧色："李大哥认为他想做什么？"

"他要做什么，还得看吕相与嫪毐能相争多久。嫪毐是大王用来制衡吕相的棋子。宦官掌权乃国之大弊，制衡终有时限。这时限怕是要到了。"李斯背手望着远处的绿野，狼目微眯。

巴清不解道："嫪党肃清后昌平君大可乘势而起，可偏偏称病不为，最后竟扶持个阉人，还让他凌驾自己之上，却是为何？即便大王亲政废除嫪毐，得益的是吕相。兜兜转转，又回到吕党霸朝，这算什么隐忍筹谋？"

李斯眨了眨眼，轻抚须胡，淡淡道："当年，他与大王联手除尽嫪党后升了地位，增了兵力，定有嫪公旧党暗中转投于他，可谓获利匪浅。出其不意之计，第一次可胜，第二次多败。吕相树大根深，且心存警惕，难以撼动，他只有示弱投诚，养精蓄锐，以待时机。至于扶持嫪毐……"

他顿了顿，狼目辗转，思忖片时，踌躇道："或许，他是想鹬蚌相争，渔翁得利，为自己日后独霸朝野而谋。或许，他的最终目的根本就不是与吕相为敌。或许……"

李斯欲言又止，显然同样猜不透昌平君这一着棋究竟是何用意。他眉心耸动，肃然道："我此前与昌平君交集甚少。他的府邸，只去过一次，还是为抓他的得力门客。本以为他会怀恨在心，不料成今日之局。比起吕相的锋芒毕露、嫪毐的飞扬跋扈，他更像个笑面老虎，看似风度翩翩，实则深藏不露，绝情狠辣，谈笑间足以让人不寒而栗。这样的人更为可怕。与他为伍，实在不安。"

巴清偏头不语，思绪翻覆。少顷，她眸光一动，勾唇笑道："未必不是好事。"

李斯一愣，问："何以见得？"

巴清挑眉，从容道："昌平君是何等精明，绝不会行无用之举。拉拢你，足以说明你对他的重要。咱们一直在担心受他制约后的困境，却忘了他用联姻相挟，亦捆住了自己。你若出事，他同样要被连坐。大王亲政，或杀伐立威，或扶持昌平君成三大权臣互相制衡。若是前者，吕相与嫪毐必有一伤。嫪毐亡，你人利无损。吕相败，你入昌平君党。加之大王对你的欣赏，不难青云直上。若是后者，也无害无妨。事已至此，李大哥可将计就计，看他究竟意欲何为，酌情而动。"

艳阳高升，绿野金光点点。清风徐徐，鸟语花香四溢。

李斯深吸口气，点点头，叹道："只能如此。"

他抬头望了眼悬日，拱手辞别："巴夫人有要事在身。在下不便叨扰。保重。"

三人再次道别。马夫牵来河曲宝马。巴清翻身上马，收紧缰绳，扬鞭策马疾奔而去。一身素缟，束发收腰，英姿飒爽。

楚涟雪看着巴清消逝的背影，神色怅惘。

李斯执起她手捧在掌心，温柔安慰："巴夫人福泽深厚，定安然无恙。我们回吧。"

五年前，李斯与巴清宴饮，便对静侍一旁的楚涟雪注目三分。后来，巴清年年送礼所派者又是楚涟雪。在李斯眼里，她总是一身紫衣，不惹半点尘埃。在李斯眼里，她冷若冰霜的模样，如九天而降的玄女，又如勾魂夺魄的鬼神。他常常念，时时想，总是不便向巴清要人。如今，昌平君倒成全了自己，可代价却不小。近日，他心里总是苦笑着安慰自己，在这突来的算计中，唯一舒心点的便是所娶之人是自己喜欢的。

楚涟雪低头盯着李斯温热的大手，缓缓将自己的手抽回，轻声道："我想随处走走。大人先回吧。"

李斯微微一笑，再牵她手，柔声道："我陪你。"

大婚当日至今，李斯从未与她圆房，从未有半点强迫。她的冷漠和婉拒，他亦毫不介意。来日方长，他愿意一点点感化她。

她蹙眉抬眸看他，欲言又止。片晌，她点点头，不再言语，转身往城门去。

二人漫步西街。商贩陆续推车架货赶来。街巷渐渐热闹。各路买客、百姓讨价还价、谈笑风生。春意浪漫，美食香味，飞鸟驻足。

喧哗的街巷间，唯独李斯与楚涟雪静默得有些尴尬。楚涟雪被牵着手一动不动，僵硬得让李斯惆怅。他想说点什么，但又怕说出的话让她觉得无趣，显得自己傻。他偏头看着她侧脸，冷艳娇羞，如幽兰，如桃花，又是一番心醉。

他眼看着从街头走到巷尾，想来想去，还是决定说点什么。

他随意找了个话题，正要笑着开口，却被身后疾步而来的人打断。

李斯颇觉扫兴地转身看着来者，心中不快。

来者向李斯躬身一礼，赔笑道："李大人，我家主上昌平君请您过府一叙。"

何止扫兴，简直心惊。该来的还是来了。李斯倒吸口冷气，笑着应下。

此时，李斯突然察觉自己牵着的那只手有了动作，正在稍稍回握。他回头看去，见楚涟雪正盯着自己，眼中露着点点紧张。

他欣慰地拍了拍她手，笑道："没事，去去就回。"

李斯随来者一路快行。到达时，昌平君已在大堂等候。他望了眼堂内，垂头疾步走进，行叩拜大礼，丝毫不敢疏忽。

昌平君起身走至李斯身前，伸手扶着他臂腕，和颜悦色道："咱们是一家人。妹夫这样做未免太过见外。快快入座。"

这一声妹夫叫的李斯汗毛竖起，冷汗欲出。他撩了撩袍角，拘谨地入座，直腰挺身，双手置膝，垂眸静待下文。

昌平君重回坐榻，对一旁静候的门客挥挥手，转眼对李斯悠悠笑道："最近公事繁忙，一直未闲。今日得空，咱们兄弟二人好生叙谈一番。"

说话间，几个侍女端来几盘精致糕点，美酒玉杯，一一呈上后飘然而去。

李斯早朝后便径往城门为巴清送行，尚未来得及用餐。原本他确有些饥饿，但现在见着美酒佳肴却丝毫无饥饿感。他表面不动声色，心里却马蹄乱过。哪有什么心思关注吃食，谁知玉盘珍馐里有没有掺毒使药，谁知对饮闲谈时是不是话里有话。

"过简了些，莫要嫌弃。"昌平君笑着说罢，自斟一杯饮下，又拿起盘中一块双色芙蓉糕入口。

李斯瞪眼盯着他一块接一杯的自在，紧绷的神经稍有松缓。他知道掺毒使药是不可能的，只是自己太过警惕。

李斯倒了杯酒解渴，刚入口便眉头一紧。这酒不对。他含着酒水一点点下咽，似在确认什么。直至最后一滴入喉，他终是确认，自己喝的正是家乡的龙凤酒。

他微挑着眉，垂眼看着案上的几盘点心，目光落在一盛着金黄板栗的银碟上。他伸手拿起一个板栗嚼了起来，心中又是一记猛锤。这是自己家乡的红油栗。他勉强吞下，瞥了眼仍自顾吃喝的昌平君，顿觉眼前这点简单的餐饮绝不简单。

龙凤酒与红油栗皆是上蔡特产，颇具名气。李斯亦是百吃不厌。可他此时实在无心享用。

昌平君看着李斯面前几乎未少的食物，关切问："是不是东西不合口味？"

"不，很好。"李斯赶忙解释，同时斟酒举杯，笑脸相对，"小酌龙凤酒，如闻棠溪吟。公子心意，下官感激不尽。"李斯根本不知道昌平君是何心意，但他知道自己不能总是被动。

昌平君提壶倒酒的手一顿，眼中闪过一丝诧异，旋即一声长叹，怅惘道："好一个'小酌龙凤酒，如闻棠溪吟'。真让身在异国的游子倍觉思家。"

玉壶稍斜，酒如一丝银线倾泻。昌平君执杯小饮，敛眉道："妹夫可是在母国受了什么委屈？"

李斯亦做出一副怅然若失之态，怏怏道："不瞒公子，下官本不愿来秦，但胸有抱负却不得施展实在不甘。谁人不愿以母国为先？谁人愿舍近求远？"

昌平君抿嘴点头，刚要开口却又听得李斯一句："然既来之，则安之。

下官定以公子为范，竭力事秦，绝无二意。"

昌平君双目一紧，盯着李斯勾唇无言。有些话说出后再拒绝难免尴尬甚至决裂。他听得出，李斯是抢先将一切可能有关违逆的后话堵住。

昌平君高声赞道："好。若大小官吏皆能有这般念想，乃国之大幸。"顿了顿，他话锋一转，温声笑问，"来秦近九年？"

李斯点头称是。昌平君轻"哦"着偏头一副若有所思模样。少时，他又轻"吱"一声，扭头看向李斯，不解道："八年时间，由廷尉正到客卿，官职升了，权怎么就降了？我若没记错，客卿是大王所赐，并非吕相啊。"

李斯垂头道："是下官能力有限，入不得吕相法眼。"

李斯面上看喜悲不明，心里却如针戳般刺痛。八年来，他的官途攀升缓慢得出乎意料。好不容易见了嬴政，却因嬴政尚未掌权只做了个有名无实的客卿。吕不韦说赏识却仅给了廷尉正之位，连个一司之主都不是。

昌平君不以为然道："你说这话岂不是意指大王察人有误。"

"下官一时糊涂，多谢公子提醒。"李斯赶忙做惊慌状，头垂得更低。

"要一展抱负，便要居高位握实权，总戴着个客卿的帽子怎行？难不成你想一辈子都做个名好无权的闲官儿？"昌平君挑眉看着李斯，郑重其事。

"也许，要再等几年。也许，的确是下官无能。"李斯略显失落。

昌平君哧地笑出了声，摇摇头，嗓音清亮有力："这与你能力大小没什么干系，是吕相一派在朝中占据的要职已无虚席，轮不到你。你若再无动于衷，不要说几年，十年、二十年，你也只能是个无用的客卿。"

李斯怔愣地盯着昌平君，心中隐隐不安。他并非在为自己会真成了说的那样无用而忐忑，而是在想这一番告诫之后的意图。他知道，想要升任只能将在职人调遣或卸职，但不论哪一种皆是行之不易，稍有不慎极可能得罪同僚，埋下隐患。他想了俄顷，伏地一拜，狼目散出殷殷光亮，恳切道："还望公子指点一二。下官感激不尽。"他并非一定照做，但要听听究竟是何计谋，利己则用，不利则弃。

昌平君慷慨道："都是一家人，我自当相助。"稍顿，他由正坐改为平常的盘腿而席，臂腕抵膝，姿态悠然，浅笑着问，"你说，大王亲政后首要做的是什么？"

知也要装作不知。李斯直挺着身子，眨着眼似在思考，一会儿又摇了摇头。

昌平君长眉一挑，玩味道："收权。"

李斯身子微微后倾，似醍醐灌顶一般。

"你若能助大王一臂之力，自然是权利两得。"昌平君面带笑意，如春风和煦，心中却不尽满意。他清楚，李斯是知而不言，假装不懂。这样的人怎能用的安心。

李斯无奈苦笑："下官何德何能……"

昌平君打断他："怎能妄自菲薄。我已安排好一切，你只要传个话便可。"

李斯脸上喜色展露，屏气凝神等待下文，心中却在质疑：会有这等好事？

"一月初，大王接太后特诏，四月初五，赴雍城，居蕲年宫，择吉冠礼。然数日前，我收得密报，言长信侯嫪毐假冒宦侍多年，与太后赵姬淫乱宫闱，生二子，意图谋权篡位。随后，我暗中查探，证实密报非虚。此事重大，关乎秦国社稷，紧系大王安危。我本欲进宫向大王讲明，可又想我爵位已无可再加，不如将这大功让与妹夫。"昌平君云淡风轻，泰然自若，不谈来龙，不讲去脉，寥寥几句惊得李斯如见骇浪扑袭，如感地动山摇。

这是国耻、国难，发则必满城风雨，血流成河。说嫪毐要杀嬴政，李斯实在未料。说嫪毐要杀吕不韦，他倒相信。自古大奸为恶，真正弑君称王者少之又少，前观两百年内鲜有成功，多半都是剪除对手，夺得摄政之权。况且，嫪毐出身市井流氓，言行粗俗，且胸无点墨，这些朝野皆知。他若真杀了嬴政自己做秦王，那不但可笑，且无利有害。嫪毐即使再蠢笨狂妄亦不会轻易针对嬴政，除非有人从中挑唆，或者这一切本就是朝堂各方为争权夺利而蓄谋已久之计，而嫪毐不过是一枚棋，只是到了落子之时罢了。如今看来，其源头必出自昌平君一党。

此事确实只传个话便可。只要嬴政想除掉嫪毐，只要理由足够震动朝野，证据有与没有无关紧要。李斯瞬也不瞬地盯着含笑看着自己的昌平君，心中越发惶恐，呼吸仿佛静止，嘴角不时抽搐，精光盛盛的狼目蓦地蹿起一

片恐惧。他在想，嫪毐这枚棋落在哪儿？杀伤力有多大？是用来废马除车留得残局，还是杀士斩相直捣王庭？

半晌，李斯竟破天荒口吃起来："公，公子……下官不知……"到最后他自己也不知自己在说些什么，只觉得汗流浃背，唇齿僵硬。天下绝无免费之餐。两杯酒，一个栗，快要了半条命。

昌平君饶有兴味地观察着李斯的神态，淡淡一笑，缓缓开口："不必紧张。成，你便是大功之臣，一展抱负指日可待。不成，也无妨。我可送你回母国。楚尚有左右两尹虚悬。我会向我的兄长负刍荐你上任，同样成你志向。"

又是一记霹雳。这明摆着是逼人就范。进，前路凶吉难料。退，叛秦之罪加身。李斯呼吸乱颤，再没了心思应酬，连话都难以开口。他找了借口，仓促离开，连行礼亦跟跄得不成样子。

昌平君身旁的门客望着李斯惊慌失措的背影，担忧道："郑方士说要从长计议。主公以这等大事试探，若他处理不当，恐会坏了咱们计划。秦王多疑，察人锋锐无比，说不定对嫪毐早已心存疑虑。何况，秦王性情多变暴戾，若一怒之下杀了他……"

昌平君摆摆手打断门客，轻笑道："看的就是他是死是活，如何处理。郑方士虽精通察人观相，但终究未入仕途，对为官与权术之道不甚了解。万事从长计议，万事皆迟。方才交谈，我觉他斡旋之心太重，一己之心太过，绝不是愚忠无畏之人。这样的人，难驭得很。欲用，必先试探再作打算。他若因此事死了，不单说明他无能，更代表嬴政不看重他，咱们要他何用？活着，证明他有些本事，值得咱们拉拢。此次回去，他定会对嫪毐一事的利弊是非再三权衡揣度。我已派人悄悄跟随他。咱们且耐心等候消息，看看他是见嬴政，还是去丞相府见吕不韦，或者一前一后都不得罪。至于计划，绝不会因他的死活而受到影响。"

门客见主公胸有成竹，恭敬垂首，再未言语。

"西南近日可有消息？"昌平君起身踱步窗前，望着屋外的晴朗锁眉。

门客道："主公忘了，三日前，军士差人送来捷报。下次的战况，怕是还要再等些时候。"

"是么，我怎么觉得已过了许久。"昌平君了然，轻叹着揉了揉前额，秀雅的眉目间透出些许忧虑与疲惫。

他负手立于檐下，微仰着头迎着日光，幽暗的双眸中光影闪烁，口中的话诚恳殷切似在祈祷："李斯废，可再寻他人，再想他法。唯独巴蜀与西南各国是重中之重，绝不能败。"

第
四
十
一
章

异域惊变

数只雄壮的鹰鸷，穿飞在舞阳河与两岸的奇峰怪林之间，时而高旋直上，时而低首疾冲，机敏迅猛。它们灵活辗转，俯瞰身下山水河川，眸子明亮凶狠，带着十分警惕，似在猎捕，又似在观察。

一只大船缓缓出现在流经施秉的舞阳河入口。船夫加快划桨，驶过宽阔奔腾的急流。行了百米，河道渐渐变窄。船速放缓，平稳地驶在河上，划出道道涟漪，惊了戏水的鸳鸯，扰了欢游的鱼儿。

两岸奇峰千怪万状，或太公钓鱼老态龙钟；或巨脚仙人一足撑天；或灵猴望月抬臂欲摘。各山浓淡相间，疏密有序，青翠欲滴，如天然盆景，如瑶池再现。船上人看得目不暇接，惊叹连连。

大船吸引了鹰鸷的注意，它们齐朝大船疾飞而来。舱外赏景的几人，见数只体型巨大的鹰鸷微张着钩嘴，弯曲着利爪，似看到美味猎物般盯着自己，不禁吓得呆愣。其中一人小心翼翼地一点点挪动着步子靠近舱门，欲躲进船内。

"这是巡城鹰。它们不会伤人，只是在确定我们是不是外城人。"巴清走出船舱，抬头看着徘徊上空的鹰鸷，安慰几人。

听了主人的话，几人紧绷的神经这才舒缓，松弛了身子各自忙事。

鹰鸷果然如巴清所言，只围着大船盘旋了一会儿，审视几番后尖叫着向南疾飞。一时间，漫山遍野回荡着凄凄的厉鸣，听得人心神惶惶。

"它们是在通知守城军有外人入城。"见几个仆从一脸莫名与惊恐，巴清再次解释。

巡城鹰是夜郎国都中央大城柯洛偍姆特备的战鹰，用来巡视方圆百里内的一切动态。每一只都经过严格的筛选调训，能辨衣着判身份，两军交战时又能攻击敌人，可谓军队的辅助斥候。它们日夜不休，轮流警戒，一旦发现可疑人马便急返营地，发出长鸣提醒。

巴清曾听萨孤卓韫说起，战鹰绝不轻易出动，一旦出动，若非战乱便是全城戒备。夜郎人善良睿智，不喜征战。战鹰只在四十年前楚襄王派军征伐时出动过，此后再无此例。

巴清望着远飞的鹰鹫，侧耳细听渐渐消逝耳畔的鸣叫，不禁疑惑：夜郎究竟发生了什么？

大船又行数里，前方传来阵阵清香，又闻百鸟脆语不断。

众人还未来得及四顾寻觅，忽觉头顶光影暗淡。齐齐抬头上观，原来是进了一条峡谷。谷内悬壁高数十丈，形如刀壁斧凿。壁上有狰狞怪石，似外界飞来，直嵌山腰，欲落不堕，遮阳挡风。

正当众人指点感叹周身奇异景观时，前路豁然开朗，艳阳暖身，花香更浓，鸟语更近。

众人又齐齐看去，只见前方不远处，耸立着两块巨石。巨石前小后大，微露间隙。巨石身后是一扇形山峦。石山结合，犹如孔雀开屏，壮美娇艳。山上花草繁盛，绿粉相间，鸟鸣频频；绿是常青的树木，粉正是众人寻觅的花香源头桃林。

其中一人呆呆地盯着满山的粉红，似被那花香迷了精神，如入幻境，痴痴自语："这是桃花么？怎么好像与别处的不同。"

哪有什么不同，桃花还是那桃花，只是山水不同，故而觉得多了分灵气。

巴清并不像他人那般惊讶。许多奇景，萨孤卓韫早已带她一一游览，今日再见更多的是亲切。她淡淡笑道："看看你们脚下的河水。"

旁人依言低头。

"水中也长桃花！"一人高呼。

这回惊叹得连船身都在摇晃。只见许多花瓣状的粉色物在波光粼粼的水

面下荡漾，放眼望去粉红漫漫，煞是好看。

几个仆从蹲坐船沿，将手探进水中撩拨，想要折下一株。可桃花近在咫尺，却无一人能折下。每次皆是握在手又溜走。

一人拧着眉，仔细观察片刻，恍然高声道："不对，这桃花会动。"

船夫看着惊喜结舌的几人，忍不住轻笑两声，解答："这是桃花水母。"

穿山越水而来的阳光，映照着船夫衣襟上的五彩丝线，回光处，一幅幅图案似被赋予了生命般，显得灵动逼真。

船夫是夜郎国人士。他面如黑玉，轮廓硬朗，头顶留有三寸长的天菩萨一绺，外裹长达丈余的蓝色包头，右前处扎着拇指粗的长锥形英雄髻。上身着窄袖花边右开襟短衣，花边上绣着日月、星云，精致无比。下着蓝色多褶宽脚长裤，裤腿上绣着天河、彩虹，鲜艳美丽。外披深蓝色的查尔瓦披风，昼为衣，夜为被，挡雨雪，寒暑不离。披风边缘镶着黄牙边与青色衬布，下边吊有一尺长的红色绳穗。每当有风袭来，绳穗飘扬似与风共舞，似互相倾诉。比起中原人的长衫短襦，夜郎服与山水同色，与地域相融，风格独具，让人见之难忘。

"船家，贵国近日可有大事发生。"巡城鹰的身影在巴清脑海挥之不去。她忍不住询问。

船夫叹道："国王刚刚宾天，瓯雒国便举兵攻打兴义。如今兴义的乡民是苦不堪言。姑娘此时进城怕是不妥。"

瓯雒国由原蜀国开明王朝王子开明泮所建，又称新蜀国。蜀国亡于七十八年前。那时秦国崛起强盛，连年开疆扩土，收复失地，与六国纷争不断。为补秦贫瘠之劣与得战略要地之利，秦惠王派大夫张仪、司马错及都尉墨从石牛讨伐巴蜀。巴蜀二王逃至武阳后，为秦军所害。相、傅及太子退至逢乡后，死于白鹿山。侥幸不死的王孙贵族从此各地流散，惨遭追杀。其中，一队人马护送掌管千年血玉黑蛇起舞的蜀王旁系后裔安治王，悄然沿雅砻江南下，过宜宾，入云南。当时，云南为楚国势力，安治王稍得喘息。不久秦攻楚，他又从滇池走至开化府，再沿泸江上游进入越南北部宣光。安治王等一众人马安居后，收服当地土著部落西瓯东雒，统治十区，号称南岗部。其子蜀泮登基后，又更名为瓯雒国。

"瓯雒与贵国交好多年，为何突然发难？两国交战总要有因由，船家可知？"巴清一听，当即拧眉追问，神色紧张。

船夫惊讶地打量着她，惊疑道："姑娘为何对两国国情这样了解？"

巴清微微一愣，旋即笑道："我曾有幸在这里住了几年，也去过瓯雒。"

船夫了然，旋即摇了摇头，无奈道："从前交好，现在难了。至于因由和胜败我不知，只听说瓯雒的军队里有中原人。"说罢，瞥了眼巴清与她身旁的随从，面色严肃，道，"姑娘进城做什么？"

巴清莞尔，和气道："实不相瞒，我乃秦国商人，来贵国是为生意事。"笑罢，她又敛眉肃目，暗想：中原人？究竟是哪里的中原人？

船夫亦未再言语，自顾划桨。

艳阳西移，河面笼罩淡淡金色，波光涟涟，闪烁耀眼。

大船停泊的岸口名千洞港。

巴清一行人下了船，沿路行不过二百米，前路被高山阻隔。山脚有一拱形洞口，宽约四米，高有五丈，四周青草藤木攀长有序，石壁光滑平整，一看便知是在原有的形态上又添修凿。

所有来往行客皆穿梭于这不大的洞口。仆从随巴清入洞，洞内明亮开阔，脚下是铺砌平整的青石板，两旁石壁挂置火把，三米一隔。偶有清澈水滴顺岩石而下滴答成乐。洞内空气清新，微风阵阵，舒心怡人。直行百步，前方忽地凹陷，传来一股不知来踪去影的潺潺水声。

待走至凹口一看，巴清的仆从们不由得惊赞不已。放眼望去，目及之处洞挨洞，洞套洞。洞中流水漫漫，深不见底。石状各异，五彩缤纷，如繁星闪烁，似彩云飘浮。

众人寻阶而下，坐船前行，片刻驶进一巨大洞厅内。洞厅中央立着一数米高的石柱，一丝一层相叠而上，形似灵芝。石柱两侧又有两柱，一个似蛙，小巧玲珑，仰头上观；一个像狮，闭目养神，伏地静待，好似在共同守卫灵芝仙草。

穿过一洞，又入一洞。与前洞的瑞气氤氲，朦胧莫测相比，此洞天上地下一片乳白，清透明亮。石笋层层叠叠，行态各异，好比一幅幅巨型浮雕，塑出云霞锦绮，仙鹤舞步，花团锦簇。最引人注目的当属西北角那数十米长

的狭窄洞壁上挂着的石葡萄，颗颗晶莹，粒粒饱满，让人垂涎欲滴。

地势渐高，众船蜿蜒而上，忽一阵雷鸣。许多行客闻之如常，早知声音来历。巴清的仆从则屏气凝神，仰脖远眺。

雷鸣声更近。前方豁然明亮。船舶驶过一天然石花洞门。众人循声望去，原是横在洞外的瀑布。由洞内外观，它高达七丈，宽四丈余，缕缕银练飞速下坠，溅珠碎玉，激起水花无数，形成阵阵雨雾，震得洞壁隆隆作响。透过倾泻而下的水柱间的缝隙远眺，整个幽深峡谷入目，奇石峥嵘，松竹葱茏，分外别致。

待到达柯洛倮姆时已日落西山。

巴清看着前方高大的城门，仰望这座久违的王都，唇畔浮起亲切笑意。

柯洛倮姆东倚瑶人山，西拥百花海，南接万峰林，北通舞阳河，被奇木异草、千怪迥石环绕，宛若仙境中的城堡。

紧贴城堡外墙的是三排茂密的竹林，株株高耸挺拔，顶天立地，如一道绿色屏障，将王城包裹。

西南众多部落族国皆对竹有着强烈的崇拜，认为它可驱邪避凶、护民丰国。堪称西南大国的夜郎亦如此。除竹外，牛与蟒在夜郎民众心中同样占有重要地位。他们将它们绣上服装，画在崖壁，编歌排舞，更制成两个巨大的朝天牛角高高悬挂城门之上，雕凿两条如凶神恶煞的庞然石蟒盘踞城门两旁。它们双目圆睁，威慑人心，好似任何魑魅魍魉都难逃法眼。

夜郎地势崎岖险阻，交通闭塞，除与邻近的巴蜀、楚国、瓯雒有些贸易，鲜少与他国联系，加之当下与瓯雒交战，交易断绝，来往城门的外国人更是寥寥无几。身着中原服饰的巴清与仆从分外显眼。

"你们自舞阳河来？"几个士兵手握长枪，快步走近。鹰鹫早已归营，将讯息传达，士兵早知他行踪。

巴清点点头，欲开口便见一个军官快步走来，一声呼喊："中原人没一个好东西，给我抓起来！"

突来的变故着实让巴清等人惊诧。仆从赶忙解释："我们不是中原人，我们是羌人。"

巴蜀归为秦郡前，是苗、羌族人统治。巴清一族皆为羌人子孙。

军官眯起眼嗤之一笑，鄙夷道："羌人？那穿什么中原服？准是中原人的走狗，给我关入水牢！"说罢，几个士兵不由分说地将长枪对准巴清与仆从，大有不从便就地处决之势。

"等等。"巴清叫住转身欲走的军官，从袖间取出一块金牌。金牌中心刻着牛首蛇身的异兽，周围竹枝环绕。金牌是当年巴清离开夜郎时，萨孤卓韫所赠，只有王室成员与特功将臣才能拥有，是尊贵身份的象征。

军官神色一凛，轻"嘶"一声，低着头双眼紧盯她手中金牌，似在辨别真假。片刻，他抬头打量着巴清，一改方才跋扈之态，对一旁的几个士兵挥了挥手，对巴清和气道："你们在此等候。"说罢，转身离去。

片刻，一身披银甲、腰佩利剑的中年男子大步走出城门。身后跟着的正是方才的军官。

"竹耶将军。"巴清高兴唤道。

银甲男子听得一愣，快步走至她身前，左右上下，仔仔细细地打量一番，惊讶之余喜疑参半，道："你是清宜公主？"

竹耶将军是萨孤卓韫母亲的表弟。在巴清记忆中，他是最和蔼的一位部落君长。

巴清微笑点头。

竹耶将军高兴道："公主离去数年，这次是……"

巴清哀道："我与父亲受贵国恩惠。如今老国王驾崩，我前来代父亲吊唁叩拜。"

竹耶将军欣慰点头，笑道："好好好，我这就带你进宫。"

夜郎王宫背山面水，屹立于瑶人山支脉，月色下千灯万火层层而上直达山顶，远远看去甚是壮观。相比中原七国的飞阁流丹，廊腰缦回，夜郎王宫则是厚实平顶，金黄泥壁，层有二三，墙墙相连，下家屋顶即为上家场院。待到日出，宫前碧水环绕、绿野铺陈，宫后白云浮天、层峦叠嶂，土黄色的王宫在阳光下发出金色光芒，一片旖旎风光。

新王萨孤卓恒初登大宝便遭逢外国入侵，数夜难眠，正与臣子在大殿商讨应对之策。萨孤卓韫身为新王同胞弟弟亦在其中。

竹耶将军安顿好巴清的几个仆从，便急急地带巴清来到大殿。

大殿位于众多宫室顶端，可俯瞰全城，是高贵的象征。

"大王、二王子，你们快看谁来了？"竹耶将军兴高采烈地走进大殿，打断卜罗师的进言。因是王亲，加之性子直爽，他从不拘泥礼节。

众人齐齐望向殿门。

"清儿？"萨孤卓韫最先开口，似难以置信，快步上前，嘴角衔着掩不住的笑意。

巴清清甜一笑，轻声唤："卓韫哥哥。"唤罢，她行至殿中，对王座上的萨孤卓恒行叩拜礼。

萨孤卓恒走下王位扶起巴清，笑道："多年不见，清宜妹妹别来无恙。"

"清儿是来拜祭父王的。"萨孤卓韫早已猜到。

巴清看着他憔悴的脸庞点点头，担心道："卓韫哥哥在为与瓯雒交战的事伤神。"

"两国交战，百姓受苦。我实在不愿看到生灵涂炭。"萨孤卓韫神色怏怏。

竹耶将军对萨孤卓恒耳语几句后遣散众人，自己亦径自离去。

巴清想起船夫的话，问道："我来时，听说有中原军队协助瓯雒。这究竟是怎么回事？"

"不错。据探查是楚国的士兵。"萨孤卓恒接答。

"楚国与瓯雒联手……"巴清偏头自语，若有所思。片晌，她蹙眉道："楚国是江南大国，拥兵数十万，根本无须与别国联手。"

"或许楚国想吞并西南，但又怕各部落联合对抗，便先交好，再逐一消灭。"萨孤卓恒负手立在窗口，望着满天繁星，缓缓吐语。

巴清思忖少顷，仍是摇头，疑道："楚王刚刚宾天，辅国令尹更被人乱箭射杀，内乱隐患丛生，哪有什么精力攻打西南诸国。"

"两军交战，不斩来使。可我们先后派去的两名使者皆未回来。"萨孤卓恒顿了顿，转身看向巴清，目光殷切，"我记得，清宜妹妹与瓯雒王有些渊源。妹妹若是能……"

"不可！太危险。"萨孤卓韫当即阻止，紧张地抓住巴清臂腕，将她护在身后。

巴清了然其意，垂眸敛眉，审思几番，深吸口气，握住萨孤卓韫的手，抬眼看着他，温柔一笑："我去。若能帮上一二，也是我报答了老国王的恩情。"

萨孤卓恒遣一队精锐兵马，连夜护送巴清顺舞阳河南下入兴义，翻过战刀乱叠、尸骨累累的万峰林，穿过萦绕着血雾的峡谷栈道，直达瓯雒攻打夜郎的驻兵地毛南部落。

军营内正在进行祭祀仪式。瓯雒军队中东雒的族人一直保存着茹毛饮血的风俗，他们将虏获的不愿投降的夜郎君长绑在图腾柱上。图腾柱高有二丈，刻涂着巨大的红色人面像，人面龇牙咧嘴，甚是狰狞。

巫师身着赭色布衣，头戴山鸡羽尾，染齿粘耳，口念咒语，围着图腾柱手舞足蹈。

数排士兵跪坐观看，肃穆可怖。图腾旁立着三尺高木架。木架上放着火盆。巫师舞蹈片时，取来匕首，走至夜郎君长身旁，顺着他赤裸的右肩头用力削下一块皮肉扔进火焰高蹿的盆内。

整个军营回荡着夜郎君长痛苦凄厉的嘶吼。

一刀又一刀。火盆内"吱呀"不断，乱窜的火苗冒出血肉焦煳的恶人味道。他们在对敌人削皮断骨，祭奠阵亡的族人。声声惨叫如食人蚁聚袭而来，惹得营内的中原人与别族士兵寒毛直竖，更让向军营奔来的巴清心惊胆战。

巴清没有选择进宫见瓯雒王，而是直奔军营。兴义当下岌岌可危。要进瓯雒国都需再往南数十里。途中的费时，入宫的费时，还有面对一切未知凶吉的谈判，来来回回耽误的时间足以让瓯雒军队再次动武，令兴义沦陷。

兴义沦陷，夜郎国都便失去屏障。瓯雒军队便可直捣柯洛保姆。到时木渐成舟，没人愿放弃已到手的肥肉，不要说停战，连归还城池也是难事。

巴清让随同的夜郎兵撤出毛南以免再遭杀戮。她一身瓯越民打扮，粉布长裙，梳髻皓齿，玉颈、手腕、脚踝戴银饰，闪闪动人。

五月的毛南已是烈日炎炎。炙热的太阳与乱舞的盆火融为一体，灼化了云彩，烤萎了草木。巴清内衬的绸衣已被分不清是冷是热的汗水湿透。此时的她，有一种置身火坑般的煎熬。

她瞥了眼昏死过去的夜郎君长，目光移到那血肉模糊，白骨外露的臂膀，握着血玉的手不由得攥紧，额头泛出细细汗珠，心头颤颤，胃中翻覆。

　　军营鲜有女子。忽然出现一个貌美如花的女子，许多士兵双眼噌地放光，垂涎欲滴。巴清立在营外向内环视，发现确有楚兵，但人数不多。她仔细观察那些楚兵的阵势，总有种说不出的蹊跷。

　　主将是蜀氏族人，这是巴清唯一感到安慰的事。她对营口的瓯雒守卫说起了羌语。守卫从未见过这般肤如凝脂的女子，只想着多说几句，对她有问必答。

　　未见到主将前，她绝不会说出自己是敌国的使者，否则极可能与前两个使者一样有来无回。于是，她巧笑着告诉守卫自己是主将的亲族，来此因族内出了大事。守卫痴傻地信以为真，当即跑去禀报。

　　瓯雒主将正与楚将商议下一次的出兵计划。二人面露不悦，各自坐立不语，似刚刚发生了一场激烈的争论。

　　楚将反复地观察兽皮上画着的兴义与柯洛俣姆的地形图，拧眉思索片刻，对瓯雒主将又是一番自述己见。

　　瓯雒主将不屑一顾。守卫禀报有族人求见时，他已颇觉耳边聒噪，不耐烦地挥挥手打断楚将，想也不想地示意守卫带巴清进帐。

　　巴清刚一进帐便引得两将注目。主将盯着她，感叹美貌之余，脑中想了又想，实在记不得族中有如此模样的人。楚将打量着她，越看越觉得不像瓯雒国人。

　　巴清从容地上前，恭敬地对主将行礼，对楚将只淡淡一瞥再无动作。

　　她迈进帐内第一步时，便看出二将不和，此举是她有意迎合主将。

　　主将果然很受用，轻蔑看了眼楚将问巴清何事。巴清恭敬道出自己使者身份。话音刚落，楚将大笑，鄙夷道："夜郎是穷途末路了，竟找了个女人来。"言罢，对主位的主将笑道，"将军欲如何处置这个女人，是砍了，还是留着给将士们消遣？"

　　巴清当即高声呵斥："放肆！这是在瓯雒境内，岂容得你目无尊上！主将未言，你有何资格大放厥词！"

　　她凌厉气势震得楚将一愣。主将浓眉一挑，眯起眼，饶有兴致地斜睨着尴尬的楚将。

　　"我说是主将的族人绝非虚言。有玉为证。"巴清缓和神色，将手中血玉送至主将眼前。

主将目光移至血玉。当他看到浸透丝丝鲜血的玉石上雕着的是咸鸟展翅时噌地站起，神情瞬间变得严肃，似见到了神物一般。

蜀族人无不知晓血玉的来历与寓意。主将瞪着眼仔细观察血玉，欲伸手触摸又有些犹豫拘谨。片刻，他抬头看着巴清，语气多了分恭谨与猜疑："你是……"

"不错。我就是负责守护血玉的蜀王后裔。你们的国王应当称我一声王姐。"巴清点头，交谈间显露威仪。

一旁的楚将嗤地一笑，悠悠道："在下虽不了解贵国风俗，但知玉可伪造，人可假冒。"

"你以为各国族人都与你们楚国一样毫无信仰，内乱四起吗？你这是在侮辱蜀族人对先祖的忠诚！"巴清看向楚将，反唇相讥。说罢，她转头对主将道："大王七岁时，我曾在宫中留住。是真是假，将军只要与我一同进宫自见分晓。"

巴清言之凿凿，物之真切，主将不敢轻视。楚将平时虽让他反感，但此时言之有理亦要兼听。他未有表示，垂眼思忖。

楚将见主将犹豫不决，急忙道："她是想拖延咱们攻占兴义，给夜郎调兵求援腾出时间。既然是贵国王族，为何成了敌国使者？这就是所谓的忠诚？将军三思，莫要被蒙骗。"

巴清厉气不减，冷笑道："蒙骗？我倒要问问你们楚国，为什么突然联合瓯雒攻打夜郎？是真心交好，还是为你们吞并西南各部使得离间、权宜之计？"

"一派胡言！"楚将恼羞成怒，拔剑直指巴清咽喉。利刃寒光逼人，大有再吐半语人头落地之势。

利剑出鞘划出尖厉声响，惊醒沉思的主将。他见状，箭步上前抓住楚将握剑的手腕用力压制，话带警示："她若真是我蜀族王亲，将军如何赔罪！"

巴清似早已料定主将不会让楚将伤害自己，神色凛然，未露半点畏惧。她直视楚将，双眸射出的狠戾光芒丝毫不逊出鞘的利剑："我告诉你，我不是夜郎国民。我自巴蜀来。巴蜀隶属哪一国你应清楚。我若没有安然返回，

我的随从会马上告知巴蜀郡守，郡守会上报秦王楚国意图联合西南部落攻秦。到时，巴蜀不会放过你！大秦不会放过你！"顿了顿，她玉手攥紧，走近一步正对利剑，颈喉与剑尖只差分毫，冷笑道："你若是楚将，不会不明白其中的利害。"说罢，她视线转向一旁瞠目结舌的主将，正色道："将士为国而战，当把国家安危放在首位。我今日若死在这儿，将军便要好好想想，与你共谋的人到底是不是楚国将领。瓯雒与他们联盟是真的有利可图，还是不过一枚棋子。结果是让蜀族人再遭当年惠王灭国之灾！"

主将被她的话撼动，眉头骤蹙，抓着楚将手腕的手更加收紧下压，缓缓看向楚将的眼神中透着怀疑与质问。

楚将狠狠地瞪着巴清，杀气腾腾，剑尖微颤着似要割喉。

主将察觉到楚将手腕力道，一把推开巴清，冲楚将喝道："你要干什么！"

僵持片刻，楚将终收剑回鞘，重叱一声，懊恼地别过头一言不发。

此次与夜郎开战，是瓯雒国相与楚使说服瓯雒王而为。身为大将军的主将阿鲁氏本就心存异议。如今逢此疑虑，他决定回宫再议。

阿鲁氏重回主将坐榻，唤来心腹领军，吩咐道："传令下去，本将要回宫亲自向国王呈禀战报。军队按兵不动。一切事宜待本将回营再议。此间，若有人胆敢自作主张，不论是何身份格杀勿论！"说罢，看向立在一旁的楚将，森森道："将军也一同回吧。本将想将军也很好奇这女子说的是真是假。回去后，一切都自会有个决断。"

直至主将最后一字音落，巴清才轻舒口气。

楚将脸色铁青，无可奈何地点头应下。

军令已下。三人马不停蹄直奔王宫。国都与毛南间隔着一个名为百色的部落。他们在百色休息一晚后整装继续赶路，蹚过狭长湍急的乐里河，翻过风光如画的三牙岭，与国都只差一片树林。

树林名藤沼林。林中树干高低错落，林冠层层叠叠；老藤披披梭梭，厚大盘节，藤萝交相攀爬。地面除了薄薄的腐殖土层与落叶外，多是光裸湿滑的泥土。巴清一行人经过水网、沼泽密布的草地，不得不下马徒步，不时披荆斩棘以通前路。

众人头顶的树丫上长满各种野花与苔藓，一簇簇一团团地附在叶片之上。众人耳边时而溪水叮咚；时而群鸟合奏；时而猿啼象吼，使得林中人心情也随之跌宕起伏。

占地并不宽阔的树林，众人走出却足足费了大半日时间。到达国都时已近傍晚。

瓯雒国都位于更南面的红河萦回之地。蜀王族人安治王征服西瓯东雒后在那里修建了国都古螺城。

古螺城是一个形似迷宫，又似海螺的城堡。内外城墙共有九层。城墙外为陡坡，内为斜坡，城墙高而宽厚，易守难攻，既可有力地保护身居最内城的国王与亲族，又可作为一种坚固的防御工事。

主将带众人跨过静流的护城河，穿过第九重城门进入王宫。王宫被参天绿树环绕，红色宫墙由无数块巨大红石彻成。每一处红墙上皆规整地雕嵌着黑色图腾，虎啸象吼，栩栩如生，甚是威严壮丽。

众宫阙簇拥着大殿。殿前广场中央涟漪荡荡的莲花水池内，立着一巨大铜鼓。铜鼓旁由四组玉蛙守护，玉蛙周身有十二道星芒般的金丝环绕，绚丽无比。

阿鲁大将引巴清与楚将在殿内等候，自己先行禀报。

安治王建国后与统治印度河流域的孔雀王朝交好，贸易频繁，经济发达繁荣。国虽不大，但百姓富庶，王族更是拥珍奇无数。大殿华丽丝毫不输七国。四壁悬挂犀角与象牙，周围玳瑁、珍珠、玉玑、金花陪衬。王座由巨大的楠木精雕而成，嵌有七彩宝石。王座左边的铜柱上立着一只振翅欲飞的鎏金咸鸟；右边是昂首拖尾的青黑猛虎。王座后方则是一扇巨大的红色火焰图腾，高有二丈，宽有五丈，甚是壮观。

约莫半刻，安阳王蜀泮身着长及大腿的瑰丽左衽绸衣，头戴七宝王冠，手执四菱长槊神杖，在众人簇拥下于偏殿走出。

紧随在蜀泮身后的人吸引了巴清注意。她死死地盯着他，目瞪口呆，难以置信。

"王姐当初离开，为何今日回来？"蜀泮坐于王座，浓黑飞扬的眉宇间透着年少轻狂。

巴清与蜀泮虽同是蜀王后裔，但巴清属直系血亲，而蜀泮只是旁系。只有直系血亲方能继承王位的族规，让建立瓯雒国的安治王一直耿耿于怀。

当巴清的父亲得知失散的亲族在西南之南落脚建国，出于血脉相连的亲情与同是沦落人的悲恸，他带着女儿前去相认。可相认后，安治王言行疏远淡漠，戒心频频，让父女二人倍感心寒。最终，巴清与父亲只待了一月有余便辞去。国破的伤痛让二人不愿再做什么王室宗亲，再不想时时记着那战火狼烟，哭喊血泪四溅的曾经。他们只想重回家乡隐姓埋名，余生富足足矣。

"为了王弟，为了蜀族。希望与夜郎停战。"巴清的视线一直牢牢地锁着那人，心中惊疑的狂涛与忧惧的怒浪不断翻覆拍打着她的胸喉。

那人亦在走进大殿时便注视着她，神色却由初始的诧异渐渐变作了饶有兴味。

那人不是别人，正是昌平君的得力门客，与巴清打过数次交道的黑衣军士。

蜀泮察觉到巴清的目光与神态，看向一旁的黑衣军士，道："看来使者与王姐早已相识，而且关系并不和睦。"

与巴清一同进宫的楚将已将军营发生的事告知黑衣军士。黑衣军士对蜀泮恭敬一礼，道："确实相识。请大王允许下臣与您的王姐交谈片时。"

蜀泮点头。黑衣军士走近巴清，勾唇道："想不到巴夫人还有这样的身份，真是深藏不露。"

巴清敛起惊惧，微笑回应："几月前去和顺酒馆拜访军士却再不见军士身影，原来是到了这儿。军士对西南部落这般有兴趣，莫不是找到了什么更好的生财之道？"

"找是找到了。不过，巴夫人一出现，这财怕是难一人尽得。您是想和，还是想夺？"黑衣军士停在她身前，近距一臂，挺身负手，悠悠吐语。

她再没了心情调侃，直言问道："知道又何必再问。夜郎与瓯雒交好多年。军士挑唆两国战争，意欲何为？"

黑衣军士并未回答，只定定地注视她，笑意不减。

巴清再问："军士自称楚使，那么代表的是楚国？我很好奇，您是昌平君门客，在秦为官，为何为楚国谋事？居心何在？还有军营中的那些楚兵，当真是受楚王命令调配而来？我看不像……"说着，她忽而秀眉蹙紧，试探着问，"是昌平君的意思？"

见黑衣军士垂眸轻笑之态，她语气略显急躁："你们究竟要干什么！"

"公子是秦官，也是楚臣。您向来精明，不会想不明白。"黑衣军士把玩着挂在腰间的玉佩，泰然自若。

昌平君平日里的一言一行在巴清脑海翻覆。她对嫁楚涟雪于李斯一事，从未与谋逆抗秦联系在一起。此时，她十分懊悔小看了昌平君的心机。

她恍然，昌平君让黑衣军士来西南，定是想利用蜀族对秦的亡国之恨，煽动瓯雒一统西南大小族国，然后与楚联合攻秦。

想此，她又记起昌平君几番提议调换巴蜀郡守的行径，再次瞿然惊醒：原来，昌平君想策反巴蜀！原来，他拉拢李斯是为自己的谋逆！

她眉心越发高耸，不安如一波又一波的巨浪凶猛。

她了解李斯，相信他不会倒戈。

她唯一不解的是：昌平君虽有谋逆之心，但吕相邦尚在，嫪毐亦不听他摆布。欲离功成再近一步，便必须铲除朝中这两大权臣而独霸。那么，他又会用什么手段？或者，早已万事俱备，只欠东风？

最让她担心的是，刚刚亲政的嬴政，到底能不能看穿他隐藏的虎狼之心？

她沉吟少顷，冷峻的脸上忽而笑靥如花，轻蔑道："大秦一统六国势不可挡。公子与军士如今已是荣华一身，何必自取灭亡。"

黑衣军士把玩玉佩的手一顿，抬头紧盯巴清，笑意消退，严肃道："定？不一定。"他松开玉佩，靠近她一步，低声道，"只要您心向公子，一切都还有转机。"

巴清摇头，笑道："军士真会说笑。我不过一介商民，何来这翻云覆雨的能力。"

黑衣军士轻笑道："您过谦了。在下长居巴蜀，怎会不知当地民众对您有多么的爱戴，郡守对您是多么的言听计从。全国的丹矿、半数的盐厂皆是您的囊中物，可谓掌控着秦近半的经济命脉，富可敌国。还有，您家族中那支数以万计的卫队。若是……"

巴清打断他，面露警惕与不悦："什么卫队？不过是生意上用来保护货物的几个家丁。军士不要胡说。"

黑衣军士嘴角一撇，挑眉道："好，便是家丁吧。不过，万一传到有心人的耳中，弄假成真，未尝不会掀起满城风雨。另外，您的身份。若秦王得知您是蜀王后裔，会如何？抄家？灭门？斩草除根是每个想坐稳王位的人必做之事。巴夫人现有吕相邦庇护，自然无恙，但哪日吕相邦败了，您又当如何？"

巴清桀骜的目光瞬时阴沉，扬起的下颏渐渐垂下，抿嘴不语。半晌，她闭目深吸口气，再睁眼时，眸光中失落涌动，几近凝聚成泪滚落。她知道，黑衣军士所言有理。

她面色悲戚，怏怏道："依军士之意，我当如何？"

黑衣军士见巴清心有所动，欣喜道："秦王亲政后，不需几年便要与六国开战。其他几国胆小衰弱，劝说他们联合抗秦并非易事。公子欲楚先示好，与秦联合共灭五国后四六分地。国土最多的燕、赵与弹丸韩国尽数归秦。楚只要齐、魏。看似秦获地颇多，实则有一半的贫瘠。富饶的淮水平原与济水两岸的湖泊沃土皆进楚囊，是日后与秦一较高下的充足后备。秦为镇守燕、赵需集近一半军力北上。届时，腹地兵力减弱，巴蜀趁机反秦，与一统西南各部的瓯雒乘虚而入，里应外合，攻下邻近的黔中、南郡易如反掌。待秦调兵南下时，楚再由北攻其不备。腹背受敌又失富饶四郡，秦定大损元气。"

黑衣军士顿了顿，得意地贴近巴清，凑到她耳边，暧昧道："秦一蹶不振，楚一统天下指日可待。到时，您想要什么公子都会满足，哪怕做整个西南的王都可以。"

好个扭转乾坤的筹谋！字字惊心。巴清听得惴惴惶恐，听得呼吸颤颤，听得怦然心动。

突然，她眉心一蹙，感觉方才的话有不通之处。楚国想到的秦国未尝不会想到。各国皆有自己的盘算，昌平君又怎知秦会与楚联盟？她眸光闪闪，神思飞转，反复斟酌。她想，定有什么诱人利益牵制，或者剑走偏锋的谋算。

黑衣军士看出巴清疑虑，笑道："有时，国与国交战胜败的关键，不仅取决于兵力强弱与行军布阵，更取决于外交手段。您博文广识，一定知道曾有配六国相印的苏秦迫秦放弃相王，有解六国之盟助秦雄起西陲的张仪。他们凭的仅仅是自己的三寸之舌，谈笑间可让樯橹灰飞烟灭，可让家国变胜败转。"

巴清恍然：这便是昌平君拉拢李斯的真正目的。李斯能言善辩，精于揣摩，深明刚柔之势，确是不可多得的外交人才。母国又是楚国，自然首选。这步棋，昌平君落子有声。可惜，终究迟了一步。李斯深知楚、秦国势，又早与嬴政君臣一心，绝不会弃强投弱，冒此大险。

她眯眼看向黑衣军士，略显苍白的脸上漾出不深不浅的笑意，愁眉瞬时烟消云散，挑眉轻声道："多谢军士相告。不过，我要的公子给不了。"说罢，她旁跨一步，对王座上的蜀泮恭谨道："王弟知道我与他耳语的是什么吗？"

她瞥了眼正惊诧地看向自己的黑衣军士，嗤笑道："他说，我若帮他，事成后，楚国可以让瓯雒改朝换代。王弟与这等过河拆桥之人联盟，不觉得如芒在背吗？"

此言一出，殿上一片哗然。蜀泮腾地起身。阿鲁大将怒发冲冠拔剑相向。收受黑衣军士贿赂相国慌乱地不知所措。

黑衣军士急急解释："楚国对瓯雒的诚意天地可鉴。她与秦王有说不清道不明的关系，不单弃国恨忘家仇，更成了秦国数一数二的大商，向秦捐献万万之金。她是蜀族的叛徒！陛下万不可信她胡言！"

阿鲁大将开口："陛下，臣相信公主。"

巴清怒斥道："什么公主！我若在乎公主虚名，当年，便不会与父亲返回巴蜀隐姓埋名。我若是叛徒，便不会在得知他阴谋后，弃他助我夺取王位的许诺而告知你们！"

她转身看着黑衣军士，眸光凌厉地划过他失色的脸，冷哼道："站在你们面前的楚国使者，他真正的主人，是在秦为官的楚国公子。他代表楚国对瓯雒的承诺，王弟敢信么？"

黑衣军士几近气急败坏，狠戾地瞪着巴清似要将她凌迟。片刻，他指着她，怒极反笑："秦国令你国破家亡，你竟拼了命拥护，疯了，真是疯了！你不要忘了你的身份！哪个君王能允许所灭之国的后裔存活在自己的国家！今日你为他解危，来日他送你黄泉！"

巴清毫不退让，反击道："秦王英明，功过是非自有评判。楚国大势已

去，难逃灭亡。我劝你安分守己，免得最后死无葬身之地！"

蜀泮听得怒不可遏，神杖猛地击地，高声打断："够了！使者，你即刻带着你的兵马撤出瓯雒！王姐，我最后一次这样称呼你。离开瓯雒，你的生死荣辱与我蜀族再无瓜葛！今后，西南各国将永世修好。楚国也好，巴蜀也罢，不准你们再踏入半步！"

阴谋破败。黑衣军士横眉怒视巴清，咬牙切齿道："我会将你的话一字不落地转达公子。你迟早会后悔！"

"无悔！"她下颏高扬，语气坚定有力。她灼灼目光中凝聚着对嬴政经年不变的爱恋与思念，闪烁着月下互诉衷肠的倾慕与相惜；更有纵弱水三千只取一瓢饮的执着与信任。

犹记当年双凤佩，千秋霸业倾力卫，生死相随永不退。

瓯雒危机解，巴清归夜郎，举国欢腾。她于夜郎王宫休息一日，与萨孤卓韫定下了贸易协议，便前往老国王的王陵。

王陵在老王山千寻绝壁内的月亮洞中。

月亮洞是夜郎民众心中的圣地。它洞口形似弯月，终年吐着层层云雾，似仙女翩翩起舞。立在洞口，天风浩荡，心旷神怡。俯视东南诸峰，小如泥丸，似万千臣民俯身叩拜；远眺西北千山，形似阶梯，久观恍若有通天之路。

巴清跪在老国王墓前三叩首。山风轻盈吹进洞内，抚着她及腰青丝，如慈祥老父的手，宽厚温暖，令她安心眷恋。

萨孤卓韫立在一旁垂着头，望着她清秀的侧影，眼中闪动着不舍与怅惘。

当年那个与他游山玩水、踏月随风的女孩，那些流水飞花捕蝶萤，泛舟江上数峰青，篝火旁琴箫和鸣的旧梦，是他心头的一点朱砂，鲜红的印记永世不褪。

"当真要走么？"他低沉的嗓音中带着微不可查的哽咽。

不知为何，他感觉，她这一次离开，再不会回来。

她起身，弹去裙摆尘泥，轻叹口气，垂眸点头，唇角抽搐着欲笑难笑。

夜郎与瓯雒已停战和好。老国王已吊唁。她好像再找不到理由留下。她必须尽快返秦，那里有她灌注心血的经营，有她难割的情。

黑衣军士早已疾奔咸阳，将一切告知昌平君。她必须尽快返回，面对一切可能发生的凶险。

"是为秦王么？"他曾不止一次地看到她盯着挂在墙壁上的绣卷出神，时而抿嘴浅笑，时而凝眸静思，时而蹙眉失落。那种将喜怒哀乐倾注于物的感情，他再清楚不过。

后来，他问了楚涟雪才知那画是秦王所赐。他没有见过秦王，没有丝毫的了解，但他相信，能住进她心里的人，一定是顶天立地，才华横溢，霸气凛然。

他早已没了当初得知她嫁为人妇时的痛与怨，只要她花好月圆，他的心便是晴天。

可秦终究是毁了她的国，灭了她的家。她不计较，秦王也不计较么？

"值得么？"他终忍不住开口。话里有担心，还有点点不甘。

"哥哥这样为我，值得么？"她看着他，眸中水雾蒙蒙。

在她眼里，他一直都是那么坦诚朗然，风光霁月；一直都是默默无悔、毫无怨言地守护在自己身边。如今，他已成了夜郎的摄政王。从此，她的生活再看不到他的身影。当习惯突然改变，那种空荡，任何人事都无法填充。可人生就是这样，在不断的经历聚散得失中，体会新的爱恨悲欢。

他的好，他的爱，她会永远记住，刻骨铭心。

他呼吸一颤，瞬也不瞬地盯着她，血液中苦涩流窜，明亮清澈的眸子缓缓低垂，嗓音沙哑着说道："我知道了。此去珍重。"

温热的山风越发肆无忌惮地催人感伤。她微微一笑，一如儿时明媚动人，随即上马扬鞭，马蹄踏破肠草。

他望着她远去的背影，不禁高声唤她："清儿！"

她猛地回收手中缰绳。宝马嘶鸣着回头，马蹄踏着坚硬的石土嗒嗒作响。

他紧紧地握着腰间刻着她少女模样的玉屏箫，一字一顿："累了，便回来。这里，永远都是你的家。"

苍穹之下，山崖之上，她望着伫立石阶，临风缄默的男子，隐约间似又见当年。长空白云下，漫山常青飞絮落花中，那个十几岁的少年拉着她的手跑到这里，动情地讲着夜郎世代相传的爱情故事，而后又认真地对她说："清儿妹妹，留下吧。这里没有战火烽烟，没有颠沛流离。我会保护你。"

而今，他一身锦缎白衣，英姿勃发，曾经的稚气已蜕变，唯有眉目间如朝露般的清透爽朗依旧。那眉目似看尽悲欢离合、千帐灯火却依旧可以从金粉迷离中剥脱的月光。那不语的温柔宛如救赎，让她不禁想到身陷权谋漩涡，恩怨翻覆，唯有指尖雕纹如昨的自己。与他只数步之遥，她却觉得隔了千里。

　　山风瑟瑟，青丝绕眸。她抹去脸上晶莹泪珠，冲他嫣然一笑，决然策马，疾奔而去。

　　此岸彼岸，隔着一条不长不短的流年。离别的山坳间，流动着曾经月如水、花似火的青春，曾经的莺飞草长，烟云迷茫。

　　我们都不再是曾经的自己，不如各自安好。

第
四
十
二
章

血火冠礼

巴清一行人一路向巴蜀疾奔。夜郎与巴蜀隔着连绵起伏的娄山关。娄山关北拒巴蜀，南扼黔桂，自古为兵家必争之地，这便是当初秦惠王灭巴蜀的因由之一。

娄山关上千峰万仞，重峦叠嶂，峭壁绝立，若斧似戟，直刺苍穹，一夫当关万夫莫开。

巴清驾马穿山越岭，马蹄声声响，归心似箭。此时的她，只一心想着尽快返回，与郡守商议如何应对昌平君对巴蜀的阴谋，却不知彼处的咸阳已上演了一场王侯将相间的殊死搏斗，不知自己心心念念的情人嬴政刚刚经历了命悬一线的危机。

昌平君料到李斯会对嫪毐一事的利弊再三揣度权衡，且极可能见嬴政后又告知吕不韦，二者皆不得罪，但未料，他与嬴政早已君臣一心，未料他暗中翻云覆雨、拨弄是非，算计自己。

待到手下的两千门客尽数覆没时，昌平君才恍然大悟，终究是小看了李斯。入熊氏族谱与秦的连坐法根本威慑控制不了他。他垂头若丧，危危自语：这样的人，终有位列将相、呼风唤雨之日。

那日，李斯自昌平君府离开后径直回了家。他将自己关在书房前思后想，反复斟酌，连楚涟雪的问候亦拒之门外。直至傍晚，他推门而出，疾奔

王宫面见嬴政。

当初，昌平君将嫪毐谋逆一事告知李斯，想的是试探李斯的处事与为人。

可李斯几番忧惧平复之余，想的却是如何借此事将嫪毐、吕不韦与昌平君三大权臣一网打尽。他想，即便无法肃清，亦要削其势力，挫其锐气。如此一来，既帮助大王铲除了隐患，又为自己来日加官晋爵、立足朝野铺路。他深知，欲一展抱负，那便要做举足轻重的人物，不能处处仰人鼻息。

李斯手执客卿腰牌一路畅行无阻。客卿唯一的作用便是可随时与大王聊天。

途中，李斯将要说的话在脑中不断练习修改，额头汗珠已如豆大。他试着去想象嬴政听到这一惊天大患后的模样，忽地一个冷战。

西偏殿内，嬴政坐在案前，挑灯细读《尚书》中讲述武王率领兵车三百辆，勇士三百人，在牧野伐纣的名篇《牧誓》。他正看到激奋处，逢李斯拜见，双眼不离书简，轻"嗯"一声，示意宦侍领其进殿。

李斯一进殿便请嬴政屏退左右。嬴政奇怪地抬头看了他一眼，挥挥手遣退众侍。

殿内只剩二人。李斯扑通跪地，重重叩首，直言有罪，惹得嬴政一头雾水。

李斯稳了稳气息，先将数日前昌平君嫁妹拉拢自己一事说出，却换得嬴政朗朗笑声。

"寡人以为什么事，原来是这个。朋党之争朝朝有，代代出。以你现在的地位，寻个倚靠更利谋事，寡人不会怪你。"嬴政敛了敛笑声，继续对灯读简，对李斯的请罪毫不在意，泰然自若得好似一切皆在掌握。

"可朋党之争亦要有限度，为名为利尚可，但危及大秦根基绝不能容！"李斯依旧俯着身子额头触地，声音带着略微颤抖。

嬴政抬头，双眼在李斯身上打了一转，鹰目散着炯炯光亮，似可穿透人心，洞察万象。片晌，他将书简摞至一旁，执起案上玉杯，抿了口清茶，勾唇道："看来爱卿意有所指。方才所说只是个引子吧？何事不妨直说。你我之间交谈不必这般瞻前顾后。"

李斯直起身子，垂着头，收了收袖摆，深吸口气，低声将昌平君对自己说的话一字不落地转述嬴政。他不欲有半点隐瞒。他终究要选择一方。他相信这个年轻的君王。

李斯话已说了大半，却不见嬴政神色未有分毫不悦，不禁疑惑起来。他一边不时瞄着嬴政察言观色，一边滔滔不绝，暗想是不是嬴政早就知道。

正当李斯一边想着要不要停下问问情况，一边说到嫪毐与赵姬生有二子时，情势急转。

嬴政手中玉杯猛然飞出，越过李斯头顶狠狠砸向厅中铜鼎，玉杯瞬间碎裂四飞，吓得李斯戛然而止，气不敢出。

紧接着"砰"的一声。李斯回头看去，桌案已翻倒在地，灯油溅洒。火苗明灭蹿动，正一点点吞噬着地上杂铺乱叠的书简。

嬴政垂手僵立，脸色铁青，鹰目燃起熊熊怒火，胸口起伏不断，半掩半露在宽大袖袍下的手已是紧攥颤抖。

在接到太后择吉冠礼的特诏时，嬴政便已料到嫪毐有心篡位，但并不知嫪毐一直在假扮宦官，并不知他与自己的母亲赵姬还暗中养育着两个儿子。

半卷书简渐渐变成了灰黑废木。跪地的李斯定了定神，拖着双膝爬到嬴政身旁，扑灭渐盛的火苗，冷静道："大王息怒。事已至此，如何应对才是当务之急。"

"贱妇！嫪毐……"嬴政话未尽，便气急攻心，一阵剧烈咳嗽。

"大王保重！"李斯急忙扔下手中残破的书简，起身扶着气喘吁吁的嬴政坐到一旁。

殿内气氛肃穆森森，回荡着嬴政急重的喘声。

李斯此时已无进宫时的忧惧。他看得出嬴政绝非毫不知情。既知情，定有准备。他缓缓舒了口气，理了理微乱的前襟，恭谨地立在一旁，静待下文。

良久，嬴政脸上的怒色随着渐近平顺的气息消退。他斜睨李斯，鹰目尖利敏锐地上下打量。他听得出李斯是知无不言，心中涌动些许安慰。但他同样深切明白，对于一个没有权力的君王而言，一切都是微妙可变。君择臣，臣亦择君。胜负未分之时同心同道，若自己一旦显露颓败，恐怕便是忠奸难料。

嬴政眉眼舒展，心平气和道："寡人若未猜错，昌平君是让你来传个话，不是让你如实相告。你这样做，怕是会令他失望。"

所谓传话，看似简单，实则不然。换一字，改一句，皆可让局势变换，祸福轮转。

"臣只效忠大王。"李斯当即跪地再叩首，目光凛然，语气坚定。

嬴政微微一笑，起身扶起李斯，赞道："难为你了。有尔等忠士，寡人定不会败。"稍顿，他神色一凛，眼中似有无数锋刃闪现，语气凶狠得似要将所说之人碎尸万段，"嫪毐逆贼乃朝中大患，平日恶行惹君臣共愤，除之必然。寡人早已做了准备。到时，不单嫪毐一党难逃覆灭，吕不韦一派更将因此受到重挫。"

李斯见嬴政一副孤绝肃杀之象，心头猛然一颤，将要出口的话硬是憋了回去。他在想，自己的那点心思会不会被嬴政看穿。默然片刻，他终是决心一试，后退一步，沉声道："臣斗胆进言。大王既要除患，便不能留下祸根。"

嬴政剑眉一敛，反问："祸根？"

李斯前额微微泛起细汗。他深吸口气，镇定道："臣以为，于吕相一派而言，嫪毐一事只能用来震慑，可小惩，不可大动，还需从长计议。真正要重挫的当是昌平君。"

嬴政被李斯的话惊得愕然无言。在嬴政眼里，昌平君行事低调，从不狂傲放肆，且对政事持中立之态，偶有助自己一臂之时。李斯这样说，他是万万未料。

少时，嬴政盯着垂首的李斯，冷冷道："讲。"

李斯轻吁口气，接道："大王可还记得，缪公一党肃清后是谁获益最大？大王可还记得，是谁提出扶持嫪毐与吕相抗衡？大王可还记得，昌平君身上流着的是楚国王室的血？吕相邦肯还政于您，说明他野心止于朝堂。嫪毐虽谋权篡位，但他的企图也是明明白白。大王应想想，向来中立于朝，无所大为，却又总能适时助您一臂之力的昌平君，究竟要的是什么？明枪易躲，暗箭难防。祸起萧墙的根源，往往由身边那个看似亲近无害之人而生！"

嬴政不动声色，心中却再次被李斯的话深深撼动。与昌平君每一次接触的点滴在他脑中不断轮转。多年来，他的恨与警惕皆在吕不韦与嫪毐，对昌平君确实疏忽许多，甚至生出几分安心。而今，李斯的话如当头一棒，让他警醒，让他疑心顿生。

俄顷，嬴政眯眼审视李斯，玩味道："秦法有连坐。若昌平君心怀不轨，你不怕被连累么？娶了他的妹妹，你们便是亲族。"

"不怕！臣本就不愿受这门婚事。即便臣与昌平君同出一族又如何！若大秦官吏的言行皆要被这种不正之举控制，若秦人皆以情判事断理，那么大秦上至君王下至百姓，都将是非黑白不辨，袒护包庇不绝，冤假错案不尽！既如此，法有何用！法不成法，国必将不国！国不再国，家何以护，志何以成！大王可还记得，臣曾说过，楚便是败毁在各种宗族势力对律法的冲击之中。他们将情理凌驾国法之上，顾小家弃大局，官官相护，以至泱泱大国衰落至奄奄一息，如板上鱼肉任人宰割。臣不愿见到秦成为第二个楚！臣冒死进言，只望大王可兼听明察，万不要被表象迷惑。只要大王江山无恙，王位稳固，臣愿做那大义灭亲之人！死亦无悔！"

嬴政听着慷慨激昂的言辞，瞬也不瞬地盯着李斯，心中不禁为自己此前对李斯的疑虑感到惭愧。他勉力笑了笑，紧紧握住李斯微颤的双手，欣慰道："卿赤心相对，舍身相护，寡人永世不忘。有生之年，寡人绝不会弃卿不顾。"

危难当前，能有如此生死相随之臣，寡不再寡，孤不再孤。

嬴政最终选择相信李斯的话，在原有的部署上添了五千精骑，又派一支斥候密切关注昌平君府邸与其封地内的门客动向。

昌平君门客最多两千，而嬴政却部署五千精锐，这让李斯大惑不解。

嬴政解疑道："缪公有一半旧部投靠于他。若有动作，他定有军队相助。五千并不多。"

李斯点头，思忖道："不如再添些兵力以保胜算。"

嬴政淡淡一笑，道："不必那般耗损。对昌平君，咱们要后发制人。其中的关键，是吕不韦。只要吕不韦认定昌平君是他的大患，一定会趁此机会清患。到时，咱们等他们俱伤之后再一并铲除。五千不多却也足够。"

嬴政几番权衡后，对五千精骑的领军下达的命令是：不动则罢，动则格杀勿论，但只杀兵卒不斩将帅。

嬴政想，昌平君究竟有何图谋尚不能定论，即便有心谋逆亦要保其性

命。此乃长久之计。吞并六国需先与楚联盟。若昌平君此时丧命，只会让楚警惕，破坏大计。不论是虎是狼，只要砍掉利爪，拔掉尖牙，即便称他万兽之王亦难兴风作浪。

直至深夜，李斯才离开嬴政寝室，步出咸阳宫。高悬的绢灯映出他疲惫神色。他深知，嫪毐一党肃清前绝不能有一丝懈怠。

风起，他抖擞精神，疾奔宫门。

李斯没有回自己的住处，而是去了相邦府。他要将此事告知吕不韦，但讲的又是另一番说辞。

李斯只说自己为嬴政所派，强调昌平君与嫪毐欲杀嬴政谋权篡位，并呈上嬴政亲笔书函。

出乎李斯意料的是，吕不韦听到这一消息时，惊诧之态极淡，拧眉疑惑之色甚重。

李斯心中一记猛锤：吕不韦早已知情！

吕不韦盯着铺展在案几上的书函，脸色阴沉，默然无言。

书函上并未写其他，只简单两句："秦之兴衰，寡人之生死，皆在仲父一念之间。恳请仲父与寡人共诛逆贼，保大秦根基，固大秦江山！"

李斯仔细观察吕不韦神色，心中不安与疑惑交杂：既早已知情为何不禀报大王？他在怀疑什么？犹豫什么？难道他自有盘算？

几日前，吕不韦得到密报，说嫪毐要在嬴政赴雍城行冠礼时，举兵咸阳诛杀自己。吕不韦与嫪毐积怨甚深。如今嫪毐发难，吕不韦自然不会坐以待毙。他早已召集门客，做好决战准备。而现在，李斯又说昌平君与嫪毐要联手诛杀嬴政，究竟谁真谁假？这怎能不疑？怎能不虑？

李斯适时开口："下官斗胆，有几句话不得不讲。"吕不韦抬头看他，示意继续。

李斯正了正神色，缓缓道："嫪毐与您水火不容。若大王败于嫪毐，那您定难逃厄运。至于昌平君，他要的便是您的位子，或野心更甚。您不死，他心愿难了。大王察觉昌平君鬼胎，担心大秦安危，更担心相邦安危。还望相邦早做决断，莫被贼子得先。"

吕不韦再次陷入沉默，眉心高耸，双目辗转，又是一番猜疑权衡。他忘不了当年缪公一党的溃败。他清楚记得，是嬴政与昌平君联手在大殿上给百官来了个措手不及。那么这一次，会不会又是他们的算计，只是目标换做了自己。

这一次，昌平君确实未与嬴政联手。昌平君扶持嫪毐便是为除吕不韦而独霸朝野。他利用嫪毐的粗蠢狂傲以及与赵姬淫乱宫闱的大逆之事，暗中煽动其谋反。之后，他又买通相邦府门客，有意透露嫪毐欲谋害吕不韦，挑起吕不韦杀心。而昌平君自己则带着数千门客相时而动。若三方交战后，嬴政活，他便以护驾之名杀掉嫪毐与吕不韦。若嬴政死，更是好事一桩。到时，朝野动荡，各派纷争，秦必乱。

李斯见吕不韦仍紧锁着眉不吱声，心中不禁急躁起来。他不知吕不韦究竟为何犹豫，若妄自猜测随意开口，恐会弄巧成拙。但举棋不定时，身旁的人越是据理劝说越是容易听信。可到底，该怎么说？

李斯垂头思忖片刻，垂在身侧的手忽地轻点了下衣袍，眼中闪过一丝精光，唇角划过微不可察的笑意。他上前一步，对吕不韦恭敬道："下官很认同巴氏的一句话。"

"什么话？"吕不韦一愣，身子微微前倾，瞪着李斯，语速略显急切。

李斯一字一顿道："巴氏曾说，昌平君暗藏翻天覆地之杀机，豺狼虎豹不及。"说罢，他稍顿，瞄了眼垂眸无言、脸色略有缓和的吕不韦，接道，"有时，局外人观事比当局者更为通透。况且，巴夫人心思敏锐，洞察之力过人，若非真的感到异样，绝不会妄出此言。相邦不信下官，也应信巴氏。"

李斯曾亲耳听到吕不韦在门客面前夸奖巴清，说巴清是他一生中最欣赏的女人。此般欣赏并非因美貌，而是才智与手段。李斯知道，此时此刻，巴清的话绝对比他之言更有力。

吕不韦又是一阵沉吟。他思虑许久，辗转的目光最终锁定书函上的寥寥字句，猛地拍案而起，话语果决狠戾："回禀大王，安心赴雍城加冠。咸阳有本相邦镇守，绝不容贼子作乱！"

冠礼前那一夜，帝都咸阳与古老雍城上演了一场惊天动地的血斗。

出现这样的血斗，说明三个权臣皆不将嬴政这个年轻的君王放在眼里。

他们认为或者希望，嬴政亲政后依旧受制被动。可正是这样的轻视，给了嬴政扭转朝局、反客为主的绝好时机，更让想待两败俱伤，自己得利的昌平君，尝到了螳螂捕蝉，黄雀在后的滋味。

自糜公一党肃清，吕不韦一派以霸权反击后，嬴政再未干涉朝野党派纷争，而是暗中拉拢军中武将。

兵权在握才是坐稳王位最坚实的后盾。

他数次亲自登门拜会大隐于朝的蒙氏一族与大将王翦，不设城府，动之以情，终得拥护。另有半数对毫无战功的吕不韦执掌虎符一直心存芥蒂的糜公旧部主动投靠。嬴政终不再是孤身于朝。雍城一战，能够大败嫪毐四万兵卒也正是因蒙武、蒙恬、王翦等一帮拥护的武将相助。

那晚，春风骤添凛冽，漫天霏雨，星月遁隐。整个雍城古宫笼罩在蒙蒙无边的黑暗中，唯剩几重灯火闪烁不定。

夜半时分，一阵凄厉战号打破雍城宫内静谧。紧接着，一阵沉雷般响动，蕲年宫厚重巨大的石门轰隆关闭。

箭楼骤然一片火把，千夫长举剑高呼："嫪毐谋逆！杀！"

滚木礌石夹着带火箭雨在一片喊杀声中纷纷飞落。城下鼓噪而来的嫪毐兵马顿时翻滚一片，混乱不堪。

王城卫卒早在数日前，便被嬴政悄无声息地换成了秦军精锐。他们一闻战鼓声立即齐刷刷列成百人方队呼啸着杀向城门。

同时，四方山谷间又传来一阵凄厉战号。黑色马队潮水般包抄而来，呼啸喊杀声大起。这是潜伏在渭水岸边与岐山河谷的蒙氏一族麾下的兵马在围杀聚拢攻城的嫪毐兵卒。

王翦派来的精锐步兵正展开队形冲向城内，与宫内嬴政的兵马里应外合同诛叛贼。

雍城宫内宫外皆是一片震天动地的杀声。刀光剑影森森，狼火烽烟焚空，哀号血流不绝。

而此刻的咸阳亦是一片嘶喊杀伐。

嫪毐两万卫、县兵卒直逼咸阳王宫。

不料还未至内城，外城两侧山谷便有五千秦军精骑漫山遍野冲出。精骑由投靠嬴政的糜公半数旧部指挥，气势汹汹，呼声震耳。

双方厮杀近半个时辰，坐镇咸阳的吕不韦仍未见昌平君动静。他心急如焚，在屋内急速踱步，一遍又一遍地询问战况。他不愿按照嬴政所说的不动则放过，而要彻底铲除这个隐患。万急之下，他临时变阵，将手下的三千门客只留一千对抗嫪毒兵卒，另两千则逼杀昌平君府邸与封地。

昌平君早已集结两千门客，又有糜公旧部所带三千精骑助阵，正等斥候来报前方战况，蠢蠢欲动。

五千人马待命之际，忽见吕不韦门客杀来。昌平君接到战报，得意大笑："来得好！自投罗网！杀！取吕不韦首级者，加官晋爵，赏金万两！"

吕不韦的两千门客，虽拼死支撑，但终寡不敌众，渐渐败亡。

昌平君亲自领兵欲乘胜追击，直捣相府，忽闻阵阵杀喊声由四面八方聚拢逼近。他惊慌四顾，忙派斥候前去查探。

领军卫尉见昌平君派斥候前来，不由分说，一剑砍下头颅，高声呼喊："大王有令，动兵者格杀勿论！"

斥候断颈顿时血溅三尺，倒下的尸身被千足万蹄踏得粉碎。

昌平君自知大势不好，被侍卫环护着连连后退。他颤抖地望着前方的一片刀光火影，露出了前所未有的颓败无措之态。

倏忽天亮，雨住风停。一轮红日枕在辽远澄澈的空际，俯瞰咸阳与雍城杀伐过后的静谧与躁动。

昌平君手下两千门客与糜公旧部所带的三千精锐被尽数擒杀。昌平君面色惨白地环视着遍地残尸，目光缓缓移至正前方黑压压踏尸嗜血的铁骑精锐，狠狠地盯着军队中高高扬起的大书着"王"字的大旗，提在手中的长剑"咣当"坠地，眼中根根鲜红的血丝充斥着恐惧、愤恨与不甘。

嫪毒兵卒从未经沙场，更无专训，只能对付毫无准备的嬴政。当遇到军中精锐与死士时，不过两个时辰便溃败四散，领军被俘，残兵逃亡。

此时的李斯正奉命以王印颁行平乱急诏于全国各地："所有郡县全力堵截要道，搜剿嫪毒！截杀嫪毒余党，斩首一级赐钱一万！生得嫪毒者赐钱百万！疏漏之地，国法问罪！"

嬴政一身甲胄，腰佩长剑，立在蕲年宫城楼的高台上。自厮杀始，他已

在这里默默伫立了整整两个时辰，生死胜败尽收眼，血雨腥风亲身验。

他俯瞰着高台下那条已被血水淹没的宽直甬路，冷冷道："通知相邦，明日辰时领百官至蕲年宫大殿行冠礼。"

嬴政的话让刚刚拟完诏书便急急赶来待命的李斯惊诧不已。

不斋戒沐浴，不另择殿宇，不祭天祭祖，直接冠礼吗？这不合祖制啊。

李斯踌躇片时，终是决定进言。他上前两步，道："蕲年宫刚刚经历叛乱，许多物景急需修整。大王冠礼乃国之大事，不如在雍城大郑宫择吉时再行，百官也好……"

嬴政转身打断他，道："告诉相邦，乱臣贼子的尸首，便是对天地对先祖最好的祭奠！宫城内外的高墙与甬路上，染着的大秦忠勇之士对江山社稷誓死护卫的热血，便是对寡人最好的洗礼！寡人要让百官踩着地上的鲜血走进蕲年宫大殿！寡人要让百官知道，这便是背叛大秦的下场！"

嬴政眉目间跃跃欲动的凛然与话中的凌云霸气，让李斯将余下的言辞生生吞咽。他盯着眼前这个年轻的君王，怔愣无言，感到了一种前所未有的震撼，更有种难言的畏惧。他越来越难预料嬴政心中所想。这种欲捕明光照前路，奈何黑暗漫无边的滋味最是让他心慌。

李斯突然明白了嬴政这一番铿锵之言的含意：并非对大秦祖制的否定，而是对吕不韦一党处处以祖制礼法为由制约自己的挑衅。

忽然，他脑海一个念头闪过：称霸三朝的吕不韦大限将至矣。

"报！末将已擒获嫪毐二子，作何处置，请王上示下！"王翦麾下的千夫长疾奔而来，躬身施礼，盔甲上沾染的鲜血滴滴坠地。

嬴政嘴角忽地一动，目光凌厉一闪，急速拔出腰间寒光慑人的太阿剑，毫不犹豫道："带上来！"

李斯飞驰的思绪被出鞘的宝剑猛然切断。他心头一颤，赶忙深深一躬，重重应下："臣即刻通传百官！"

次日，微雨初霁，山似天畔画屏；风回云端，杀机暗藏。

经过彻夜清理，蕲年宫内外的断尸残首已不见踪影，但时间有限，许多偏殿楼宇仍残留着前夜的狼藉，隐隐散发着骇人的血腥味。

雍城是秦国最古老的都城。这片厚土下埋葬着秦国二十七代君主，耸立着嬴族祭祀了数百年的古老宗庙。立于雍山之巅眺望，城内处处秦人祖先遗迹。正因此等缘由，秦国重大祭祀与君王加冠典礼，及一切重大仪式都无可争议地在这里举行。

然而现在，百年来的理所当然让百官颇有微词却不敢进言，颇感不安却彷徨无助，其中又以吕党与昌平君一派尤甚。

乱起，乱除，加冠，行礼，这一切都太过匆促，匆促得让百官毫无奔走商榷之机。

沐浴斋戒三日后祭天祭祖，乃是冠礼前必做之事，此前从未有哪一代秦王破例。若在往日，嬴政打破祖制之举定会令吕党不满溢于言表，极力劝谏阻止。而此时，他们个个垂首静立，片语不言。

昌平君一派同样面色沉沉，更有几人前额细汗遍布，袖内双手不停轻颤。他们清楚，权臣们败了，败得惨痛，败得无半点翻身之力。他们各自揣测，这个年轻的君王要如何显威。他们惶惶不安，这个年轻的君王要如何处理冠礼前夜的乱局。

加冠亲政大典礼毕。吕不韦辞去"仲父"称号。嬴政颁布了第一道亲政诏书。诏书除言明平定嫪毐叛乱有功的大臣、将士皆酌情加官晋爵，所有参战内侍，皆晋军功爵一级外，点名晋王绾为长史，掌王城事务；晋李斯为廷尉，掌国家刑事律法；以蒙恬掌国都军政，王翦总领大营军务。

直至宣读最后一字，也未见有关吕不韦与昌平君的半字。诏书不讲，必定是秦王亲自言明。亲自言明又怎会寥寥几句，必是身负大功大过。这让本就忧心忡忡的两派官吏更觉惶惶。

然而，他们各自所事之主，此时却显得颇为淡定。

位列文臣之首，年逾花甲的吕不韦，身姿依旧挺直，神态傲然如故，素来凌厉强势的目光丝毫未变，好似前夜那一战与他无关，又似凶吉看穿，万事坦然。

立在吕不韦身后，正值中年的昌平君，亦温文尔雅，镇定自若如常。前夜突来的变故确实让他恐慌不已，甚至欲提剑自刎免受辱。可当领军卫尉收剑上前对他拱手一礼，意味深长地说出"大王特命末将助您一臂之力"这一句时，他形似枯槁的神形，急剧颤抖的心，很快复苏平缓。他断定，嬴政在

灭楚前绝不会杀他。他相信，只要活着，一切都还有希望翻转。

嬴政头戴十二旒平天冠，鎏金冠式贴额首，翡翠充耳悬两鬓，双带朱缨环下颏，身着玄色龙纹绛纱袍，足踏日月祥云赤舄履，正襟危坐，王霸之气尽显。

他犀利的目光反复巡睃着一个个恭敬垂首的大臣，缓缓开口，嗓音浑厚有力："寡人在想，前夜之乱若胜的是嫪毐，大秦国运将何去何从？"

百官瞬间的诧异之后，各个缄口不言。

大殿一片安静。百官想起当初惩治糜公时的情景，或官吏将头埋得更低，生怕被点名回应；或官吏眼珠四转，脑中飞快地思考最佳答案。

嬴政淡淡一笑，道："莫不是像现在这般沉默无为，任由他摆布？那大秦可真的要改国号了。"

吕党里，满头霜雪的老博士出列，躬身道："臣以为，嫪毐大逆不道，奸恶龌龊之辈败亡乃天道使然。天佑大秦，天佑大王，任何国家兵将都将溃败不敌。大秦江山绝不会因这逆贼有半点动摇。"

嬴政嘴角一勾，冷笑道："天佑？天可让四时轮换，调万物生息，但左右不了家国的荣辱兴衰，左右不了世间的是非成败。真正平定叛乱，佑我大秦，保寡人之位的，当是三军的忠义将士，当是在朝及各郡县的忠心臣民，与天何干？"

老博士面露尴尬，埋头不敢接答。

嬴政目扫百官，眉目间涌出几分凛然之气。他剑眉微敛，下颏微抬，高声道："口口声声说天意？什么是天意？胜者定天意！今日，寡人便定下这天意。苍天为证，嬴政有生之年，定让无际长空下的万里河山皆归秦土！让华夏大地之上的六国君主臣民俯首拜服！"

嬴政铿锵激昂的豪言回荡大殿。蒙恬、蒙武、王翦等一众受封武将纷纷下跪，异口同声道："臣等誓死捍卫大秦社稷，誓死效忠大王，开疆扩土，一统华夏。"

连番刚烈豪言震得殿上其他官吏耳畔轰鸣，心中惊颤，连平日频频挂在嘴边的歌功颂德之言亦忘了出口。

吕不韦凝望着王座上的嬴政，脸上露出些许欣慰，但又有一种无法言说的思绪淤塞心头。他感觉，刚刚亲政便雄心勃勃的高言阔论，唯有嬴政能让人觉得这一番话不是个荒唐大梦。当初那瘦弱稚嫩、时时欲除自己而后快的小儿，已长成了霸气凛然、威慑百官的王者。他轻舒口气，垂首一笑，心头那一抹云雾般的思绪淡淡化开，暗暗一叹："终于来了。"

昌平君眉梢抽动，细眼紧敛，微垂的目光中突显几分迷茫。他的心，因嬴政的宣示与秦将的气势而颤抖，数年坚定不移的志愿与胸有成竹的自信，在此刻动摇。前夜的刀光血影忽然在他眼前浮现。他闭目锁眉，可又不禁联想到，无数黑甲秦军铁骑势如破竹踏破六国之景。他袖袍内的手蓦地攥紧，暗暗凄然自问："真的还有翻身之日吗？"

百官沉思间，又听嬴政话锋一转，缓缓低沉道："寡人虽为胜者，但亦有罪。大秦数百年的江山社稷险些因寡人葬送叛贼之手。寡人愧对先祖，愧对伤亡的将士，愧对因乱而受到惊吓的无辜百姓。然乱既出，便要究其因，斩其根，断其路，绝不容有重蹈覆辙之日！众位爱卿，你们可知造成嫪毐之乱的因由是什么？"

百官缄口不言，无一敢应。

"为何无人回答！"嬴政声调再次高昂，带着些许怒意。

"臣等有罪。"百官齐齐下跪，战战兢兢。

"你们不讲，寡人来讲。嫪毐乱党始于法治松懈，结于贪腐横行，成于朋党之争！自孝文、庄襄至今，缓法宽刑使吏治涣散，许多官吏贪欲之心高涨。贪不治不止则大肆生盗生贿。盗贿横行便成结党营私之势。权大则利大，渐而党派谋权夺利野心激化，暗斗不休。久而久之，欲壑难填，猖狂无忌，心生叛逆，举兵为的便是将国之大利尽为己有。嫪毐乱党乃大秦国耻！更让大秦当下行政之法弊端尽露！政法乃国之根基。法不正，国何以固！民何以安！秦何以征天下！"

商鞅变法使秦国法度森严，朝臣间鲜少私相结交，贵族公侯也没有大举收纳门客的习性。然自孝文、庄襄至今，吕不韦当政的二十几年内，商鞅所定的诸多律令被他一一弃之。许多关乎吏治细节的律条也不再那般苛严。朝野的整肃气象逐步松动开阔。文武百官纷纷效仿吕不韦大举招揽六国士子之举，各自扩府建院广纳门客，渐渐生出了敬奉上卿、往来赠礼的习惯。百官

不再忌讳酬酢，不再规避交结。大小官吏府前车水马龙、冠盖如云，成了大秦官场的一道"亮丽"风景。

现在，嬴政如此愤而不讳，直指吕不韦所行政法误国误民，分明是在告知朝野：王相要决裂了。

大殿肃然无声。百官神色各异。昌平君长眉一挑，抿嘴冷笑。老贵族们心花怒放，静待好戏。

吕党则个个惶惶互视。吕不韦与人结交并非昌平君那般时时利诱威胁，而是慷慨豪爽，从不强人所难，遇德才兼备者，更待为上宾，尊敬有加，使得许多门客与朝臣对吕不韦死心塌地，钦佩无比。

如今吕不韦或遭灾祸，近半数朝臣暗结相助之心。他们想，若因政法不同而否定吕不韦多年的赫赫功绩，将他一脚踢开，他们断不能受，定要以死相谏。

所有吕党都做好了舍命的准备。

可吕党们万万没有想到，他们想好的谏词一个字都没能说出。

真正让吕不韦倒台的是他自己。

当一身黑铁甲胄、杀气凛然的王翦出列，毫无犹豫地说出"政法不正之根实乃施法者不正"时，吕党们心中猛地一沉，担忧地望向吕不韦，顿感大事不妙。

当王翦粗粝的声音在大殿中持续弥漫，平稳地讲出，嫪毐乃吕不韦为解太后赵姬之渴于民间几番暗中寻觅而得，又令操术内侍只对嫪毐拔须洗面，以假乱真冒充太监送至太后处时，安静的大殿一片哗然。

人证物证一一列出。一切都明明白白，无从辩驳。

谁能料想，罪魁祸首竟然是辅秦三代、功不可没的旷世良相？

吕党们瞠目结舌，难以置信之余更摇头无奈，连连叹息。终究是令人不齿的行径。他们无言以对，无颜相保。同时，他们更深深地感到嬴政对吕不韦的恨意。这样的大事，本应由廷尉与三司一同核审清楚后呈报嬴政，再于朝堂群臣共议。而现在，前夜刚刚发生叛乱，逃窜的乱党还未尽数绞杀抓捕，只隔了一日便将吕不韦扯出，甚至所有人证物证统统齐备，眼见着就要定案论罪。这般迅雷不及掩耳之势，绝非一日而成，定是事先绸缪暗查了许久。

吕党们死死地盯着一身煌煌气势的吕不韦，也紧紧地盯住了高高王座上的嬴政。

老贵族们眯着眼，面露鄙夷，心中大快。

昌平君微垂着头，声色不动。他暗自揣测，嬴政是否查出，是自己派人暗中寻觅嫪毐后，设局将其送与吕不韦。他反复地回忆着当初行事的始末。所有涉事、接触嫪毐之人皆被暗中处死，其中周旋也毫无破绽，应是万无一失。可嬴政又是如此精明敏锐；若要人不知，除非己莫为。嬴政到底知道不知道？若知道了，又会如何处置？他茫然狐疑间，忽然感觉有两道冰寒刺骨的目光正直直地注视着自己。他抬头观望，静垂身侧的手臂猛地抽搐一下。那目光正是王座上的嬴政。

昌平君不知，如今的他，在嬴政眼中，不过是瓮中之鳖，留个虚名，用来做做样子给楚国看而已。惩与不惩皆无妨。

"敢问文信侯，末将所言可是事实？"王翦转身正视吕不韦追问。

吕不韦沉吟片时，漠然回应："无虚。"

比起旁人的惊诧、鄙夷、无奈等各异神色，身为涉事人的吕不韦却淡定许多。他早已料到会有今日。他也并非没有提前阻止丑事暴露。暗杀嫪毐，劝说赵姬，他皆行，但均以失败告终。既无法改变，那便坦然受之，何必将落魄落于他人眼。

嬴政见吕不韦供认不讳，也无多言，示意宦侍宣读王书："查文信侯吕不韦，涉嫪毐罪案，违国法，背臣德，使秦国蒙羞生乱。今罢黜吕不韦相邦职，留得文信侯爵，迁洛阳封地以为晚居。"

原来，诏书早已拟好，只等今朝。

宦侍尖厉的嗓音回荡大殿。吕不韦无声地笑了，笑得几分凄然，几分欣慰，几分释怀。

王翦看着吕不韦，不禁疑惑起来：这般大罪难道不应落魄失魂，忐忑忧虑吗？怎这般安心模样？

王书念罢，嬴政侃然正色道："太后淫乱宫闱，以身犯法，辱及先祖，令秦蒙羞。今逐出咸阳，迁住城外贡阳宫。寡人与太后断绝母子关系，永不再见。"

贡阳宫乃关中最狭小行宫，被历代秦王弃之，早已成了座无人踏足的冷宫。嬴政此令是依法，但断绝母子关系并非法中所有。最后一句包含了嬴政对母亲赵姬的十分痛恨。

嬴政与母亲赵姬虽一直嫌隙颇深，但他怎么也没想到，她会为了一个市井龌龊之辈，连亲生儿子也要屠杀。午夜之时，嬴政频频惊醒，梦中尽是赵姬面目狰狞地扼住自己颈喉索命的画面。数度痛心疾首后，他认定赵姬只是把自己当作入宫为后、享受荣华富贵的一个工具。她既这般决绝，那他也便不再保留仅存的一丝血亲之情。

短短三句，又引得朝野一片哗然。

吕不韦微微一愣，旋即喟然一叹，暗暗自语："这般狠戾绝情，好也，患也。"

太后涉案，若不法外议处，搞得全国沸沸扬扬，王室颜面何存？让六国听了去，更是丢尽了大秦脸面。许多贵族大臣纷纷进言，劝说嬴政法外开恩，三思后行。

嬴政怒而拍案，高声呵斥："太后又如何！身为王亲贵戚，更应依法行事，严于律己！罪者，上至王公，下至百姓，依法处决，无一例外！再有为太后进谏者，戮而杀之，蒺藜其背！"

劝谏者纷纷垂头敛声之际，又听嬴政肃然道："身为臣子当恪尽职守，清廉自爱，公正待民。今后，官吏间不得私相授受，不得宴饮奢靡，不得结党谋利。寡人会遣官员分赴各郡县、封地探查违律之举。任何贿赂公行，执法徇情，逃法私刑之举一经查实，严惩不贷！大仁不仁。唯有重刑而一体同法，才能使秦久立天下，一统华夏！"

大殿气氛顿时一片肃杀。

百官如芒在背，噤若寒蝉。他们深深地感到，王座上这个年轻君主，比此前任何一代秦王都要刚毅狠绝，锋不可当。

第四十三章

逐客之危

"真是荒天下之大谬！"李斯立在书房窗口远眺长空，一腔酸楚，泪眼朦胧，只觉来秦是一场噩梦。

他仰对碧天白云，视线落定一行南飞的大雁，不禁凄凄然笑语："雁飞万里有家归，我却故国在望难再回。"凝望须臾，他只觉心中越发揪痛，愤然转身，坐至案前，铺展绢帛，提笔蘸墨，挽袖疾书。

帛上长赋，笔锋辗转，苍劲有力，洋洋洒洒，一气呵成。落款时，李斯下压的手腕一顿，笔尖迟迟未动。他忽然自嘲一笑，扔笔一旁，无奈长叹："见不得王颜，又无人肯传，写这何用？罢了罢了。"

现在的李斯，既要忧虑壮志难酬，又要提防昌平君的明暗报复，可谓前程未卜，凶险难料。

他本以为，嬴政亲政后自己终于时来运转，谁知天不遂人愿，人亦不遂人愿。他做廷尉至今短短一年时间，一切才刚刚开始，抱负与才智都还未来得及施展。逐客令却如飞来横祸一般重重砸在他心头，让他所有的期待与筹谋瞬间化为乌有。他无法理解这个年轻的君王为什么下达如此可笑的命令。

他不禁慨然失笑。那夜，"寡人有生之年，定不负卿"的承诺，原来只是一场泡影。

自嬴政在蕲年宫讲了那番意有所指的政词后，昌平君一派的言行十分收敛，更有各自分散一蹶不振之相。

赢政大力扶持效忠自己的文官武将，近乎疯狂地暗中搜集依附吕不韦的官吏的违法之举，一经查证依法严惩绝不姑息。震动之力，较之当年嫪公一案有过之无不及。

然大不同的是，吕不韦并未因此处处收敛，事事谨慎。

官员们皆畏惧赢政之令，府门冷落，门客遣散，即使暗有往来也倍加小心。唯独文信侯府屡屡出现瞩目的车水马龙，冠盖如云之景。

来往者多为远臣边将，或外国官吏贵士，他们有的与吕不韦是旧识，有的曾受过这位显赫相邦的恩惠。他们风闻文信侯当国之局有变，分外急切地赶赴咸阳探察虚实。他们想看看，秦王是不是真要以霹雳手段惩治吕不韦。他们想看看，辅国三朝的元老是不是真的大势已去。他们更要在他艰难之时谨慎地送上些许抚慰与敬意。他们想，若虚惊一场那自己的问候便是为来日官途亨通铺路，即便真的祸在旦夕，凭着吕不韦多年的功绩与地位定不会彻底败亡，或许以后仍有转机，所以绝不能轻易放弃。以至赢政十年九月十五，吕不韦生辰之日，相府东西四院，南北两庭，池塘园林，处处大开饮宴，热闹丝毫不逊往昔。

这道以私谋公的风景与吕不韦的豪爽酬酢惹得赢政十分不满，他认为吕不韦仍不死心，是借此向自己示威，是在与自己下达的政令针锋相对。

正当赢政急欲除掉吕不韦却又心怀顾虑时，一份上报修建郑国渠乃韩国疲秦之计的奏疏，让他惊诧愤怒之余更生欣喜。

赢政当即下令停止一切有关郑国渠事项，抓捕韩国水工郑国问罪，并命人严查支持、参与修建的大小官吏。

前两令无可非议。最后一令直指吕不韦。

当年，郑国至秦游说修渠遭许多贵族老臣反对，正是吕不韦极力支持才得以支撑至今。

现在，郑国的细作身份暴露，所有与其亲近的官吏皆背上叛国之嫌。吕不韦亦难脱干系。于赢政而言，这是一次彻底铲除吕不韦的绝好时机。

此般大事一出，赢政与大臣们的视线皆紧紧盯着那条河渠与参与的官吏，却忽略了撰写奏简者，更未深究，自赢政登基便开始修建的水渠为何数年平安无事，只在今朝突生变故。

撰写奏简的是一个出身贵族的老司士。老司士能得知此事正是昌平君派人暗中告知。

郑国初入秦时，昌平君便在兄长负刍处得知其是韩国所派细作，但认为韩王的疲秦计确实可行故未上报。如今，昌平君见自己筹谋屡屡挫败，费尽心思建立的朋党势力削弱大半，言行处处受限，心中愤恨难纾。见秦一统天下之日逼近，他不愿善罢甘休。既无法东山再起，那便同归于尽。于是，他向在朝的嬴楚侧妃韩氏与嬴政祖母夏太后的亲族们，揭穿郑国身份。

亲族们皆是无多作为却享有极高财富与礼待的一帮老贵族。郑国渠耗资巨大，吕不韦不愿增收赋税加重百姓负担，提出贵族共同出资分担，更以身作则捐出大半家财。然老贵族们不愿捐财助修什么破水渠，他们只顾及自己。吕不韦的提议惹怒了他们，怀恨在心。现在，他们听得郑国渠事发，一个个激动地你来我往商议如何让吕不韦付出代价。

十月，司寇、司空、司士三方会审，将结果呈报嬴政。奏疏写明郑国确为韩国细作，河渠流经的礼泉、泾阳、三原、富平等多地皆有中饱私囊之举，并强调几地郡守或为吕不韦门生，或曾受吕不韦提携，暗指一切祸事皆因吕不韦而起。

此时，昌平君又依郑方士之计，趁机教唆老贵族们上疏驱逐外国客卿。老贵族们本就对吕不韦大肆招揽六国士子入秦为官、削弱贵族在朝中的地位与权力十分不满，逢此良机怎会错过。

于是，贵族宗亲们联名向嬴政谏言，道外国士子大抵是为他们自己国家的利益而来破坏秦的秩序，绝不能留。

嬴政亦毫不犹豫，一声令下即刻驱逐所有在朝客卿。反对驱逐者均被驳回，更有官员因执意进言遭了牢狱之灾。

逐客令如震惊朝野的狂风巨浪，席卷了所有满怀抱负的外国士子。其中便有李斯、尉缭等诸多能臣贤才。

顿时，许多居秦谋事的外国士子纷纷重拾行囊离开咸阳。秋风萧瑟天意凉，草木摇落露为霜。长街城门离客重重，个个壮志未酬哀怨难了。

此时的吕不韦只剩下爵位虚名，欲开口劝阻却言无分量，且凄惶惶自身难保。

嬴政十年十月五日，纷扰终见真章。那是吕不韦最后一次登朝。大殿之上群臣如梦魇般死寂。吕党已被清除得所剩无几，得以维持朝中的几人也是满面苍白，心有余悸。

三司将吕不韦罪过一一陈述，有理有据，无可非议。

"文信侯可有什么话要说？"面对嬴政的追问，吕不韦从容地上前一步，垂首平静道："臣，有最后一奏。"

"讲。"嬴政应允。

大臣们屏气凝神，静待下文。百官想听听，曾经风光无限如今落魄至此的文信侯最后一奏的内容是什么。是为自己辩护？还是请求大王放过自己的族人？

众人侧耳之际，吕不韦低沉而略带凄怆的嗓音缓缓传来："其一，不论大王施何政法，皆不要轻商抑商。重农只是固国之道，扶持民间商户，加强经济发展才是最快的强国之法。其二，修建河渠虽是疲秦之计，但只能使韩国换得几年残喘，于大秦却是万世之功。恳请大王待河渠完工后再论郑国之罪。"

短短几句言罢，吕不韦仍躬着身，静待嬴政回答。

嬴政静静地看着这个辅佐了自己九年的"仲父"，刚毅冷峻的面容稍有缓和，淡漠的眼中闪过一丝动容。于他而言，吕不韦是仇人，是对手，但更是一个治国有道的能臣。他恨他，亦敬他。他身为君王，抛开私怨，不论功过，理应为朝臣此时的大义感动。他颔首，微微一笑："准奏。"

吕不韦欣慰一笑，对嬴政深深一躬，旋即径自出殿。他行近殿门，脚下一顿，转身环视着金碧辉煌的大殿，眼中透着隐隐的不舍。

末了，他淡淡然地笑而自语："辅秦三代，叱咤三朝，也应无憾。"流连间，他喉中一哽，呼吸轻颤，眉目染上一丝微不可察的落寞，带着点点遗憾的话音，伴着苍迈的步子渐逝渐远，"丹青未老人先丧，《吕氏春秋》自此流芳。可惜，老夫看不到大秦一统天下了。"

曾经，他经世之才震朝堂，谈笑江山露锋芒，擎杯许诺一世无双。如今，他岁月老去颜苍苍，霸业未济空余伤。

历朝历代，功高盖主的权臣，有几人能够逃离帝王之术的厄运。他为酬壮志一心凌云不作他想，殊不知早在开篇便注定落魄消亡。

立在大殿上的纲成君蔡泽，是吕不韦的至交。二人虽各有从政之道，却互相欣赏，友情毫不影响。他凝望着那渐行渐远的踽踽身影，想起两年前自己与吕不韦亭中的闲谈，不觉泪眼朦胧。

"隔年，大王便要亲政。诸多事上，文信侯还是低调些，留个退路也好。"蔡泽为吕不韦斟酒一杯，仔细提醒。

"怕甚。大王恨老夫非一朝一夕，低调无用。老夫功在三朝，又有真心结交的同僚相辅，若计较起来，大王未必占得上风。"吕不韦爽朗一笑，举杯痛饮。

"你怎这般倔强。心高气傲也要分个时候。君相不和，终归难堪，不如退一步海阔天空。"蔡泽不禁急躁，言语流露担心。

吕不韦挥挥手，笑道："无路可退。"说罢，他垂眸沉吟片时，起身立于亭阶，望着悬空的明月长吁一声，悠悠道，"老夫也没想一直与大王计较。吾年事已高，相国之位终要让与他人。余生几年不惧死，唯一怕的便是大王无能驾驭群臣。秦不仅要一统天下，更要屹立中原大地强盛万代。守土更比扩疆难。君主被群臣左右必将党派纷立，互斗杀伐，是非颠倒，混乱不堪。朝野乱，家国变，变易衰，衰必亡……"

"你都自身难保了，想这些做什么！你应想想怎么渡过难关，人路平安！"蔡泽急地连连拍案打断。

吕不韦忽地爽朗大笑，转身重坐案侧，斟满二人玉杯，气定神闲道："若大王亲政后真能杀了老夫，那必是经过了一番长久缜密的筹谋与权衡，说明大王心中坚韧、头脑精明、魄力十足。能够除权臣，树威仪，让百官畏之尊之，有此君主乃大秦之幸。老夫死亦安心。"

蔡泽接过吕不韦递来的玉杯，盯着眼前这个两鬓斑白的老友，半晌说不出话来，只觉入喉的酒变了滋味，甚是酸楚。他止不住想，还可像今夜这般亭中自在把酒言欢到几时？

吕不韦与其门客贬的贬，亡的亡，但老贵族们仍不肯善罢甘休。郑国渠

多修建一日，商道多存活一天，他们的钱财便减少一分。他们要赶尽杀绝，让大秦之利重回自己囊中。

老贵族们纷纷向嬴政进言。其中一老司士更是言辞咄咄，满面愤恨，激动地说道："臣以为，吕不韦方才所奏万不可施行。商人奸诈，欲壑难填，绝不能任由其猖狂壮大。今日出了一个以财谋仕的吕不韦，若不加以抑止，明日还会有第二个、第三个！据臣所知，巴蜀有一名为巴清的寡妇。此人不守妇道，擅夺家业，与吕党的诸多官吏交往甚密，更在巴蜀私养卫队数以万计。臣还听闻，她如今在巴蜀呼风唤雨，连郡守亦听之任之。她包藏祸心又如此毫无顾忌，正是因吕不韦的纵容包庇。当年的嫪公与嫪啸郴谋逆一案仍历历在目！臣以为，应当即刻抓捕此妇与吕不韦严惩……"

"啪！"嬴政猛地拍案，霍然起身。重而干脆的响声震得百官惊颤。

滔滔不绝的老司士吓得闭上了嘴，飞快地看了眼嬴政又赶忙深深垂首，再不敢多言半字。

殿上再次陷入梦魇般的死寂。嬴政死死地盯着老司士，脸色阴沉至极，似要将其生吞活剥。片刻，他袍袖一甩大步离去，只留下一句"贵族无为而世袭，是时候改改了"。

老贵族们面面相觑，惶恐顿生，几番耳语琢磨，终是清了事实：这个年轻的君王要摒弃历代秦王的制衡之术，彻底打垮所有宗族，用铁腕牢掌乾坤。

吕不韦回府后第三日便饮毒自尽，一生功过荣辱皆入尘土。

随着吕党的彻底覆灭，许多迟迟不愿离开咸阳的外国士子仅剩的一线希望被斩断。他们悲怆、哀怨、不甘，却又不得不拾起行囊匆匆远走。

李斯盯着绢帛上未干的墨迹，无奈地摇了摇头，起身出屋。最后通牒已下，再不走便得在狱中度过余生。

"李大哥去哪儿？"悦耳清音由前院渐近。巴清与楚涟雪并肩朝书房走来。

行近屋门的李斯住脚，盯着二人神色失落，怏怏道："这些年多谢照拂，今日一别不知何时再见……"顿了顿，他看向一旁的楚涟雪，勉强一笑，眼中闪烁不舍，"你——日后还是留在巴夫人身边，免受漂泊之苦。"

"涟雪既嫁与大人，天涯海角，余生相随。"楚涟雪上前握住李斯的手，语气坚定，目光暖如春日艳阳。

李斯平日的细心呵护让她渐渐感动。临难而弃她做不到。

"既来秦，则安秦。李大哥不必如此感伤离别。"巴清微笑进屋，随手翻看着隔板间的著作典籍，继续道，"我想大王只是一时受奸人蒙蔽……"

李斯情绪激动，高声打断："奸人？朝上半数官员皆反对外国士子入秦。大王出此令时的坚定不移，在下可是看得真切。"说罢，他又叹了口气，苦笑道，"也许是天意。天不让我李斯有生之年得志。应走了，再不走便要沦为阶下之囚。"

巴清放下手中典籍，转身盯着李斯正色道："走？你往哪儿走？你如今一介草民，没了官职护身。昌平君虽处处受限受察，但让你人头落地并非难事。你以为，依他的心性会不为死去的两千门客雪恨？你以为，你在家中安然无恙是为什么？"

李斯怔愣，一时咋舌。楚涟雪开口："逐客令出后，姐姐派了二十名死士分布府邸四周，日夜监护以防昌平君报复。"

李斯错愕地看向巴清。半晌，他感激道："您如此为在下着想，在下却无以为报……"话未讲完，他便哽咽难言。

巴清未有在意李斯的道谢，莲步流连摆满珍藏的木架间，轻呵道："天意二字自李大哥口中说出真让人失望。您还记不记得，大王登基那年，咱们三人在酒栈内相遇后的闲谈？既然胸中有志，那便不要轻易放弃。所谓天意难违，都是些不思进取，无能认命之辈的自我安慰。我想，逐客令看似因郑国渠而起，却是针对吕不韦。如今吕不韦已死，只要……"

巴清话语忽止，视线锁在桌案绢帛上的刚如铁画，媚若银钩的小篆。她快行两步拿起案上的绢帛，目落之时，秀美一挑，微微一惊，不禁念出开头四字："谏逐客书。"

她一字一句细细品读，越接近末尾脸上欣喜越发清晰。约莫半刻，她执着绢帛的手激动地颤抖，叹道："文采惊风雨，忠心泣鬼神，真让人心潮澎湃！大王逐客实乃大错！若不及时更正，大秦危矣！"

李斯对夸赞无半点喜色，嗤之一笑："不如扔了它，多看一眼都是讽刺。"

巴清轻舒口气，微笑道："我本想今日与李大哥一起去拜访纲成君蔡泽，

求他向大王进言撤销逐客令，召回离开的客卿，但能否成功说服却也只有五分把握。这一卷长赋真是出现得及时。我相信，他看到后定不会拒绝。"

李斯听罢，眉头一蹙，思忖道："蔡泽？可他并非举足轻重的朝臣。他早年获封的君号不过是个享受税邑的虚职。现在，他位居御史，本应监察君王与百官言行，却从未有过奏事，对逐客令更是毫无反应。恕在下直言，他这官做的实在不称职。当下在朝中一呼有应的当属王绾与蒙恬这一文一武。您不如去找他们。"

巴清摇摇头，笑道："王绾乃新晋之人，能有今日倚仗的是大王。他们即使反对此令亦不会轻易冒丢官入狱之险。至于蒙恬，他祖籍齐国，自身都难保，何以顾他人？"

"可为什么是蔡泽？"李斯仍是不解。

巴清莞尔道："因为他是吕不韦的挚友。因为他做了大王三年的老师。"

李斯一听，紧张道："大王本就恨极吕不韦，您用此人恐会弄巧成拙。"

巴清笃定道："我曾在吕府宴饮时有幸与蔡泽接触。达官显贵齐聚难免声色犬马，权利来往，唯独他风骨自持，不卑不亢。吕不韦与我谈及他时，赞他不贪不攀，不争之阴。从政虽中庸无为，明哲保身，但为人师表却是尽心竭力，不容苟且。大王性情多变，聪敏异常，对国政见地非凡，前后多位博才师者要么任职不过半年便被辞退，要么主动称病告老还乡，唯独蔡泽安稳地做王师三年之久。吕不韦倒台，与其交好的官吏大多遭灾，而蔡泽却安然无恙。其中因由细节我们不得而知，但至少可以肯定，大王对他的这位老师另眼相看。他在朝中无足轻重，但在大王心中举足轻重。"

李斯点头，惊诧道："竟有这样的事。是在下浅薄了。"

巴清将手中绢帛重新铺展桌案，执起丢落一旁的笔递与李斯，含笑道："写完它，带去蔡府。我们竭力一试。"

李斯拱手道谢，接笔挥毫题名。写罢，二人一刻不待地赶往蔡府。然结果却未如巴清所料。

蔡府仆人引二人到书房时，蔡泽正盘膝而坐，手捧《吕氏春秋》埋头品读。

巴清与李斯想到仆人门外特意叮嘱的"若在研读，稍候片刻"，便安静地立在一旁耐心等待。

可时近半时，蔡泽仍毫无抬头说话之意，姿势亦鲜少改动，专注得仿佛忘了别人也忘了自己。这让一旁二人颇觉尴尬。

巴清微微挪动步子，动了动疲惫的双腿，仍神色如常。

李斯则不愿忍这不知尽时的等候。他想，蔡泽若真有能耐，定早已料到拜谒的二人所为何事。知道却如此冷待，绝非好兆头。必须找个由头打破此时处境。不然等到蔡泽出声时，或许会一句"时已不早，明日再谈"被打发。

李斯环视蔡泽的案几，发现层叠高累的竹简旁有一空扁的灰色锦袋，上面赫然写着《孟夏纪·用众》。

李斯又仔细察了察蔡泽神态，垂眸沉吟片时，对他道："取众人之才，乃三皇五帝功成名就之因。贤君的确立，出于众人的拥护。确立地位后又舍弃众人的王者，绝不会安稳居位。依靠众人之勇便无须惧怕骁勇善战的孟贲，依靠众人之眼便无须惧怕洞察万象的离娄，依靠众人之智便无须惧怕不及贤德的尧舜。依靠众人之力，乃君主治国之法宝。"

李斯出口之言从容有力，抑扬顿挫，引巴清侧目。

蔡泽的双眼终于离开了手中的竹简。他抬头盯着李斯，惊讶道："你竟能通读熟背？"

李斯恭敬回应："何止。《吕氏春秋》集道家大成，博采众家学说。包含天地万物，古往今来之事理。不论其中的十二纪、八览、六论，在下一字一句皆可熟背，均有精研，受益匪浅。"

蔡泽连连点头，脸上露出欣慰之色。喜罢，他又小心翼翼地收起手中竹简，失落地自语："《吕氏春秋》取道家之法，而大王选的是法家之术。不同，不同。"

李斯微笑，道："百家争鸣，主张各异，但大道相同。我想大人亦是这般想法。否则怎会一直专注手中那卷《孟夏纪·用众》？"说着，他从袖中取出绢帛，双手呈上，恭敬道："在下虽属法家子弟，但同样认为大王逐客是大错。"

蔡泽愣了愣，放下手中装整了半边的竹简，接过绢帛展开细读。

蔡泽与巴清不同，读后并未有过多惊叹之举，只赞赏地看了李斯两眼便将绢帛交还。他撑案起身，蹒跚走至敞开的窗前，叹息道："大王如今的性情与对政事的主张，老夫难化矣。"顿了顿，他望着庭院株株黄叶凋落的梧

桐，轻捋斑白胡须，悠悠道："盈虚有数世无常，官途多艰难坦荡。老夫已决定辞官云游四方。"

此话令巴清与李斯十分诧异失望。

巴清上前一步，焦急劝言："还望纲成君以国事为重。您曾为王师，大王有错您不能不理。何况，大王一直对您尊敬有加。当下，只有您能让离秦的士子们重回仕途，只有您能解大秦之危。"

蔡泽转身凝视巴清，目中精光闪烁，缓缓开口："自古从未有女子出仕前朝议政。巴氏如此热衷国事，是否想做这千古第一人？"

巴清气息一滞，竟无言以对。

蔡泽又苍苍地笑道："老夫认为，大王心中最看重、最信任的是巴氏。劝谏一事巴氏来做最为合适。"

当初，老贵族谏言巴清勾结吕不韦擅养卫队心怀不轨时，嬴政的反应蔡泽看得清楚。他明白，依嬴政的脾性，任何有关谋逆的蛛丝马迹皆不会放过。两年前，长安君成蟜在屯留叛秦后，嬴政当即下令将那同父异母的弟弟的所有部下斩首处死，将屯留所有百姓流放，凄惨无比。而这一次，嬴政却避而不论，恍若未闻。其中因由蔡泽已猜得八分。

蔡泽看着怔愣的二人，抿嘴笑了笑，走向屋门，淡淡道："带着老夫的银印青绶去吧，也当是老夫为诚心效忠大秦的士子们尽了一份力。仆人已将所需之物备好。老夫疲乏，不送二位。"

即便巴清不去蔡府，蔡泽也早已备好一切要寻她。身为朝臣，怎能眼睁睁看着大秦国势还未巅峰便衰落；身为师长，怎能容忍自己的学生堕落为是非不辨的独裁者；身为挚友，怎能不尽力完成至交吕不韦唯一的遗愿。于公于私，他都不会对逐客令不闻不问。

行至庭院，蔡泽似想到了什么，踩着层层枯黄脆叶的脚步缓停。他回身看着跟随而来的李斯与巴清，眼中有欣慰，有忧虑。良久，他郑重地说了四字："好自为之。"

二人回味着蔡泽的话，不觉间仆人已在身旁。

巴清接过仆人递与的包着银印青绶的青花锦袋，望着行进花林深处，身影渺远的蔡泽，忽觉手中轻薄的锦袋无比沉重。

第四十四章

力挽狂澜

十月天空，白云如羽，飞鸟徘徊，悠悠然然惬意舒畅。

十月大地，秋风萧瑟，枯叶疏落，游游荡荡不知去向何方。

咸阳城的街道巷陌繁华如常，只是再没了有关文信侯与长信侯任何相争的流言与奢靡之象。

宫墙庭院依旧威严模样，只是再没了各派大臣为争权夺利而在大殿之上争执不休与阿谀诽谤。

一切奏事皆呈与嬴政定夺，一切都肃然有章。

嬴政亲政后一年内的变故纷争频频，件件都是撼动朝野，引六国瞩目的大事，也让他倍感疲惫，加之天气骤变，感染风寒，旧疾复发。

热病刚有消退，嬴政便急着下床批阅层叠累积的奏简。数日忙碌不休，数夜灯亮四更。这让陪伴身边照顾他的郑初音十分心疼。

"大王应歇歇了。臣妾炖了川贝雪梨汤。"郑初音手端托盘翩翩入殿，一身荷粉曲裾，淡扫蛾眉眼含春，娇媚柔声动人心。

嬴政轻嗯一声，不再说话，看也未看。

郑初音将汤食搁置一旁，坐在嬴政身侧，盯着他俊朗的侧脸，樱唇颤了颤，心底缓缓腾起疼痛。

五个月前，郑初音收到爷爷郑方士密信。信中说昌平君计划彻底失败，无东山再起之力，更无法助蜀族复国。唯一的希望只有让秦王死。秦王死，

秦必乱，乱则变，变可让死灰复燃。

郑初音读完密信，纤弱的身体颤抖不已，心中五味杂陈，泪如雨下。她虽从未杀人害人，但自知肩负复仇重任，即便真到那一刻亦不会胆怯。

可如今的她早已不是当初。她不知是何时爱上了眼前这个男人，见之欣喜，不见思念。她不知因何而爱，也许是生病时他的寥寥关心；也许是生辰时他放下政务共进的一顿晚餐；也许只是久居深宫后抵不住寂寞而自作的多情。

十年时间，他的霸道骄傲，冷漠无常，一点点地渗进她的骨里，竟生了根发了芽，长成了深深的依靠和眷恋。

可任她如何靠近，始终不能走进他心，就连同床而眠时，他出口的梦语都是巴清二字。她渐渐明白，真正能将他的百炼钢化作绕指柔的只有那个叫巴清的女人，再无第二。

即便如此，她仍不忍动手，一直以未能寻得良机为借口推迟。然她延时越久心中对欺骗爷爷的愧疚越是深重。郑方士亦察觉她的变化，几番催促告诫。她数度辗转难眠，反复想着究竟该何去何从？最终，她决定向爷爷表明自己对嬴政的情意。可信去再未回。这让她更加忧虑无措，止不住地猜度。

嬴政批阅完一卷奏简，再拿一卷，语气淡淡："这几日辛苦你，寡人已无碍，若无事便回宫休息吧。"

郑初音盯着嬴政，湿了的眼眶挡不住感伤，晶莹泪滴划过脸颊滴落手背。她越想越觉得委屈，一把夺过嬴政手中的笔扔在一旁，娇嗔道："大王心里只有清姐姐。臣妾陪伴大王多年，却讨不得半点情分。既如此，倒不如将臣妾逐出宫去。"

她想，出了宫便再不需于国恨家仇与亲情爱情间两难。

"够了！"嬴政眉心染上一丝不悦，不耐地高声喝止。

殿内气氛瞬间冷凝。她瞬也不瞬地瞪着他，水汪的眼中泪滴摇摇欲坠。

片时，嬴政瞥了眼身边梨花带雨的美人儿，轻舒口气，语气缓和，道："没情分，会准你随意来往寡人寝室？会纵容你的无礼言行？六国送来的妃嫔大多出身贵族公主，更有泼辣难驭者。你以为这几年你能安居琅嬛宫是为什么？你看看这后宫之中除了你还有谁能如此？"说罢，他拾笔继续埋头批阅奏简，口中冷冷告诫："知足方得安稳。"

郑初音虽眉眼与巴清相似，性情却迥然不同。前者，千娇百媚，儿女情长，闺房之秀。后者，出水芙蓉，智勇双全，气度雍容。

在嬴政心中，任何女子都不及巴清。

郑初音垂着眸回味方才的话，脸上泛起一丝苦笑。她不知，这样的情分是应喜或应悲。她五味陈杂，双眼再次腾起雾水。这般连时间都无法消磨亦无法推进情分，让她无路可退，无路可进，最是折磨。

她沉默半刻，勉强一笑，抬手将嬴政身上滑落的长衣重新披在他肩头，欲言说几句情话却被匆匆进殿的徐总管打断。

"启禀大王，巴夫人持纲成君佩绶与李斯书信求见。"徐总管的话让殿内二人皆是一愣。

嬴政猛然抬头，手中动作全停，惊喜地起身自语："清儿。"然喜色仅在他脸上停留片刻便渐渐被严肃取代。未经宣召径自进宫，是何因由他已猜到。

郑初音看着嬴政变化的神态，落寞起身，心中酸楚。那样明朗真挚的笑容他从未对她展露。她无言走出内殿，只换得他淡淡一眼。

郑初音行近殿门，放缓脚步，打量着安静地立在门外等候的巴清。最让她唏嘘的，便是巴清那消瘦憔悴于当初的模样，依旧是美人儿，却不再水嫩娇羞。

时间让巴清淡妆粉黛的玉容染上了沧桑，但也让她拥有了一种独特魅力。这种魅力源自历经是非成败仍能从容不迫，稳如泰山的通达自持；源自闯荡南北，看遍万千人景，处事游刃有余的精明干练。

郑初音仔细地观察她，一步步靠近，却难以看透她妆容之下一丝一毫的真切情绪。她越难看透，便越清晰地感到嬴政念念不忘的根由。她心中再次低落酸楚蔓延。她不得不承认，除了年轻，论其他，她的确不如她。

巴清望着缓步走来的绝色美人儿，眼中闪过惊赞羡慕。她跪地行礼，一举一动不卑不亢，优雅自若。

郑初音伸手相扶，莞尔道："我们又见面了。"

巴清瞥了眼手臂上力道颇重的玉手，浅浅一笑，未有回应。她不计较嬴政身边有才女佳人并非不够深爱，而是懂得宽容。帝王怎可能只有一妻。但她相信，不论有多少如花似玉美眷环绕，在他心中她永远独一无二。

有时，女人之间最大的竞争力并非来自是不是最美、最出色，而来自与众不同。

在巴清看来，站在嬴政身边的人是谁并不重要，只要自己在嬴政的心中有着不可替代的位置便好。

郑初音斜睨一眼一旁等待传召的徐总管，收回玉手，神色一冷，转身离开。

徐总管对巴清欠身一笑，带其走进内殿。

巴清行至内殿门前，徐总管悄然退下。

她轻声细步走进寝室，发现棱窗半开，阳光散落榻沿令珠宝发出七彩绚烂的光，映得幔纱如水波漾。高案上的鎏金香炉内青烟徐徐上浮，淡淡清香盈满空无一人的室内。

她微怔须臾，转身寻觅徐总管询问，嬴政却忽然从门后出现，一把将她拉入怀中。突来的力量让她猝不及防，惊呼着跌进他温暖怀抱。他低下头贴近她温热的脸颊，一贯生硬的唇角缓缓勾起，深情落下一句："既来了，便留下，也省了我日思夜念。"

她眉梢眼角扬起，转身环住他腰，额首相对，嘴里带着甜甜蜜语："大王已行冠礼，怎还这般孩子习性。"

他忽而严肃起来，伸出手食指轻点她鼻尖，佯装郑重道："寡人这个习性只有你知道。若哪一日从别处听来，小心你脑袋不保。"

她被他逗笑，笑声轻盈悦耳，如泠泠清泉滋润他心田。

她与他亲昵片刻，沉了沉欢喜起伏的情绪，拿出蔡泽的佩绶与李斯的《谏逐客书》隔在两人中间。

嬴政脸上的笑意淡了几分，松开环在她腰间的手，接过物什缓缓走向桌案，随手扔至一角，平静道："老师年事已高，也应还他自在。"

她见他一副毫不在意之态，诧异道："大王不阅？"

嬴政嘴角一扬，轻笑两声："不阅也知写的是有关逐客令对大秦不利的词词句句。"

她当即追问："既然不利，为何不改？"

她不明白，向来国事为重，一令一行都深思熟虑几番权衡的他，如今怎变得这般武断。或者他本就如此，只是她未看穿。

"君王一言九鼎，岂能随意更改。"嬴政答得云淡风轻，却让巴清错愕难信，心绪瞬间跌落谷底。

一言九鼎便可不分青红皂白，错亦不改？当颜面与武断高涨，一切衡量是非对错的原则都将扭曲。

她上前一步，紧盯着他，正色道："周室君主错而不改，听信佞臣，以至九鼎失重，国破家亡。大秦的九鼎是否会因大王的错断而不再震慑六国，威吓四方？圣贤之所以受人敬仰……"

"清儿。"他打断她，嘴角微沉，眉心的不快隐约可见。他顿了一顿，走近她，柔声道："难道，没有外国士子，大秦便无法一统天下吗？难道，大秦只有依靠外国士子的治理与拥护才能强盛？"说罢，他微微一笑，双手握住她纤弱的双肩，目光熠熠，道："今日木槿开得正好。你来得正好。你我相见不易，不妨抛却其他好好赏花。或者，今后你在宫中住下，寡人许你随意进出宫门，不受限制。"说罢，他牵过她手往殿外去。可还未迈出一步，便被她拉住。

他回头看她，却听她道："国事不理，民意不听，有错不改，花能看得几时？"

"你非要为了那些个不相识的六国士子与我闹得不欢而散？"他亦没了兴致，侧身避开她目光，出口的话带着几分恼怒。

她反握住他手，力道随着高扬的声调而加重，话语从容诚恳却又铿锵激人："民女不是为六国士子，而是为大王的夙愿、大秦的夙愿。民女清楚记得，大王曾说希望大秦血脉能够长盛不衰。如今逐客令一出，一统六国都难实现，还谈什么宏图霸业，谈什么千秋万代。天，聚风云收雷电而叱咤无边；地，养万物育众生而坚厚广博；海，纳百川汇千流而深邃浩瀚；秦，唯有集天下能人之智才会所向披靡！大王如此忠奸不辨，贤愚不分，真让诚心效忠大秦的士子们寒心！民女为大秦国运担忧！"

"放肆！不要以为寡人宠你，你就可以肆无忌惮，口无遮拦！"他猛地甩开她的手，怒声呵斥。

"大秦子民觐见直言何错之有！兼听明是非，专断丧理智。若民女爱的是一个昏庸无道，不顾家国的君主，这样的宠不要也罢！"她亦不退让，直视他发红双眼，句句诛心。

他忍着怒气凝视她半刻，阴沉的脸上忽然浮起一抹冷笑："好。你与我谈国事。那我们就来说说国事。欲教他人，先正己身。你做到了吗？你为何在巴蜀私养数以万计的卫队？巴蜀大小官吏为何对你言听计从？糜啸郴的下场不足以让你引以为戒吗？吕不韦当政时纵容你，可他现在已经死了！你看看他的那些谋士与门客，哪一个不是非死即贬，唯独你安然无恙。你竟还不知收敛，你到底要做什么？"

说卫队数以万计有失偏颇，实则带武仆从数千，江湖侠士数千，共计万数。说她比糜啸郴有过之无不及，实则大不然。糜啸郴一切为谋逆而为，横征暴敛，暗箱操作，官民皆怨。

巴清从未有过任何为难百姓之举，反而时常济贫行善。巴蜀夏季多暴雨山石滑坡，许多民屋受损，百姓流离失所。巴清慷慨出资助修房舍，广施钱财安民慰民。巴蜀百姓对其爱戴有加，夸赞人口相传。

与官吏相处，她亦是进退有度，左右有局，要权而不专权，尊之亦威之。

于商，她除了垄断秦国丹砂与半数盐厂外，更新增强身健体、祛病延年的灵丹阁，开设汇聚西南各族国奇珍异玩的万宝坊，以及唯有女子可进，集洗浴、美妆、服饰一体的玲珑居。所有商铺遍布各国，因地制宜，声誉极佳，引得各国商贾能人纷纷赶赴巴蜀，或为经营合作；或为能在其门下谋生；或只为看看这传闻中的奇女子是否真的名副其实。但凡来者，她皆以礼相待，不论贫富，能者交之，弱者扶之。几年时间，巴宅中便门客云集，门前车水马龙，更胜贵族王公。

她有野心，慕权利，爱功名，但从未想过谋逆与背叛。他这一番质疑让她瞬间如坠冰窟，只觉阴寒刺骨，全身僵硬，血脉静止。片晌，她眼底浮动着大片的忧伤，盯着他一字一顿："你怀疑我？"

他剑眉紧拧，死死地注视着她水波荡漾的双眼，话中带着丝丝干脆的狠戾质问："非公侯，无爵位，如此庞然阵势怎能不教人生疑？你爱的，到底是江山，还是我？"

最后一句如飞来利刃直刺她心房，将寒冰冻结的肉身击的四分五裂。她忽然想起，一年前在瓯雒时，黑衣军士的告诫，踉跄着后退两步，呼吸轻颤。

无言良久，她自嘲一笑，解下挂在颈上的凤佩。

这是当年他赠予她的信物，如今她要将它归还。

信不再信，物有何用。

她垂头走向案几，将凤佩置于蔡泽的佩绶与李斯的绢帛之上，随即转身往殿门去，一路眸光黯淡，卷睫扑簌，强忍着泪，出口的话中含着心酸与哽咽："民女对这凤佩投入了太多的念想，对大王倾注了太多的期待。如今看来，是民女错了。"

"去哪儿？"他目光随着她身影移动，怒色稍敛，竟有些许黯淡。

"应说的民女已经说完。王宫太冷，民女半刻也不想停留。大王若要论罪，民女到哪儿皆难逃。何必问。"她泪如雨下，连声音也在颤抖。

他望着她走出内殿的纤纤背影，欲挽留却难开口，闭目一声长叹，扶额揉穴，紧锁的眉心满是赶不走的疲惫。

作为君王，一生都会伴随着疑虑，尤其对亲近之人。

作为男人，即使有再大的胸襟，对深爱的女子总是微小与善妒。比起郑初音那般死心塌地的小女子，巴清确实让嬴政觉得若即若离，云里雾里。

没有哪个男人喜欢自己的女人整日在达官显贵、公子名士间笑脸周旋。嬴政亦如此。但他知道她不同于其他女子，知道她不是甘于囚在深宫的女子。他尊重她的选择，从不强求。可他越来越感觉自己听到的、感受到的爱意太漂浮不定。聚少离多，他心难安。他不惧她怀有异心，只怕她心中无他。他不在乎她的心有多大，只是想明明白白地听一句她爱他的肯定回答。

嬴政疲惫地走向案几，颓然坐倒，斜倚着鎏金的案沿，拿起身旁的凤佩放在手中端详，想着方才的争吵不禁唇角勾起。

当真没有哪个女子敢这般直言，就连朝堂上的那些大臣也不见得有如此气势与魄力。

窗外阳光倾泻，玉佩闪烁着温润光泽，倒映出他与她从初识至今的幕幕景景。回忆不多，但点点滴滴皆深种他心。

他静默半时，剑眉一挑，脸上微微绽开笑意。

也许，她的爱不诉于口，而行于她的忠言，存于她心。

凤佩的光泽好似化作了涔涔春水，自他心底缓缓淌过，轻缓而绵软，清透而温暖。

他轻舒口气，目光移向案上的银印青绶与《谏逐客书》，松垂的手臂缓缓抬起。

她疾步出宫，回到咸阳的宅邸，枯坐回廊之中，怀着满心的失望与委屈，不觉斜阳西沉。

侍婢端来膳食，她挥手撤下，只要了一壶酒，对着暮日，对着花阴，黯黯独酌，又不觉月上枝头，星繁云淡。

她望着满园娇艳的木槿，忽而想起初入宫时的那一夜，不禁酸涩涌喉，眼前渐渐迷离。

一样的星月，一样的美景，不一样的人心。

难道此别，便是决裂？

酒壶渐空，她饮尽最后一口，随手扔至一旁，微醺着起身，踱步院中，仰头望着遥遥天际，清冷的月光映在她眼底，只觉寂寥无边。

凉风拂面，木槿花扬飞在她头顶，将无瑕皎月装点如美人玉面，妩媚而温柔。

她忽然想起宫中的他，想他此时在做什么？是不是还在怀疑自己？有没有按时用药，早些休息？

终究想念，难以决绝。

她回忆着争吵时的话，痛心之余，恍然觉得那时的他好似变作了另一个人，不是叱咤百官的君主，不是威慑六国的秦王，只不过是个因爱而疑的男子。

是她当时只顾公允与强硬，未解他话中私心与真意吗？

是吗？她忽而轻笑，神色微暖。她相信，他会仔细阅读李斯的《谏逐客书》；相信他会善待每一个忠心的外国士子；相信他不会降罪或囚禁自己。

可她仍难以释怀他对自己的怀疑。

她目光萧瑟，踏叶拂花，转身回房，脚步微晃，慵懒梳洗，栽倒在床，一觉睡至天映晨光。

　　她起床整妆未几，便听得侍婢来报，道李斯与几名别国士子拜访。

　　她刚刚走进厅堂，便被李斯兴兴地告知，秦王已颁布废除逐客令的诏书，已下令将离去的士子们一个个追回。

　　果然，她所料不虚。果然，他对她未有任何言行。

　　她置酒传膳，与众人侃侃而谈，脑海想着他对自己的冷战，付之一笑。

　　若有情，何惧留得空间，各自冷静。

第四十五章 风雨骤来

金阳堪堪落西山，萧萧北风荡轻尘。

苍茫夜幕缓缓弥散，笼罩着大秦国都的山水城池，田畴林木，行人车马。

咸阳城的街头巷尾、府宅高阁又回归了久违的繁华。这种繁华源自对百家争鸣的包容，源自群英荟萃的精彩，源自逐客令的废除。

同时，七国的坊间与朝野又开始了一段新的议论。百姓与官吏们纷纷左右打听，三两猜测，究竟是什么让威严狠戾、说一不二的秦王嬴政宁可折损王颜，亦要昭告天下自己失言，追回一个个离秦的外国贤才。

君如此屈尊对臣，不可小觑。废除一举感动了诚心效忠大秦的各国士子，也让提出逐客的秦国老贵族们与喜闻乐见的六国君臣颇为扫兴。

一时间，众说纷纭。有人认为，是嬴政自己察觉此令大错，乃危国之举，故而废除。有人则说，是一个名为李斯的客卿不甘被逐，写下一封《谏逐客书》打动了强硬的秦王。另有一传，是丹盐巨贾巴清的舍命相劝。

流言几番穿墙过耳，众人终将目光聚到了最后一传，口舌一致地评品着这个叱咤商海、早已名扬大秦的女子。

众人兴致勃然地猜测，这奇女子的言行为何比辅国大臣们更有力？能不被纳入后宫，又可纵横朝野，指点江山，临危之时力挽狂澜，她与秦王到底是何关系？一个民间女商如此热衷政事，是纯粹的忧国，还是另有图谋，或者野心使然？

巴清的种种事迹越传越烈，越传越玄，竟有"智超群臣，谋比鬼谷，轻吐珠玑言，辅王定河山"如此狂傲的言语激荡在大江南北。

然不论说辞是褒是贬，巴清的名声却是真真大振，以至各国许多达官显贵不远千里来秦拜会，门庭热闹，车水马龙，丝毫不亚于当初的吕府，更让自古便认定王后乃女子至高荣耀的不变定律彻底被推翻。

姑娘们纷纷羡慕巴清这般不屑妃嫔间的娇嗔争斗，而志在家国，拓业展图，铿锵大气，谈笑定命盘，官商任往来，看似非贵胄却暗握实权，一言一行都举足轻重的民间女子。

奇光异彩吸引了百姓，亦惊了君臣。齐王田健、楚王熊悍、赵王偃，纷纷派使者邀巴清赴朝共宴。他们也想看看这女子究竟有何能耐。

"赵使邀您邯郸赴宴，您却到下官这儿，可是驳了赵王好大的面子。"李斯快步出府，对轻盈下马的巴清拱手作揖，礼笑声扬。

巴清微微颔首，莞尔道："与其见些无用之人，不如与知己把酒言欢，谈谈风月，岂不快哉？是小妹叨扰了李大哥。"

正在后园潜心修习索魂鞭的楚涟雪听得仆人告知巴清来访，肃面绽琼花，鞭回柳腰，离地飞跃，乘风凌虚，两起三落至前院，几个箭步悠悠飘近与李斯并肩走进府门的巴清，笑道："姐姐稍候片刻，我去备下酒菜，今日可要在这儿住下。"

巴清笑着拭去她额上细汗，笑道："一醉方休。"

三人说笑着向前院去。未出几步，楚涟雪右耳突地抽动，耳垂上挂着的三段碧玉流星坠碰擦出细微声响。她舒展的眉目一敛，脚步渐缓，目光略过前方相谈甚欢的巴清与李斯，警惕四顾。她驻足片刻，又折身疾步府门外，目及之处无不仔细审视。

数日前，郑方士最后的离间之计被识破。他料定昌平君再无胜机，一切皆成泡影，随即命楚涟雪除巴清夺血玉，杀李斯报血仇。然楚涟雪断然拒绝，表明自己再不会插手任何恩怨事。然她离开之际，却听得郑方士阴阴一句："你命由我救，若想无瓜葛，那便以命相还。"

楚涟雪心中至今仍不安起伏，一直顾忌郑方士会不会玉石俱焚，以至方才好似听见了铉机匣的声音，不禁大为恐慌。

　　铉机匣为天罗门弟子独有武器。天罗门乃鬼谷子王诩为防敌人侵毁修行之地云梦山所创，门人生死不得下山，由历代修习天机秘术的弟子掌管。郑方士本为第二代掌门，后因心怀国恨家仇，中途让位下山。

　　天罗门下共一百二十五人，个个身手不凡，持铉机匣，摆荆天棘地七绝阵时更可抵御千军万马。楚涟雪两岁被郑方士收养，五岁习武，早年便是这一百二十五人之一。后来，她随郑方士下山返回巴蜀，一面守护僰王山内的蜀王族悬棺，一面寻觅散落各地的蜀族后裔与血玉，便退出了天罗门，将武器换做了长鞭。

　　天罗门的厉害魏惠王罃当政时便有过领教。百年前的马陵之战中，魏国军师庞涓死于辅佐齐威王的孙膑手下，使魏军惨败。魏惠王心有不甘，派相国携重礼请两位旷世谋士的师尊鬼谷子出山，却被鬼谷子一口回绝。刚刚经历战场羞辱的魏惠王又遭一辱，愤恨难抑，当即派两千精锐欲夷平云梦山。谁知这两千精锐连鬼谷子的影子都未见到便葬身山底。魏惠王被妖魔般的鬼谷子彻底激怒，亲自率五千精锐要会一会这传说中的奇人。

　　他坐镇峭壁洞开、玄朗通天的山门外，命先锋不提鬼谷子首级不得出山。先锋领命，兵分五路。铜盔铁甲的士兵们循阶而上，很快便被蒸腾的氤氲淹没。

　　时过半刻，安坐在山外静待捷报的魏惠王忽觉脚下隐隐震动。须臾，震动不断强劲，几近地动山摇，使得起身的魏惠王一个不稳摔倒在地。

　　众人四顾寻觅源头时，震动渐小，脚下又不断发出奇怪动静，似铁链转动，似铜器碰撞，似刀刃削木。紧接着，一声声惨叫嘶吼从山中频频传出，惊呆了山外等候的人。

　　魏惠王望着那团团云雾吐纳翻涌，时有道道霞光透出的山门，顿觉自己派去的五千精兵再不会出来。

　　魏惠王所料不错，山内的五千精兵已死伤大半。

　　鬼谷子与弟子们的居所乃山中山，要寻鬼谷子便须先翻过环绕四周的翠山。

　　一支精兵踏上横跨内外山间万丈悬崖的栈道后，狭长的栈道突然裂成九段，高低起伏不止。栈道上所有人、物皆跌落谷底粉身碎骨。此乃荆天棘地七绝阵中的荆天。

另两支精兵由山路蜿蜒而上，行至半腰忽觉脚下轰轰动摇，瞬时间万千锋利铁刺波澜起伏地冒出地面。片刻间，士兵们被穿骨断腿鲜血淋漓，无人可救，只得慢慢哀号丧命。此乃荆天棘地七绝阵中的棘地。

最后两千精兵面对的是七绝。七绝是鬼谷子针对入侵者为武功高强的江湖侠士而设，由七七四十九人组成，各个身背铉机匣。铉机匣是鬼谷子花了三百八十八日，几番日夜冥思苦想才得以造出的机关匣。它三尺铁质方形，内藏各种玄关暗器。飞跃时，可变背后机关翅，如鸟翔碧空，驰骋御风任遨游。对敌时，可变机关弩，针、翎、钉、箭十指牵，飞星云涌啸九天。这四十九人不出则已，出则必列七绝阵。敌不死，阵不收。七绝阵以云梦山地形为基，七人一环，七七交环，对内互防互御，对外远战群攻。四十九人个个身法迅敏，飞星遁影，惊鸿游龙，变幻莫测。铉机匣发动时，周围尘土飞扬，暗器如狂沙暴卷，乾坤无色，天绝地灭。那两千精兵不堪一击。

五千精锐全军覆没时，仍未见到鬼谷子真颜。这一场凄惨的对决，使七国朝野更加明白了鬼谷一派的凛而不可欺。

坊间曾一度流传着一段形容鬼谷天罗门的词话：天罗诡道困龙蛇，神惊魔悸向黄泉。山外山上白骨砌，山内山里笑天机。

这也是楚涟雪为何与郑方士决裂后一直疑神疑鬼、忧惧不已的原因。若要玉石俱焚，郑方士极可能动用当年收留在天罗门中的蜀族后裔。以一敌众，她毫无胜算。

乌云后朦胧暗沉的上弦月，似移非移，隐隐透着道不出的诡异。凉风波荡的夜色中，楚涟雪眺望着长街狭巷内明灭的灯火，听着远处闹市传来的阵阵吆喝，眸光微垂，轻叹一声，安慰自己："终究有数年的亲情，总不会真要夺命才能两清吧。"

她顿了顿步子，转身回府，虚缓的脚速颇显无力。

朱栏回转，曲径通幽。巴清与李斯漫步后园。

二人闲坐于园中琉璃亭。亭周巧石玲珑，花木交映。风来，叶低语，香盈袖，吹得一片灯影重重照帘山。

帘山位于琉璃亭北侧，是一块竖立的近五丈高，四丈宽的磐石。

石壁上刻着：披襟复挂冠，奇石仍风餐；机心无施展，神思落青山。

巴清仰头，注视着石壁上的四行篆刻，笑道："字体隽永若飞动，风气浑厚妙入神。李大哥的自题颇值回味。"

"草草几句，让您见笑了。"李斯谦虚一笑，拿过侍婢端来的玉杯，提壶倒酒，双手奉上。

巴清单手接过玉杯，轻缓地把玩着杯身，毫无品尝之意。片晌，她挑眉看向李斯，严肃道："李大哥越发有隐士之风了。这样的心境还做什么官儿，不如退出朝堂，逍遥四方。"

李斯执杯的手一僵，脸上浮现一丝尴尬，勉强笑道："您今日来并非谈风月。"

巴清放下手中玉杯，正色直问："大王命你与昌文君一同督建王陵，你为何只去了骊山两日便待在家中不闻不问？"

李斯沉吟少时，垂眸怏怏道："逐客令前，下官任职廷尉，属九卿之一。逐客令废除后，下官只做了个长史。当初，助大王搜集嫪毐罪证的王绾短短一年内由长史升至少府，官运风生水起，同僚纷纷靠拢，成了位列三公的不二人选。下官却是越发权虚式微，在骊山那两日备受昌文君横眉冷待，再勤恳谦善，换来的始终是不屑一顾。昌文君不愿将工事讲来，下官实在无所适从，去与不去有何分别？"

李斯滔滔言罢，又长叹一声，落寞道："看来，大王对外国客卿仍心存芥蒂。"

"所以，你待在家中昏昏度日，刀刻四句五言于石壁之上愁思哀怨？"巴清神色一凛，目光深深地迫着他。

李斯犹豫着欲言又止，又听得巴清声色厉气隐隐，低呵道："糊涂！你连督建王陵都做不好，如何担重任辅国事！大王要你何用！你对大秦有何价值！"

李斯从未见巴清对自己疾言厉色，今日一见不禁怔愣咋舌，恍惚间，似看到了嬴政般的威严凌厉。

巴清轻吁口气，瞥了眼李斯，缓和道："昌平君两千门客因你丧命，昌文君虽与他政道不同，但仍是同族宗亲，对你警惕疏远实属必然。你不必介怀。他不与你共事是他违命，你不尽职便是你的不对。难道你连长史之位也要让与他人？"

见李斯垂头怅怅不语，巴清续道："当下朝堂人才济济乃国之大幸。欲于群英之中拔得头筹，需看各人的本事。我知道，你心系三公之位，胸怀壮志抱负。可你要清楚，邦国之大爵大位非一功之得，亦非官途得意几年便可换来。三公者当怀经天纬地之智勇，德高望重震服百官。我相信，大王绝不会轻易将三公之位交付王绾。能够废除逐客令，屈尊召回六国士子，且不忌昌平君谋乱野心，重用其兄长，足以说明，当今的秦王是一个重国事、轻恩怨的英明君主。大王越是看重谁，越是疑心谁。你只当督建王陵是一次考验，竭力做好分内事。若你不顾眼前，一味好高骛远，不出几日便会被驱逐出秦，甚至牢狱余生！"

李斯一怔，抬头看了眼巴清，又黯黯垂首，脸上的尴尬消失后留下的尽是忧色。俄顷，他蹙眉，声色落寞道："是下官短浅了。只是，当下蒙恬、王绾二人颇受大王器重，许多同僚暗中示好投靠，使得下官更加势单，常觉有心无力。本以为嫪毐之乱后终得崭露之机，谁知又出了逐客令。难得逐客令废除，又要从头来过。入秦十载，辗转沉浮，只做了个长史。下官实在不知还要等多久才能出头。"

"不需多久。李大哥暂且忍耐。"巴清执杯浅啜一口，悠悠望月。

李斯看着她，愁眉难舒，似信非信。

巴清回头看他，笃定笑道："我想，逐客令废除，不仅是请六国士子重返仕途，更意味着当初因吕不韦被贬黜流放到巴蜀，遭受鬼薪的门客与朝臣们不久将会获释。大王是惜才之君，不会真的让他们受奴役余生。吕党多年依附霸朝的吕不韦，言行处事难免骄纵狂傲。只有让他们尝尝生不如死的滋味，才能让他们清楚生杀大权握在谁手，才能让百官牢记自己的成败荣辱由谁主。如今他们个个受尽苦刑，因由心知肚明，惩罚自然适可而止，回朝之日将至。"

李斯似懂非懂，问道："他们重回朝堂，与下官何干？"

巴清勾唇道："李大哥是没有去过巴蜀啊。巴蜀富庶之处珠宝琳琅，金银满目，香车宝马。可贫瘠之处，荒山野岭，荆棘满地，野兽出没，毒物漫

山，昼夜森森，四季骇人。吕党们习惯了锦衣玉食，怎受得了半点凄苦。其中一人服刑不过七日便命丧野岭。那般情势下，能让他们好过些的人，只有我。"

话音止此。李斯挑眉相视的巴清，恍然大悟，心神震荡："这是在暗指，当朝能够决生死、定荣辱的人，除却大王，还有她。看来，那些服刑之臣获释后定忌惮她三分，甚至唯她马首是瞻。方才那一句'不需多久'，想必是她欲他们在朝堂助我升位。"

李斯想罢，有感动，也有隐隐忌惮。他从她的神态与言谈中，看到了女子的如水柔善；看到了大家者的胸襟与深谋；看到了野心者的自信与峥嵘，但也感到了凛凛寒意。那寒意来自致力权势与功业者必备的冷漠与狠戾。这必备之情发自本性。

他止不住地想，有朝一日，自己会不会也同那些遭贬之臣一样，被她玩弄于股掌之中？自己心心念念的相国之位，会不会得失皆由她控？

忧虑旧去新来。李斯反复思忖几番，终是通彻定心。于他而言，仕途之路，为今之计，长远之计，最有效、最得益的选择便是与巴清一起。

他展颜作揖，扬声慨叹："可惜您身为女子，不然定是叱咤朝野的王侯公卿，不输商鞅，不逊吕相。"

巴清轻笑两声，提壶斟满玉杯，淡淡自语："谁说女子不能称王拜相？王侯将相之辈，抛却出身尊卑，不论男女之别，能者任之方为治国大道。"说罢，她气息稍顿，执杯递与李斯，声如珠落玉盘，柔和清脆，"不过，小妹希望，将来大秦的相国由李大哥担当。您不必与王绾及其他同僚们比较。区区七国之一的相位不要也罢，做便要做华夏一统后的百官之首。小妹希望，将来能与李大哥一起官商齐心，辅佐大王创盛世大秦。"

幽幽月色下，李斯望着巴清，心中越发敬畏。他双手接过玉杯，只觉这一杯寻常酒水，今日入口后再不是寻常滋味。

饮罢，他斟酒回敬，目光明明。

二人琼浆余半盏，开口笑风月，不觉戌时近末。

巴清面有微醺，拦住再次提壶斟酒的李斯，摆手笑他需多留几分清醒，忽而又想起楚涟雪久未出现，便让他去寻。

李斯点头道是，正欲起身，忽闻一阵打斗声传来，远近不一，似在前院，似在府外。

二人惊疑互视，醉意顿失，置杯起身，欲唤人一探究竟。

此时，月影倏忽暗淡。贴近院墙北侧的竹桃树翠叶突地沙沙低语。接着，又有两声奇怪脆响从微微晃动的枝叶间传出。声音虽小，却情势不安，立即引起二人注意。

二人颇觉诡异，心中忧惧腾起，不敢挪动半步，齐齐地望向声音源头。然目光还未落定，二人又听一声脆响。

楚涟雪的担忧应验，郑方士果然出动了天罗门。

昏暗中，两支穿心箭以迅雷之速射向亭内的巴清与李斯。

穿心箭，箭长半尺，精铁淬制，通身尖密倒刺，是天罗门与敌单打独斗时一击毙命的制胜武器。然需占先机，暗中瞬发，让对手猝然不及。可谓穿心洞腹难愈，倒刺勾体难取。

于丝毫不懂武功的巴清与李斯而言，耳不能辨敌者向，眼不能察暗器距，已然生死成局。

直至穿心箭进身前三尺内，二人这才真切看到可怖的箭身，顿时大惊失色，焦急慌乱，欲退欲躲却脚力虚软，不知如何。

电光火石间，一紫衣暗影踏檐凌空，扬臂抛物，急冲亭来。

一条长鞭瞬时横入二人视线，旋即"当、当"两声，本应穿心的利箭瞬时被震飞到数丈外的花丛石阶。

如在寒流中骤然冻结的巴清与李斯，还未从九死一生的恐慌中回过神来，便听到一缥缥缈缈、幽然森然的男声传来。

"楚师姐，别来无恙。"男声源头正在那院墙北侧，高长的竹桃树后。只见那男子一身黑布长衫，半脸罩银光鬼面，手持铉机匣，墨发披散随风轻荡，墙垣之上，密叶之间，身轻如燕，若隐若现。

"爷爷当真如此决绝，连我也要杀。"楚涟雪缓缓挪步，挡在巴清与李斯身前，紧锁鬼面男子，双眸含着刺骨寒光，话显三分伤心，隐七分杀气。

巴清听到楚涟雪的话，心头一颤，顿时悔恨翻涌。她早知郑方士为昌平君门客，也知其有复仇复国之念，但她深信昌平君绝不会得逞，郑方士亦难

掀波澜，故念他从未与自己结仇，又同是蜀族后裔便有心放过。怎料当初一仁之念，一步算错，换来今日灭顶之灾，真是悔不当初！

她懊恼之际，又闻男声响起。

"主人说，只要你杀了他们，一切既往不咎。否则，莫怪同门无情。"悬空半月悄然没入浓云，天地分外昏暗。鬼面男子身形越发骇人，如阴曹地府派入阳间的勾魂使。

巴清与李斯齐齐看向楚涟雪，瞠目咋舌。巴清知根知底，李斯却一直蒙在鼓里，他从不知自己娶来的美人竟还有更隐秘的身份，且身份暴露之时便是自己大难临头之日。

二人恍然清醒，心神战栗不已，冷汗浸湿内衬。他们明白，楚涟雪极可能与鬼面男子交手。到时，谁胜谁负？还有那远处传来的打斗声，想必是保护李斯的二十名死士正在与郑方士所派之人激战。

园外安危不明，园内一触即发。他们又该躲向何方？

后园静至叶落可闻。鬼面男子翩翩立于墙垣，静待回应。

"凭你？"楚涟雪粉唇一勾，回廊绢灯散出的暗淡光亮映出她杀气腾腾的冰霜容颜。她垂于身侧的左臂咻地抬起，猝然间，十二枚追命针由她袖底冲出，划出道道银光，向那黑影最盛处迎去。

"到磐石山后！"第一字出口时，楚涟雪已挥鞭提气拔身，旋风般紧随银针向北侧墙垣飞去，右手长鞭如一条柔韧而凌厉的毒蛇索向鬼面男子咽喉。

楚涟雪清楚，此时此势，让巴清与李斯向府外躲避反而危险，只得让他们在自己目及之地更易确保安全。

巴清与李斯纵使素日谋思巧计，运筹帷幄，威仪无比，但面对突然发难的江湖高手，全没注意。生死一线，二人脑中一片空白，只得听从楚涟雪，躲在磐石后胆战心惊。

楚涟雪击破两支穿心箭，心中已有计较。郑方士的态度令她心寒。她不会杀巴清与李斯，更不会袖手旁观。

楚涟雪曾是天罗门弟子，对铉机匣与七绝阵十分了解。铉机匣可随身携带，但七绝阵是据云梦山地形所创的防御阵法，唯有地利人和方可发挥出最大威力。如今刺杀者只有七人，且异地作战，定威力大减。

楚涟雪出手前闻风辨声，前院战况已大抵明了。

死士们虽不了解铉机匣，但也算是个个身手不凡。六对二十，胜算极大。如此，她便可专心以一对一。然即便威力大减，亦不可轻视，仅武器，她便显劣势。

铉机匣数丈内，人、物皆可攻击，属远战。而她的索魂鞭只长十余尺，需得距敌二丈内方可发威。终究是实力相若之敌。若第一招便用长鞭，行动时，对方便可做好应对还击之势，气力废也，优势全无。

她日夜不休地赶制三十六枚淬染见血封喉的银针，防的便是这一日。胜，必要抢得先机；攻，就要出其不意。以远战远，面对十二枚银针任什么高手都会忙于躲避，更无暇启动机关暗器。她再趁机飞身拉近战距，只要前三招占尽优势，胜败咫尺。

果然，鬼面男子未料此举，神色一凛，腾空而起，翻身躲避，尽力于长鞭攻势之外。

楚涟雪岂会让他得逞。她连连进招，快速无伦，如暴风骤雨，绝不给他喘息之机。

天罗门弟子毕生修习铉机匣，对其他武器多半生疏，加之从不下山，实战经验极少，面对楚涟雪直击死穴，索喉夺命的狠戾鞭法，鬼面男子虽招招接下，不时还击，但颓势渐显。

数十招后，二人走壁飞檐落至屋顶激战。

楚涟雪飞身跃退，纤腰轻摆，躲开迎面射来的数支穿心箭，同时飞速甩出长鞭。

长鞭如灵蛇般缠住鬼面男子持铉机匣的右臂。楚涟雪冷冷一笑，聚力将长鞭猛地抽回。

鬼面男子重重闷哼着踉跄倒退，脚下泥瓦被踏得粉碎，铉机匣离手飞落园内花丛，右臂被鞭上倒刺勾撕得血肉模糊，颓废难动。若非有天罗门独门护身功法铁骨衣，整个右臂都会筋断骨离。

胜败已显。楚涟雪挥鞭锁喉，力道之狠足以断头。眼见鞭梢将缠上男子颈项，忽地一团彩光由园门处向楚涟雪急速袭来。

凤羽翎！楚涟雪脸色瞬变，眼中闪过一丝恐惧，急忙收鞭，左翻右跃，飞身躲避。

凤羽翎由七十二根精小六角铁镖组成，爆发时形色如凤凰展翅，分八股突袭，曲直各异。不懂此机关者必亡。通晓者险象环生，不慎便命丧。此器共藏三发于匣内，本用于群攻。施用者与死士战时，已用过一回。此时，他顾忌楚涟雪功法，想为受伤同门腾时抽身，故将第二发使出。

受伤男子趁机飞身俯冲园内花丛欲拿回铉机匣再战。

二十死士竟全部败死！以一敌二，大势不好！

楚涟雪躲过凤羽翎后冷汗涔涔，不敢有半点延时。她一面对园门处的鬼面男子打出十二根追命针，一面挥鞭纵身向受伤男子急速冲去。

鬼面男子躲过追命针，回击三支穿心箭，拔身向磐石方向飘去，手中铉机匣已不觉间变作了神臂弓。

利箭卷冷风袭来，楚涟雪长鞭绕住已至花丛外的受伤男子腰际，一个猛劲将其拉至身前半空。三支利箭接连刺穿受伤男子心腹，断息无声。

这时，近亭处传来一声尖厉的嘶啸。楚涟雪不禁大骇，侧头看去，心神俱颤。裂石箭！只见一支长三尺、径两寸的铁箭正向磐石射去，如狂暴凶猛的飞龙，带起周遭空气旋动。

神臂弓以山桑为身，檀为弰，铁为膛，钢为机，麻索系札，丝为弦，看似轻巧却十分坚劲，威力无穷，专为藏身于密室暗道之敌而造。神臂弓与裂石箭，向来有裂山穿云不可挡，钻地碎石不可收之称。

"躲开！"楚涟雪大喊着向磐石飞去。

可裂石箭之速怎是轻功可比。巴清与李斯又怎能有江湖人士的灵动机敏。

"砰"的一声巨响，震彻整个李府。

磐石顿时四分五裂，飞向八方。

楚涟雪躲过一块飞石，又被另一块击中，跌落在地，左臂肩头擦伤，血滴石板。

她顾不得自己，担忧地望向磐石山后，寻觅巴清与李斯的踪迹。她目光辗转至亭北三丈外的池塘边，神色惊痛，连忙起身向池塘跑去，口中颤颤唤道："姐姐！"

李斯惊慌失措地跪扶着巴清，双手颤抖，泪水欲出。

巴清被铁箭刺穿左肩胛骨，奄奄一息，欲语不能。

此时的李斯不再惧怕那鬼面男子使得什么箭弩，只怕身边的巴清一命呜呼。他出奇得清醒，深知若巴清丧命，依嬴政的性情，自己的前途、性命全要赔上。即使躲过了眼前的索命人，也躲不过嬴政。

李斯不住地呼喊，希望府内可以有人赶来。他要带巴清赶往最近的医馆。他自己的伤势如何无关紧要，要紧的是保住身边的人，哪怕仅存一口气。

可他呼喊数声仍无人应答，更无人影，一切都不遂他愿。情急之下，他踉跄起身，欲挨个儿房室搜寻药箱，至少要止疼止血。

这一箭终究未伤及心脉，但刺透之处距心脉极近，让巴清剧痛难忍，鲜血外渗，面色惨白，额汗涔涔，几欲昏迷。

她急喘不断，耳畔轰轰鸣鸣，神志渐渐不清。眼见李斯抽身离去，她使劲全力一把揪住他前襟。

李斯一惊，低头看她，见她嘴唇微张着似有话要说，赶忙附耳贴近她唇畔。

"大王……"巴清气息游弱，开口难言，字句难连，勉强吐出两字便急喘着昏死过去。方才，她躲在磐石后听着频频传来的打斗声，忽然想到咸阳宫里的嬴政。郑方士复仇复国，如此穷凶极恶，又怎会只杀自己与李斯，更会去刺杀秦王子孙。他有没有防备，会不会受伤？王宫内究竟是何情况？她担忧地不敢去想，焦急地泪眼婆娑。

李斯明白那两字含义，泪水忍不住滴落，紧握住她冰冷的手，哽咽道："大王不会有事，你也不会有事。"

他怕她的死葬送自己的前程与性命，但也怕失去这个难得的知己。于秦数年，从被吕府门卒拒辱至仰人鼻息的蝼蚁小吏，再到前景无光的现在，异国仕途几番周折，孤立无援，沉浮坎坷。在他数度遭人冷嘲热讽，自己快要放弃自己时，唯有巴清自始至终地支持。他知道，这其中并非纯粹的欣赏与懂得，更有官商间的筹谋与利用，但痴迷名利者，能交到此般情谊已是毕生之幸。

二人凄怆泪语时，不远处已起了一场以命换命的血战。

鬼面男子见李斯未死，再次拉动机关链射出一只穿心箭。

楚涟雪悲愤交加，当即扔出索魂鞭，向鬼面男子飞去。

索魂鞭与穿心箭互撞，火花飞溅，各自落地。鬼面男子见楚涟雪空手来袭，便不放在眼里，射出最后一发凤羽翎，转身牵动机关欲再次射杀李斯。

可谁知楚涟雪根本没想——避过再交手。她只疾躲五式，旋即打出左袖内的十二根追命针，生生接下了剩下的二十七根铁翎。

千钧一发之际，十二根追命针齐齐刺进鬼面男子后背。鬼面男子全身一僵，狠狠地盯着前方的双眼猝然黯淡，铉机匣咣当坠落，整个人栽倒在地。

让鬼面男子瞬间毙命的并非针刺，而是针上淬染的见血封喉。见血封喉是西南雨林中最为出名的箭毒木。其乳白色汁液一旦接触伤口，可立即使伤者心脉麻痹，血液凝固，窒息而亡。

楚涟雪使尽最后气力运铁骨心法，将右半身的二十七根铁翎一一震出。二十七道伤口鲜血淋漓，骇人无比。她欲抬脚向李斯与巴清处走去，可鲜血出口，双腿虚软，只半步便踉跄倒地。李斯关切的呼喊与急奔而来的身影，她全不得见。

整个李府陷入了毛骨悚然的安静。残破的绢灯随着飘忽不定的风向摇颤。烛火青焰荧荧，若隐若现。一株株枝叶分披的树冠像是一群张牙舞爪山魈鬼魅。

李斯望着周围的微光，额头流下的血水淌入眼角，模糊了视线。

他这才发觉头皮如针扎般疼痛，身心俱疲，双眼难睁，昏昏欲睡。

他强打着精神凄然四顾，仿佛听见远处传来了一阵阵急切的军靴踏地声。

　　苍苍高山，难挡寒气四侵。雨雪纷落，城楼亭台萧索。人烟寂寥，百里长街惨淡。北风呼啸，秦宫丧幡四飘。

　　素来国政首位的嬴政已辍朝三日。

　　他立在琅苑正殿内的棺椁旁，垂首看着棺内闭目无息的郑初音，抬手抚上她脸颊缓缓摩挲，眼中荡漾着平日难见的温情，又涌动着深深的愧疚与哀痛。

　　棺中美人蚕衣披身，高髻凌风，蛾眉染黛，珠翠流散，绝色之容尚在，娇媚之姿仍存，但昔日的明媚巧笑、悦耳柔声、璀璨美眸皆消逝难觅。纤纤玉手也已冰冷透骨，毫无温度。

　　飒飒阴风肆意闯进大殿，撩动内殿门扉间的翡翠珠帘，惊起阵阵叮当脆响。

　　扑簌的雨雪湿寒，浸透嬴政衣襟。他身影微颤，抬头向那珠帘望去，恍惚间，似看到郑初音正含笑向自己款款走来。

　　他凝神片刻，目光穿过珠帘注视更深处的锦幔翠帷，绣衾香枕。珠帘脆响如泠泠流水，又在不觉中变成了涓涓的琴声，引得他呼吸微滞，怔愣地盯着前方。

　　他脑海中浮现她怀抱琵琶，低首奏乐，为自己驱疲的模样：广袖飘动，侧影曼妙，人曲只应天上有。

朦胧中，琴声忽而悠远低沉，缠绵中似有依依惜别之情，颤动中隐隐凄怆流动。那凄怆太过熟悉，熟悉得让他想要落泪，让他想起了两日前那一夜血染梅园的诀别。

巴清所料不错，郑方士绝不会放弃刺杀嬴政。

那一夜，琅苑内殿琴声悠悠涤心，熏香袅袅迷情，庭廊晚景萧疏，水风轻动月孤。

郑初音一袭玫粉曲裾，眉如远山，美目潋滟，韵致优雅，如一朵清丽幽兰。

她怀抱琵琶，玉指勾奏，弦音铮铮传情，奈何听者无意。

嬴政身披王袍，眉头深锁，盘腿坐在轩窗下，执起酒壶一杯接一杯地豪饮。酒尽杯空罢，他低头垂眼，目光落在一处良久未动，脸色微红，似醉似思，显几分颓意。沉吟片刻，他高声传唤殿外的宦侍斟酒，欲再痛饮一回。

琴声幽然而止。郑初音收起琵琶，走近嬴政，贴身而坐，微笑道："心结难释，借酒愁更愁。"

嬴政不理，自顾斟酒。郑初音抬手按住他臂腕，拿过他唇边玉杯，擎至眼前摩挲巧转，盯着杯中琼浆，轻缓道："巴氏是妾见过的最独特的女子。那种独特让人与其相见时不禁自卑，交谈时被吸引震慑。虽为女子，却有不让须眉之气。那双瞳仁中藏着的威严与锋利更是万人中难寻其一，甚至与大王有些相似。执着功业者，儿女私情往往不足挂齿，但妾以为巴氏对大王的情是真真切切。她知道，大王最看重的是国之大事，清楚大王最向往的是一统天下，所以抛却寻常女儿家的只盼朝夕厮守，唯愿平凡白头，即便了解大王的脾性亦决然冒死觐见，直言相劝，不为其他，只为实现爱人所爱。世间能够有这般气度与胸怀的女子少之又少。大王与巴氏的惺惺相惜让臣妾羡慕，让宫中的后妃们嫉妒。"

言此，郑初音顿了顿，眼中闪过一丝落寞，垂眸抿一口杯中琼浆，粉唇微动，低叹一声："浩浩阴阳移，年命如朝露。人生聚散难定，安危难料。既有情，便应少些猜忌，多些珍惜，莫要失去后追悔莫及。并非所有人事都可以像这杯中酒，搁置越久，越香甜醇厚。"

嬴政怔怔瞬时，侧头看她，剑眉微蹙。她的话让他生出一种难言的心绪。这莫名的心绪并非因与巴清的争吵，而是眼前人。他忽然想，自己对眼前这个共处了十载的女子有没有情？

他想起，遥远岁月里，不悲不喜、不咸不淡的幕幕景景，眉间川纹渐深。

回首往昔，他认为自己对她确实无多情意，至极不过蜻蜓点水。可仔细想，心底又不禁慌张起来。为什么理罢政事，欲与人聊谈时会不由自主地想到她？为什么漫步宫廊园林，会不经意走进她的宫殿？为什么在宦侍请示哪位妃嫔侍寝时，脱口便是她的名字？

他几番暗自审思，拢了拢披身的王袍，淡漠地看了她两眼，径自向床榻走去。他始终认为，这一切只因她眉目看起来与巴清有些相似，与情意寡淡无关。

郑初音方才的话是在开解嬴政对巴清的心结，却也掺杂了自己对他的心意与慨叹。她搁杯在案，凝视他的背影，眼底泛起一抹苦涩。她亦未再言，为他更衣如常。

寝室的灼灼烛火映出二人瘦长的身段，一个英气凛凛，一个窈窕动人，端的是郎才女貌，青梅竹马。

二更，游荡的夜风渐渐肆意冷冽，带着掠夺之势，席卷枯叶，吹散残香，引得草木飒飒作响。

一阵急切的脚步声回响在宫廊，不停歇地狂奔至琅苑，于静谧夜色中格外刺耳，惊醒了殿外打盹的几名宦侍，亦让刚刚入梦的嬴政与郑初音骇然起身。

值夜中尉与一队宫卫，因宫中有刺客闯入，故来护驾。

怎会出现刺客？是谁指使？嬴政一边惊怒着问询，一边整装欲出殿一看究竟。

一直静听不言的郑初音见状快步上前，揪住他刚刚披上身的王袍，明媚的脸上浮现些许恐慌，紧张地声音都有些局促：“你做什么？贸然出去太危险。你不是他们的对手！”

她关切的话语令嬴政浑身一震，动作忽然停住，时间仿佛在此刻静止。

一旁待命的中尉与宦侍神色迷茫，盯着他们的王上与娘娘，不明白是何

情况。

倏然，他猛地回头，抓住她手腕，语气带着几分诧异与质疑："那你便敌得过么？"

看到她眼中一闪而逝的慌乱，他五指力道加重，逼近一步，蹙紧的眉似锐利的锋刃，声音狠戾急促："你认识他们？你是谁？他们又是谁？"

中尉这才瞠目恍然，方才禀报时并未说明刺客几人，而郑娘娘说的却是他们，且如此肯定王上难敌刺客，似早已知情。

往事如一盏旋转不休的走马灯，他刹那间心头一片清明：从前，每当他研读《周易》《本经阴符七术》等奇书典藏，遇难解字句时，她总能一语道破其中玄奥，且让他颇觉有理，无法驳辩。

她十三岁进宫，却能弹得一手好琵琶。最让他匪夷所思的是，那琴声仿佛真能驱赶疲惫与烦扰，使他心旷神怡。

如今想来，一个入宫为婢的寻常女孩怎会如此精湛的文理与技艺？

信时，诸事顺理。不信，举足可疑。他心里一时酸涩难当，双眸似有熊熊火焰腾起，将她一寸寸烧毁："你骗了我十年！我却从未怀疑你！"

"那便再信我一次。"她无奈一笑，不解释，眼中闪烁从未有的凄怆光芒。

"凭什么？"他冷笑，怒意，警惕，统统浮现在漆黑的瞳仁里。

她心猛地一揪，头不由得垂下，卷睫的阴影下似有晶莹闪动，待抬眸看他时，脸上是如常的笑意，只是声音中带着微不可察的哽咽："这十年里，我可有伤害你？"

他哑然，脸上的嗔怨瞬时僵滞。

的确，她若想杀，易如反掌，但她没有。

他心神彷徨之际，她已扯下他身上的王袍穿上，束发收腰，干脆利索。

"你做什么？"他难以置信地打量着她。

"不消片时，刺客便会寻到此处。一队宫卫难以抵挡。增援来前，凶多吉少。最好的办法便是我假扮你，引开刺客拖延时间。你藏在内殿暗室中，莫要躲向别处。临危之际，最危险处亦最安全。"她一边淡定自若地说着，一边走向内殿西墙。

西墙边摆放着一丈高的博古架。高架两侧分立着两只五尺高、姿态飘逸的白玉鎏金仙鹤。仙鹤自盘古开天便有一鸟之下，万鸟之上之称，与青松鹿梧为伴，栖高山巅峰，瑞羽奇姿跹跹形，常为仙驭过青冥。

这一双玉仙鹤玉雕，是她十八岁生辰时他赠予的礼物，除寓意容颜永驻、康泰长寿外，更包含了他对她的夸赞。于名利沉浮、尔虞我诈的宫城内，她举手投足间总似有脱俗之气，不染淤泥，淡雅自持，让他每每处之心神涤荡、躁郁消减，只觉进琅苑如入桃源仙谷。

她来到高架左侧的玉鹤前，手掌覆上鹤顶的朱红，轻轻转动。贴墙而立的博古架突然如两扇大门般由中间分开。绘彩的墙壁上紧随着开启一扇隐蔽的密门。

嬴政目瞪咋舌。他送那玉鹤时未有任何机关。琅苑虽为后宫中设计最华丽繁复的宫宇，但绝不可能藏有暗道。眼前之景从何而来？难道她早预料会有今日？他数年来往此殿竟丝毫未觉异样，不禁悚然。

她猜到他心中所想，微微一笑，平静道："有时，从未看出，只是从未在意。十年可以做的太多。若缘分未尽，我会将一切都讲与你听。只要你想听。"说罢，她对中尉与宦侍正色道，"随我一同。"

既要假扮，便要够真。

中尉为难地看向嬴政，似在等待王命，不敢轻举妄动。宦侍自知出去便是送死，不由得面露惊恐，哆哆嗦嗦，不愿挪动。

忽然，一道银光闪现在嬴政眼前。中尉忽觉手中剑鞘一抖，垂头察看时剑已出鞘无踪，抬眼寻觅却见宦侍跹跹倒地，白眼翻，抽搐不已，颈上鲜血喷涌而出。

"大王临危，作何犹豫！"嬴政还未来得及开口，便见郑初音将长剑扔向中尉，厉声呵斥，脸上露出前所未有的冷峻。

中尉看了眼嬴政，不再请示，领一队宫卫随郑初音出殿。

他望着她纤弱的身影，欲言又止，脚步欲动未动，只怔怔地目送她走出内殿，直至消失于视线。

他望着殿门外似鬼魅般张牙舞爪的幢幢树影，忽觉所有的疑问与怨怒此时皆不重要，心中只有万般祈念，只要她平安便好。

刺客与派往李斯府邸者一样，皆是七名天罗门徒。

逐客令废除后第二日，郑方士便几番周折地从被软禁的昌平君处要来秦王宫地图。他本欲只一人刺杀即可，但又临时起意，要将刺杀变为屠杀。他再添六名门徒，令七人七路，见人便杀。

对于手无寸铁，毫无缚鸡之力的王亲国戚，出其不意，分散宫卫，掀起血雨腥风，七人足矣。

他要让宫中的秦王室命丧此夜，要让他们尝尝当年蜀国王族血染宫宇、家破人亡的滋味。

七名鬼面刺客背展机关翅高翔夜空，如窥伺的猫鹰，避开地上宫卫从天而降。

七人分别落定东咸阳宫、西长乐宫、南建章宫、北中安宫、西北九华殿、东南飞羽殿、东北漪兰殿后，不掩饰藏匿以待时机，直逼值夜宦侍、婢女最盛处的主殿，破宫门，毁亭栏，不分贵贱身份，遇之杀之。一时间呼喊声四起，灯火明灭燃锦裘，众人纷逃各哭号。

长乐宫为太后居所，赵姬因嫪毐之乱被逐出宫故逃过此劫。鬼面刺客闯入，见空无一人便疾飞咸阳宫与同伴会合。

其他宫主难逃厄运。待到众宫卫急急赶至各宫宇围剿时，中安宫秦庄襄王嬴楚侧妃韩夫人，九华殿与漪兰殿的嬴政侧妃齐国公主姜夫人、燕国公主昭阳夫人等九位后妃，以及两个襁褓中的王子与公主，皆已命丧冷箭铁翎之下。

天罗门徒自恃身怀绝技，颇为自诩，未将宫卫这般凡夫俗子放在眼里，殊不知不论隐世高手或尘俗王者，过分轻敌注定难胜。

郑方士计划虽狠绝，但终究小看了宫卫们的机动与应援的迅敏。初次突袭虽夺命见血，但宫卫闻讯后亦是风驰电掣，箭盾攻防。天罗门徒再难肆意伤人，寡不敌众，渐陷围攻中。

建章宫与飞羽殿为空置楼宇。两名刺客见人烟稀少，又迟迟未收到秦王丧命信号，便齐奔咸阳宫。此时，咸阳宫内，嬴政的寝室外已是刀光剑影，火光四溅。两名正与宫卫激斗的鬼面刺客见同伴赶来，渐渐抽身，飞奔琅苑。

飞驰之际，两刺客心中各自忐忑。秦王可能在琅苑是最坏的消息。他们不知今夜的郑初音是敌是友。他们只盼真如主人所说"她只是不愿亲手了结"那般。

这一次，向来算无错漏的郑方士错了。

黑夜不及白昼，昏暗处灯火无影，一团模糊，若不极近观察，很难辨认五官。嬴政虽举止威严，内敛霸气，但身形较之北方男子瘦矮。王袍于郑初音身上虽显宽大，然只要远看，加之宫卫掩护，足够迷惑刺客。

两名刺客不知郑初音早已算好了时间与地点等着他们闯进。他们刺杀了琅苑寝室前护驾的宫卫，匆匆追逐慌张北逃的秦王至后园梅林。

刚入梅林，背影仓皇的秦王似瞬间消失般不见踪影。二人眼观六路，闻声辨物，仍察不出半点响动。

暗月高悬，光辉浅乱。整座林子静得没有一丝活气。微光映照之处，依稀可见许多怪石分立在株株茂密红梅之间，棱角各异，参差不齐，大小不一，有的状似狼牙棒；有的像极三棱刺；有的则如双环钩，奇形百状，可怖之极。

两刺客望着四周妖艳诡异的布景，握着铉机匣的手不由得收紧，一前一后，小心翼翼地向梅林深处走去。

一阵凉风袭来，枝叶摇摇欲坠。两刺客全身一颤，住脚细听。眨眼间，其中一人，鬼面下处变不惊的脸忽然露出惧色，低声急呵同伴："走！"

另一人亦察觉到异样，急忙转身欲按原路退出梅林。

他们忧惧的正是那一阵凉风后的枝叶摇动。风停，枝叶沙沙声仍不绝于耳，由近扩远，越发震人。

树怎会自动，必有怪力推之。能生此怪力，必为精通机关、奇门、秘术者。当今诸子百家中，只有老墨翟、阴阳邹衍、道家李耳、纵横鬼谷门下弟子懂得。三术皆精者唯有鬼谷一派。两刺客惊骇互视，顿觉大事不妙。他们恍然：方才那秦王不是秦王，而是郑初音。

郑初音虽为郑方士孙女，却与爷爷同为鬼谷子王诩直传弟子。她是鬼谷子最疼爱的关门弟子，被赞天赋仙骨，聪颖绝代。

鬼谷子在郑初音四岁时，亲自前往昆仑取得千年彩玉，为其打造了一把流光琵琶，在命里最后的七年内，亲自授她三十六神技中最高深，威力凌驾秘术之上的惑心噬神玄术，可谓宠极一身。

两刺客这才明白，整座梅林便是一个怪阵，踏进的那一刻起再难出逃。

果然，二人未行两步，忽觉周身梅树与怪石一阵颤动。放眼看去，目及之处竟一片恍惚，只觉大到个个石、树，小到千万枝、瓣，瞬间换了位置。

一阵微风起伏，珠落玉盘般的琴声穿流，悠悠袅袅，轻和悦耳，久闻如进温柔之乡，如入极乐仙境。

弹奏之人似近在咫尺，又似远在天边。二人心神还未收定又被琴声趁虚而入，怔愣片时便不知不觉走进梦幻之境，脸上浮起茫然之气。

琴声源头正是出自郑初音之手。她怀抱琵琶，坐镇梅林正中的太极阴阳环内听八风之气，转轴拨弦，细捻轻拢，神态专注，微微蹙起的眉心杀气涌动。

郑初音为此阵取名八音奇门，依琅苑后园地形费时八年所创。此阵与殿内的机关密室，本是她用来修习玄术与消磨宫中时光而为，不料今日派上用场。

八音奇门以玄术功法为基，山石、梅树摆阵，将八音中的金、竹、革、木、土、丝、匏、石八种不同质材制成的所有乐器，发出的所有音色，分别与伏羲八卦中的正南乾、正北坤、正东火、正西水、东南沼、东北雷、西南风、西北山，一一对应。

琵琶在所有乐器中穿透力最为强大。普通琵琶在平静的空地弹奏，琴声可传至三里。流光琵琶威力更甚，仅音调强弱便超之数倍。

整座梅林如千丝海笼，将万音收纳其中。郑初音弹奏时，每一个怪石棱角与音波碰撞后，激荡百转，声调千变，加之玄术催动更可将无形之声化作无形之刃。声声音波如千万蛊虫游走纷飞阵中，见人扑之，迷心夺命，蚀骨饮血。定力差者，须臾间失聪发狂。功力深者，若不懂其中玄奥，只得神志渐丧，死而后已。

此阵可谓郑初音得意之作，自赞："琵琶流光乐惊鸿，碎珠裂玉何铿锵，繁音急节十二声，天地低昂山河动。"

琴音初起，威力尚弱，迷惑久居俗世，七情六欲重绕，信念多变者轻而易举，然对付天罗门这般清心寡欲的世外高手还欠些火候。

俄顷，两刺客昏昏中陡然一醒，当即凝神自持，气聚丹田，极力静心，寻觅逃脱之法。他们不想与暗中的郑初音拼杀。他们不惧刀光剑影，独独不愿尝那控人心智的玄秘之术。

然琴声却毫无和解之迹。郑初音似能感知二人心意，音调陡转急疾，如天降暴风骤雨拦住去路。

二人耳畔雷声震耳欲聋，脑中轰轰嗡嗡作响，昏昏难辨东西。

两刺客再陷混沌之际，梅树与怪石又是一阵颤动。人不移则阵移。此时，两刺客的方位已由起初的东北雷换做了正西水，琴声亦随之变化。

还未从上一阵中缓和的二人，突觉四面八方有大水铺天盖地袭来，眼见要被冲断筋脉，骨肉分离，不禁脚下虚软，身冒冷汗，稍显清醒的神志再次恍惚。

倏地，琴声又变。声变则阵变。二人顿觉脚下变作了一片湿黏无比、似有无尽吸力的泥沼，引得身体缓缓深陷，四肢难拔。他们呼喊求救无人应答，绝望无言，欲哭无泪。

阵中八门不断旋转方位，两刺客可谓一时之间历经三生苦劫，梦魇不断，欲醒不能。

音回百转，二人时而觉周身遍布熊熊烈火，势猛无比，焚身成灰；时而感天灾降临，山崩地裂，屋瓦飞坠，哀号不断；时而觉数座大山压顶，呼吸难顺，欲擎难擎，气力渐无，仅存的点点清醒几近殆尽。

其中一人终是抵挡不住，忽狂躁，忽战栗，一把丢掉手中武器，双手紧紧捂耳，跌坐在梅树下，双腿抽搐，声嘶力竭。

另一人亦双目迷离，倚靠着一旁的怪石，也不顾石上的尖角利棱有没有将皮肉划破，强留残余的一丝神志，勉强出声，吭吭哧哧，轻如蚊蝇："请师叔念同门之情，放我们一条生路。"

这一句果然有效。

郑初音非狠戾之人，不愿多造杀孽。此前，她杀那宦侍也是临危之际为救嬴政迫不得已。此时，垂死求生之语传来，她不禁心生怜悯，手指一顿，琴音渐转低沉。

那刺客察觉音色变化，威力减弱，痛苦的脸上露出欣喜，颀喘着接道："鬼谷弟子创阵为行军作战，抵御外敌，而非同门相残。想师祖在天有灵，

也不愿看到此景。"

郑初音听见师祖二字，心底再软，紧了紧怀中泛着淡淡光彩的琵琶，勾弦的手断断续续地拨弄。音波断断续续，威力大减。

倚石的刺客忙跟跄跄至一旁的梅树下，扶起神色稍有缓和的同伴，趺撞着打坐调息，闭目清心。

音波仍持低沉，杀气寡淡。林中传来郑初音悠悠清音："你们不杀秦王，我不杀你们。"

"我等受掌门之命，身不由己。望师叔手下留情。我等即刻离宫，绝不回头。"

"当真?"

"绝无虚言。"

浮浮浅浅的音波戛然而止。两刺客齐齐松了口气。

"你们如何与我爷爷交代?"郑初音怀抱琵琶，自距二人三丈外的怪石后走出。

整座梅林重归沉寂。黯淡的上弦月在乌云后缓缓飘移，光色若有若无，两端弯弯翘起尖角似暗夜里邪魅天神上勾的唇角，扬着诡异笑意。那笑意似是看到了一出即将开场的好戏。

其中一刺客稳了稳心神，仰头看着走近的郑初音，苦笑道："掌门有令，蜀族后裔当尽心竭力复国雪耻，败则自刎。比起死在师叔可怖的玄术之下，我等还是自刎来得痛快。"

郑初音闻言，神色怅然："爷爷是决意要走这不归路。想必几番破坏计划，废除逐客令，解秦之危的巴夫人与李斯也难免遭袭。"说罢，她顿了顿，双眸腾起雾气，哽咽道，"是我辜负了爷爷。若非我执意不肯，也不会有今日之乱。可我……"

郑初音欲言又止，踌躇之际，愁容陡变，猛地抬头，紧张地望向梅林入口处，越近越多的幢幢人影。

两刺客亦有察觉，神色一凛，赶忙起身，拾起铉机匣，拉动机关链，警惕地对准来人。

郑初音扭头冲一旁的两人低声呵道："快走！隐姓埋名，保全性命!"

两刺客互视一眼，悄声退后，瞬时消失在昏暗的林中。

来者是嬴政与数百名铁甲精卫。其他五名刺客已命丧千百利箭之下。围剿的宫卫亦为此死伤不少。

"初音!"嬴政疾步而来，满面忧色。他还是担心她的安危，待在密室不到半刻，便急急出殿与应援宫卫一起搜寻她的踪迹。

直至今夜，他才看清自己的心。他对她终究有情。

她看出他的关切，唇绽眉舒，轻声应和，快步上前握住他的手，脸上笑意一如从前。

许多素日里看似可有可无的人与情，总是在患难之际显露真态。然而，这样的真态往往如烟火，绚烂耀眼，但也短暂，让人想要挽留却难再回头。

铁甲精卫分四路搜查梅林，却未发现一支穿心箭正自黑暗之处，携着疾风之劲射向嬴政。被箭气冲散的簇簇红梅凌空飞扬，刺眼而迷眼，为杀气蒙上了淡淡华裳。

郑初音耳闻风声瞬变，察觉杀气由嬴政左前方四丈外急冲而来。她惊慌地推开嬴政。利箭穿透树干，刺入干硬的黄泥之中，铮铮作响。

两刺客并未真的离开。再痛快的死也不及活着舒服，之前所说种种不过是为从阵中脱险，骗骗他们单纯的师叔。另外，他们还有一想，便是借郑初音寻到秦王再下杀手。

此时的郑初音又惊又怒，欲再弹琵琶开阵，可又怕伤了阵中的嬴政与精卫。

天罗门弟子个个身法鬼魅，出手狠绝。无法开阵的郑初音毫无优势，更不要说同时对付两个天罗门徒。

一箭罢，又有三箭飞来，支支狠逼嬴政。郑初音急喝："小心!"

好在嬴政自小练剑，剑法虽称不上卓绝，但也算得上乘，只要反应迅敏，抵挡几支直射的利箭绰绰有余。

铁甲精卫发现刺客踪迹，向西北疾奔而去。

郑初音心中忐忑。她不知西北方藏着的是一人还是两人。情急之下，她引怪石将自己与嬴政团团围住。

梅林八方颤动，怪石聚拢，环成坚固的高墙，锋利难摧。

　　她走到他身边，握住他手，微微一笑。她想，若刺客在外，怪石可助他们抵挡一阵；若飞身进来，她也可在石墙内临时摆阵对抗。二敌一胜算颇大。

　　然而，郑初音不及楚涟雪了解铉机匣，不知那小小匣内蕴藏的威力。

　　西北方的激战已近尾声。精卫胜在人数。刺客匣内针、翎、钉、箭渐渐耗尽，欲飞身逃匿，被精卫射杀。

　　郑初音与嬴政于石墙内，听着渐渐消逝的打斗声，长舒口气，相视一笑，却不知真正的危机已悄然而至。

　　梅林东南极暗处，一魑魅身影忽然自树后闪出，长发遮掩着鬼面若隐若现，森森可怖。他手中四方铁匣已变作了神臂弓，正对准那一堵石墙。

　　裂石铁箭化为凌厉黑影，带着尖厉嘶啸冲石墙疾去。

　　墙内二人察觉危声近时，铁箭已钻墙裂石。郑初音骇然失色，欲与嬴政飞出墙外，却为时晚矣。

　　破空之声瞬间冲天而发，一声巨响震得整座琅苑似要轰轰倒塌。

　　巨大怪石顿时四分五裂成几十块飞向八方，棱角如刀刃般锋利。

　　郑初音被甩在数尺外，断了半截的高大怪石上。石壁上的棱棱角角划破她衣裳，皮肉被刺得血红。手中的流光琵琶摔落一旁，玉碎弦断。

　　嬴政幸运地跌撞到一株梅树枝干，虽不及郑初音伤重，后背却也疼痛难忍。

　　精卫们自梅林西北方慌张赶来护驾。

　　可众人的利箭还未来得及搭弦，东南方黑暗最盛处又有一团杀气向嬴政急冲而来，在隐现的月光下发出八股淡彩光芒，前后不一，曲直各异，穿过之处，枝叶或断裂，或粉碎，掠动之声却轻极难辨，正是令江湖侠士闻风丧胆的凤羽翎。

　　嬴政正被腹背的剧痛惹得头脑嗡嗡，只顾得踉跄起身，哪里来得及分辨黑暗中疾来的杀气。

　　"嬴政！"郑初音呼声颤颤，心急如焚，猛地击石一掌，朝他飞身扑来。

　　待他被她推出一丈外，跌坐在地，惊愕回顾时，数枚铁翎已刺穿她胸腹。

　　霎时，众人瞠目，风啸惊耳，花落震心。

　　鬼面男子看到这一幕，怔愣地后退两步，旋即收匣于背，机关翅出，腾空而起，眨眼间消失在夜色中。他没有返回郑方士处禀报刺杀结果，而是仓皇逃离，急急寻觅隐匿之地。

郑方士并未说过刺杀失败便以死谢罪，但说过无论如何也要保全其孙女性命。这也是为何两刺客几下杀手却始终不杀郑初音的因由。如今，郑初音死于非命，不论刺杀是否成功，郑方士都不会放过他，定要追杀至海角天涯。

梅林艳丽极致，冰冷极致。郑初音咳出一口血，僵直的身子如一片枯残的叶，从枝头飘摇坠地。

株株红梅在风中摇曳，花瓣似嗜了血般让人不寒而栗，香气亦变得让人闻之鼻酸。

她凌乱飞扬的青丝缭绕溢出水珠的双眸，视线渐渐模糊，耳畔似起幻听。恍惚中，她看到嬴政一个箭步来到身边，看到他眼中露出从未有过的恐慌。那恐慌并非惧怕刺客或忧虑自己的安危，而是一种失去与改变习惯的仓皇。

他抱住她坠在半空的身体，双唇颤抖得说不出话，满眼的惊慌与痛惜。

冷淡月光拉长二人背影。红梅冷香萦绕，她却闻之无味。

"大王应尽快去寻巴氏与李斯。他们有危险。"这是她受伤后说的第一句话。她不想他承受至爱之人离去的痛苦，因为她正在体会将要诀别至爱之人的感觉。

"清儿她怎么了？"嬴政先是一愣，旋即惊慌急切地问她，继而冲一旁跪地的侍卫高声呵道："还不快去！清儿若有什么意外，你们统统陪葬！"

精卫们慌张奔离。她有些诧异，拧着眉，咳嗽着问道："你不去？"

"我留下陪你。"他紧了紧臂腕，好像稍有松手她便飞走，颤手抚上她脸颊，沾到她嘴角的鲜血时更抖得厉害，像是炙热的烈火，从他指尖钻进，顺着血脉流窜到心房，灼烧得抽痛不已。

她看着他，迷离的眼里流露出一瞬的光彩，因剧痛而蹙紧的眉心眼角艰难地攒出一抹欣喜："这是我十年里听到的最动听的话。我很开心。"

"别说了。不要耗费气力。"他嗓音沙哑，带着颤抖。

她脏腑已然破损，血液在体内肆意冲涌。她剧烈地咳嗽几声，在他怀中长长地喘出一口气，鲜红的血止不住地从唇边溢出，湿透她前襟，浸透他袖

袍，滴融黑黄的泥土。

他将她紧紧搂在怀中，一边不住地用衣袖擦拭她唇边的血迹，一边催促待命的宫卫再催太医。他巴不得太医飞驰而来。

她靠着他再次咳喘起来，面色惨白，睫毛上的泪珠颤动着滴落，明明是痛苦不堪却突地笑了，口中断断续续吐出的字句中带着几分自嘲，几分解脱："进宫前，我为自己算了一卦。卦象显示我能全身而退。可到头来竟是这样的结局。我算天算地却算不出会爱上你，算不出任凭多少光阴，多少努力，都无法触动你。我是不是太学术不精？"

"不。是我的错，是我辜负了你。"他哽咽着，差点泪如泉涌。

她气息越发微弱，瞳孔涣散，映不出纷落的梅瓣，映不出他近在咫尺的脸与暗淡悲恸的双眼，却仍吃力地开口，句句成章："这样也好。我再不会因背叛爷爷与得不到你的爱而日夜自责、失落，再不会在两难中挣扎徘徊。一切都在今夜终结。世间所有的恩怨情仇，有朝一日，都将成追忆。你我的缘分也不过是结束的早了点。我是个修行之人，此道更应看得通透，待之淡然，可今日怎就百般不舍呢？"说罢，她使尽全力抬起手臂，欲抚平他眉间的褶痕，终究半空垂下。她最后一丝浅淡的气息，伴着极轻的几个字消散在落红纷飞的梅林中，消散在他耳畔："珍惜巴氏。"

他强忍泪水，想要抱起她，却重重跌倒在地。突然间，他明白了她那一句"莫要失去后追悔莫及"的含意。

他拥着她，脸紧紧贴在她额头，跪坐在林中，唇靠近她耳畔，只当她睡着。他怕将她吵醒，极力控制声音的平稳，却控制不住脸上的痛色，极轻吐语："对不起。"

可她再也听不见。

秦王政十二年十二月十七日，嬴政侧妃郑夫人薨。

嬴政昭告全国，三十日内群臣着素服，用素食，各郡县停嫁娶，禁歌舞奏乐，军民摘冠缨，去装饰。

琅苑中所有侍从全部殉葬。金棺至殡宫，祭圜钱百万，玉骨锦千缎，馔筵二十一席，酒二十一尊，币五万，设采仗行礼。不当值官员跪迎十里外，侯过随行。一切按王后葬礼行之。

十年光景，终究有留下、印刻了什么，让他失之怅然，让他想若能从头来过，定用余年偿她不曾有的温柔。

"大王，巴氏醒了！"宦侍一路快跑进殿，尖厉的嗓音划破嬴政回忆的幕幕景景，打乱了翡翠珠帘的悦耳清音。

嬴政布满哀色的脸上，露出鲜少见到的欣喜，如枯木逢春，冰川消融。

他垂眸望着棺中静默的郑初音，温柔一笑，不多停留，举步急急赶往咸阳宫。那笑并无永别之意，而是将一切往昔与整座琅苑一起尘封于心铭记。

逝者已矣，生者如斯。

秦王遇刺死中逃生，王亲死伤惨重的消息很快传遍七国的大街小巷。众人纷纷猜测，奇谈怪论。

刚刚被封为太尉的尉缭猜到了这一场血腥的罪魁祸首，他惊慌而气愤地奔向咸阳城西街巷尾的那间老旧木屋，破门而入。

夹着雨雪的凉风吹进，昏暗的屋内更加阴气森森。

尉缭盯着静立窗边的郑方士，压低了怒声，斥责道："你怎能擅自动用天罗门！"

郑方士仰首，望着窗外纷飞的白雪，神色淡然，悠然答之："有何不可？"

"鬼谷门规，修习秘术弟子不得下山参与世间纷争。你滥杀无辜，败毁鬼谷声誉，竟还不知错！"尉缭子逼近一步，怒气依然。

郑方士转身，炯炯双眼紧盯尉缭子，苍苍笑道："我入鬼谷，为的就是学成后复国雪耻。滥杀无辜？我且问你，你拜师学艺，入秦为官为的是什么？你助秦一统天下，金戈铁马，死伤的百姓不无辜？你的功业不也是这些无辜的尸首堆积而成？"

看着愕然无言的师弟，郑方士冷呵接道："无辜。世人皆言无辜，却处处争夺杀戮。世人皆赞鬼谷弟子各个才智无双，胜百家而绝伦，可也常笑鬼谷弟子同门相残，无情无义。为什么？"

他顿了顿，继续轻笑着慨然道："本以为，修习了奇门、六壬，便可窥尽天地玄奥，晓万物生死，知人情六欲，怎料竟败在自己抚养的亲人手中。

究竟，是我学术不精？还是，人心鬼变天不及？"

　　他几番说罢，径自走进漆黑的暗室，步履蹒跚，身影落寞，长叹一声，凄凄道："嬴政一统，二世昏庸。繁华一现，帝星落。六国复辟，汉邦烁。师弟，回山吧。若不走，迟早会命丧于秦。鬼谷秘术两代止。我要向师尊请罪了。"

　　日月盈昃，星辰列张。半世怀仇生，恩怨断此冬。

　　暗门缓缓关闭，留下吱呀的响声回荡在冷清的外屋；留下一脸怔愣的尉缭五味陈杂。

　　屋外的雨雪越发浓重，簌簌无休，掩了屋檐长阶，盖了林木尘土。天地间一片白色苍茫，好似一切都纯净无垢。

巴清睁开沉重的眼帘，微微侧头，便一阵晕眩，脑袋昏沉，欲合眼再眠。

她昏迷的这两天两夜如做了一场惊魂噩梦，神经紧绷得似要断裂。

她四肢酸痛难忍，稍稍挪动身子，欲缓解僵直与麻木，却不小心触到伤口，顿时一阵撕裂般的疼痛袭遍全身，迫她清醒。

她双眸轻转，屋内陈设渐渐清晰，一眼便知是嬴政的咸阳宫寝室。

她呼吸蓦地紧促，瞳仁猛然扩张，右臂撑着床榻，一边忍痛起身，一边急切地向门外的侍婢唤道："大王呢?"

殿门外的侍婢与小声议论的三名太医听到巴清呼声匆匆赶来。

一年长的太医恭敬靠近床沿，和颜轻声嘱咐："您且忍耐几时，莫要妄动，以免扯到伤口。"

"大王呢?"她口中依旧是这三字。能在此处醒来，她知道嬴政必定无事，但还是要亲眼看到才会安心。

"清儿!"她话音刚落，嬴政欣喜的呼唤便自殿外传入她耳际，急切的脚步声声敲在她心口。

她脸上顿时绽如白樱，苍白而动人。她将太医的话抛在脑后，右臂撑着床沿勉强起身。

侍婢欲上前搀扶，被急至床边的嬴政挥手遣退。他挽着她纤瘦的臂腕，扶她倚靠在床壁，低叹一声，捋顺她散落耳畔的碎发，眼中是无尽的怜惜与自责。

那夜，李斯府跪坐在血腥可怖的后园，昏沉欲倒时，听到的阵阵军靴踏地声，正是自琅苑疾奔出宫，寻觅巴清与李斯的精卫。

精卫们清理了李府残局，一边将巴清等伤众送至最近的医馆医治，一边马不停蹄地禀报宫内哀痛焦急的嬴政。

第二日清晨，嬴政罢了朝，带着太医，微服出宫，亲自去医馆接巴清进宫。

三人中，伤情最重的楚涟雪因失血过多一直昏迷，包裹着右臂的白色麻布上血红片片，生死难料。

李斯坐在楚涟雪身旁，握着她冰冷透骨的手，想着郎中说的那一句"或许再不会醒来"，魂魄似被鬼魂索去，整个人呆若木鸡，连嬴政的出现，他也是恍惚着无力跪地，未言片语。他对嬴政微有动容的话语，仿若未闻。

嬴政并未计较，安慰李斯几句，便转进内室令太医为昏迷的巴清诊治。他看到她静躺着似毫无知觉，看到她苍白如雪的面庞、仍蹙紧的眉心、攥紧的双手，心如被万箭穿透。他听过精卫的描述，想象得出昨夜李府心胆俱颤的情势。命悬一线时，即使身为男儿亦难不慌乱，何况女子。面对死亡，没有人天生无畏。

然最让他痛心的，并非她身负的伤，而是临危之际，他不在她身旁。

他未在医馆多留，留下两名太医照看李斯与楚涟雪，将巴清接入咸阳宫内疗养。他守在她床边寸步不离，直至郑初音丧礼举行时才离开。

他看着郑初音于棺椁中渐渐远离自己，心神绞痛。

十年，他曾经总觉得漫长无比，可转眼便与她阴阳两隔。

他望着堂皇而凄怆的丧礼，听着阵阵盛大而沉闷的哀乐，更坚定了心中徘徊着的念头。

他再不愿让她独自在外周旋闯荡。

二人劫后余生的心，将往日的争吵与怀疑统统颠覆，任凭殿外阴冷的雨雪如何扑打紧闭的棱窗，亦侵扰不了殿内的温柔缱绻。

她伸手触摸他消瘦的脸，指尖停在眉梢轻轻摩挲，盯着他看了好一会儿，才哑着声音开口："自那日至今你瘦了许多。"

他笑着握住她微颤的手贴在脸上，打趣道："王宫膳食比不了你的手艺，待你痊愈日日做来，自然补回。"

她哧地笑出声，微垂了头，不置可否。然笑意只停留了片刻，她眼角一酸，泪忍不住稀疏落下，抬眸看他，声词哽咽："那晚，我以为再也见不到你。"

她神色凄楚，如一株带雨白莲，眉目中笔墨轻描的忧伤，让他看得心疼。

他敛起喉中萧索，声如春日的拂柳微风："日后在咸阳宫住下，可好？日日可见，再无思念。"

她一怔，睫毛上的晶莹止住坠落，摇摆不定。

她沉吟片时，眼中的恍惚渐渐清明，心底泛起丝丝愁绪。

一个君主能放下王者尊严，以商量的语气说出这样的话已是不易。咸阳宫除历代秦王外，其他公侯妃嫔皆无资格入住，这是延续了百年的规矩。如今，只要她点点头，便可打破大秦祖制，享受天下人无不仰羡的荣誉。

可她的脸上不见欣喜，垂眸无言，缓滞的气息带着犹豫。

进宫便再难出宫。进宫，日后与那些只知争宠夺爱的后妃有何分别？进宫，苦心经营的一切都将渐渐交付他人，甚至分裂瓦解。进宫，如进囚笼。这是她听到他的话后瞬间想到的后果。

她从未怀疑自己对他的情，但亦从未想过放弃自己的经营。

巴氏家业当下的规模与所涉领域，可谓商界中前所未有，连百年前被誉为"商祖"、"商圣"的魏国白圭与越国范蠡亦难相比，堪称傲视古今的商业帝国。如此辉煌，是天下大势所趋，亦是她精心谋划管理所成。

从不惧世人的口舌与眼光，毅然对决家族纷争，到接管家业后，在世间最深暗的权利漩涡中进退周旋，借风扶摇直上，再到开山扩业，繁荣鼎盛，将巴清一名享誉七国，这数年中的一日一夜，一点一滴，她都竭尽心血。也许，此间有恩怨纠葛，有迫不得已在推波助澜，但她从不否认，今时的成就是她的野心与梦想使然。

不久前，她被推举为七国民间联合商会——华夏商会会长，对未来巴氏经营与大秦一统天下后的商业模式刚刚有了全面的规划。宏图还未实现怎能半途而废？

她不愿进宫，至少现在不能。她深吸口气，攒出笑颜，对上他期待的双眼，目光有些闪躲，话语轻软似商谈："我们当初不是说好，待天下一统后……"

他似早已料到她的回答，眉心蹙紧，将她的话打断，握着她手的力道紧了几分，嗓音有丝丝颤抖："可我真的很怕这样的凶险日后再现，很怕哪一日你我真的再难相见。当初，在判惩吕不韦的朝上，许多贵族公卿纷纷上奏，欲将你置之死地。有第一次，便会有第二次，第三次。欲加之罪，何患无辞？当下朝野，盘根错节，阴谋暗藏，一切都防不胜防。集权非一朝一夕。帝王道，绝非世人想的那般简单。我很怕，哪一日，我这一国之主也难护你周全。你若进了宫，成了王室一员，便与那些流言再不相干。他们也不会再为难于你。而我，也想与你一同看日出日落，朝霞暮烟。"

她听着他滔滔灼灼的言辞，如鲠在喉。

她怔怔地看他，近在咫尺的脸越发模糊，眸中水雾冉冉升起，溢出渐红的眼眶。

此前，她在他身上看到的皆是极致的铁血与强势。而他方才表露心底最软弱的倾诉，让她动容。

可越是这样，她越不愿让他一人承受天下的重任。

她收起泪眼，反握住他手，温婉一笑，瞳仁中有光彩放出："比起日夜陪伴，我更希望与你一同分担。大秦现在与未来的强盛，需要繁荣的经济支撑。虽说政策制约经济，但二者终究不同。大王久坐明堂，百官悉心政事，对商多有疏离。天下商之治，没有人比我做得更好。至于那些恶语相向、蜚短流长，我从不在意。若有朝一日，我因他们的诬陷对簿公堂，孰是孰非，功过评判，我相信大秦的司法，相信大王的决断。"

他呆愣少顷，突然眉舒唇绽，话中却有隐隐的落寞："我不应为免去自己的顾虑，而自私地让你放弃多年的心血。"稍顿，他握起她手指，放置唇边，轻轻一吻，似有繁星落入的双眼望着她如同一眼望进了她的心，低沉的嗓音染上几许情深，"我会让自己更加强大，护你喜乐平安。"

自与她携手，他第一次意识到自己的铁血与强势由天性变作了一件有因果的执念。

她粲然一笑，好似全然感觉不到身上的伤痛，竖起右手三指，郑重地说道："我发誓，日后定会谨慎处事，小心出行。"

他一怔，咻地笑出声，拉下她抬起的右臂，一脸宠溺。

二人谈笑间，侍婢端来一碗当归红参粥。

他接过粥碗，亲自一匙匙吹凉了送至她嘴边。

气氛忽然安静，伤口的疼痛与疲势占据上风。她眉目渐渐皱紧，额上泛起细汗，蓦地想起两日前的刺杀，笑容收敛，在汤匙边小啜一口，试探道："大王可查出了刺客的来历？"

他手中动作未停，神色却变得沉重茫然，摇摇头道："七名刺客，六死一逃，逃匿者至今无迹可寻。坊间谣言四起，六国看了笑话，王室中人心惶惶。如此疯狂杀戮，可见他们对秦王室与秦一统怀着巨大的仇恨与反叛。"

他缓息须臾，鹰眸中露出凶光，狠戾道："若查出罪魁祸首，定要将他碎尸万段！"

她心神震荡，偏着头若有所思，闪烁的眸光藏着不安。

自她在瓯雒见到黑衣军士后，便时常寝食难安。

她担忧自己为蜀国后裔的身世暴露于秦，担心有心之人罗织罪名、恶意渲染，带来一场殃及无辜的滔天血案。

她十分清楚，昌平君虽被软禁，但绝非轻易认输之人。而他知自己身份却恍若未闻，目的就是为保住他在西南与楚国暗中的筹谋不被揭穿。

于昌平君，许多事只要不被揭穿，一切都还可周旋，甚至反败为胜。而她，竟不动声色地与他做了这你若不语、我便不言的交易。她决定后的数个日夜，前所未有的茫然。她想着嬴政的推心置腹，倾情相待，无数次地质问自己："错了么？"

如今，为昌平君谋事的郑方士做出这般大恶之举，使得她更加忐忑，止不住地想，若郑方士被抓或道出蜀国后裔一事，自己的命运将何去何从？

她望着他，心底再次漫起无边的愧疚。

他看出她的变化，抬手拭去她额上细汗，关切道："是不是伤口太疼？要不要传太医？"

她心不在焉地摇摇头，沉吟半晌，低声说了一句让他惊诧莫名的话：

"若哪一日，民女做了错事或骗了大王，大王会如何处置？"

刚刚舀满清粥的汤匙顿在碗口上方。他愣愣地看她，片晌，笑道："名扬七国的巴夫人聪明绝顶，深谙世俗之道，能做什么错事？即便做了，也是些无关紧要的小错，你我之间大可一笑而过。"

"人皆有私心。若民女犯了难以饶恕的大罪呢？"她无视他递来的汤匙，仍自顾问着这个问题，一副煞有介事的样子。

他收回汤匙，将碗搁置一旁，挑眉调笑道："受了伤，伤了筋骨，也伤了脑袋？非要说这般乱人心情的话？"

她抿了抿苍白的唇，严肃地点点头，让他颇觉无奈。

殿内忽而沉静，空气中的微尘缓缓而隐秘地飘落。

仿佛是等了一朵花开的时间，他轻叹一声，好整以暇地看她："若我说，依法查证，依律论惩，你会恨我么？"

她触着华衾的指尖一颤，眼中难喻的光色转瞬即逝，脸上扬起一抹凛然笑意，声音依旧温柔："不会。大王理当如此，这才是一国之君应有的大义。"

她说得云淡风轻，他却难以安然，舒展的眉目又缓缓蹙起，欲开口解释却被她的话堵在嘴边。

"饿了。"她指了指一旁渐凉的清粥，明媚一笑，好似一个撒着娇、等待心爱男子疼惜的小女人，而方才郑重其事的对话不过只是一场玩笑。

他亦未再继续，端过玉碗，欲再舀一匙，却忽而盯着手中的汤匙，迟迟未动。

静默俄顷，他似想到了什么，唇畔勾起，低垂的眉目无限缱绻，声音轻柔："我记得，登基大典那日，在客栈里，你也是如我此时这般地喂我喝药进食。当时的我，总觉着你的一动一静、一笑一语，可带起十里春风，可与万物媲美峥嵘。"

她微微一怔，旋即娇嗔道："大王是在嫌弃民女如今容貌衰败，不复从前么？"

"不。斗转星移，沧海桑田，我心不变。"

他轻轻一笑，温柔的话穿透花窗飘飞殿外，让纷舞的雨雪变得浪漫缠绵，让薄凉的冰花开出一个明媚春天。

第
四
十
八
章

第一女商

四个月后，湛湛渭水去，冥冥清风来，又是一季春暖花开。

巴清立在咸阳宫前殿的宫门旁，微扬着下颏，如炬的目光循着前方开阔的广场，跃过三十六级白玉阶，直视百官朝议的正殿。

盎然的风平地而起，掠过重叠连绵的殿宇。她仰首，目光与那风劲一同盘旋而上，萦回在巍峨的宫阙之巅。

她听着飞檐下如铁马惊动，清泠叮咚的悦耳风声，心潮澎湃。

今日，是她第一次在咸阳宫大殿，与天下间最强势的君臣同堂议政；第一次为天下民营商业的繁荣与贵族公卿悍然碰撞；第一次将勃勃的雄心与远大的宏图公之于朝，震撼百官。

商鞅变法后，秦一直处于食邑、分封、郡县三制并存的局面。虽看似多律繁法，错综复杂，但因一直奉行重农抑商，无巨财新宝可贪，无新机巧计可施，又严法重刑令公侯与官员间一片肃杀，以至数十年来的秦国百姓在物质上粮多金少，怀商才者纷赴六国经营，民间巨贾寥寥。百姓虽对王室贵族垄断大半物价常有怨言，却也无大举动。

自出身商贾的吕不韦入秦当政，一切安于现状的和谐被彻底打破。

庄襄王嬴楚在位时，吕不韦逐步削弱朝中任职的贵族势力，废除重农抑商等诸多策令，迫使拥有赐邑权的王室贵族为民间经营退步让行。

随着许多民商的风生水起，秦国经济迅速繁荣，民间财富积累不断。吕不韦的商道治国，使秦之强盛再跃六国之上，但也让贵族对金钱分与庶民之手，昔日一言定价特权不再而颇为介怀。从此，商道一事，朝中贵族与吕不韦两派对立，事事抵触，暗结恨胎。

现在，贵族们等了数年的夺财之机终于到来。

吕不韦死后仅两年时间，秦商的阳关大道便被拦腰斩断。

贵族们在各自封地内废除吕不韦定下的有关民商的法令，强征高税，收回、抢占已租售的矿山、田地、屋舍，对货物逐一施行价格垄断，变相驱逐民商。

许多中小商户不堪重负，自知前景惨淡，被迫弃业或转向别地。

损失最为惨重的则是类于巴清的民间巨贾。

她答应嬴政在宫中暂住三月，为养伤，也为解素日相思而难见之惘。然就在这两耳不闻生意事，心中长挂儿女情的三月内，一场针对民商的封杀如燎原烈火般在宫外滋生蔓延。

她惜别嬴政出宫，回到在咸阳的住所，听到的第一个消息，便是巴氏在长乐侯封地陇西郡内的储货基地被勒令搬移。

随后，她又收到巴煜瑞自巴地令人快马加鞭送来的亲笔书信。

紧接着，铜矿大商王氏等几名富商纷纷到访，皆为此后的经营之计愁眉不展。

一个个不利的消息接连传来，如惊天闷雷，震得她耳鸣不断，心神不安。

她紧攥着书写成安君、武阳侯等封地内增高税、限制开采等种种变故，将导致收益大减，或难以支撑的信帛，手腕不住地颤抖，怒意与恐慌如火山喷发，洪水冲涌。

她深切感受到，贵族们齐了心般地打压与针对才刚刚开始，若不加以制止，用不了多久便会变成一场摧家毁途的浩劫。

她不愿坐以待毙，不愿眼睁睁看着自己的家业被吞噬衰落。可她也知此番动荡非同小可，面对的不是一官一侯，而是一帮贵极的王室宗亲。

若计较起来，按吕不韦的商法来判，贵族错。依分封、食邑制中所定的权利来看，贵族无错。

究竟何去何从？巴清彻夜难眠，望着晃晃烛火，目中空洞，不觉扬手拂落案几上杂乱铺展的信帛，不觉日出月落。

李斯得知巴清遭遇，急急赶来慰问。他清楚，她的兴衰荣辱与自己的官途息息相关。于情于理，他都应陪她同进退，哪怕他无实力，寡羽翼。

巴清见了李斯，无心应酬，只问了楚涟雪伤情便坐而不语，神色怅然，心不在焉。

她反复思虑，明白问题的症结是分封与食邑制的存在，以及吕不韦的不在。难道废除分封与食邑？她脸上露出了无奈的苦笑。延续了数百年的制度怎可能说改便改。

她想，难得最好，那便退而求其次。

她斜倚着案几，玉手扶额，闭目愁眉，心神在吕不韦与其制定的民商法令上打转。

吕不韦虽为维护民商发展定下法令，但能够顺利施行靠的却是庄襄王的言听计从与他在朝中的霸道权势。如今，吕党势散人亡，朝局已变。法令也如当初他谈及商鞅国策时的大袖一挥，拍案否断般被弃之如敝履。当前，老贵族们先斩后奏。不出几时，废除吕不韦商道兴国之策的奏简便会呈到嬴政眼前。

欲护商之法重生效力，为今之计，只有继续压制或让贵族甘愿为民商放行。可谈何容易？从何做起？

一旁默声的李斯终是忍不住开口："当下正值秦出兵围赵救燕之际，议政重心转至军务与战况，大王虽未颁布任何遏止国内民商的条令，但对商的治理仍有疏忽。您不如直接进宫面见大王，将此事说明。"

从另一角度看，李斯所言的确是最快捷且极可能消除危机的办法。然巴清却摇了摇头，不以为然道："国事应无私而议，当朝堂对质而决。此事直接关系我个人利益，与当初劝谏废除逐客令大不相同。我非官非侯，私下诉说恐会使大王为难，更易被有心人大做文章，坊间也会传出秦王重色乱政的碎语闲言。况且，我对大秦商业未来的规划，绝非吕不韦想的那样简单，更不是只阻止贵族封杀民商便可实现。"

李斯望着垂眸沉思的巴清，回味着她话中的最后一句，似懂非懂。

宿鸟动院林，晨光上东屋，已至用膳时。

侍婢端来饭菜分呈案几。美味美酒诱人，二人却无心享用。

巴清沉思半刻，转头看向李斯，拧眉疑道："你说大王对商治理多有疏忽。那少府王绾与治粟内史隗林呢？他二人掌山地海泽之税，理工农财政之权，面对这样的动荡，为何毫无动静？"

李斯微微一愣，思忖道："确实未曾见二人参奏。不过，王绾本就支持分封，不与贵族公卿一派已是难得，怎能他指望为民商说话？隗林对同僚皆笑脸相对，和气相待，像是个无多野心的中庸之人。我与他属泛泛之交，素日无多来往，只在半月前与他棋社巧遇，对弈一局。那日，他的一句话颇让我记忆犹新。"

巴清追问："什么话？"

"对弈之中，可分敌友，可见人心。"李斯一字不差转述。

"谁胜谁负？"巴清黯淡双眸闪过一抹精光，身子微微前倾，脸上显露几分期待。

"和。"李斯微微挑眉，似有了然。

巴清轻舒口气，指尖轻叩玉案，垂眸思索片时，豁然起身，对门外侍从急切道："备车。隗府。"

"想来那一局对弈意有所指。"李斯随之起身，笑道。

"三公九卿之辈，有几人能够真正心如止水？他能够任治粟内史这样的要职，定不是个碌碌无为、安于现状之人。贵族们这般欺行霸市，无疑是将他这个总管束之高阁。他必会对权柄外移心有不甘，却对与王室贵族公然对抗多有顾忌。"巴清步出厅堂，直视前方，语气笃定。细碎的阳光洒落她身，斜插发髻的琉璃步摇清脆悦耳，闪烁耀眼，更衬得她容颜烁烁。

李斯随在一旁，若有所思片晌，道："不错。贵族们虽不再如从前权势熏天，但终究是王室外戚，没有哪个朝臣愿去招惹。当下，再无人有吕不韦那样的魄力与胆识。"稍顿，他忧虑地看向巴清，"隗林能以一局棋达到目的，可见许多事已心知肚明。看来，他是想将您推之公堂博弈，既将您做刀剑与贵族针锋相对，又将您当盾牌挡在身前。胜，看似您与他双赢，实则将贵族的仇恨潜移暗化至您身。败，是非惩处您皆要与他分担。最可叹的是，他利用为国举贤之策行争权之计，利用大王对您有情为自己增添胜算。进退左右，前途后路，他都为自己盘算周全，独置您于险境之中。那帮贵族行事向来狠辣，我担心……"

巴清微微一笑，淡淡道："你错了。朝堂之上，大王定会明理奉公，绝不被私情左右。胜算大小靠的是我答辩之言。论情分，我与大王是爱侣。而在各自霸业的路上，我与大王是相互扶持的知己。功成时，我愿在他身边为他素手焚香；变乱时，我会站出来为他披荆斩棘。他若知我，定会理解我登堂的因由。他若听了我的因由，仍旧纵容贵族逆行，不顾千秋大业，我定不屑与他执手并肩！"

话音落地，李斯呆住，头脑木讷，只觉脚步不停，一路随她行至宅门。

他知道，若非有根植已久的念头，这样一番话，她绝不会脱口而出。

香车宝马已静候。她至车前，仰首远眺蔚蓝天际，忽觉朵朵白云如块块沸鼎中游移的浮冰。

她凝眸少顷，提裙上车，喃喃自语的声音清冽而坚定："这也许是最好的办法。有些谋划也应公布天下。"

车夫挥鞭策马，金钲车渐驶渐远，消逝在万道日光中。

李斯伫立遥望，心神仍有震颤。他隐隐感到，巴清选择登朝对质，不仅是为保家业的决断，亦是她心底一直涌动的夙愿。

隗林的算盘确如李斯与巴清推演的那般。

当向来鲜少奏事的隗林突然出列，苍苍一句"臣启大王，一名士执意自荐"时，整个大殿瞬时安静。

自吕不韦霸权后，所有求仕名贤皆直奔相府，朝上已许久未有向君上举贤或名士登堂之景。现在，隗林突然说出，不禁让朝臣们倍感错愕，好似听到了什么不可思议的事。

嬴政亦是一愣，旋即平静道："何许人？"

"民间巨贾巴清。"

隗林淡淡的应答让诸多朝臣脸色瞬变。大殿上顿时一阵丝言碎语。

嬴政舒展的眉心蓦地蹙紧，松垂至双膝的手猛然一颤，思绪随指力一同

缓缓收紧。

隗林的话如震耳惊心的巨雷响在他头顶，气息也随之不稳。他无言沉思，暗疑："分别不过一月，怎就做出这样招摇之举，竟还隐瞒于我。"

他猜度几回，心生不满。然并非因她不知朝堂非儿戏之地，不知朝中水深无底，不知女子贸然登堂将会引众臣反感，而是她未事先与他商量便将自己置于深渊。

嬴政兀自思虑之际，忽听一苍苍高声响起："商人奸猾，多靠愚弄之术敛财，心怀阴谋诡计，怎能上大雅之堂！"

言者是华阳太后的同胞弟弟长乐侯。

华阳太后为昭襄王王后。嬴政需唤她一声祖母。长乐侯因其姐姐身份，被其他王室成员尊为最贵。此人素日居高自傲，有吕不韦的不可一世却无半点治国之才。

长乐侯言罢，又扭头斜睨隗林，轻蔑道："况且，她还是个女子。牝鸡司晨，家国之大祸。隗内史私下与这等狡诈之人来往也就罢了，怎还荐之朝堂？不怕贻笑大方？"

隗林听罢，神色温和如常，平静回应："长乐侯之言自是一说。不过，下官第一句时已讲明她是执意自荐。况且，她说怀有强国利民之策。下官怎敢阻拦？"稍顿，他和颜悦色地看向长乐侯，轻笑两声，道，"下官未说性别，长乐侯便知是女子，想必早有耳闻。看来，她确实不虚名士之称。既如此，更应见见。若有良策，延误或错过岂不可惜？"

长乐侯冷冷一哼，欲开口再言以示对巴清的嗤之以鼻，却被嬴政的话堵在嘴边。

"治国大道，当不论男女，不分尊卑，只要怀利国利民之才，皆可登上这咸阳宫大殿，君臣共议。利，取之重用。不利，驱之出秦。"

他在听到隗林那一句"她说怀有强国利民之策"时，心中疑云倏忽消散。

他明白她定有不得已的原因，有自己的考量与筹谋。

嬴政的话公允威严，抑了贵族气势，正了臣子心秤。百官各自敛声归位，静待巴清出现。

巴清接了传召，跟在宦侍身后一步步迈近咸阳宫大殿。今日的她，一身青色三绕曲裾，裙摆上绣着纤细奇巧的枝干一直延伸腰际，枝干上有朵朵怒放粉梅，煞是清秀新颖。

她的扫地裙摆掩过层层玉阶，窸窸窣窣。举手投足皆光彩明目，气如荣曜秋菊，华茂春松。

她从容进殿，虽低眉垂眼，但仍能感觉左右两旁有道道目光投来，或上下审视，或目露惊疑，或如刀刺身。

她行至殿中，停住脚步，面对王座上的嬴政恭敬叩拜。他微微低首，看向她的眼中虽多了份柔软，但神态较之二人相处时多了许多冷漠与疏远，声音亦不再温暖，端的是王者不苟的威严："魄内史言你有利国良策，请讲。"

她稍稍抬眸，稳定心神，平静道："民女首先说的是救国之论，其次才是强国之计。"

"口出狂言！"

巴清话音刚落，呵斥之声便从右前方急刺而来。

她循声望去，乃是庄襄王生母夏太后的表亲成安君。

成安君愤愤接道："大秦正值强盛，欲统六国以安天下之际。你谈救国？真是可笑之极！"言罢，他眯起双眼，目中凶光如刀，冷笑道，"我看你就是六国藏在大秦的奸细，特来搅乱朝局。当初的郑国便是前车之鉴！"

"民女忠心为秦，绝无二意。疲秦计能够施行，因的是吕不韦霸权独断，朝臣多数追随畏惧。如今大王亲政，从前之局已破。成安君这样说，是在暗指大王是非不辨，朝臣结党谋私吗？"巴清对贵族的言辞针对，污蔑诽谤早有预料。面对这些狠毒字句她应之从容。

"强词夺理！"成安君见大罪的包袱被扔到自己头上，顿感压抑，脸色骤然铁青，气急不已。

"既言救国，那国便该有衰错之处，你且道来。"嬴政低沉的嗓音响在大殿。

成安君瞄了眼嬴政微微蹙起的眉心，自知方才所说有些刻薄武断，垂头归位，不再多言。

巴清正色道："衰在不但不思变革，还欲重袭旧制。年月飞逝，万物更新，治国之策若不能与时俱进，大秦迟早败落至六国之态。错，错在任由各分封之地针对民商加收高税，遏制经营，意图再回王室垄断。自昭襄王至今，国库半数收入皆出自民商。如今突征高税让许多民商亏本停业，被迫低价卖出门店与厂地。他们心有怨愤却诉说无门，只得远走别处。民女断言，不出两年，国库收入定会大减，甚至入不敷出。积年累月的征战，王陵十数年的修建，王侯公卿、庶民百姓的衣食住行等一切运行的动力是什么？是金钱的流通，是买卖的自由，是竞争的经营。恕民女直言，贵族们的垄断损害百姓利益，延误发展，助长贪腐，弊端甚多，应尽早改之。"

巴清刚毅果决的言辞惹得大殿一片哗然，最为愤慨的当属被点名指出的老贵族们。

嬴政这才明白巴清没有私下诉说的苦心，幽深双眸微有动容，但眉心川纹却更加明显。他知道，诉之公堂，自当无私凭理而断。他心中担忧，她以一人之力与一帮贵族较量，真的能够服众么？

这时，长乐侯突然哈哈大笑。笑罢，他对巴清鄙夷地摇摇头，悠悠道："本想你真是什么大义之士，原来是为了自己的家业。"说罢，又突然敛去笑容，怒视巴清，凶狠道："受封君侯有权在各自封地内征收赋税与徭役，有法可依，有律可循。你有何资格反对？我且问你，到底是谁在垄断？自你做巴氏当家以来，为瓜分同行家业，兼并中小商户，阴谋阳谋，不择手段。整个大秦的丹砂与半壁江山的盐矿都在你股掌之中。你竟还理直气壮地站在大殿之上控诉贵族垄断？戴着一副以公谋私的嘴脸招摇撞骗，真是恬不知耻！"

如此毫不留情的质疑与责问，换做谁都会觉得难堪无比。

百官瞪眼竖耳，似观戏一般地等着听巴清如何回应。

谁知，巴清静静听罢，垂眸轻笑，几分坦然，几分讥讽。

长乐侯见状，莫名之余更加气愤，欲再出言刁难，忽传来巴清似水如歌的清脆嗓音："长乐侯方才所言是将您不懂商道之劣暴露无遗。我巴氏旗下的经营皆奉公守法，无半点藏污纳垢之嫌，且除去年年应交的赋税外，更向国库捐万镒黄金，开社仓囤万石粮草。单是这些，您在封地内可能做到？巴蜀以外的大小商户是纷纷主动寻民女合作，而非被迫。民女亦从未将他们驱逐甚至封杀，而是依旧让他们自己经营，只是投入资金与理念，实现共赢。巴氏家业能够发展至今日的宏大，靠的是当初的白手起家，点滴积累，同甘共苦，不断革新，以及最好的经营理念与模式、最强的技术与质量支持，而非不择手段，弄虚作假，更不是您与其他君侯那般倚仗先祖功劳，占山圈地，独断专行而来。"

这一顿痛快的驳斥让长乐侯与其他贵族欲语不能，气得簌簌发抖。

其他大臣亦是表情各异，或喜闻乐见，或挑眉回味，或似闻非闻。

嬴政与李斯却面色凝重，心底忧忧。

嬴政是统领群臣的执政王者，早已感到这场看似为商而谋的辩论之下，隐藏着制度与律法的大患。

李斯尊崇依法治国，精研律例，自然也敏感地察觉，一切的根源皆是制度与律法的弊端。

二人皆不愿这隐患在此时被挑明。因为巴清会陷入两难，而且现在非大动干戈之时。

这也是隗林为什么不愿亲自上奏的原因。

隐患不得挑明，近祸不能不言。当如何？

"巴氏是在质疑大秦延续了百年的分封与食邑制吗？"一直默不作声的王绾开口了。不冲撞他所维护的祖制成法是他不参与纷争的底线。

嬴政心中重重一沉，覆在双膝上的手攥得更紧，满眼担忧。

李斯立在队列后方，望着殿中纤弱的背影，轻声一叹，精盛的狼目中盈动一片黯淡。

老贵族们脸色顿时由阴转晴，勾唇互视。

巴清静静垂眸，不动不语，掩在广袖内的手心却已泛出冷汗。

王绾一派与贵族的联合，是她早有预料但不易应解的最坏结果。

势已至此，不能不答，可该如何答？

须臾之间，她的思绪已千回百转，松垂的双臂不由得绷紧。

大殿再度陷入一阵耳语纷议。

最应在意这番争斗的隗林泰然自若，一副胸有成竹模样。他双手交握腰前，右手食指轻点左手手背。当食指点到第五下时，他的脸上突地浮现一抹笑意。

一直于王座上察而不语的嬴政终于开口。

他炯炯的鹰眸巡视百官，目光终落于垂头思忖的巴清。她亦感觉到他灼灼目光，抬眸迎上。

大殿之上似乎再没有其他声音。这一刻，她从他深邃锐利的双眼中看到了素日相处时的绵软与柔情，似万马奔腾在心头的阵阵颤抖渐渐平缓。

仿佛很久，实际刹那。他目光抽离她身，掠过王绾，至长乐侯，凛凛道："寡人以为，世异则事异，事异则备变。一切律法与制度必须顺应当前形势推陈出新，酌情改革，一味因循守旧只会复古倒退。"

此言一出，大臣们虽无应接，但态度已显露在脸。王绾唇角微微下沉，不置一词。老贵族怏怏不快。长乐侯低哼一声，深深剜了巴清一眼。

正当百官以为今日的争辩即将以巴清的胜出结束时，嬴政话锋忽而一转："但革新亦不能忘祖。无祖制为基，何来今日强盛？分封与食邑毋庸置疑。"

如此峰回路转，王绾与贵族们不禁惊诧，一双双混浊的眼中闪动着光亮。百官亦洗耳恭听。

嬴政声色稍缓，接道："立国前的嬴氏部族是殷商王室遗落的老世族。百年前的大秦僻处西域。在与诸侯及西部戎狄的长期较量中，公族世族始终是国家的中坚。寡人曾听先王说起，那时的公族子弟，皆少年从军，一旦兵联祸结，各个浴血奋战，冲锋在前，伤亡丝毫不比庶民少。任何一个家族皆可数出成百上千的战死者。那时的公族可谓与庶民同甘共苦，稳定和谐，根基深固。即使分封各地，享财税富贵，庶民亦无多怨言。这就是为什么穷困的大秦能够在虎狼口中崛起，与六国并立争雄的奥秘。这样的传统与祖制理应传承效仿，何需变革？"

李斯与隗林领会王意，轻松一笑。

王绾则重叹一声，偏垂着头，满面无奈。

老贵族们因先祖受到夸赞，听得得意，神色傲然，却不知已临深渊。

嬴政缓息片刻，眉目忽而冷峻，高声唤道："王翦何在？"

"末将在。"王翦大步出列。

"近十年的征战中，战死的公族子弟共计多少？"嬴政再问。

"屈指可数。"其实只有三人，王翦这样说算是给了贵族一点面子。

嬴政听罢，不动声色，未言片语。百官亦噤若寒蝉。大殿顿时陷入一片梦魇般的死寂。

老贵族们方才的傲然蓦地消失，或垂头丧气，或面面相觑。他们这才明白嬴政的话意：要么放弃对民商的封杀，安享荣华；要么任由你行使封地权法，但子孙族人需战场拼杀。

现在的王室贵族们再也不愿参军作战，再也不愿看着自己的近亲死在尸横遍野，血流成河，哪怕找上三天三夜也不见踪迹的沙场。

时间一点点逝去。老贵族们越发觉得忐忑难熬。

这时，巴清打破了安静："启奏大王，民女今日登朝，所言皆是为民为国而谋。民女亦相信，各位王室君侯之初心同为捍卫大秦社稷。民女欢迎投资合作，愿将各封地内的矿山、门店与各位封君贵侯共同开采、经营，还可无偿提供技术与管理支持，实现双赢。只要大秦臣民齐心对外，为国家繁盛开山拓路，让出小小私利又何妨？"

她明白，这件事没有绝对的胜与败，各让一步是最好的结果。

王绾一派纷纷惊愕，齐齐看向巴清，阴沉的脸上露出几分钦佩。

嬴政凌厉的双眸亦闪动着赞许与欣慰的光彩。他轻舒口气，看向各个落魄无言的老贵族们，平静道："众卿何见？"

"一切听从大王决断。"长乐侯等其他贵族纷纷拱手回应。

一场汹涌的争辩终于结束。嬴政当即点名王绾、隗林重新修拟吕不韦定下的商法，亲自增添数条维护民商的条令。

商议罢，嬴政眉眼舒展，对巴清微笑道："救国之策已结。强国之论呢？"

巴清莞尔，笃定道："开百工学堂，广纳天下精通机关、擅长工巧、热衷于创新的能士，给予厚待，为秦所用，并着重发展军工、手工、造船业。此计并非为十年、二十年而谋，而是功在千秋。国家真正的繁荣不仅要英明果决的宏韬大略，更要有相匹配，甚至发达、超前的工业与技术支持。民女希望，将来的大秦不需在诸多简单的衣食住行上耗费大量的人力去制造，而是可以有更充足的时间去休养、储积，创出更领先、繁荣的文明。民女希望，未来的大秦将士，在征战沙场时，手中持的是能够予敌大杀伤，护己小伤亡，让各国军民闻之丧胆的锐兵利器。民女希望，未来的大秦船舶并不仅仅用于一统六国的水上作战或百姓出行的工具，而是能够夺取先机，乘风破

浪，占四海霸权，开辟出数条海外金路。终有一日，战争不尽是金戈铁马，刀剑杀伐，更会有一条以控别国经济与文明的开拓新途。民女希望这条路，以大秦咸阳为基，当今秦王为始，向四海八方扩张，织一个掠金聚宝的网，为大秦的子孙后代积累无尽之财，造就一个真正文明与百姓的富足当世无双、君臣后世流芳的强盛帝国。"

一番斩钉截铁、掷地有声的言论激得大殿一片哗然。

"这巴氏的心思好生厉害。"

"王若英明，她是大秦的利刃；王若不辨，她的野心足以成祸秦之根。"

"呵，大言不惭。"

"难道又要出一个吕不韦吗？"

大臣们三两耳语，或不以为然，或刮目相看，或半信半疑。

片时，一切议论被王翦浑厚高亮的嗓音淹没。

"好！巴氏远见卓识，为大秦将士着想，本将感怀。"王翦对巴清拱手作揖，眉宇间尽是沙场英气，谈吐中真挚盈溢。

嬴政看着巴清的目光殷切明动，含笑颔首，心生敬佩，肃然起声，"巴氏之论，寡人十分期待。寡人便将百工学堂与船舶置业全权交予你来筹办。"言罢，他剑眉飞扬，巡视百官，凛然道，"希望日后，君臣同心，官商齐力，不计前嫌，共谋大计。"

她微愣，抬眸迎上他璀璨如星的双眼，欣然莞尔，重重叩首："民女定不负王恩。"

百官附议，声彻殿堂。

朝议罢，嬴政借细商国策为借口将巴清留宿宫中。

午后暖日融融，晴丝袅绕着九重宫阙、七宝楼台，绚烂辉煌。

嬴政遣退随侍，与她漫步花园。园中木槿花簇簇傲然迎风，纷飞在她光彩盈动的青丝，粘停在她如画的额首，好似一点朱砂，温柔了眉宇的峥嵘，衬出她渐渐消逝的绝代芳华。

她捻起一瓣落花，调笑声如歌似水："想不到大王也有'假公济私'之时。"

"你不好好自省与隗林私下的谋算，竟还说起我来。急流漩涡之中，计划远不如变化多端。日后莫要再像今日朝议那般莽撞。"他抬手折下一朵粉色木槿，别上她鬓边，口中义正词严，眼神中却是满满的浓情似蜜。

她粲然一笑，转身望着满园娇艳闪烁的繁花，思忆飞驰，五味陈杂，"民女记得，初入宫时，与大王在这里聊了许久。那晚，大王说，木槿的开败与日出日落同时，反复无穷，亘古不变，喻意甚好。如今数年已过，繁花好景依旧。唯独民女容颜不再……"

其实，她想说的，不是容颜不再，而是身体较之从前的渐衰。

他从身后抱住她，打断她的话，轻而绵柔："胡说。寡人希望的不仅是大秦千秋万代，更愿花常在，人常在，情常在。"说着，他越拥越紧，像是要将她融入骨血一般，响在她耳畔的嗓音沉着得让她一听便会安心，"大秦围赵救燕旗开得胜。一统天下指日可待。我们的约定很快就会实现。很快。"

她发丝随锦袍倾下，缠绕住他环在腰际的双手。

二人脸颊相贴，无声胜有声。

此时此刻，他与她更希望时光能流逝得像灿阳投下的日影一样缓慢。

第四十九章

铁血皇图

　　大秦一统天下之战终于开篇。

　　七国最后的角逐终见真章。

　　秦王政十一年夏末，嬴政取李斯之计，一面派间谍隐踪匿迹地分赴燕赵两国挑起战争，一面整训三军蓄势待发。

　　入冬，燕赵酣战之际，秦当即以援燕抗赵之名下令攻赵。看似履行盟友之约，实则意在夺取赵国战略要地阏与，及为攻打韩国除去后患。

　　嬴政沙场点兵，剑指长空，气贯长虹。大营鼓角齐鸣，三军将士应如雷霆。战歌传，炽血燃。黑压压三十万秦军兵马挥鞭齐发东北。铁蹄卷狂雷，震得江潮如沸。

　　嬴政取尉缭战略，兵分三路：西由大将军王翦领军于太行山交战；西北由上将军杨端和带兵攻破邯郸屏障韩阳；南由前将军桓齮拿下安阳，使得赵都邯郸与秦军只剩下一条漳水与少数城邑相隔。

　　三路秦军集结南下直逼邯郸。然途中遇赵二十万大军及百姓顽强抗击。

　　两军僵持之际，嬴政下令弃攻为守，将攻下的城池编为秦国郡县，并收缴一切民间兵器，安抚当地百姓，稳固统治。

　　一场围赵救燕的争斗，看似以三国各留实力而不了了之，实则秦已获利颇丰。看似天下又归平静，实则大秦的千刀万刃已悄悄对准韩国。

　　韩国乃扼制秦由函谷关东进的战略要地，欲吞并六国，必先灭韩。

秦军休养几时，便对韩发起了连番进攻。韩国地小，安王怯懦，秦军每次出动仅用几万精兵便可威慑掠夺。

攻韩同时，尉缭举兵二十万再次攻赵，使得赵无暇助韩，更令邻近的魏国吓得缩头不出。

韩国几番割让仍灭亡难免。秦王政十七年，嬴政派大将军内史腾率五万精兵再度攻韩。

韩都宛沦陷，韩王被俘，韩国成为最先被灭之国。

五年间，较之对韩的节节胜利，秦攻赵却是屡屡惨败。

赵起用威震边疆、战斗力最强的名将李牧反击。李牧率军迎战秦汹汹而来的南北两路大军，北上驱逐，回师南进，机动灵活，风驰电掣，声势所及，锐不可当，以致漳河沿岸的秦军闻讯不战而走，上党等地秦军纷纷撤退。

然赵国接连大胜，隐患却渐渐显露。赵国兵力损失后难以补充，根本无法与秦持久作战，只有立即寻求外援。而燕、赵关系欠佳，楚、魏一个与秦交好，一个自身难保，唯一可试试的只剩齐国。

李斯早已察觉赵的企图，着一批策士于赵使先一步到齐游说。几番唇舌暗战，齐终选择亲秦。

赵被孤立，败势已定。秦紧抓良机，发动了又一次大规模的攻势。这一次进击分明暗双刃。一面由尉缭统帅大军沙场征伐，一面由李斯运筹反间赵国君臣。

秦重金收买赵王宠臣郭开，使其诬蔑李牧、司马尚企图谋反。赵王不分青红皂白将两位良将轻率罢免，并昏庸地将李牧杀害。

紧要关头，赵又发生了地震与特大旱灾。当各地纷纷开仓救济时却发现仓内虚空，无力相助。因由要追溯到五年前。嬴政亲政后，纳巴清取他国之物为己用的建议，将秦国货币与黄金的兑换比例下调至低于六国，吸引大量外国商客来秦经营，使秦赚取大量黄金。随后，治粟内史隗林委任巴清与铜矿大商王氏持黄金分赴各国大量采粮购药，充备军需。二人遣心腹游走六国各地。他们一面在丰收之际以高价收购百姓囤粮，一面收买地方长官以防精明者举报。久而久之，许多地方百姓不思其他而专心种田，却不知是在为别国来日攻打己国筹备粮饷。许多地方官吏贪慕商户赠送的钱财，私自调升税

收比例，暗中售卖仓廪粮食。其间，有精忠者怒而揭发，愤而上报，却不知各国诸多高官已被李斯派出的间谍说服亲秦。贪吏们将奏折隐瞒，君主们丝毫不知情。而知情的君主们则听信佞臣谗言，竟认为无关紧要。

百姓浑然不知。仓廪步步抽空。待到灾祸突生，方觉大梦初醒。然亡羊补牢已是太晚，笼修缮，羊已丢。

天时地利人和。秦军兵临城下，赵王开城投降。秦随即运输大批粮食、钱财救济困于灾荒的赵国百姓。被饥饿与恐惧笼罩的流离失所的百姓们，见到秦王如此厚待，不禁感激臣服。当他们捧着救星般的谷粒时，全然忘记，秦送来的粮食多半都出自他们自己的农田。

赵国灭亡的始末让邻近的魏国疑神疑鬼。他们并没有思考如何防止内患，如何阻挡外忧，而是在探讨赵国的天灾怎来得这般及时，仿佛冥冥中自有天意。越讨论越恐慌，越讨论越觉着自己快要灭亡，以至魏王假主动割地求和，并每日三拜先祖，四叩天地。

可若自己无用，就是天也爱莫能助。魏王的祈祷丝毫没有奏效。亡国的速度比韩国还要不堪。

秦王政二十二年，秦军大将王贲奉命进攻魏都大梁。统帅尉缭考虑大梁城垣坚固，地势特殊，引大沟之水冲灌。大梁仅三个月便城垣崩塌。魏王出降。秦几乎未有损兵折将。

魏国向来以文明大国、礼仪之邦自居，自百年前便嘲笑秦国粗俗贫瘠，如今却轰然倒塌。大将王贲斩下魏王头颅高悬在魏王宫门前。他负手挺立，仰望着贝阙珠宫，嗤之一笑，鄙夷道："家国岌岌可危而不救，百姓水深火热而不顾，还有脸谈文明，谈礼仪？真笑死人也。"

六国已有三国被灭。燕王喜越发认为秦当初的交好盟约只是权宜之计。他望着燕赵边界驻扎的秦军惶惶不可终日。经过几番朝堂商议，燕最终想出了孤注一掷的暗杀行动。他们千挑万选出一个名为荆轲的勇士。为能顺利接近嬴政，燕王令荆轲带上了投靠燕国的秦国叛将樊於期的头颅，附加燕督亢的地图。

易水河畔，君臣白衣送别。荆轲对太子丹三叩拜别，临行时感慨悲歌："风萧萧兮易水寒，壮士一去兮不复还。探虎穴兮入蛟宫，仰天呼气兮成白虹。"唱罢，毅然驾马赴秦，决不回顾。

这一曲感天动地的诀别，道出了荆轲的悲惨结局，也预示了燕的加速灭亡。

刺杀是最愚蠢的办法。秦交好燕、齐、楚的假面已经撕破。楚此时亦受到秦二十万大军攻击。燕应立即与楚联合，南北夹击使秦分身不暇。然而，燕却选择了刺杀这一失足成千古笑的机巧之计。

结果便是楚重挫秦军，气势大振。燕刺杀失败，坐以待毙。

总想以一人之力解举国之危的燕，从不曾反省当初堂堂大国沦落至此又怎是一人所致。

冰冻三尺非一日之寒。百年来，各国或变革，或强兵，唯独燕固执旧法，一成不变。历代燕王更是昏昏度日，胆小如鼠，为求一时之安动辄割地赔款，大好的沃土家园日日缩减。各种税收层出不穷，百姓苦不堪言。

最可悲的是，秦大举攻燕时，燕王喜为能多做几日君主，砍下亲生儿子太子丹的首级敬献嬴政，又割地请为藩国，以此求得休战。

待到秦王政二十五年，大将王贲奉命讨伐燕残余势力。燕王喜被俘获，痛哭流涕，跪地求饶，毫无半点气节，实乃六国中最令人不齿的亡国之君。

燕虽比楚晚一年灭亡，实际在秦王政二十一年时便已国破。相较燕的狼狈畏缩，楚则锐气旺盛，斗志昂扬。

秦初次大举攻楚时，嬴政弃提出非六十万兵力不可的老将王翦，择只说用二十万便可的年轻统帅李信。结果，二十万大军损失惨重。

嬴政痛定思痛，移樽就教，亲往王翦家乡频阳，请其再次挂帅。他虚心求教，不吝叩拜，对王翦种种要求一一满足。

王者错，抛尊卑，敢担当，有此度量方能扭转败局，长久居位。

王翦答应后并未立即出战，而是与尉缭一同向嬴政谏言，道楚与赵皆有坚强的战斗意志，是能战能守的军队，应避其刚刚大胜锋芒，先攻北燕，以防两国联手夹击。嬴政听取建议，矛头对准燕国。破燕后，王翦随即重整兵力大举东进。

楚将项燕早已集中楚军主力于寿春淮河北岸地区等待秦军。王翦面对沙场上赫赫有名的楚国名将项燕，以退为进，丝毫不急于迎战。

王翦命部队在商水、上蔡、平舆一带地区构筑坚垒，进行固守，休整待命。

双方相持数月未见交战。

项燕乃智勇双全的名将，然再忠良的将士也架不住无知乱来的君主。

楚王负刍见两军毫无动静，便责怪项燕怯战，派人数度催促主动进攻。项燕只得向秦军开战，但秦军不予理睬，依旧好吃好睡。

项燕无奈，引军东去，士气全无。就在此时，王翦立即令全军追击。双方于涡河交手。项燕眼见颓败之势显露，立即下令撤军东逃。王翦追至蕲南，平定楚属各地后挥兵直取都城寿春。楚王熊负刍被俘。

一身王袍，颓废倦怠的负刍哆哆嗦嗦地看着手持寒光宝剑、大步进殿的王翦，不禁对自己催促项燕进攻的决定懊悔不已。

不懂就应少言多闻，倚仗权力在手便指指点点，好似天下万般事无一不精，岂不知是赔了性命又折兵。

负刍自杀。

看似号称南方赫赫强国的楚冰消瓦解，实则金戈铁马收，乱局竟未息。

败北的项燕并未追随他的君主负刍殉国，而是带领剩下的将士北上，疾奔已被秦占领多年的郢陈。他要去找昌平君熊启，这是早已筹谋好的计划。

韩被灭后，新郑的百姓比胆小如鼠的亡国君安更有骨气。他们集结当地士兵反秦，使郢陈的楚民们叛逆之心大振，也让嬴政颇为头疼。攻占之地若无法稳定，如何安心征伐。

正当嬴政愁眉不展之际，安静地几乎快被朝野遗忘的昌平君有了动静。不动则已，一动惊人。他主动请求前往郢陈稳定局势。楚国公子安抚楚人是最好的选择。然自嫪毐之乱后，嬴政对昌平君戒心甚深，若同意，极可能放虎归山。

旁人皆认为这般野心昭然若揭的请求按常理绝不会得到应允，且极易弄巧成拙，赔上性命。昌平君却愿赌上一赌。他与嬴政明和暗争多年，可称得上知己知彼。嬴政的多疑他再清楚不过，此次决定也是绝处逢生的一着险棋。

昌平君从未将嬴政当作一个常人看待。如何让一个不寻常的重疑之人相信自己？他彻夜难眠，辗转反侧。他想，多疑之人最缺乏的是安全感与忠诚，也许一切恩怨开诚布公才是最好的助力。常人也许会在明了后杀了自己，但不寻常的人也许会反其道行之。

当然，这仅仅是猜测，无异于一场生死为注的豪赌。黑衣军士几次劝阻，昌平君仍执意要行。他知道这是最后的机会，绝不能错过。与其待在囚笼般的府里受人监视，坐等灭楚后的极刑，倒不如竭力争取，败也无憾。

他整装戴冠，进宫觐见，将自己从开始到现在的所有筹谋一一讲出，并直言自己愿将功赎罪，从此不怀二心。

昌平君一言一行从容镇定，让嬴政颇感意外。意外之外，又感安心。嬴政只稍思片刻便欣然答应。二人交谈不过半时。昌平君心中大喜，认为是天助自己。随后，他即刻收拾行囊赶往郢陈，实施最后的计划。

嬴政之所以这般轻易应允，并非真的相信昌平君有臣服之心。

敌人突然的坦诚，多半是认输求生或另一阴谋的开始。

然于嬴政而言，安抚民心才是当务之急。昌文君担任相国多有不便。昌平君是最好的选择。嬴政相信，即便昌平君心怀不轨，只要派人监视，约束言行，定难起飓风大浪。

然而，嬴政失算了。他万万没想到，在郢陈安分守己、待了三年的昌平君，突然与败逃的项燕联合夹击刚刚大胜的王翦部队，大挫二十万秦军。接着，项燕趁势西进深入新郑，得到原韩民支持的战报便呈在嬴政书案。

嬴政还未从惊诧懊悔中走出，又接到了昌平君自立为王的消息。他怒发冲冠，当即披甲离都，钦点三十万大军连夜赶赴郢陈。

这是两大权术高手的最后对决。这是嬴政一生中唯一一次随军出征。他要亲手了结这个如梦魇般的敌人。

昌平君到达郢陈后，一面装腔作势安抚百姓，一面暗中搜集监视自己的官吏，与驻守武将本人及族人的违法之举，有则最好，无则捏造，一一威逼利诱，令其策反。

然后，他又鼓动原楚国与韩国的百姓生发叛秦之心，暗中调遣楚兵入境。三年内，楚王负刍命项燕攻打郢陈三次，次次败北。楚兵以归降之计混入秦军。一切都悄无声息。平波之下暗流汹涌。

有时，敌强不可怕，可怕的是盟友无用。昌平君虽与兄长早已约定，待秦军大举进攻时，南北夹击，共同防卫，但负刍面对王翦以退为进之策毫无远见，刚愎自用，以至于两军交战地点更加南下，使郢陈援军根本接应不及。

负刍因自己的愚蠢提早结束了性命。他到死也不知自己的弟弟曾与项燕私下的备约是：若不慎败阵，尔不必拼死对抗，可弃寿春奔郢陈。吾将尊尔摄政大将军，共谋大计。

可纵使昌平君有二十万兵将与百姓操戈相助，仍敌不过骁勇善战的秦军。秦军将士见大王亲临沙场，士气更振。项燕被王翦斩杀，嬴政率军直捣昌平君王庭。

风动天，流云曳，残阳洒。

古老的殿宇在萧索的凉风中弥漫出绝世的凄凉。

昌平君一身玄色王袍，头戴九帘冠冕，负手挺立大殿中央，沉默如天边缓缓下沉的落日，透着一种难言的孤独与悲怆。

他望着疾步进殿的嬴政，淡淡然笑了，神态安然，温雅如常，悲喜难辨。

他盯着嬴政，双眼深邃晦暗，平静道："我在想，你踏着尸骨坐享的天下，将来会是谁夺走它。是江湖上的英雄豪杰？还是口口声声宣示忠心的臣子？或者，根本就是你心心念念的枕边人。"稍顿，他长吁口气，环视着殿内因年久而略显黯然的金饰，悠悠然接道："没有哪个家国能够长盛不衰。此乃自然之理。终有一日，秦会如六国一样破败不堪。你的子孙会如六国君主一般落魄丧胆。"

"大胆！"王翦厉声呵斥，挥手索命。

数十支利箭刹那间齐齐射出。冷锋穿心，血脉静止。昌平君身子一震，踉跄倒地，双目圆睁，生死一瞬。

嬴政不屑一顾，转身出殿，始终未言，只是握着太阿剑的手自听到那一句"根本就是你心心念念的枕边人"时缓缓攥紧。

一统之战终于接近尾声。

在秦军并灭其他五国时，齐一直置身事外，安心地坐视各国灭亡。

齐国君主田建继位四十余年，昏昏无为，整日吃喝玩乐，莺歌燕舞，将大小政事统统交予辅政相国后胜。殊不知，贪财无厌的后胜早已被秦收买，一直在为秦远交近攻的策略效劳。朝野上下被后胜治理得无丝毫斗志；贵族奢靡成风，官吏无贪不欢。

齐王有一嗜好，便是以艺定官品。许多文武大臣不学点吹拉弹唱绝不敢参加田建的宴席，以免被点名表演后因才艺不精遭到贬黜。久而久之，齐国官员个个多才多艺的"佳话"传遍六国，成了坊间的笑谈。

有因此被贬黜者，自然有平步青云者。上将军姜仲次子姜英，丝毫未继承其父的大将风范，而是钟情歌舞表演，时常在军营中杂耍弹唱，以供士兵消遣。

姜仲对次子所好十分不满。田建却对其颇为赞赏，竟毫不犹豫地开口封其为左庶长。

左庶长乃第十级军功爵，是许多将士们穷尽一生都在追求的荣誉。姜英仅凭着伶人身份便轻而易举获封，不禁非议丛生。

三军诸多将士从军多年，沙场拼死，伤痕累累，到头来却不如一个伶人，当真心寒不齿。赤心忠胆可还须有？流血牺牲可还值得？

此例一出，贪慕权财者纷纷效仿，顿时朝野上下又腾起一片乌烟瘴气。

长此以往，齐国军事荒废，上下宴然，不存兵革，不修战备。国政达到了惊人的麻木。

秦灭六国时，齐拥七十余座城邑，称得上泱泱大国，但仍不堪一击。

秦王政二十六年，大将王贲领军由燕南部对齐北境突然进攻，直趋齐都临淄。齐竟毫无作战准备，应战之兵都难齐整。

齐王田建不战而降，被送于荒郊野岭，饿死于松柏之间，得到了应有的下场。

眨眼间，屹立近千年，几度辉煌繁荣的大齐土崩瓦解。

华夏大地上几百年来七国争雄的篇章终于结束。

万家炊烟起，九州归平静。横波曲澜，灯火如画。江水滔滔，流尽沉沙。

各国百姓不禁遐想，未来是否再不会有折戟沉沙，城池倾踏，血色红涯。

六国的降臣们危泣自问，究竟是什么实现了大秦的凤愿？

　　从商鞅变法的重农重军，富国强兵，到历代秦王的招才纳士，励精图治，确实让秦崛起强盛，疆土频扩。可即便如此，再加上谋臣竭虑，名将攻伐，战略得当，仍旧不够。使秦军摧枯拉朽，势如破竹的关键，是六国国势的落后衰弱，是六国君主的昏庸怯懦，是六国臣民的麻木贪婪。

　　待到国破家亡时再叹追悔莫及，再想从头来过，何用？

第五十章

千年密辛

世事随流水，且清且浑浊，蹚过悲喜枯荣，黄沙浮尘成冢。

回首历史长河，风浪淘尽传说。

世人皆知，骊山脚下的秦始皇陵，神秘莫测，冠绝古今，代代相传慨叹，千年谈论无止，无数盗墓者为之疯狂痴迷，前赴后继，死而后已。

世人皆知，千古一帝嬴政为长生寻遍四海九州，病入膏肓亦不远万里，涉过重山暮雪，行至天之尽头，日夜运石造桥，填海不休，数度虔诚祈祷，续命延寿。

世人不知，陵非始皇一人的陵，不知始皇从不信仙鬼神明，不知长生实为回生，不知嬴政强撑病体负手立在直插入海、峭壁如削、乱石迸云的天尽头，听着响在渐渐苍茫暮色里的裂岸惊涛，望着连接苍穹的激激金波，对身旁亦臣亦知己，双鬓斑白的宰相李斯平静相问："爱卿以为徐福这一去，当真能寻到仙草？"

李斯垂首，双目黯淡，话言半止："臣希望可以，但……"

嬴政微微眯起双眼，迎着夕阳散出的缕缕霞光，淡然一笑："若仙岛仙人只是虚妄一场，那寡人便早些与她棺中相伴，早些陪她地宫长眠。届时，夜明珠饰金顶如日月星辰，鱼油灯照宫宇长明不灭，赤帝流珠做江河湖海永不沉寂。无须轮回，不必来世，生死如一，永不分离。"

"清儿不能回生，寡人何以长生。"这是嬴政离开天尽头，返回咸阳时，

面对浩瀚无际、烟波浩渺的沧沧东海留下的最后一句话。

始皇嬴政初次登临天尽头是在一统六国后的第三年三月十五日。那时，巴清已躺在棺中一年零一月。

她陪他走过了十载惊蛰寒冬，看了千百次月圆月缺，花开花谢，可偏偏在他称帝，欲与她一同见证天下归一，共创大秦盛世时撒手人寰，撇下他一人在月上柳梢的黄昏，独坐锦簇的木槿花丛中，任由凉风盈袖，孤灯映身，执琥珀酒一钟，一遍又一遍地回忆往日种种。

他十三岁那一年仲夏，她执伞扶住几欲昏倒的他。

当他目光循着臂腕上的柔荑纤手蜿蜒而上，看到她净如明月的玉颜时，便凝眸怔愣，情愫涌动。

萍水相逢后的一见生情太容易，生情后恒久不变的钟情太不易。那时的他对一见钟情多是懵懂，只想着一眼过后再看一眼，再见之后还要再见。

许多情始于喜欢，止于了解。可他发现，见之越频，处之越久，越觉得春雨、夏雷、秋霜、冬雪、江山、渔火都变得婉约，三魂七魄都因她极尽温柔，凝视她如星双眸时呼吸都在颤抖。

若说他最初的心动是因她的善良与美丽，那么时光荏苒后的痴情，则是因她巾帼不让须眉的智谋与胸襟，因她对家国天下的赤胆，以及敢于冲破世俗，随心追逐的勇气。

自相识相知到惺惺相惜，再到相伴白头，再华丽的辞藻也描绘不了她对他的重要。

他这一生遇到形形色色男女无数，唯有她让他念念不忘，让他执意生要同衾，死要同陵，至终不渝。

他是创新世，谋大业，功在万世的王者，是数千年内最铁血强势，睥睨天下的帝皇。

她是叱咤风云，富可敌国的寡妇，是数千年内唯一一个辅王侯立将相，纵横天下的女商。

他与她的种种，如日与月的相逢，惊了世骇了俗，让千秋之后的人们笑言怎么可能，却又真的发生。

自他懂事起，便认定世上的人只有两种，要么成王享荣华，要么败寇阶下囚。

在他眼中，所谓命途也不过两路，要么龙凤冲九天，要么鹰犬绳索牵。

不论人与路，他皆择前者。

自他坐上王位起，怀宏图忍辱负重，度臣意，拢将心，制衡术，大杀伐，一生权力角逐，旗鼓金戈，铁马山河，自觉尘世如一盘棋局，进退攻防，运筹虚实，对阵之人来了又去，无一可胜。

面对豺狼虎豹云集的朝野，面对骄纵跋扈，揣明枪藏暗箭的元老与权臣，他从未有半分胆怯，自诩战无不胜。

直至与她对阵，他第一子落下时便乱了方寸，不觉间步步退让，最后竟拱手送了兵将，任由她跨河越界攻占腹地。

这是他一生中唯一一次甘心服输，情愿被对手左右。

这一局恩怨情仇的对弈，他输得彻底，输得连发自本性的冷漠、狠戾、霸气、多疑都统统消匿。

昌平君深谙诛心之术，诸多谋事上运用得可谓攻无不克，对对手更是极尽所能地去琢磨参透。他为登上权力巅峰走火入魔一生，死也不休。临终前，他含恨说的那一番话，为的就是让巴清与嬴政不得安宁。

没有什么比被至爱之人背叛与欺瞒更摧毁人的心智。尤其，嬴政这般多疑狠戾的帝王，越是看重越是难容。

昌平君欲报复，又岂会寥寥几句。

一波起后更有巨浪。

嬴政灭昌平君班师回朝后听到的第一句流言便是："蜀国后裔巴寡妇清，隐姓埋名成巨贾，惑秦王，控群臣，只等华夏一统，灭嬴族，雪国恨，兵戈屠戮。"

这是何等的大逆不道。编造者当诛。流言所说者当灭九族。

一时间，"大秦是否会在秦王政手中更名改姓"的疑问，成了百姓们最热衷的话题。

　　嬴政坐在銮驾内，回味着满城的流言，撩起华帘瞥了眼街边跪地叩拜、交头接耳的百姓，命一旁的千夫长唤来率军前行的大将王翦。

　　待王翦銮驾前听命，他未有多言，只平静几句："六国四灭。燕、齐亡数已定。为防征平之地再生郢陈之乱，传令各郡县，收民众之兵聚至咸阳。"

　　王翦领命而去。他则闭目安坐，神态怡然。

　　此时，王宫门外已聚集了二十余名大臣。他们分立坐雕夔兽两侧，等待嬴政归来，为巴清一事。

　　左夔兽旁的十七人为王室外戚与贵族公侯。

　　右侧十人是以李斯为首的一干官吏。

　　两派臣子互不理睬，面色凝重，似刚刚生过争吵。

　　在嬴政决定亲征郢陈的一月前，昌平君便将巴清的身世，以及郑方士与自己所有的筹谋统统亲笔写下。其中人事千丝万缕，真亦真，假亦假，黑白难分。

　　昌平君遣黑衣军士乔装入咸阳，若楚军败亡便将写满惊心字句的信帛交予王室贵族与封地侯爵。

　　贵族侯爵几次三番被吕不韦、巴清、李斯打压，怨恨难纾，遇此良机怎能错过，必会添枝加叶，捏造罪证，再掀一场血雨腥风。

　　銮驾缓缓行近宫门。嬴政盯着前方一群恭敬垂首的朝臣，神色如常。

　　朝臣们的目的他心中了然，只淡淡看着众人纷纷上前叩拜，好似一切都无关痛痒。

　　众臣礼毕。长乐侯拖膝上前再叩首，手托奏简上呈，愤愤高声："妖妇祸国，祸乱大秦江山。臣等恳请大王即刻除之，诛族灭门，永绝后患！"

　　一声未静，一声又起，似十万火急。

　　一苍老贵戚出列，跪地拧眉皱脸，咬牙切齿道："大王明鉴！臣几经查验，证实十一年前初冬那晚的秦宫刺杀，让十余名王亲国戚惨死的罪魁祸首就是巴清与郑方士！他们同是蜀国后裔，同为昌平君谋事，一切皆为复国雪耻，灭嬴族而后快！妖妇更暗中勾结西南各族国，欲与楚联盟对秦不轨。诸多罪行臣已尽书奏简。另有昌平君亲笔书信及一干证据，只待大王审阅。兹事体大，关系社稷，望大王尽早除妖妇，保江山，让死去的王亲们瞑目。"

千夫长托着一卷卷奏简呈与嬴政。嬴政随意取来一卷翻看，漫不经心。

欲加之罪，何患无辞。老贵族们一个接一个地进言。字字如刀，刀刀致命。

"一派胡言！"李斯再难容忍，高声喝止，旋即对嬴政重重一拜，沉着道，"臣愿以性命担保，巴氏赤胆忠心，绝无二意！大王万不要听信传言！"

长乐侯斜睨李斯，轻笑两声，质问："性命担保？李廷尉有几个脑袋？你这般袒护，莫不是与那妖妇有何见不得人的勾当？"不待李斯回应，又眯眼冷笑，鄙夷道，"想来，那妖妇能有今天是离不开吕不韦、嫪毐、昌平君，还有李廷尉的相助。李廷尉，你效忠的究竟是秦，还是蜀？"

"本官与巴夫人以往所提政见哪一件不是为民为国为秦而谋？尔等如此栽赃嫁祸，究竟是为江山担忧，还是公报私仇！"李斯横眉怒视，毫不客气。

宫门外顿时一片唇枪舌剑。直率的领军老将王翦实在看不下去，冷声呵斥："你们激动个甚！巴氏是忠是奸，大王自会分辨。身为九卿、侯爵不各理职事，却为一个女人在宫门外吵吵嚷嚷，成何体统！若真有谋逆之嫌，难不成大秦将士都是吃干饭的吗！"

王翦粗犷的话压制了朝臣们的争吵。长乐侯与前排几名侯爵颇为尴尬。

李斯轻舒口气，紧绷的神经稍有松缓，垂下头再未言语。

嬴政似被王翦的话逗乐，他挑眉一笑，挥手示意銮驾继续前行，始终不语。

嬴政无心斟酌理会贵族的上奏，此时最想听的是巴清的回答。突来的变故着实让他心海翻腾，但绝非造事者所期盼的那般。

他本欲先回咸阳宫换身常衣，再往凤宸殿见她，谁知銮驾刚入宫门，前方便出现她纤弱的身影。

她终究未能如当初与他约定的那般，终究未能待得天下一统再风光进宫。曾经中的毒与受的伤，早已在她身体中埋下了隐患，加之积年累月的劳累，她病如山倒。这一病便再未痊愈。嬴政亦再未顺着她的心思，执意将她接进宫中调养。

算来，她已入宫五年。自去年冬，她的病情反反复复，身体一日不如一日。

　　她行走在空冷的甬路上，夕阳映着她苍白的面颊，血色淡薄的唇轻启，呼吸因疾行与惊恐变得急促。当年那回眸一笑倾人心的花容已消逝大半，红得厉害的眼角旁是丝丝细纹，不再澄澈的水眸泛着浅浅哀痛。

　　她看到他，脚下绵软的步子忽地加快，几乎用尽了所有力气提起裙摆朝他飞奔而来，连身后的侍婢亦跟得有些吃力。

　　他一愣，赶忙命太仆停驾，急匆匆下车，向她跑去。

　　她未近他身，泪却先流。

　　与他五步之遥时，她方才的气力仿佛一下被抽空，双膝扑通跪地，口中是哽咽的恳求："妾欺君罪该万死，请大王念在往昔情分，放过巴氏族人与门下仆从。"

　　他看着她又变消瘦的脸庞，眼露怜惜，心中揪痛，弯腰扶起，却被她紧紧攥住宽大的袖袍。

　　她仰头定定地看他，本就苍白的脸更加苍白，晶莹从水烟荡漾的眸中滚落坠地，话中带着难以压抑的颤抖："我真的从未想过伤害你，更未想夺你的江山。我的身世我无法选择，但我不愿一生都背负着亡国后裔应复仇雪恨的包袱。我不在乎什么前尘恩怨，只怕你因此疏远我，怕连累那些无辜的人……"

　　此事若计较起来，将有近千人遭难。面对如此惊天之灾，向来自觉十分了解嬴政脾性的巴清心头蓦地蹿出慌乱与无措。

　　当年，嬴政对弟弟长安君成蟜的处罚令所有人胆寒。她亦难忘。她得知流言后寝食难安，不断地想着成蟜一事会不会在自己身上重演。

　　凉风习习，日没西山。宫灯一盏盏点燃，照亮昏黄无尽的甬路。

　　二人高长的身影映上厚凉的宫墙，颇有几分荒寒。

　　他眉头皱起，解下披风裹住她颤抖瘦弱的纤体，环住她腰肢，一把将她提起，温软的声音响在她耳畔："你知不知道，最让我心痛的不是你隐瞒身世，不是那些虚虚实实的言行，而是你让我念往日情分放过他人。难道我们这许多年的情分连一句流言蜚语也抵不过吗？"

　　她怔怔地看着他，一时不知作何回答，唯眼中的泪无休地滑落。

　　他抬手拭去她脸上的泪滴，将她随风飘得凌乱的发丝捋顺别至耳后，握住她冰凉的手，温柔一笑："安心。过些时日，我会给你，给朝臣，给天下人一个交代。"

嬴政果然给了天下人一个交代。

许多看似盘根错节、惊天动地的大事往往有着最简单的处理方法，尤其于嬴政这般说一不二、威慑百官的君王。

嬴政将老贵族们呈上的卷卷奏简与证据，扔给了执掌刑狱的廷尉李斯。所有罪证言辞统统查验。一切依法行事。

诛心之术制胜的关键，是扰敌智以控敌行。若激不起嬴政的多疑与怨怒，一切都是枉然。

真真假假的罪证终逃不过李斯锐利的狼目。最终审判的结果，除却巴清自己提早承认的身世外，谋逆等其他恶行因证据不足，与律不符，无罪可定。

老贵族们颓丧之际，又揪住巴清的身世不放，拿传遍坊间的流言大做文章，五次三番地聚集咸阳宫门外含泪控诉。

嬴政对此只付之一笑，道："祸由流言生，便由流言止。待到天下一统时，众卿且看大秦江山谁主。"

秦王政二十六年，天下初兼。

嬴政下令聚各地之兵至之咸阳，销以为钟镰金人十二，置廷咸阳宫大殿前宽阔的广场，邀百官赏。

观赏之日正是她生辰之时，是她在世上最后的一个生日。

她早就察觉到身体如一枝失去水源的花日日枯萎，但未显出半点忧伤无措，反倒在本应卧床休养时，精神十足地照顾他。

他曾说喜欢吃她做的菜，她便认真请教御厨，美味佳肴日日不重。

他要挑灯批阅奏折，她便安静在他身旁研墨添香。

后来，她干脆搬至咸阳宫与他同住，看着他日出日暮，习文练武。

可他看着她若无其事的笑颜，想着又一次月落日出，心底的痛不断扩大，如被猛兽血口撕扯，如被落雨般的碎石直直坠砸出千疮百孔。

初雪似朵朵白梅，盛开在王城半空，随风飘摇零落，触到她露在广袖外的指尖，凉意侵肌。再盛的装与容亦掩不住她越发憔悴的形貌。她虚弱的身体已经不住微微冷风的轻拂，迈出大殿的第一步便打了个冷战。

他取来雪白的狐裘为她披好，与她并肩立在咸阳宫大殿前的高台，十指紧扣。

高台下十二座姿态威武的狄服金人巨像，与文武百官同作两列而立。

嬴政握着她手上前一步，面向百官，眼中是傲视众生的意气，口中字字句句皆带着响彻苍穹的威力："天有四时，一时三月。地有四向，共十二支。天地不变，嬴族永生。天地不衰，大秦永昌。"

若世间，有天生便能成为王者的人，那么这个人就是嬴政。

她侧头看他，心中万千情绪翻涌，似烈马奔腾，激起的漫天风沙迷眼，惹得双眸水雾冉冉。

半空的白梅开得更盛，似有凌云之意，像极她当年一心执着登峰，欲穷千里的心气。但此时此刻，她忽然觉得，曾经所有的峥嵘岁月，都不及与他一起时的一日。

她凝思之际，他转头对上她水波荡漾的双目，紧了紧握着的手，将她拉得更近，刚毅瘦削的眉眼含着浓浓温情，"这十二金人更寓意我对你的情，与天齐，与地同。"

数月前，巴煜瑞进宫探望她，提起秦王下令收天下兵却独避巴氏一族。那时，她便了然几分，按理应有心理准备。可当她听着他的话举目四望，想着无多的时日，还是忍不住泪如雨下。

"哭什么。向来不让须眉，坚强果决的巴清怎越发像个小女人了。"他轻笑着抹去她的泪，戏言中藏着一丝微不可察的哽咽。

世间最常见、最残忍的事，便是眼睁睁看着至爱之人一日日衰亡，却无能为力。

他前所未有的希望，天地间真有能祛病长生的仙药。

值此威霸动情之时，廷尉李斯悄然出列，立于百官最前，屈膝跪地，叩首高声道："大王以眇眇之身，兴兵诛暴除乱，履至尊而至六合，定天下而福泽苍生。今名号不更，无以称成功。臣与丞相、博士议曰：'古有天皇，有地皇，有泰皇，以泰皇最贵。'臣昧死上尊号，王为'泰皇'。命为'制'，令为'诏'，天子自称'朕'。如此，方显王之盖世功德，镇四海之威。"

音落，右相王绾等数名臣子相继出列，齐齐俯首请命。

李斯之所以取"泰皇"，实乃认为已是无可附加的尊贵。嬴政亦知其中典故，闻之可行，未有犹豫，笑而首肯。

然而，就在太常欲出列领旨，将此号载入颁行天下的诏书中时，巴清开口打断了百官的迎颂。

"各位大人所言差矣。"她俯视百官，目光凛然。

百官错愕抬头，齐齐向她望去。

他亦惊诧地看她，不明所以。

众人心中无不猜测，她的所言之差，差在哪里？

她淡淡一笑，下颏微扬，清音伴着漫天飞雪于宫宇之间回荡："不论前人种种，还看华夏一统，后人如何传颂。当今秦王使海内为郡县，法令一统，创新世，千秋受益，自上古以来未有。可谓集三皇之功德于一身，五帝不及。岂是一个泰皇可比？"

众人怔愣间，她呼吸微顿，虚弱的身子已不太能久立在外。

她轻颤着深吸口气，侧头看他，像是攒尽了全身的气力，浓妆淡抹的脸上开出一朵明艳的花儿："妾以为，应去泰，著皇，采上古'帝'号，曰'皇帝'。号前再添一字'始'，称'始皇帝'。我夫，千古之始，万世之师。"

她的声音虽干脆轻软，但器宇却一如当初纵横大江南北，对决王侯公卿时那般悍然无畏。

太阳躲开了云层遮蔽，投下无数缕光，鹅毛细雪瞬间变成漫天的六棱冰花，轻盈而透明，飘落至十二座金人周身时格外斑斓耀眼。

"吾皇，千古之始，万世之师！"

偌大的广场沉寂片时，响起了以李斯为首的数十名官吏的齐声高诵。

大势使然。其他文武公卿亦纷纷叩首跪呼，振聋发聩。

他微笑看她，手缓缓抚上她的面颊，眼中的柔情与骄傲足以绽尘世万花，破九天云霞。

他听得出她话中的宏愿。

不错，想要一统华夏的人不仅仅是他。她是他的女人，必然与他有着同样的心。

一统华夏，一统华夏……他征服天下，她亦征服他。

他朗朗笑罢，面向百官，敕令有三。前两令，废除谥法，李斯晋左相，皆字句简约。唯第三令，巴清封后一事，他满眼幸福，言之滔滔，似是得到了天下至宝。

可他敌得过诸多公卿的反对，却抵不过携洪流汹涌而来的命运。

吉日未到，她便病倒，卧床不起，一切都不再清晰。

即便早知这一日愈来愈近，他亦难以接受，凄凄惶惶，寝食难安，一遍又一遍地询问她的病情，一遍又一遍地命太医研制祛病延年的药方，但都是绝望的语气。

直到自称鬼谷弟子的徐福出现，他才重新燃起一丝希望。

徐福说，有拒死之人，便有再生之术。

徐福说，东海有仙山，名瀛洲，地方四千里，去西岸七十万里，山上有玉石，高千丈，熠熠生光，玉石顶出清泉，味甘香饴，名之玉醴泉，饮之数升，令人永不衰老，玉石壁生神芝仙草，名茯蓉地精，貌似花冠，食之可起死回生。

徐福说，寻得仙药前，未免巴夫人身体受损，可去昆仑山玉珠峰的紫云涧内取来昆仑神木制棺，可万年不朽。

徐福说的一切他都照做，并非他真的相信可以寻到仙药，而是只要仍有一丝希望，不论真假虚实，不论四海九州，他都要竭尽所能地尝试。

万寿无疆是所有帝王的祈盼。

于他而言，没有她，哪还需什么万寿无疆，岁月已是无尽绵长。

"陛下，陛下。"他耳边忽然传来一阵轻声呼唤。

他自梦中醒来，循声看去，原是提灯的宦侍。

"初春夜凉，陛下早些回殿罢。"宦侍再次轻声提醒。

他望了眼案上的空杯，举目四顾，满园的繁华，满眼的荒凉。

他缓缓起身，独自走在池桥之上，短短路途却颇觉孤寂而漫长。

夜风飘来，流萤四散，碧波荡漾。他脚步一顿，侧头望着池内成双的锦鲤，蓦地眼眶湿润。

他忽然想起，当初，她在木槿花盛开的园中，搂住他颈项，依偎在他怀中，带着命无三日的痛，对他轻声哀叹：

> 不惧生死疏狂，
>
> 无畏名利得偿，
>
> 只殇花谢匆忙，
>
> 无缘与君同赏。

　　日月览尽滔滔长河里缠绵的兼葭，流云流走世事的璀璨繁华。风吹旧了佳人遗留的锦画，带起杳杳飞花，散落天涯。枯枝生出新芽。莺飞草长又是一年春夏。

　　始皇嬴政一生传奇，无人可比。但最匪夷所思，最引人遐想之事，便是千古一帝至终后位空悬。

　　对民间的传言与臣子立后的提议，他置若罔闻。

　　夜深人静，星月迷影。

　　他被反复的旧疾折磨得痛苦难眠，起身披衣，缓缓走近床畔的墙壁，凝视着挂在壁上的画像，眼中是无尽的柔情与凄怆。

　　良久，他小心翼翼，待之如宝地抬手轻轻抚上画像，温声笑道："对你的承诺，我一直坚守。"

　　冷月照进，半殿幽光，明亮了画中女子倾城的眉目。

　　那女子丽若春梅绽雪，神如秋蕙披霜，手持着伞，立在大雨倾盆的街巷。正是她与他初遇时的模样。

　　"他日，我若为帝，迎你为后。你若不做，后位便一直为你空悬。"

　　这是他当年对她的承诺。

图书在版编目（CIP）数据

大秦国姐 / 孙闰慧 著. -- 北京：作家出版社，2016.10
ISBN 978-7-5063-9192-4

Ⅰ. ①大… Ⅱ. ①孙… Ⅲ. ①长篇小说 – 中国 – 当代
Ⅳ. ①I247.5

中国版本图书馆CIP数据核字（2016）第254704号

大秦国姐

作　　者：孙闰慧
责任编辑：窦海军　李亚梓
装帧设计：石原里
出版发行：作家出版社
社　　址：北京农展馆南里10号　　　邮　　编：100125
电话传真：86-10-65930756（出版发行部）
　　　　　86-10-65004079（总编室）
　　　　　86-10-65015116（邮购部）
E-mail:zuojia@zuojia.net.cn
http://www.haozuojia.com（作家在线）
印　　刷：三河市紫恒印装有限公司
成品尺寸：170×240
字　　数：403千
印　　张：26.5
版　　次：2016年10月第1版
印　　次：2016年10月第1次印刷
ISBN 978-7-5063-9192-4
定　　价：42.00元